沖縄文教部／琉球政府文教局　発行　[復刻版]

文教時報　第18巻　第121号～第127号／号外19
（1971年2月～1972年4月）

編・解説者　藤澤健一・近藤健一郎

不二出版

『文教時報』第18巻（第121号〜第127号／号外19）復刻にあたって

一、本復刻版では琉球政府文教局によって1952年6月30日に創刊され1972年4月20日刊行の127号まで継続的に刊行された『文教時報』を「通常版」として仮に総称します。復刻版各巻、および別冊収載の総目次などでは、「通常版」の表記を省略しています。

一、第18巻の復刻にあたっては下記の機関に原本提供のご協力をいただきました。記して感謝申し上げます。
　　　沖縄県公文書館

一、原本サイズは、第121号から第127号までＡ５判です。号外19はＢ６変型判です。

一、復刻版本文には、表紙類を含めてすべて墨一色刷り・本文共紙で掲載し、各号に号数インデックスを付しました。なお、表紙の一部をカラー口絵として巻頭に収録しました。また、白頁は適宜割愛しました。

一、史料の中に、人権の視点からみて、不適切な語句、表現、論、あるいは現在からみて明らかな学問上の誤りがある場合でも、歴史的史料の復刻という性質上そのままとしました。

　　　　　　　　　　　　　　　　　　　　　　　　　　　　　　　　（不二出版）

## ◎全巻収録内容

| 復刻版巻数 | 原本号数 | 原本発行年月 |
|---|---|---|
| 第1巻 | 通牒版1〜8 | １９４６年２月〜１９５０年２月 |
| 第2巻 | 1〜9 | １９５２年６月〜１９５４年６月 |
| 第3巻 | 10〜17 | １９５４年９月〜１９５５年９月 |
| 第4巻 | 18〜26 | １９５５年１０月〜１９５６年９月 |
| 第5巻 | 27〜35 | １９５６年１２月〜１９５７年１０月 |
| 第6巻 | 36〜42 | １９５７年１１月〜１９５８年６月 |
| 第7巻 | 43〜51 | １９５８年７月〜１９５９年２月 |
| 第8巻 | 52〜55 | １９５９年３月〜１９５９年６月 |
| 第9巻 | 56〜65 | １９５９年６月〜１９６０年３月 |
| 第10巻 | 66〜73／号外2 | １９６０年４月〜１９６１年２月 |
| 第11巻 | 74〜79／号外4 | １９６１年３月〜１９６２年６月 |
| 第12巻 | 80〜87／号外5〜8 | １９６２年９月〜１９６４年６月 |
| 第13巻 | 88〜95／号外10 | １９６４年６月〜１９６５年６月 |
| 第14巻 | 96〜101／号外11 | １９６５年９月〜１９６６年７月 |
| 第15巻 | 102〜107／号外12、13 | １９６６年８月〜１９６７年９月 |
| 第16巻 | 108〜115／号外14〜16 | １９６７年１０月〜１９６９年３月 |
| 第17巻 | 116〜120／号外17、18 | １９６９年１０月〜１９７０年１１月 |
| 第18巻 | 121〜127／号外19 | １９７１年２月〜１９７２年４月 |
| 付録 | 『琉球の教育』1957（推定）、1959『沖縄教育の概観』1〜8 | １９５７年（推定）〜１９７２年 |
| 別冊 | 解説・総目次・索引 | |

〈第18巻収録内容〉

『文教時報』琉球政府文教局 発行

| 号数 | 表紙記載誌名（奥付誌名） | 発行年月日 |
|---|---|---|
| 第121号 | 文教時報（文教時報） | 1971年2月4日 |
| 第122号 | 文教時報（文教時報） | 1971年3月30日 |
| 第123号 | 文教時報（文教時報） | 1971年5月8日 |
| 第124号 | 文教時報（文教時報） | 1971年6月30日 |
| 第125号 | 文教時報（文教時報） | 1971年10月30日 |
| 号外第19号 | | 1971年10月30日 |
| 第126号 | 文教時報（文教時報） | 1972年1月15日 |
| 第127号 | 文教時報（文教時報） | 1972年4月20日 |

## 『文教時報』復刻刊行の辞

　わたしたちは、沖縄現代史のあゆみをどこまで知っているだろうか。この問いを掲げつつ、第二次大戦後、米軍によって占領されていた時期（1945－1972年）、沖縄・宮古・八重山（一時期、奄美をふくむ）において、文教担当部局が刊行した『文教時報』を復刻する。

　同誌は沖縄文教部、つづいて琉球政府文教局が刊行した。前者では示達事項を中心とした指導書であり、後者では教育行政にかかわる情報、教育についての調査・統計、教室での実践記録や公民館を中心とした社会教育関連記事など、盛り込まれた内容は幅広い。総じて教育広報誌といえる同誌は、発行期間の長さと継続性から、沖縄現代史を分析するうえで、もっとも基礎的な史料のひとつと目される。しかし、これまで同誌は全体像についての理解を欠いたまま、断片的に活用されるにとどまってきた。

　その背景にはなにがあるのか。まず、発行が群島ごとに分割統治されていた時期から琉球政府期にいたるまで四半世紀におよび、雑誌としての性格が変容していることがある。くわえて多くの機関に分蔵されるとともに、附録類、号外や別冊など書誌的な体系が複雑に入り組みつかみにくい。このために本格的な調査が進まなかった。今回、わたしたちは所蔵関係にかかわる基礎調査をふまえ、添付書類までもふくめた全体像の把握に体系的に取り組んだ。その成果をこうして全18巻、付録1に集約して復刻刊行する。解説のほか、総目次や執筆者索引などから構成される別冊をあわせて刊行する。今回の復刻により、教育行政側からみた沖縄現代史について、それを総覧できる史料的な環境がようやく整備されることになる。

　統治者として君臨した、米国側との関係、また、沖縄教職員会をはじめとした教員団体との関係、さらに「復帰」に向けた日本政府や文部省との関係、さらに離島や村落の教育環境など、同誌は変動する沖縄現代史のダイナミズムを体現するかのような史料群となっている。

　沖縄の「復帰」からすでに45年にいたるいま、沖縄研究者はもとより、教育史、占領史、政治史、行政史など複数の領域において、本復刻の成果が活用され、沖縄現代史にかかわる確かな理解が深まることを念じている。物事を判断するためには、うわついた言説に依るのではなく事実経過が知られなければならない。あらためて問いたい。沖縄現代史のあゆみははたしてどこまで知られているか。

　　　　　　　　　　　　　　　　　　（編集委員代表　藤澤健一）

121号

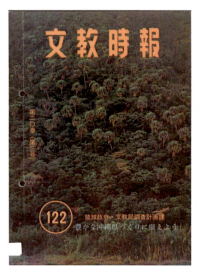

122号

123号

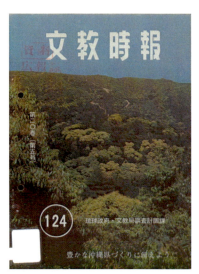

124号

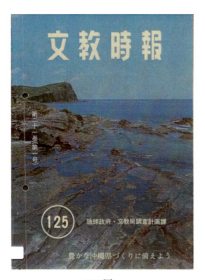

125号

126号

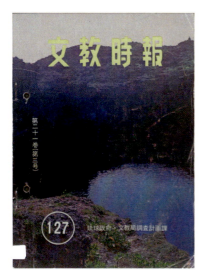

127号

# 文教時報

121

第二〇巻（第二号）

121

琉球政府・文教局総務部調査計画課

写 真 日 誌

**坂田文部大臣来島（9月17日）**
　沖縄の教育事情を視察する目的で9月17日坂田文部大臣が来島した。10時30分に来島して22時10分に帰任するというかけ足日程であったが、訪問先の与那原小学校では児童と給食を共にするというなごやかな一時をすごした。

**全島エイサー大会（9月20日）**
　文教局、沖青協共催の全島エイサー大会は天気の都合で当初の予定より2週間もおくれ、会場も沖縄高校グラウンドに変更して行なわれたが、郷土色豊かな行事とあってなかなかの盛会ぶりであった。

**第1回風疹聴覚障害児教育研究大会（10月26日）**

　三日はしかによる風疹聴覚障害児の教育は最初暗中模索の状態でスタートしたが、数次にわたる指導員の来島や、担当教員の努力によって軌道に乗りつつありこの研究大会の開催により今後一層の発展が期待される。

**第18回全沖縄高校陸上競技大会（10月31日・11月1日）**

　第18回全沖縄高等学校対抗陸上競技大会は秋晴れの好天に恵まれた名護市営グラウンドで開催された。女子走り高跳びで興南の喜瀬選手が1m50をクリヤーし、15年ぶりに沖縄タイ、大会新記録を出したほか、男子走り幅跳その他多数の種目で沖高新や大会新・大会タイ記録等が続出した。また総合成績では名護高校が優勝した。

### 第4回小中学校教頭研究大会（11月5日）

　文教局、公立小中学校教頭会共催による教頭研究大会が11月4～6日にわたり、名護市北部会館を主会場に開催された。70年代の教育と教頭のあり方を大会テーマとしたこの研究大会は10分科会に分れてそれぞれのテーマによるほりさげを行ったほか、「経済開発の問題について」と題する瀬長浩氏の記念講演もあった。

### 農業祭―南部農林（11月15日）

　恒例の農業祭りが去年も各農林高校で行なわれた。南部農林高校でも農業経営、畜産研修、作物研修、その他各クラブによる展示発表のほか、展示即売会等もあって大いに賑わった。

# も く じ

写真日誌
- 坂田文部大臣来島・全島エイサー大会
- 第1回風疹聴覚障害児教育研究大会
- 第18回全沖縄高校対抗陸上競技大会
- 第4回小中学校教頭研究大会
- 農業祭り

本土復帰と地方教育行財政〔3〕
本土と沖縄の教育委員会制度の相違点（2）
　　　　　　　　安里原二 …………1

生徒指導担当教諭の役割行動
　―研修センターにおける研修報告―
　　　　　　　　　　　　………11

私の海外視察研修
　　　　　　　　我部政照 ………22

給食準備室の中から
　　　　　　　　国吉ヨシ子 ……26

＜学校紹介＞
　宮島分校を訪ねて　編集係………30

（ずいそう）
「苦労をなめてきたないねー」
　　　　　　　　松田州弘 ………33

定通制生活体験発表会
　放浪の中から
　　　　　　　　大城政子 ………35

1971年度
　沖縄海員学校募集要項 …………39

教育関係予算の説明会を終えて
　　　　　　　　調査計画課 ……43

1970年教育関係10大ニュース ……47

博物館名品紹介 ……………裏表紙内
教員の男女別構成本土比較 ……裏表紙表

# 文教時報

No. 121　'71/2

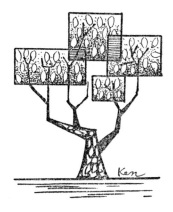

表紙………エイサー

# 終りの年

- 越年と迎春が、カレンダーの最後の一枚で区切られ、それによって、旧年を精算し、新年への新たな希望と期待に乗り替えようとする心情は、古くから継承されていることである。人それぞれの人生の流れの真実が必ずその通りであったかは別として。

- 祖国復帰への願いの火は25年という星霜の中で燃え続けて来た。その一途の過程におけるわれわれの心中は、ただ、「復帰」という二字の意味する外の何ものでもなかった。だのに復帰の確定という現実から湧いて出て来た諸問題は、意外にきびしいものばかりであることがわかった。

- われわれは今、容易に乗り移れない固い壁の前に立たされている思いがする。それは、サンフランシスコ条約というものによって、25か年の間に構築された厚い壁であり、簡単には押し上げられない重みである。

- だがそれは、25年前においてあの3条でしばりつけられていなかったとしたら、本土同様この状態は発生しなかったということである。

- いかにして、この重くて固い課題の渦中を乗り切るか。そのことがのしかかって、身も心も閉ざされたように、越年、迎春という年輪の変りめを迎えても、すなおに新しい気持ちになれないゆえんである。そんなわけで、ひなたよりもむしろひかげを求めようとする心の動きさえおぼえる次第である。

- ひなたといっても、ぬくもりをおぼえる冬の暖かい日ざしならよいが、はげし過ぎる灼熱とまぶしいほど強烈な日ざしにさらされるより、そのような刺げきの全くない静かな所がほしくなるのも致方ないであろう。

- 年頭のことばは、輝やかしく、明かるいものときまっている。その慣例をあえて破ってこのような暗さを、おびたことばを送らねばならないところに、沖縄の特殊事情があるかも知れない。おゆるし願いたい。

山中　興真

# 本土復帰と地方教育行財政〔3〕

## 本土と沖縄の教育委員会制度の相違点(2)

復帰対策室　安　里　原　二

(オ) 委員の失職

　委員の失職については、本土法では、解職請求の議決があったとき、請負等の禁止規定に該当したとき、準禁治産者・破産者で復権を得ない者、禁錮以上の刑に処せられた者、長の被選挙権を有する者でなくなった場合、兼職による失職（この場合どちらか一方の職を辞す）をあげているが、沖縄の場合、中教委と区教委の規定が一貫性がなく立法技術的にも問題がないではないが、請負等の禁止規定違反以外はほぼ本土法と同じである。

　しかし解職の請求の方法については、本土が監査委員、選挙管理委員等の例により長に請求し、議会において4分の3以上の多数の同意を必要としている（地教行法8条）のと異なり、沖縄では、市町村議会議員の例により、選挙管理委員会に請求し選挙人の投票に付すことになっている。（中教委を除く）

　これは、本土の旧教育委員会法が公選制をとっていたころと同じである。

　さらに本人の意思によって辞職を願い出た場合には、本土では、委員の一方的な都合で行政の空白を生ぜしめないために、長と教育委員会の同意を得ることにしているが（地教行法10条）、沖縄の教育委員会法は委員が職を辞したとき、または欠員が生じたときは補充選挙を行なうとだけ規定し明確ではない。本土の旧教育委員会法においても辞職の手続きについては、明文の規定があった（30条）のであるから、沖縄の教育委員会法にも何らかのかたちで明文化すべきであったと思われるが、それが明らかでないため、ある教育委

員会で、委員がなんの意思表示もなく行方不明となり、その処置に困惑した行政実例さえある。

本土であれば、このような場合には任命権者の罷免権（地教行法7条）によっても処理できるのである。

(7) 委員の服務

本土法では、委員に対し禁止される行為として、(1)職務上知ることができた秘密を漏らすこと、(2)政党その他の政治団体の役員となること、(3)積極的に政治運動をすることを定めている。（地教行法11条）旧教育委員会法では、(2)と(3)はなかったのであるから地教行法が教育行政の政治的中立を執ように保証しようとしていることがうかがえるのである。

沖縄の教育委員会法には、もちろんこのような規定はないし、政党に加入することも、積極的に政治運動をすることも全く自由である。秘密漏洩の禁止については、本土法と同じだが、その違反者は職務上の義務違反として罷免の事由となり得るのに対し、沖縄の教育委員会法では罰則規定を設けている点にその違いがある。

委員の服務に関連して委員の勤務態様と報酬について言及すると、本土法では、教育委員は非常勤であることが明文化されている（地教行法11条）が沖縄の教育委員会法には明文の規定はない。しかし現在の中教委や区教委の勤務の形態からみて非常勤であることは明白である。

ところでこの委員の非常勤という勤務形態と報酬の関係をみるに、そもそも報酬というのは、生活補償的給与、即ち給料とはちがい、役務に対する給付として事務量等で則定され費用弁償的な考え方で支給される。従って生活補償的給与になじむ期末手当等は本土では支給されないのが普通である。

本土自治法は、報酬及び費用弁償は原則として勤務日数に応じ、例外として条例で定めることができる旨規定している（自治法203条2項）。即ち、報酬は日割計算をたてまえとし、勤務の実態が常勤職員とほとんど変りのないような場合は、条例で月額または年額にしてよいと解される。

沖縄の場合は、報酬は月額であり期末手当も支給されている。

なお、沖縄の教育委員会法第41条

第4項及び第93条第4項に「委員の報酬の額は議員のそれをこえてはならない」旨規定されているので、たまたま議員と教育委員との関係が問題となるのであるが、これは布令に「議会議員の手当より少なくてはならない」とか「議会議員のそれと同じでなくてはならない」旨規定されていたため、文体については多分にその影響を受けたものと思われる。

これらの規定からも分るとおり、これは議員との給与上の均衡を図るためのものであり、これらの規定から報酬算定の基礎となる役務の内容（事務量や会期等）が同一であると解釈するのは妥当でない。従って教育委員と議員との報酬の額については差があってよいし、役務の内容が議員のそれと同じようなものであれば同額でもよいのである。けだし報酬は自から役務で定められるものだからである。

(キ) 会議の運営

本土法では、委員長に会議を主宰する権限と同時に代表権を付与している。（地教行法12条）しかし、ここで代表権を付与しているといっても委員長が単独で行為しうるものでなく、また自ら事務を執行することを意味するものではない。即ち委員会の決定した法律行為について、これを委員長名で表示することに過ぎない（文部省通達）のである。また委員長は、表決権と裁決権を行使できる（地方教育法13条3項）ので議事の表決に際し、もしも可否が同数のときは、委員長の決するところによることができる。

沖縄の教育委員会法では委員長は代表権もなければ裁決権もないので会議の運営の実際面で支障をきたす場合が少なくないのである。

ちなみに、政党加入について全く拘束性のない現行法においては連合区委員の定数5人のうち1人が欠けた場合、政治的イデオロギーの相違から、その補充委員さえ選出できないという事例さえある。

なお副委員長制は地教行法では採用していない。

3 教育長及び事務局について

本土では県教育長は、県教育委員会が文部大臣の承認を得て任命するようになっている。（地教行法16条2項）旧教育委員会法においては文部大臣との

関連はうたってなかったが、国と県の連絡提携を円滑にし、適材を得るという見地から、このような規定となったようである。

以前は教育長は、本土でも免許資格を資格要件としていたが、昭和29年教育職員免許法が改正され、現在ではこれは必要としていない。

市町村教育長は、市町村教委が委員の中から県教委の承認を得て任命する。（地教行法第16条3項）委員の中から教育長を選任することは、レイマンコントロール（素人行政）の考え方を破るものではないかという意見もあったようであるが、行政機構の簡素化という見地からこのようになった。

県教育長は任期はないが、市町村教育長は任期がある。即ち委員としての任期中が教育長の任期である。身分は委員としては非常勤であるが、教育長としては常勤の一般職に属する地方公務員である。（地公法3条）給与はその職務の特殊性に鑑み、一般職の給与とは別に条例で定めることになっている（教特法17条2項）。（市町村教育長の給与の額は市町村役所の助役、収入役程度である。）

沖縄では、文教局長が本土各県の県教育長に相当するものと考えられるが文教局長は、中教委の推せんによって主席が任命している。従って文教局長は、主席の補佐機関であると同時に、中教委の文教施策を実現するための執行機関でもある。

本土の県教育長が一般職の常勤職員であるのに対し、文教局長は特別職となっている点に特色がある。

連合区教育長は、教諭の一級普通免許状を有した後、8年以上校長、教授、助教授、教諭、助教諭等の職並びに政府又は地方教育区で教育を担当する者の職にあった者のうちから連合区教育委員会が、当該連合区を構成する教育区の区委員会と協議して、これを選任することになっている（教委法第83条4項、教育長選任に関する規則第3条）。従来教育長は、教育長免許状を有する者を資格要件としていたが、去る4月1日に免許法が改正され教育長免許状が廃止されたので、いわゆる免許資格が上記のような任用資格に改められたのである。

教育長の任期は4年で再任の場合は2年であるから、6年は就任できることになる。これは布令教育法が「教育長は少なくとも十年を経過しない限り6年をこえて同一地方教育区に勤務することはできない。」と規定していたことから、そ

の影響を受けたものと思われる。さらに連合区教育長が区委員会の教育長も兼任しているため、区教育長としての職務を十分果し得ないという兼任制の難点がある。

とくに教育予算について議会から参考人として出席を求められた場合、一人の教育長では、物理的に全市町村には参加できないのである。（この場合、当然、事務の委任がなされるのであるが、委任された者が、責任ある答弁ができないという不平もある）

次に事務局職員の中で重要な地位にある指導主事についてであるが、本土においては、指導主事については、旧教育委員会法と地教行法の考え方が大部変ってきている。

即ち旧教委法では「指導主事は、校長及び教員に助言と指導を与える。但し命令及び監督をしてはならない。」（52条の4）と規定し、地教行法では「指導主事は、上司の命を受け、学校における教育課程、学習指導その他学校教育に関する専門的事項の指導に関する事務に従事する。」（19条3項）という表現になっている。

この二つの規定からわかるとおり、「上司の命を受け……」が新しく規定され、「命令及び監督をしてはならない」が削除されている。

この改正の理由としては、①旧法は戦前の視学制度と異なる面を強調しすぎたきらいがある。②旧法の規定は、指導主事だけに指導の特権があり、他の事務局職員には、それがないような誤解を与えるおそれがある。③従って指導主事の地位を明確にしたということである。

沖縄の場合は、本土の旧法と全く同じ規定であるので、むしろ地教行法の観念よりは、旧法の考え方に立っているといえる。

4　教育委員会の職務権限について

教育委員会は、当該地方公共団体が処理する教育に関する事務及び法律またはこれに基づく政令により、その権限に属する事務を行なうのであるが、具体的事務については地教行法第23条に明示され、沖縄では、教育委員会法第25条と第111条に規定されている。

これらを比較してみると、沖縄においては教育委員会の事務とされている事項が、本土ではその事務から除かれているものと、その逆のものがある。

本土法で教育委員会の事務とはされていないが、沖縄ではその事務とされて

いるおもなものは、①教育区の資金使途を決定し、その支払いを承認すること、②教育財産の取得及び処分に関すること、③教育区の歳入歳出の予算編成に関すること、④教育目的のための基本財産及び積立金穀の処分に関すること、⑤教育事務のための契約に関することがあげられる。

これらの事務は、本土においても旧法のころは、沖縄と同じで教育委員会の事務とされていたのであるが、地教行法では、地方公共団体の長の権限とした。即ち、財産の取得・処分・契約の締結及び収入・支出の命令等のいわゆる財務関係の一連の事務が長の事務とされたのである。

ここで特記すべきことは、旧法に規定されていた予算案条例案の送付権のいわゆる二本立て制度が地教行法では採られないということである。

これは、財政運営の一元化をはかり一般行政と教育行政の調和を図ろうとするもので、本土法の主眼点の一つともなっている。

沖縄においては、本土の旧法と同じく二本立制度を採っており、長と委員会との間で運用上いろいろと問題が少なくないのであるが、本土ではこのような問題はすっきりしたことになる。

しかしながら、財務関係の事務が長の事務として一元化されたとはいえ、教育事務は近年専門化しており、教育行政の独立性、自主制は尊重されなければならないことから、長が歳入歳出予算のうち教育事務に係る部分または教育に関する事務について定める議会の議決を経るべき事件の議案を作成する場合は、教育委員会の意見をきくことになっている（地教行法29条）。

次に本土法では教育委員会の事務として明文化している事項で、沖縄の教育委員会法に見当らないものとして、①体育（スポーツを含む）に関すること、②文化財保護に関すること、③ユネスコ活動に関すること、④教育に係る調査及び統計に関すること、⑤所掌事務に係る広報に関することがあげられる。

しかしこれらの事務は（②を除く）教育委員会法に例示としてあげられてないだけであって教育委員会法第25条第23号及び 第111条第19号の規定に包括されていると解される。

事実、文教局組織規則によって文教局の事務として実際行なわれているのである。

従って教育委員会の事務は前述の財務

関係の事務で長の事務とされたもの以外は、ほぼ本土法と同じである。

5 市町村立学校の教職員について
　㈦　任命権者
　　　市町村立学校には、校長、教諭、養護教諭、助教諭、養護助教諭、寮母、講師、事務職員、用務員、警備員、技術職員その他の職員が置かれるのであるが、これらの職員の中では、給与が県費負担であるものと、市町村費負担のものとがいる。
　　　これらの職員のうち小・中・盲・聾・養護学校及び定時制高等学校の校長、教諭、養護教諭、助教諭、養護助教諭、寮母、講師、事務職員（吏員相当職）が県費負担教職員である。（市町村立学校職員給与負担法１条）
　　　これら県費負担教職員の任命権者は、都道府県教育委員会である。（地教行法37条）
　　　しかし、これらの職員は、市町村立学校の教職員であり、服務の監督権は市町村教委にあるので、都道府県教委が職員を任命する際には、市町村教委の内申（内申は市町村教育長の助言により行なう。）をまって行なわなければならないようになっている。（地教行法38条）
　　　（内申とは、通常意見と同義語であるが、意見より内容が具体的に固まっており、相手方に対して意思を強く尊重せしめる必要があるときその用語を用いるようである。）
　　　ところで、都道府県教委は、市町村教委の内申にどの程度拘束されるかということであるが、内申なしに任免等を行なうことは違法であるが、必ずしもこれに拘束されるものではないと解釈されている。
　　　地教行法第38条の規定も「内申により」とか「内申に基いて」という表現を用いず「内申をまって」としているのも、このような趣旨に基くものである。
　　　なお校長も積極的に所属職員の進退についての意見を市町村教委に申し出ることができるようになっている。（地教行法39条）従ってその手続を図式するとおおむね次のようになる。
①校長の意見（具申権）→②市町村教育長の助言（助言権）→③市町村教育委員会の内申（内申権）→④都道府県教育委員会の任命（任命権）

沖縄では、教育長の推せんにより、区教委が任命することになっていて、本土とは、大部異なっているが、本土においては教職員の適正配置と人事の交流を図るとともに給与負担団体と任命権者を統一するという立場から任命権を都道府県教委に移したようである。

(イ) 服務の監督権

このように県費負担教職員の任命権は県教委にあるのであるが、服務の監督権は市町村教委にある。（地教行法43条）従って、これらの職員は、市町村の公務員であり、職務上の上司は市町村教委である。

ところで、職務上の義務違反者が出た場合の措置等を行なう者は、任命権者か服務監督権者かということであるが、地教行法は、任命権者としている。（38条）

この場合でも、市町村教委の内申をまって行なう（地教行法38条）べきとし、都道府県教委がそのために必要な場合は、市町村教委に対し、資料や報告を求めることもできるのである。（地教行法54条）

なお都道府県教委は、服務の監督について市町村教委に対し、一般的指示権を有し、服務の基準を示すとか注意を促すことも可能である。（地教行法43条4項）

研修については、都道府県教委と市町村教委両者が行なうことができ（地教行法45条）、勤務評定は、都道府県教委の計画の下に市町村教委が行なうようになっている。（地教行法46条）

沖縄の場合は、教職員の給与は、金額政府負担（補助金）であるが、服務監督権者と任命権者は同一であり、服務その他進退に関することは、すべて区教育委員会の権限下にあることが、本土法と異なる点である。

6 文部大臣と教育委員会の関係について

文部大臣は都道府県又は市町村に対し、都道府県教委は市町村に対し、都道府県又は市町村の教育に関する事務の適正な処理を図るため、必要な指導、助言又は援助を行なうものとしている。（地教行法48条1項）旧教育委員会法第50条では、都道府県教委の事務として「地方委員会に対し、技術的、専門的な助言と指導を与えること」とだけ規定し、文部大

臣との関係については、同法第55条で年報・報告書の提出、同法第55条の２で機関委任事務についての指揮監督権のみをうたい、むしろ同法第55条第２項で「文部大臣は、都道府県委員会及び地方委員会に対し、都道府県委員会は、地方委員会に対し、行政上及び運営上指揮監督してはならない。」と規定し、文部大臣や都道府県教委の地方委員会に対する指揮監督を強く排除していた。

ところが、地教行法では、このような規定は削除している。これをあえて規定しなかった理由として①憲法に地方自治の本旨がうたわれているので、この基本原則から外れるものではない。従って機関委任事務以外は直接指揮監督することはない。②旧法の規定は当時の時代的背景によって念のために定められたものである。③文部省設置法第５条第19号では「文部省の権限として……指導助言及び勧告を与えること」が規定されているので、この規定の有無によって文部大臣の権限が左右されるという性質のものではないという理由からのようである。沖縄の教育委員会法は、本土の旧教育委員会法と同じくその第131条第２項において中央委員会又は文教局長の地方委員会に対する指揮監督を排除している。（しかし文教局の助言権は認められている。(行政組織法３条10)）従って中央委員会及び文教局長と地方教育委員会のいわゆるタテの関係についても、沖縄の教育委員会法は、基本的には本土の旧法の考え方に立っているといえる。

さらに都道府県教委は、学校その他の教育機関の管理運営の基本的事項について必要な基準を設定できる。（地教行法49条）

従って市町村教委が学校等の管理等を行なう場合は当然規則を制定することになるが、この規則も都道府県教委の基準の枠を溢してはならないわけである。

なお、文部大臣に、措置要求権を与え、（地教行法52条）地方教育行政に対する文部大臣の地位と責任を積極的に規定しているが、これは、旧教育委員会法にはなかったものである。

沖縄においては1965年の法改正の際、中教委にその権限を与えるようになった

おわりに

前号と今回の二回にわたって、みてきたように、教育委員会制度は、本土と沖縄とでは、根本的に相違していることが理解いただけたと思うが、これらの相違点の大部分がそのまま復帰の際には問題

点となることと予想される。

　とくに、委員の公選制と任命制の問題、人事権の帰属の問題等は、地方教育行政に対する法のもつ根本理念とも深い関係にあるので、慎重に検討されなければならないが、仮りに本土法が適用された場合に制度移行に伴なって派生するいろいろの具体的問題点（例えば、職員の身分、事務の移管等）も重要問題としてとらえ、同時に検討されてしかるべきであると考えるのである。

　復帰を目前にひかえ、文教局はもとより地方教育委員会はじめ教育関係者が両制度の長短を本格的に研究検討し、真の復帰対策を講ずる必要性を痛感するものである。

参　考　図　書

改訂 逐条解説　地方教育行政の組織及び運営に関する法律

　　　　　　　　木　田　　　宏　著

教育委員会法逐条解説

　　　　　　　　北　岡　健　二　著

教育白書　1965年

　　　　　　　　琉球政府文教局

琉球史料　第3集

琉球法令集（布告布令編）

# 生徒指導担当教諭の役割行動

―教育研修センター長期研修生レポート―

## はじめに

　生徒指導担当教諭の役割について考える糸口をつかむことをねらいにしてこの小論はまとめられたものである。

　去年6月から12月までの長期研修の第1期（6・7月）の研修レポートの一部の要約である。要約の中では十分に意をつくして説明できにくいものがあるけれども、授業を直接にはもたず生徒指導をもっぱら総括する立場にある生徒指導担当教諭の役割と行動について理解していただく一助にでもなればと念願している。

　生徒指導担当教諭という名のもとで今回は14人配置になり、5か年計画で18学級の学校規模までおかれる予定になっている。授業を担当しないということで誤解されないようにその職能と職務をはっきりさせたい。そのためには学校関係各位の深いご理解とあたたかい支持があってできることである。また実践を円滑にしていく上にもこのことはきわめて大切なことである。

　この小論がそのような意味で多少なりとも生徒指導担当教諭の基本的な職能と立場についての理解の深め方にヒントになれば幸いである。新しく出発するにあたって去年配置された学校をおはじめ今後予定されているところの先生方にもあわせてご協力をお願いしたく思う。

## Ⅰ　「生徒指導体制の強化に関する提案」

　　（目標、組織運営、環境整備を中心に）

### 1　ねらい

　学校は、生徒の望ましい成長発達を助長するために、生徒指導目標をたてて、その目標達成のために生徒指導の基礎条件整備とともに、生徒指導年間計画をた

して有効適切なものであるかどうか、生徒のためのよい学校、学級としての教育活動ができているかどうか、たえず反省し誤りのないようにするとともに改善のための対策を構じなければならない。この研究グループでは情報提供者1名、評価者4名をおいて交互に学校訪問をして生徒指導に関する考察と提案をして生徒指導の充実に供したい。

2　方　法
　ア、対象――校長、教頭、教務主任、生徒指導担当教諭、教科主任、養護教諭、図書館司書
　イ、手　順
　　○評価基準の検討
　　○学校説明（資料提供）
　　○個人評価
　　○評価のまとめ
3　評価の結果

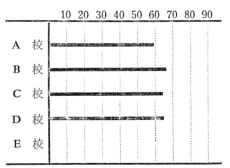

プロフィール

4　提　案
　※　A中学校
　　ア、目標について
　　○各領域に於ける生徒指導の具体的な位置づけを明確にする。
　　○生徒指導と生活指導の用語を統一する。
　　○生徒指導の具体的な全体計画をたてる。
　　イ、組織と運営について
　　○総務委員会のメンバーに生徒指導担当教諭を加える。
　　○前任者転出の際、事務引継ぎは確実にする。特に生徒指導の累加記録や資料等。
　　○職員間の共通理解を深めるための研修計画をたてる。
　　ウ、環境整備について
　　○相談室は常時整理整頓して相談の雰囲気をかもし出すように配慮し通風、生徒の出入り等を考慮し、いつでも気軽に出入りできる所に設ける。
　　○不必要でしかも老朽化した校舎を早急に撤去して生徒の安全をはかるとともに、たまり場をなくする。

てて実践している。しかしその実践が果

※ B中学校
　ア、目標について
　　○学校目標からおろされるべき生徒指導の目標が別々に立案計画されている。
　　○諸検査の実施年間計画の作成がなされてなく検査後の整理活用が不充分である。
　　○各領域をとおしての具体的な生徒指導計画がほしい。
　イ、組織運営について
　　○面接指導年間計画作成
　　○ＰＴＡ独自の生徒指導のための研修会があってほしい。
　ウ、環境整備について
　　○小学校との校地交換問題を積極的に推進して実現する。
　　○狭い校地でも草花などの植付け等を考えてうるおいのある情操豊かな雰囲気をつくる。
　　○浸水対策を早急に構ずべきである。
　　○情操教育面にはいろいろ工夫されているが校内の一部に有刺鉄線がはりめぐらしている。これは情操面でどうか？
　　○技術教室、図書館の採光、照明の配慮がほしい。
　　○相談室は場所もわるく、内部の設備も不充分である。

※ C中学校
　ア、目標について
　　○学校教育目標に基づいて生徒指導年間計画が立案されているのはよいが、各領域との関連が考慮されてない。
　　○生徒指導年間計画の主題のねらい等を明確にすべきである。
　　○学級経営の中に生徒指導年間計画の具体的な展開がなされているものかどうか？
　　○諸検査の実施計画がなく、検査後の整備活用が十分でない
　イ、組織と運営について
　　○生徒指導部の中で教育相談、補導、校内生徒指導等の主任になっているが実践活動の場合に生徒指導担当教諭の性格から考えて問題はないか？
　　○生徒指導組織の中で学級担任の行なう生徒指導の役割、任務が不明確である。
　ウ、環境整備について
　　○校地と民家との境界がはっきりしないために学校のしまり

がない。
- 老朽校舎を早急に撤去すべきである。
- 学習に必要な基本的設備備品（机、腰掛、黒板、教壇）が粗末である。
- 給食の場合に7号線を横断して給食センターから生徒が運搬しているが危険性があるので安全対策を早急に講ずる必要がある。
- 養豚は生産活動の面からいいと思うが環境衛生の面から豚舎を現在の位置から移動すべきである。
- 情操教育の面から花壇づくりをもっと工夫する必要がある。

※　D中学校

ア、目標について
- 教科領域および領域外における生徒指導年間計画が立案計画されているが具体的項目内容がほしい。
- 指導のための諸検査がなされてなく、生徒理解のための資料にとぼしい。

イ、組織と運営について
- 学校組織が複雑化している、整理統合して系統的な組織図がほしい。
- ＰＴＡ活動が活潑で学校と地域社会との連絡提携がよく行なわれている。校外生徒会の強化がほしい。
- 生徒指導の年間計画や生徒指導委員会の計画立案はなされているが事例研究的活動が少ない。

ウ、環境整備について
- 校舎、運動場、施設、設備は十分考慮されおちついた明るい学校雰囲気である。
- 校長室、保健室、相談室等の位置はそれぞれの機能の上から考慮する必要があり、内部の備品も充実してほしい。

# Ⅱ　遊　戯　療　法

## 1　遊戯療法の特質

　幼稚園や小学校低学年の子どもの自由な活動、遊びを観察すると、子どもの自発性、卒先性、想像性がよく描き出され、一見現実とは無関係のような行為の中に真剣に、いきいきと織りだされてい

るのを認めることができる。

　なお「子どもの生活は遊びである。」といわれるように、子どもの発達にとって欠くことのできないものである。この自由な子どもの遊びが、子どもの行動の力動性や、それに基づいている欲求あるいは対人関係などについての理解のための豊富な手がかりを与えてくれる。子どもの問題行動を治療するにあたって、障害となるのは、自分から進んで治療を求めてこないこと、言語能力の未発達から自己の意志や感情や欲求を適切に伝達し表現することができない。よって子どもの心理療法は非常に限定されてくる。

　遊びそのものが直接治療効果をもつというより、それを媒体として、治療者との治療関係を設定するところに遊びにおける、其の治療的価値が見出される。他の投影法と同様に問題児の感情と態度に関して豊富な知識を得ることができる。子どもは玩具に対して、感情的に反応を示し、自分の好きなように取り扱う。

　なお、その時、その場で実際に観察できる。遊戯場面は子どもを忍耐強く、しかも控えめに導き、治療者との間に新しい治療的な人間関係を発展させるのに都合のよい機会を提供する。

　そこで子どもが情緒的に成熟するのを見守り、迷路を導き、遊びと現実との間に実際的に結合を見出せるように援助する。遊びを通してカタルシス（感情をさらけ出すことによって不満を解消する）を得、さらに進んで自己の不安や罪障感がこれまでのように抵抗しにくいものではなく克服できるものであることを学習する。

　子どもは日常生活とは異なった遊びという状況の中で、しかも、決して叱ったり、おどしたり、拒否したり、またおだてたりもしない成人との相互作用によって自己の不安や罪障感を取り去ることができる。

　その成人は両親が権威を認めている人であり、しかも子どもを信頼し、子どもと子どもの行動を真面目に受け入れる。それによって防衛機制のため盲になっていた洞察の目を開けてくれるのである。こうして新しく好ましい人間関係を再構成させるのが遊戯療法である。

　遊戯療法の理論はロジャーズの基本的な仮説といわれる次の三つの考えに立っている

　① 　個人は成長し、健全になり、適応して、いける資質をもっている。

　② 　人間の行動は感情の動きが大きな原因をなしている。

③ 個人の過去よりも現在の治療的な人間関係を重視する。

私たちは、アレン・ロジャーズ、アクスラインなどの著書から得た、示唆や、教育研修センターの相談室で行っている遊戯療法の実際を通して指導助言を得たことなどをよりどころに子ども中心の遊戯療法を行ってきた。

2　治療に対する基本的な考え方
(1) 遊戯室でも子どもが気楽に自由にふるまえるように指示や命令をしない。できるだけ子どものありのままの感情を相談員が受容するようにする。
(2) 遊びを意図的に計画して、これを強制したり、子どもの先きに立って誘導することをつとめてさけ、子どものあとにそっとついていくようにする。
(3) 遊びの間、セラピストから先だって質問したり、考え方をおしつけるようなことはしない。
(4) 子どもがセラピストに援助を求めるような時は、直ちに手伝わないでその気持ちを受け入れて、できるだけ自分でするようにしむける。
(5) 子どもの表現する話しには、明るく相づち、その表面にでた言動にとらわれることなく常に心の奥底にひそむ感情を敏感に反応するようにする。
(6) 制　限
　○時間は通常50分とし、厳守する。
　○危険な行動は禁止する。
　○遊具をもちかえることを許さない。
(7) 記　録
　子どもや相談員の言動をできるだけ忠実にくわしく記録するようにする。

上記のようなことは一見なんでもない、かんたんなことのようであり、知的には理解できるが、実際に治療場面に入ってみると容易ではない。以上述べて来た、遊戯療法の理論的な基礎に立って、実際に小学校1年生の女の子の事例を通し、臨床場面をもつにつれて、この考えが知識としてだけではなく、実感としてつかめるようになった。治療過程の記述は省く。

3　遊戯療法の現場への適用
ロジャーズの基本的な仮説、アクスライン女史の8つの基本的原則等は学習指導、生徒指導の原理であり、教師の基本

的な態度であるとともに、現在の教育の目標とも合致した方法原理として強調されなければならないものである。しかるに教師は相談員とか治療者の役割を兼任しているということは常識として知っているが、教育の効果をいそぐあまり、管理、訓育、訓練、教授などの指導的、監督的権威的な態度で生徒に接していることが多く、子どものありのままの姿を理解せず歪めた見方をしている場合がある。また、子どもも、このような教師の前では、真の自己を表明していないことが多い。

このような人間関係（治療関係）は子どもの生活の諸相に大きな影響を与えているといえる。

従来は、相談という名のもとに評価、批判、賞罰等が、意識的にも、無意識的にも、時には感情的にも行なわれ、大人の尺度、教師の枠組みのなかで指導がなされている場合が多い。教師としての、基本的態度、相談的態度がつくられないまま、実より形をとるというはめに落ち込むことさえある。

遊戯療法は実際に体験できないにしても、教師は、文献研究を通して体験できる能力と態度をもちあわせているので、それを活用すればよいと思う。

私たちは遊戯療法の基本的考え方や技術を日々の教壇実践に生かすとともに、子どもの感情を自由に表現させるための受容的な雰囲気をつくり、反射してあげ、共感的な理解をすることによって、子ども自身が自己実現への力のひきだし方など技術的な面において学ぶべき点が非常に多いと思う。

このように考えると、遊戯療法そのものを現場で行わなくても、その精神や態度は生徒指導の面だけではなく、学習指導その他教育諸活動のあらゆる場、あらゆる時に教師の基本的な態度としてかなり生かされると思う。

## Ⅲ　中学生の教師観…その実態…

### 1　調査のねらい

このたびの長期研究を機会に、私たちのグループでは中学生が教師をどう見ているかという、その教師観をとらえるために実態調査を試みた。この結果を生徒指導の実践に役立てたい。

### 2　調査の方法

次の事項について自由記述をさせた。
　ア、評価の対象
　　○好きな先生

- きらいな先生
- りっぱな先生
- 理想的な先生
- 先生一般について
- おとな一般について

イ、調査の対象と時期

　那覇、中部の中学校4校の1年生と3年生の各1学級ずつ抽出しその学級全員を対象とした。

　実施日：1970年6月中旬

ウ、集計のしかた

　できるだけ生徒のナマの声（原文）を尊重して、その表現をかえることをしなかった。同じ意見がちがった表現でなされたときは、最大公約数的な表現をもとにして集計した。

## 3　考　察

ア、好き・（りっぱ）な教師

　教師の好かれる特性として「熱心に教えてくれる」「教え方がじょうずである」「いろいろ知っている」「実力がある」などの指導の技術と態度に関係したものが指摘されている。この事は私たちは教育者であるから当然なこととはいえ、やはりそういう教師が子どもらに尊敬されるわけである。子どもらはユーモァのある教師を好むが、そのことはきびしさを回避しようとすることではない。「やさしくてユーモァがありしかもきびしい先生」と指摘していることでもわかる。「えこひいきしてもらいたくない」との希望も強く、「朗らかで思いやりがあり、愛情に満ちた」教師である事を彼らは期待している。日頃から子どもと親和感（ラポート）を培っていくことが今後の指導効果を高めるのに役立つことだろう。

イ、きらいな先生

　教師がきらわれる特性として「えこひいきする」「男女の差別をする」などの生徒に対する不公平なとりあつかいが全体の50％もしめている。次に「すぐたたく」「すぐおこる」というような教師の短気な性格が指摘されている。特に女性徒では「生徒を理解しない」「相談にのってくれない」ことも大きな要素として指摘される。指導方法の問題として「非常におこる」「罰の与え方がきつい」「教え方がまずい」なども指摘して

いる。これらを綜合的に考えると、教師と生徒が互いに理解しあっていないといえよう。

　教師と生徒の接する場を多く持ち十分に話し合い理解し合うことが大切で、また、教師自身つねに冷静な行動が要求されよう。1年生では「ひいきをする」という不満、不平等なとりあつかいを指摘するのに対し、3年生では「生徒の気持を理解してくれない」ということが大きくなる。また、教師の細かい行動や態度にも目を向けている。

ウ、理想的な先生

　「やさしくてユーモァがあり、きびしさのある先生」「ひいきせず皆の気持を理解してくれる先生」「明るい」「教え方のうまい先生」などが1年生では頻度が高い。3年生ではきびしさを要求する半面「何でも話しやすい相談にのってくれる先生」「彼らの気持を理解してくれる先生」を求める。教科学習においても「ユーモァのない真面目くさった教師」はどうもいただけないようである。なかでも「ひいきしない信頼できる先生」という要素が3年では女子だけに高い頻度を示していることは注目したい。教師も1人の人間であり、彼らの理想像にはほど遠いかも知れぬが、ここに指摘された各要素をすこしでも多くかねそなえた教師でありたい。

エ、一般に先生は

| 項目 | | 先 | 生 | | おとな | | |
|---|---|---|---|---|---|---|---|
| 学年 | | ＋ | ＋ー | ー | ＋ | ＋ー | ー |
| 1年 | 男 | 28 | 8 | 40 | 8 | 4 | 77 |
| | 女 | 43 | 0 | 42 | 9 | 4 | 91 |
| 3年 | 男 | 13 | 1 | 39 | 6 | 5 | 35 |
| | 女 | 14 | 7 | 52 | 4 | 0 | 58 |
| 合計 | | 98 | 16 | 173 | 27 | 13 | 261 |

（一般におとなは……との比較）

ここでは教師を相対的にとらえるために比較の基準として、おとな一般をとりあげ、子どもが教師やおとなをどう考えているかを知ることによって教師を理解したい。二つの項目とも総体的にプラスの価値よりマイナスの価値をもつと考えられるものが多く指摘されている。それは教師一般に比べておとな一般に著しく多い。例えば、一年男子の教師解は「いいと思う」（りっぱだと思う）がトップにあるが、おとな一般ではごくわずかしか現われてない。一般のおとなについて各学年男女とも「自分勝手である」がトップをしめている。教師一般はおとな一般に比べて高い評価をうけているが「えこひいきをする」「暴力をふるう」「自分勝手」「生徒の気持をわかってくれない」が上位をしめていることは教師にとっておおいに反省すべきことであろう。

## 4 生徒指導への提言

このたびの調査は調査範囲も狭く、資料として不十分であるが、この調査を通じて感じたことは、生徒からおおいに教えられるところがあるということである。従来私たちは教師という権威やプライドで自分を守ろうとする態度はなかったであろうか。また、教師自身のひとりよがりの枠組みから生徒を観察し、判断し、評価しようとし、生徒の気持をよく理解しようとしない教師の態度がどれ程生徒と教師の間に断絶や不信感を招いたことであろう。この調査にあらわれている生徒のなまの心、生徒のことばを今一度かみしめてみたい。生徒は言わせば何でも言うものだ。何もそれにふりまわされる必要もないとの気持もあろうがその気持をおさえ、謙虚に心の扉を開き、生徒の言葉を受け入れてみたい。

生徒を内から理解しようとする関係の上に立って、自分の心を開き、生徒がどのように感じ、どのような気持であるかを理解しようと努める必要があろう。そして生徒一人一人を知る努力をしたい。最後に「良医は患者に学ぶ」ということばの意味をかみしめたい。

## 要　約

生徒指導担当教諭の役割行動をまとめていうと次の3つになる。まず第1に学

校内での生徒の指導に関する総括的な役割行動である。生徒指導部長的な役割といいなおすこともできる。具体的には生徒のための組織づくりやチームづくり、教育課程編成の過程における適切な役割をはたすことである。第2に学校カウンセラー的な役割行動である。直接に生徒との相談に応じたりするのは当然だが、さらに学級担任・教科担当を通して間接に応ずることもある。第3に学校という組織の一職員としての役割行動である。

現実には上記の3つの役割行動は相互に補完的なものであるし、また表裏一体をなしているので厳密に検討すると当を得ないかもしれない。しかし、学校内で職務の比重をよりどこにおくかによって生徒指導担当教諭の意義が生ずると思われるので生徒指導部長・カウンセラー・教師としての立場を再確認することは大切である。このような認識の上にたってこのレポートはまとめられた。すなわち、生徒指導体制の強化に関する提案は部長的立場に立ち、遊戯療法はカウンセラー的な立場、そして中学生の教師観は一職員としての立場から生徒指導担当教諭の役割行動をとらえてみた。

今後の展望として、たてまえと現実を一致させる努力を積みかさねることであろう。

主題および執筆担当（※印要約者）

生徒指導体制の強化に関する提案
　平良中　　友利玄次
　兼城中　　金城誠祐
※那覇中　　長嶺哲雄
　真和志中　宇垣用康
　普天間中　平安恒政

遊戯療法
※越来中　　幸地清祐
　神原中　　浦本茂則
　石二中　　仲盛　治
　コザ中　　瑞ケ覧進
　首里中　　浦添昭弐

中学生の教師観
　仲西中　　伊智　修
※コザ中　　瑞ケ覧進
　与勝中　　田場典和
　上山中　　仲本朝徳
　寄宮中　　吉本幸助

# 私の海外視察研修

南部農林高等学校
我 部 政 照

昭和45年度日本海外移住事業団主催による全国高等学校海外教育指導教師海外視察研修教師として全国から5人派遣されることになり、私もその中の一人に加えられて日系人移住者の生活文化、教育等の面から、カナダをはじめ北米・ブラジル・パラグワイ・アルゼンチン・ペルー等の諸国を歴訪する機会を得ましたので、私が体験したことの一部をみたまま書いてみることにしました。

### カナダ国

カナダ国は世界第二の大国である。又この国の特徴といえば農業及び酪農の国として世界第二番目に生活水準の高い国でもある。その大国カナダにも私たちの同胞日系人2400人余が戦前移住して活躍している。私たち一行は昭和44年以降2回にわたって高等学校卒業生によるカナダ国農業研修生の現地における状況を主体に視察することにした。本土と沖縄しか知らなかった私にとっては、カナダ国は余りにも大きすぎた。特に教育にたずさわる者として教科書や色々な書籍による読書的知識しか持ち合わせてなく、それで自己満足げに教壇実践をしている教師の視界範囲の狭さを痛感させられた。カナダ国の日本と異った点をあげると、

(1) 時差が8時間半もあること
(2) 日没9時30分、夜明け4時30分
(3) 昼中の気温の変化がはげしい
(4) 真夏でも室内は冷房施設の必要がない。
(5) 労働時間が長い

等をあげることができる。

### 日系農家の多い町

私達一行は農業実習生を雇用契約している日系農家を訪問するためヴァンクーバーからカルガリーまで飛行機で行き、更に目的地ボクスホールという小さな町まで乗りかえて飛ぶはずになっていた。

ところがそこで飛行機の欠航を知ったので、しかたなくタクシーを拾うことにしたが、タクシーの運転手はびっくり仰天して「Can you pay me」といったので、私は一行の会計役を命じられていたためその理由をたずねた。するとその小さな町まではタクシーは普通行かないというのである。運転手は再度私に支払えるかというので、私は確に支払うと答えるとオーケーといって承認した。後で分ったのであるが、この小さな町まで行くには国内機で25分位かかるのでタクシーは使わないというわけである。そこへ私達がタクシーでいくといったので運転手もびっくりしたのでしょう。このタクシーは80マイルのスピードで、約2時間40分位走ると目的地ボクスホールに到着した。そこでタクシー賃を支払うことにしたが驚いたことにメーターゲイジには75C＄掲示されているのを見て私もさすがにびっくりせざるを得なかった。運転手のいうことには75C＄を出してタクシーに乗ってくれたお客ははじめてだといって日本人はお金持ちだといい驚いていたくらいである。

私達一行が到着する時刻に実習生達は待機していてくれた。そこには沖縄の青年も8名活躍していて、その中の3名は私の直接の教え子である。彼等もこんな遠い異国で恩師に会えるなんて夢のようであるといって突然の私の訪問にあっけにとられているようであった。

## カナダ農業実習制度について

カナダ国農業研修生制度は昭和44年に海外移住事業団と日系カナダ大農場経営主との間に契約が結ばれて実現を見たものである。カナダ国と日本国との間には移住協定が結ばれていないため、特殊なケースのみを現在認めてもらっている中で、この農業研修生制度は日本の若人が海外諸国の若人と肩を並べて活躍できる場として注目を集めている。契約期間は2か年で月給250C＄である。44年に実施された当初24名の送り出しに始まり、45年度は45名で合計69名の高卒者が現在研修している。（注、69名中8名が沖縄から送り出されている。）

カナダ研修の特徴として
(1) 永住権が得られる
(2) 2か年間の契約期間が終了すれば帰国または永住も自由
(3) 5か年間住むことによって市民権が与えられる
(4) この実習制度は移住事業団が毎年2月に選考し全国より30名をカナダ

カナダ農業研修生・南農出身の洲鎌君

国に派遣する。

### 農地区画

カナダは農業国として名高い。みわたす限り草原と平野の中に乳牛が放牧され、いかにも大国をまざまざとみせつけられる。国の資力にものをいわせるがごとく、幹線道路と幹線用水施設が完備されている。農地のほとんどが160エーカー単位に区画整理され国が管理しているところが特徴である。

（注、160エーカーを1ロッテといって戦前移住農家はほとんど10〜15ロッテをもつ大農場経営者である。尚1エーカーは4反24歩—1,224坪—である。160エーカー当り1万5000C＄〜2万C＄の価格といわれている）

### カナダ農業は会社組織

カナダの大農場経営者のほとんどが会社組織形態を営なんでいる。5〜6名の大農場経営者が共同出資で会社組織し、生産物は農家単位として工場内に集積するが、商品として輸出する場合は会社名で行なう企業形態をとっているのが、大農場経営農家の特徴といえる。主に製造・加工・冷凍施設を大規模に営業している。また、ポテトを中心とした農業経営を営なんでいて北米・英国の市場に端境期をねらって輸出するという超大型農業経営を行なっている世界でも数少ない農業ではないでしょうか。そこで働く農業実習生のほとんどが、大型農業機械を用いての作付準備にはじまり、作付、灌水農薬撒布、収穫という具合で一か年の実習が終るほどである。また、冬期実習の形態としては、工場内の加工業が主体で、製粉・飼料製造といった仕事を行なっている。

### 実習生と懇談して

実習生と懇談の機会をもったとき彼ら

人口1,000人の小さな町、ボクスホール

のほとんどは帰国を希望していなかった。私自身、彼等が想像以上に国際人として生活様式は勿論のこと環境に馴れない国へ裸一貫で生活にとけこんでいる状況をみた時若人の順応性と成長ぶりに目をみはる思いをした。

彼等の感想は
(1) 言葉が不自由である
(2) 地価が高い
(3) 戦前移住者との格差がある
(4) 大型機械農業である
(5) 小規模単位では農業経営が不可能である
(6) 資金がほとんどない

などであった

結　び

カナダ国における農業経営は予想以上に大規模経営である。現在業研修生を毎年受け入れてもらっているが、はたして今後の青年がカナダ国において戦前移住者の中に農業経営者として肩を並べて行くことができるだろうかという点に私は目を向けてみた。そして前述の農業研修生の感想の他に、(1)ほとんどの農業機械がアメリカ製の大型機械で、日本ではみたことがない、従って購入もむつかしい(2)農業協同組合は妻帯者でないと資金の融資をしない等の問題点があり、農業経営者としてのみとおしは暗いように思われる。

しかし彼等が大国に住むことによって、日本にいた時とは異った偉大な国際感覚を身につけることによって、今後の自分の生活地を定めるのに、大陸的立脚点として創造的生活の場を見出すことができよう。また彼等自身、小国日本には帰りたくないという者がほとんどいたということである。

まず人間教育の最大の目標は個人の適性ということの重要性をあえて反省させられるのである。

# 給食準備室の中から

東風平給食センター

国 吉 ヨ シ 子

　私が最初給食婦として働いてみようと思ったのは、PTAの他校参観の時ある学校でクジラの肉で料理したのを味みさせていただき、大へんおいしいと思ったことと、それに朝は9時頃から仕事をはじめ午後の3時半頃までにはかたづけると聞いたので、これはおもしろい、金もうけもしながらお料理のお勉強もできるのだと主人の反対も聞かずアルバイトのつもりで現在の仕事につきました。

　けれども、いざ仕事をしてみると、お料理の勉強だなんてそんななまやさしいものではありません。重労働で大へん責任のある仕事なのです。少々風邪ぎみだからといって一人でも欠勤したらお昼時間に間に合わせることができず、子供達に待たれると心はあせってほう丁で指を切ったり、また各自一鍋づつ受けもっているので欠勤者の鍋は調味料を入れわすれたり、こがしたりしてしまうのです。

　最初の二週間ぐらいは朝の8時から晩の10時頃までかかり、またこんなこともありました。その日は丁度八月十五夜の晩でした。村では月見会で三味線や太鼓の音でにぎわっているのに私達は食器を洗うのに一生懸命でした。ようやく仕事もかたづき家路をたどるときはもう晩の11時です。あまりおそいのでむかえにきた主人は腹をたてて「もうこんな仕事はやめろ」と皆の前でどなりました。私は、ほんとだ、家のことはほって「ごめんなさい」と心の中では言ったけど一言も口には出ませんでした。

　ある人は家族そろって村芝居をみに行き家はカギがかけられて入れないので家族をさがしあてて家にもどり夕食を取る時は12時過ぎていたということです。また一日中立ちどうしで足が痛いとか、肩がこるとかで、皆サロンパスをはり付けて来るのです。この調子では体をこわすよりほかにないからもう「やめるのだ」と皆口々に言いましたけれども、子ども

たちのためならばと多額の借金を背負ってまではじめて下さった村当局の事を思い、また子ども達がお昼時間に喜ぶ姿をみると簡単にはやめられません。やってできないことはない。なれたらそのうちどうにかなるよ、頑張りましょうとお互にはげまし合いながら続けていました。けれどもその頃、私達の仲間には三名も夜間高校生がいたので4時になると三名共帰ってしまうのでいくら頑張っても時間どうり仕上げることはできませんでした。

それで村長さんにお願いして新たに二人を採用してもらったので6時頃には仕事をしあげるようになりました。そのうち設備の改善がなされ熱風消毒機を入れる等でようやく仕事にもなれて5時には仕上げるようになりました。委員会のお話では文教局からの指定人員は、生徒2,350名に対し、給食婦8名だとの事ですが、それは完全に設備がととのってからの話だと思います。

それでも作業中にカマが故障してえなくなったり、電圧の関係で皮むき機が廻らなくなったり、ミルクを攪拌する時ミキサーが廻らなくなったり、また断水のため水が出なくなったりして、ここ2・3か年間大へん苦労して参りましたが、貯水タンクを作ったり、電圧を強くしてもらう等一つ一つ改善しましたので今は仕事もはかどり、ようやく軌道に乗るようになりました。けれどももう一つ大きななやみがありました。今まで私達のセンターではディーゼルを使っていますが、何よりもなやみの種はカマでした。火の加減ができず、こがしてみたりまた火の当りが悪く生にえにしたりして、思うようによい料理ができません。それで関係者の方々にお願いして今年の2学期からガスがまが使えるのでよい料理が作れるだろうと皆張りきっています。

ところが私達の給料の

東風平給食センター

問題ですが、去年は同じく委員会の職員でありながら私たちだけはボーナスは5割も引かれ給料は2ドルもカットされていました。その理由は長い夏休みがあるからとのことです。けれども私達は休み中に小中学校のトレーニングセンターの食事作りをしたり、磨き砂で食器やあらゆる道具をみがいたり、日頃手のとどかない天井やかべ等を掃除していますので休むひまはありません。でその旨をお話し申し上げたら、こんな事があるとは全然知らず、40日間まる休みだと思ったとのことで今年から他の職員同様にボーナスや給料も上昇してもらいました。炊事の仕事はよそからみれば大へんらくなようですが、夏は一日中汗びっしょりで扇風機は廻してもなまぬるい風しかこないし、のどはかわき、しょっ中水ばかりのんで夏バテしてしまいます。冬は寒いのにしょっ中水を使うので、冷え症になり、神経痛やち等も悪くなるおそれがあり、そのまま続けていると職業病にかかってしまうんじゃないかという心配もあります。

現場で働いてみるといろいろな問題がありますが、私たちのセンターはまだ少しは良い方で、ある村では同じ職場に働きながら栄養士は月給制なのに給食婦は日給制で何の保障もなく、土曜日も賃金の関係であまり出したがらないと聞いています。また財政の関係で都市地区と農村とも大部給料の差があります。

それから給食について父兄の声でございますが、4、5名も子をもつ親は給食費を出すのに大へんだ、まるで模合でも出すようだといっていますが、その反面、朝はいそがしい主婦にとっておべんとう作るひまがはぶけるし、学校ではちゃんと栄養の組合わせをした食事をとるから家ではかんたんなおやつをやっても心配がない。また子どもたちの顔色が良くなり食事に

坂田文部大臣と給食のおばさんたち
（与那原小学校にて）

スキ、キライがなくなり健康状態も良くなった等とうれしいニュースも聞かされます。学校の調査では、口角炎（ユムドィ口）やヒフ病も良くなっているし、子どもたちの体重と身長も大部のびているとのことです。だのに村財政の都合で完全給食になっていない学校が大部あるようです。同じ義務教育を受けていながらまずしい村に育つ子どもたちは完全給食が受けられないとはほんとうに不公平なことだと思います。ですから文教局や政府の関係者の方々、完全給食も教育の一環として取り上げられているのですから、予算に組まれて一日も早く全琉の子どもたちに平等に完全給食を与え、りっぱな体をつくり、良い教育ができますように、また給食婦の待遇についても公務員同様にいろいろな保障がなされ、何時までも安心して働ける職場にして下さるようお願い申し上げます。私たちも、安くておいしく栄養のある料理を作るよう努力いたしたいと思います。

# 独立校への希望にもえる宮島分校を訪ねて

調査計画課 豊 島 貞 夫

（花城主任）

宮古本島の北端に近く、狩俣部落への本道から1.2km、島の裏側に入ったところに島尻部落を唯一の校区とする狩俣小学校の宮島分校がある。

「宮島」分校という校名の由来は、島尻なる名称が多くまぎらわしいため、宮古の島尻ということで命名されたといわれる。

久米島や伊平屋島等においてそうであるように島尻なる村落はいずれも島の端に位置し一般に交通不便な僻村をなしている。そのため学校への児童生徒の通学は極めて不便で戦前は狩俣小学校・島尻分教場が設置されていた。

ところが第二次大戦による混乱で分教場もなくなり、児童生徒は4.5kmもある道のりを狩俣小学校へ通学せざるを得なくなった。その間登下校途中、馬車やトラックに便乗した学童が事故で死亡するといういたましいことが、2回も起り遠距離通学の苦労と不安に学童・父兄ともに悩まされていた。

1959年4月2日狩俣小学校宮島分校は創立された。

分 校 全 景

校区である島尻部落の人々の喜びは一入なるものがあったと思われる。

当時の児童数は
　　1年　24人
　　2年　20人
　　3年　26人
　　計　　70人　であった。

1970年5月1日の学校基本調査による在籍数は66人で分校以来極端な変動なしに今日に至っている。

教職員は62年に赴任した花城尚市主任を中心に4人の先生方が頑張っておられる。

現在この宮島分校の児童をはじめ島尻部落では言葉の話せる子は皆共通語で話すことができる。ここに至るまでにはちょっとした苦労話しがある。花城主任の語るところによると62年赴任当時は方言使用が多く、学習活動の妨げにもなって悩みのタネであった。何とかして共通話励行にもっていきたいと考えた結果、母親の協力が一番大切であることを思いつき、母親学級を開設した。おそらく全沖縄で最初の母親学級であろう。

この学級活動を中心に共通語励行の運動をすすめ、子供だけが共通話を話している家庭へは努力賞、家族全員が共通話で話している家庭へは表彰状をあげて奨励した結果、1年でその目的を達するという目ざましい実績をあげた。

島尻部落の戸数は110戸で、部落の人達は学校を自分達の学校だという意識が強い。こういう意識は極端になると学校教育にマイナスの作用をすることもないではないが、宮島分校の場合は自然な状態で学校に対する一体感が育っているようである。

70学年度に家庭教育学級を開設することになり希望者をつのったところ、教室に入り切らず、廊下に椅子を並べて開講式を行なうありさまで、現在まで相変らず出席状況は良好だとのことである。

PTA寄附金と花城主任の設計施行によってできた宮古島模型（矢印が宮島分校の位置）

宮島分校を訪ねて

3年生、図画の授業

こういう状態は先程もふれたように父兄と学校との心理的な結びつきの濃さや、学校が唯一の文化施設になっていて教養の修得場所が学校以外にはないというような地域の特性にもとずいているのであろうが、しかし父兄の教育への関心の強さが最も大きい支えになっているというべきであろう。

例えば、分校の諸行事や諸施設の整備なども父兄の協力によってできたのが多い。小規模学校においては、施設設備の整備がおくれがちになるが、宮島分校を訪れた人は誰でも環境整備が行き届いていることに気づくであろう。それは花城主任のよきリーダーシップと父兄のよき協力体制というチームワークによって出来たものである。

そしてこのことが児童の学習活動にも反映して、分校の児童の成績が本校よりもよいという結果となってあらわれている。

現在、宮島分校がかかえている問題は、視聴覚関係備品や体育関係施設の不備等があるが、更に交通が不便なため赴任希望の教員が少ないため教員住宅の建設が必要となっている。

ともあれ、1970年11月17日の中央教育委員会で、長年の念願であった、分校の廃止と宮島小学校の設置が認可され、1971年4月から独立校として生れかわることになった。

いま、児童、教職員、父兄は新生宮島小学校の将来に果しない夢を描き、希望に燃えている。

# 「苦労をなめてきたないね」

## ―子どもとの対話の中から―

調査計画課課長　松　田　州　弘

　『○○さんはね、今はあんなにえらくなられたけれども、小さいときから大へんなくろうをなめて、あんな人になられたそうよ』夕食をすんだ一時、上は大学から、高校、中学校、小学校と、現在の学制の標本のような子どもたちをかこんでの話しあいの中で、ふと、○○さんことについて話題を転じたときに、妻が子どもたちをさとすように話しかけたことばである。

　みんながまじめにきいていたその時妻のことばに間髪をいれずに、小学校四年の末娘が、『くろうをなめてきたないね』とはねかえした。日頃もひょうきんなことをなかなかいわない子で性格もわりにはっきりしているチビという愛称の末娘が、「くろうなめてきたないね」と、はっきりいったものだから、全員がどっと天井裏までふるわすような大笑いなってしまった。

　笑いがおさまった後も末娘はなっとくのいかない風でみんなの顔を見守っている様子である。中学一年の子が、「くろうをなめて、きたないってあるね」……高校の娘は「おかしいね」といってまだ笑いがとまらない様子である。大学生は、一人にやにや……。

　妻は『あのね、くろうをなめてというのは、いろいろとくろうすることがあるでしょう。そういうことなんだよ』と解釈にこれつとめたけれども、もはや、さとすような最初の雰囲気はくずれてしまって後のまつりである。最初の話がそうであればよかった筈だが、とうとう『くろうをなめてきたないね』という爆発的宣言で話は終ってしまったわけである。私も不用意に笑ってしまったものの、この時の話の中から、指導主事当時の研究授業に参加した時のことや、今までの自分の失敗したことなど、いろいろと考え

させられた。本部水納小中学校を訪問したときに、中学校三年から小学校一年生までの二十余名の生徒の前にたたされ、「何かお話を」とたのまれたとき、はたと困ってしまったときの、強烈な印象など胸中をはしったものである。

授業中の子どもたちとの対話は、終局的に、ある目標を理解させ、納得させるためのいとなみである。しかし、大人である教師と、子どもである生徒との境目には、個人差でも、学年、年令差の上からも、目にみえない対話上の大きい抵抗のある障害のあることも、あらためて感じさせられたわけである。しかも、対話上の障害ののりこえ方は、決して時間的余ゆうが許されない。騎士が、障害をのりこえるように人馬とともにのりこえることにも似ている。学年、個人差等よく気をつけているつもりでも、子どもたちにしてみれば、納得のいかない不用意なものがあるのではないだろうか。

教師という仕事の困難さ、大事さを深く感じさせられた一笑にふしたくない一時であった。

第13回全沖縄定通制生活体験発表会最優秀賞

# 放浪の中から

首里高等学校定時制4年

大 城 政 子

　「定時4年生」私は、この重みのある最上級生として、自分の過去4ヶ年の定時生活で果して何を得たのだろうか？と問いつつ、貴重な青春の1ページの足後を、自分なりにまとめる事に意義があると気づきました。

　私は、北部の離島伊江島の出身です。3才のとき、両親健在の身で養女に行かされ現在まで両親の顔も知らないまま、おばあさんと2人きりの生活でした。

　中学卒業前、高校進学を希望する私と反対する養母との間で大口論をしました。進学に反対する養母の言い分として「自分はもう70才に近い、だから先も見えている。定時4年の長い月日に決っと自分は死んでいるだろう。おまえを育てるのにどれだけ苦労した事か。栄養失調で死にそうだったのを、拾って育てた。畑も少なく、生活保護を受けて、自分の細い腕でここまで大きく育てたのに、今からという矢先また上の学校へ行くのは、図々しい。事件の多い那覇へ行ってぐうたらになって帰ってくるより、自分の目の届く範囲で働いて楽をさせてくれ。」というのです。養母の言い分も、もちろん分らない事でもありません。しかし、小さな島で細々な事に異常なまで敏感な田舎の風習に耐えられそうもなかったのです。そこで、私は「財産や両親のない境遇だからこそ勉強すべきだ。これからの社会はせめて高校だけでも卒業しなければまともな仕事にもつけない。那覇に行っても、恩は決して忘れない。自分で働いていて学校へ行くのだから、もちろん島からの援助は一切受けない。」と強く主張しました。数日間の話し合いの結果、先生や友人の協力を得て、どうにか進学の許可をもらいました。

そして、忘れもしない三月二十五日。合格発表の日に、涙を流して喜び、養母は「どうしても4ケ年辛抱する事、人様にうしろ指さされる様な人間になってくれるな。」ときつく言いました。

やがて、私は養母に見送られて、仮の栖である本島へ向いました。

事件の多いと聞かされた都会、那覇の土を踏むと、見る物聞く物、すべて真新らしく思いました。そして、店先のりんごまでが私を迎えてくれている様な淡いセンチとうらはらに、自ら選んだ道の重大さに気づき厳粛な気持で那覇の空を仰いだのを今でも、覚えています。

最初知人のピーナツ加工所の工員として働らく事になりました。しかし、食事と学費を出すだけで、精いっぱいだから、給料はないと告げられ、島への送金もできないし、金のない不安定な生活も手伝って、半ケ年でやめてしまいました。

その後、住込みで、ある大金持の子守りに行きましたが、精神的になじめず、そこも一ケ月でやめてしまった。一ケ月分の給料30ドルを手に、住む家も捜さず無鉄砲にやめた自分に腹を立て、家捜し、仕事捜しに奔走しました。

幸いクラスメートと、同居する事ができました。荷物の整理をしていますと、表情明るい中年のおばさんが「今日、引越して来たの。」と話しかけて来ました。「ハイ、定時生です。」と言うと「あんた、私の家へ来ない？お手伝いだけど。」とだしぬけに言うので、ビックリして「目下無職です。」と返答すると、相手の方は「貴女は、太ってるからよく働らくでしょう？笑うのが気にいった。一目ぼれしたよ。」なんて、変なほめ方をされて採用されてしまった。朝8時に出勤し、御主人の靴みがき、コーヒー入れ、食事のあと片づけ、部屋の掃除、洗濯、3人の子供達の世話をして、給料25ドル。見知らぬ土地にやって来た私は、ただ、日々空虚と向い合って勉強どころではなかった。そんな私を見かねて、御主人は「マーコ、話しによれば、おばあさんの反対を押し切って高校へ進学したというのに、今の様に勉強もしないで、ただブラブラして、申し分けないと思わない？仕事の合い間に勉強しなさい。」と説教してくれました。多感な私は、人の情にうたれ、泣いてしまいました。それでも、私の心は闇で閉ざされ、一歩も前へ進めず、その日その日を送るだけで精一杯でした。

3ケ月立ち、仕事にも慣れつつあった頃、二番目の男の子が、兄弟の中で、一

番成績が悪いと言って、いつもしかられるのを見ました。その時、私はなぜか放って置けない様な気持ちになったのです。というのは、自分も小学校の頃、勉強はしたいが、方法が分らず、欲求不満だった事を思い出したからです。思い切って、「光坊、マーコと一緒に勉強しよう。」と言うと、「うん。」と言ってくれました。それで計画表を作ってあげたり、楽しく勉強させるためにオヤツを作って置いたりしました。

そして、学校の休み時間に小学生の、心理学の本を読んだり、算数の勉強をさせたり、毎日が楽しく私の気持ちが少しづつ、安定して来たのです。

ある日、成績の向上を、2人で喜んでいると光坊が「マーコも勉強しろよ、首里高で一番になれよ。」なんで、可愛い事を言って私を泣かせるのです。仮の栖で、こんなさわやかな気持ちになれるのだろうか。

私は、2年の頃拍車をかけられ、ある決意をし、勉強する勇気が出て来たのです。

人は生活が安定すると、顔の表情まで明るくなるものだと、しみじみ感じたのも高校2年の頃でした。

暖かい家族の励ましと、学友のおかげで、どうにか見知らぬ土地にも慣れた頃、私はまた新しさを求めたい心境になりました。せっかく慣れたのにと言って、泣いて引きとめる子供達や御主人に別れて、私はまた1人になりました。

今度は、友人の家に居候しながら、紙工所の工具です。時給15仙の最低賃金。生活どころじゃない。そこも1ヵ月でやめてしまいました。

そして、現在ある食品会社に落ちついています。

転々とした過去、一体放浪の中から何を得たのであろうか。

私はこの4ヵ年で、他人に「感謝する」という明るい心を築いたと思います。1人身という自覚が、ややもすると暗く、厭世的になりがちだったのです。それで、いつも暖かいまなざしで、励ましてくださった人々の事を思うと「人間はすばらしいなあ」って叫びたくなります。

自分の汗と涙で歩いて来た4年間、私は、青春の中で、自己のよりどころを確立した事を誇りとしたい。そして、先輩として後輩の皆さんに強く言いたい。定時生が、定時生であるために、やはり自己を正しくみつめる以外にないということです。ややもすると暗く無気力になり

がちな定時生活です。だから、自分の心のよりどころを発見し、勇気をふるい起こさない限り私達定時生の単調な生活は、敗北へとつながります。

　転職した私ですが4カ年の間に沢山の人々、友人、先生方の暖かい励ましがあったからこそ定時生活をやり通せたと思います。

ある歌人が「どこにいても、真正面に働らけば、青空と人の心は我に美し。」と言っています。私は、この心境で卒業をむかえられる事ができ幸わせだと思います。

# 昭和46学年度　琉球政府立沖縄海員学校生徒募集要項

1. 募集人員
   甲板科　40名　　機関科　40名
2. 受験資格
   (1) 年令　昭和46年4月1日現在で15才から19才まで（昭和27年4月2日から昭和31年4月1日までに生まれたもの）
   (2) 学歴　中学校卒業以上の者（昭和46年3月卒業見込みの者を含む）
   (3) 身体強健で次の規格以上のもの

| 区分 | 年令 | 18才以上 | 17才 | 16才 | 15才 |
|---|---|---|---|---|---|
| 身 | 長 | 157 cm | 156 cm | 154 cm | 151 cm |
| 体 | 重 | 49 kg | 47 kg | 45 kg | 41 kg |
| 胸 | 囲 | 79 cm | 78 cm | 77 cm | 74 cm |
| 肺活量 | | 3,000 cc | 3,000 cc | 2,8000 cc | 2,600 cc |
| 片手懸垂 | | 10 秒 | 10 秒 | 10 秒 | 10 秒 |
| 眼 | 視力 | 両眼とも裸視力で甲板科1.0、機関科0.8 ||||
| 眼 | 眼疾 | 角膜・斜視・紅彩・トラコーマ・網膜諸病のないもの ||||
| 眼 | 色神 | 色盲・色弱でないもの ||||
| 耳 | 聴力 耳鼻疾 | 両耳とも60cm以上の距離で秒時計の音を聞きとれるもの 中耳・内耳の疾患特に鼓膜の穿孔耳疾のないもの 又は副鼻腔鼻控に重い疾病のないもの ||||

| 握　　　力 | 両手とも 25kg |
| --- | --- |
| 体　　　格 | ベルベック指数 $\left(\dfrac{体重(kg)+胸囲(cm)}{身長(cm)}\times 100\right)$ が（別表1）の数以上で、偏平胸・奇形・指足等の欠損・四肢運動の不自由のないもの |
| 疾　　　病 | 心臓・肺臓の疾患・胃臓病・心悸亢進・てんかん・喘息・肋膜炎の障害・精神異常・神経障害・言語障害・伝染性の皮膚病・痔疾・高血圧(140以上のもの)腋臭その他諸疾病のないもの |
| そ　の　他 | 検査医が海上勤務に不適当と認める疾病のないもの |

別表　1

| 年　　令 | 18才以上 | 17才 | 16才 | 15才 |
| --- | --- | --- | --- | --- |
| ベルベック指数 | 80.6 | 79.6 | 78.1 | 76.3 |

3．出願月日
　　昭和46年1月20日から2月15日まで
4．第一次試験
　　試験期日　昭和46年3月14日（日）
　　試験地　本校・平良市・石垣市
　　　　　　（受験票に試験場を記入
　　　　　　の上通知する）
　　試験内容　中学校卒業程度の国語
　　　　　　・数学・英語の筆記試験
　　　　　　と簡単な身体検査
5．第一次合格発表
　　昭和46年3月23日（火）本校・宮
　　古・八重山地方庁
6．第二次試験（第一次合格者のみ）
　　試験日　昭和46年3月30日（火）
　　　　　　午前9時
　　試験地　本校
　　試験内容　精密な身体検査及び面接
7．第二次試験合格者発表
　　昭和46年3月30日（火）午後　本校
　　にて
8．入学期日

昭和46年4月6日（火）　　　　　　　＄60.00
9. 修業年限　1ヶ年　　　　　　　ロ、毎月必要な経費
10. 学資金等　　　　　　　　　　　　生徒会費＄1.00　後援会費＄1.00
　(1) 授業料及び寮費等は徴収しない　　小遣い約＄5.00
　(2) 全員寄宿舎に収容し、家具・被服　11. 出願手続
　　　の一部を貸与する　　　　　　　　　志願者は次の書類を揃えて出身学
　(3) 在学中の費用　　　　　　　　　校長から、沖縄海員学校教務課宛送
　　イ、入学時納入金　　　　　　　　付すること
　　　　制服・制帽・作業衣・教科書代約

| 　 | 　 | 　 |
|---|---|---|
| 1) | イ、願　　　書 | 本校から交付する用紙に記入すること |
|  | ロ、履　歴　書 | 上　に　同　じ |
|  | ハ、身元明細書 | 上　に　同　じ |
|  | ニ、身体検査証 | 上　に　同　じ（保健所、政府立病院で検査してもらうこと） |
| 2) | 戸　籍　謄　本 | |
| 3) | 写　　　　真 | 単身、正面、脱帽で最近3ヶ月以内<br>撮影のもの二葉　　規格（4.5cm×4.5cm） |
| 4) | 受験票送付用封筒 | 住所、氏名を明確にし3セント切手を貼付したもの。但し（本校で出願手続をする者は不要 |
| 5) | 出身学校長<br>の　報　告　書 | 本校から交付する用紙に出身校長に記入してもらう |

以上の手続を終え提出書類に不備のないものには受験票を付交する。

備 考
(1) 願書請求や何かを問いあわせる時は必ず3セント切手を添え、宛先をはっきり書いた封筒を同封すること
(2) 出願書類に虚偽の記載があった場合には、入学後でも入学を取り消すことがある
(3) 願書提出後、記載事項に変更のある場合には速やかに本校に届け出ること
(4) 受験日には受験票・弁当・筆記用具持参のこと
(5) 出願書願は受け付後は一切返さない
(6) 本校の所在地
　　石川市海岸埋立地
　　TEL 064-2595
　　琉球政府立　沖縄海員学校

# 1971年度の教育関係予算説明会を終えて

文教局調査計画課

1971年度の教育関係予算の説明会は去る11月24日から12月1日にかけて全琉小中学校、高等学校、特殊学校、各種学校、区教育委員会、連合区教育委員会、教職員会等を対象に連合区単位に実施されたが、関係教育機関の協力を得て充分な成果をおさめることができた。今回の予算説明会の質疑の主なものは下記のとおりである（一部解説を加えておく）

1、中学校の生徒数にかかる単位費用が小学校のそれより低いのは何故か

〇これは中学校と小学校の単位費用積算基礎における標準施設のおき方の相違によるもので、具体的には給食従事員の配置数の差異によって生ずる人件費に原因している。

（現在小学校4人、中学校1.5人）。しかし内容的にこれらの単位費用を分析すると下表のとおりで中学校が実質的には、はるかに高い。

児童、生徒1人当り経費　（単位　ドル）1970年

| 区　分 | 人　件　費 | 事　業　費 | 計 |
|---|---|---|---|
| 小 | 5.31<br>(4,303/810人) | 4.83<br>(3,912/810人) | 10.14<br>(8,215/810人) |
| 中 | 2.12<br>(1,434/675人) | 7.01<br>(4,728/675人) | 9.13<br>(6,162/675人) |

2、体育館建設のみとおしはどうなっているか（久高）

1976年度本土水準100%到達を目標とする長期計画の中で73年以後整備をはかりたい。

3、文教予算の復帰までの計画の仕方をうかがいたい。

4、復帰後の高等学校費の財源とその経

路はどうなるか。
5、病休職員のための補充教員を獲保できないか。
6、学校図書館事務職員の配置と財源の保障はどうなるか。
7、公立幼稚園の園舎建築に対する対応費の保障はどうなっているか。
8、各教育区に対する事務依託費は現在どうなっているか。
9、文化財の復原、改修等の計画はどうなっているか。
10、1971年度の米政援助削減に対する理由
11、水泳プールを全琉の学校に配置する計画はあるか。
12、幼稚園教育の給与補助率の引き上げ計画はどうなるか。
17、局の幼稚園就園率の引き上げに伴なう地方教育区負担分は、特に本土復帰後どう措置するか。
18、各教科の備品基準についてうかがいたい。
19、特殊学校施設の充実計画をうかがいたい。
20、特別教室整備計画はどうなっているか。
21、給食センターの増設計画どうなっているか。
22、高校敷地の買上げ計画をうかがいたい。
23、風疹児学級の設置に伴なう教室の増設計画はどうなっているか。
24、特に本土復帰に関連し管理者の研修が重要であると思われるがその計画はどうなるか。
25、本土復帰に関連し免許外教科の教員の措置はどうなるか。
26、校舎の修理費はどこが負担するか。
27、産振備品と技術家庭備品との差異。
28、沖縄と本土の給与法にはかなりの差異があるが、復帰後教職員の給与はどうなるか。
29、勧奨退職の大幅実施による人事の刷新は大変けっこうなことであるが退職者の給与の改正はどうなっているか。
30、協同調理場の内部施設に対する政府補助はどうなっているか。
31、併置校の体育館の基準面積の取扱いは小学校、又は中学校いずれの取扱いか。
32、学校警備員の経費の補助はどうなっているか。
33、学校用地の購入、拡張、整備費は補助できないか。
34、復帰後の校舎建築の補助についてうかがいたい。

35、学校建設計画の概要をうかがいたい。
36、養護教諭の設置基準、配置状況、指定方針、養成計画等をうかがいたい。
○養護教諭の設置基準については、「義務教育諸学校の学級編成及び教職員定数の基準に関する立法（1966年立法第31号）第7条を参照されたい。
○配置状況は下表のとおりである。

養護教諭の配置状況　（1970年11月）

|  | 小学校 | | | 中学校 | | | 計 | | |
|---|---|---|---|---|---|---|---|---|---|
|  | 定数 | 現在配置数 | 率 | 定数 | 現在配置数 | 率 | 定数 | 現在配置数 | 率 |
|  | 63人 | 104人 | 63.8% | 71人 | 52人 | 74.2% | 234人 | 156人 | 65.5% |

○文教局長の指定方針については、「中教委規則第58号（1958年）」を参照されたい。
○文教局は養護教諭の養成事業は直接行っていないが、中央教育委員会指定として那覇看護学校公看学科で養成されたものの中から採用している。なお72年4月以降は、琉大保健学部から有資格者が卒業する予定である。
37、71年4月の新規採用教員の見通しはどうか。
38、学校の修繕費に対し校長が自由に運用できる経理費の簡素化ははかれないものか。
39、併置校の校長に併任手当を支給する計画があるでしょうか。

(1)、公立小中学校の教職員の給与については、教育委員会 法136条の2項の規定により、一般職の職員の給与に関する立法及びこれに基づく人事委員会規則の規定を準用することになっている。
(2)、公務員法（一般職の職員の給与に関する立法第26条）で併任された職員の給与について規定されている。即ち職員が一つの職位を保有したままあわせて他の職位に任用された場合には、前者の職位について給与を支給する。但し後者の職位について給与上特別の考慮を要するときは、前者の職位について支給する給与と重複しないと認められる限度において、人事委員会の承認

を得て、後者の職位についてもその職位に係る給与の一部又は全部を支給することができるとなっている。
(3)、同一勤務時間内での併任については、支給できないとの人事委員会の見解である。

したがってこの問題については将来の問題として検討していきたい。

40、中学校の小学校並み完全給養の実施に伴なう給食従事員の給与の財源保障はできないか。
(1) 沖縄の公立中学校の完全給食実施状況は1970年4月現在で学校数40.4％、生徒数53.8％となっており地方教育区の学校給食への関心度、努力度がうかがえる。
(2) ところで、現在交付税で財源保障された給食従事員の標準規模（学級数15、生徒数675）における配置数は1.5人で、ミルク給食としての人員配置である。上記の中学校の完全給食実施状況からすれば、小学校並み完全給食従事員（4人）の財源を保障し、中学校の完全給食の普及を推進する必要がある。
(3) しかし、現在本土の地方交付税の中学校給食従事員の算定基準は沖縄と同一規模、同一人員配置でミルク給食としての1.5人分しか財源保障されてない、本土復帰後沖縄の交付税が本土の交付税の適用を受けた場合、球縄の標準定数（完全給食にすると277人増となる）が本土の定数を超える分についてその財源を誰が負担するか、等といったような県財政、地方財政との関連があるので現在検討の段階である。

# 1970年教育関係10大ニュース

### 1、 教育委員会制度の存続問題

本土復帰した際、本土の法や制度と異なる沖縄の法や制度をどのようにするかということが、復帰準備作業の基礎的な仕事となっているが、教育界においては、教育委員会法のとりあつかいが教育行財政の基本法であるだけに問題になっていたところ、去る10月9日の中教委で「現行教育委員会制度をそのまま残すよう要請すること」を決定した。

開 会 中 の 中 教 委

### 2、 成績抜群の沖水専攻科

沖 縄 水 産 高 校

沖縄水産高校の専攻科は、去年の海技免許従事者国家試験でも全国のトップにランクされる好成績を収めたが、今年もまた4月定期の試験ですばらしい合格率をしめした。すなわち、甲2、で100％、甲1で43.8％、甲長で66.7％の合格率であるが、この成績はおそらく全国一のものと見られている。

### 3、 中学校教育課程の告示と小学校教科書の改訂

「本土の教育課程の改善に伴って沖縄の中学校の教育課程をどのように改善すべきか」の諮

問をうけた中学校教育課程分科審議会は6か月有余にわたる審議を経て1970年1月中教委あて答申した。中教委はこの答申をうけて1月21日答申書通り決定し1970年2月9日中教委告示第4号をもって中学校学習指導要領の改正を告示した。

なお、1971学年度使用教科書図書目録については、1970年7月24日教育委員会法第114条の規定に基づき中央教育委員会により設定された。これにより小学校用教科書が改訂されることになった。

### 4、南部商業高校校舎着工

後期中等教育拡充整備計画の一環として南部の東風平村に商業高校の新設が計画され、敷地の整備も終えて工事の着工を待っていたが、去年11月30日午後から起工式が行なわれた。この建築工事は費用 705,055ドルのうち60％を日政援助により、1971会計年度の単年度で完成することになっている。

建設中の南部商業高校

### 5、公立小中学校の分離統合

学校規模の適正化は1971年度教育主要施策の一つにとり上げられ、文教局としても努力してきたが、1970年においては羽地教育区立源河小中学校の中学校が羽地中学校に統合し、また過密地域における学校分離は、那覇教育区に

城東小を、石垣教育区に新川小をそれぞれ新設した。

　尚、71年度は渡嘉敷中阿波連分校を本校に統合し、コザに山内小、浦添に浦城小を新設、72年度は那覇に宇栄原小の新設が中教委で認可されている。

## 6、　第18回九州各県対抗陸上競技沖縄大会の開催

　8月23日第18回九州各県対抗陸上競技大会が奥武山陸上競技場で開催された。九州ブロックは日本全国でもかなり高いレベルにあるが、沖縄勢は地の利を生かしてよく健斗し、総合4位の成績を収めた。沖縄で九州各県対抗陸上競技大会が開催されるのは2回目で、初回は1960年名護競技場の完成を記念して名護で開催され、その時の沖縄の戦績は7位であった。

## 7、　第1回風疹聴覚障害児担当教員研究大会の開催

　1969年3月に発足した風疹聴覚障害児教育の反省と聴能教育についての研究ならびに一般社会の人々に風疹児についての正しい理解と協力を求める趣旨で、第1回風疹聴覚障害児教育研究大会が、10月26〜27日の両日中部連合区で開催された。

研　究　授　業

## 8、　糸満青年の家着工

　青少年を対象にした社会教育施設として現在名護青年の家があるが、利用希望者が多く需要を満たしきれない状況にあ

糸満青年の家起工式

り、さらに那覇から距離的に遠いこともあって、那覇近郊にもう一つ青年の家の建設が望まれていたところ去る6月15日糸満町嘉数部落の敷地に起工式を行ない工事がはじめられた。

工費は総額152,301ドルで完成は1971年1月22日の予定である。

## 9、読谷村中央公民館の落成

沖縄ではじめて、公民館の運営及び設置規準にもとづく設計による公民館が読谷村に建設された。総面積833m²の中に実習室、講義室、会議室、放送室、ホール、ステージ等を備えた模範的な公民館で、2月1日に着工、6月30日に完工した。総経費81,000ドルを要し、そのうち日政援助27,778ドル、琉政負担18,071ドル、残りを教育区が負担した。

読谷公民館

## 10、教職員の海外研修

文部省では従来教職員の国際的視野を広める目的で、校長等を海外に派遣してきたが、昭和45年度から更に大幅な拡充を行ない、学校長等のほかに中堅教員を含め500名を派遣することになった。これに伴ない沖縄からもはじめて5人の教員が派遣されることになり、去る10月〜11月にかけてすでに4人が研修を終え帰任した。

一九七二年・本土復帰

新しい豊かな県づくり

## 色三島粟絵菊花型中皿

　　　　　　　　　　　　　　　伝仲村渠致元作　　18世紀初期

　この色三島粟絵菊花型中皿は用啓基仲村渠致元（1692～1753）の作と伝えられ、37枚の花弁で菊花を型取り、釘彫りした粟絵にわずかに色釉をさしたものである。

　皿全体の形といい、粟絵、釉薬の発色等この作品は琉球陶芸のすばらしさを十分に発揮した秀作の一つに数えられている。

　仲村渠は1730年王命により薩摩の竪野窯や苗代川で朝鮮式薩摩陶法を学び、琉球の陶芸に新風を吹き込んだ。すなわち、窯の改良をはじめ器物の形態の工夫、広く一般庶民の使用する水甕等を製作したり、八重山に陶法を教え広めるなど、彼の残した業績は今日高く評価されている。

　なお、この皿は戦前子孫に伝えられていたものを啓明会が買い取り、戦後、琉球政府立博物館が買い戻したものである。

　　　　　　　　　　　　　　　　　　　博物館主事　　宮　城　篤　正

---

1971年2月3日　印　刷
1971年2月4日　発　行

　　文　教　時　報　　（121）

発行所　琉球政府文教局総務部　調査計画課
印刷所　サ　ン　印　刷　　TEL 2－3679

政府立博物館　名品紹介
## 色三島粟絵菊花型中皿

## 教員の性別構成（小・中校）

| | | 本土 | | | 沖縄 | | |
|---|---|---|---|---|---|---|---|
| | | 男 | 女 | | 男 | 女 | |
| 小学校 | 1960 | 54.7 | 45.3 | | 35.2 | 64.8 | |
| | 1965 | 51.6 | 48.4 | | 31.6 | 68.4 | |
| | 1970 | 49.1 | 50.9 | | 29.0 | 71.0 | |
| 中学校 | 1960 | 78.3 | 21.7 | | 75.3 | 24.7 | |
| | 1965 | 74.7 | 25.3 | | 73.3 | 26.7 | |
| | 1970 | 73.5 | 26.5 | | 68.2 | 31.8 | |

| 区分 | | 本土 | | | 沖縄 | | |
|---|---|---|---|---|---|---|---|
| | | 計 | 男 | 女 | 計 | 男 | 女 |
| 小学校 | 1960 | 360,660 | 197,222 | 163,438 | 3,845 | 1,352 | 2,493 |
| | 1965 | 345,118 | 178,218 | 166,900 | 4,176 | 1,321 | 2,855 |
| | 1970 | 367,908 | 180,607 | 187,301 | 4,886 | 1,418 | 3,468 |
| 中学校 | 1960 | 205,988 | 161,237 | 44,751 | 1,654 | 1,245 | 409 |
| | 1965 | 237,750 | 177,534 | 60,216 | 2,865 | 2,099 | 766 |
| | 1970 | 224,547 | 165,047 | 59,500 | 3,435 | 2,344 | 1,091 |

注： 教員数は各学年度5月1日現在の本務教員数である。
（学校基本調査報告書より）

# 文教時報

122

第三〇巻（第三号）

122

琉球政府・文教局調査計画課
豊かな沖縄県づくりに備えよう

# 写真日誌

▶第7回沖縄学校
保健大会
（12月4～5日）

学校保健大会で挨拶をのべる稲福全志新会長

　1970年度の学校、保健大会が北部連合区委員会ホールで開催された。児童生徒、父兄、保健主事、養護教諭、給食主任、学校医、歯科医等の研究発表のほか、9分科22班に分れ熱心な研究討議が行なわれたが、今回から精神衛生の分科会も新設され、保健大会の内容は一層充実したものとなった。

▶中教委選挙（12月15日）

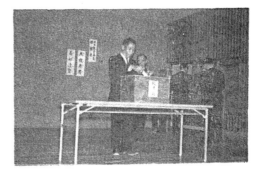

　中教委の半数は2年毎に改選されるようになっているが、今回は北部1人、中部2人、都市1人、南部1人改選されることになり、北部と都市は無投票で小嶺憲達、宮里栄輝両氏が、中部と南部は投票の結果、新垣盛繁、兼堅浩、大城英男の各氏がそれぞれ当選した。

◀長期研修生修了式
　（12月21日）

　中学校生徒指導担当教諭の長期研修が1970年6月～12月までの6か月間教育研修センターで行なわれていたが、12月21日修了式が行なわれた。各学校、地域における今後の活躍が期待されている。

毒ガス移送（1月13日）

▲ 毒ガスを運ぶトレーラー、上は北美小

輸送に伴なう安全性の問題でもみぬいた毒ガス移送は地元美里村が政府の避難対策や安全保障措置等を認め今回は阻止しないとの態度決定をしたため、ようやく13日の10時と12時の2回にわたって運び出された。
しかし沿道の登川、池原区民や、中部の小中高86校は大事をとって避難・休校した。

▲前兼久公民館に避難した登川区民

全国高校選抜駅伝（1月7日）

第5回全国高校選抜駅伝競走大会は本土から11地区代表11校、沖縄から4校計15校が参加、琉球新報前―知念村久原折返し7区間42,195kmの那覇マラソン公認コースで行なわれ、中国代表の世羅高校（広島）が2時間10分32秒の大会新記録で優勝した。なお、地元沖縄勢は不振に終った。

第三回へき地教育研究大会（1月20〜22日）

◀ 全体会場の渡嘉敷公民館へ入場する参加者

▶ 座間味から阿波連へ上陸する中教委の先生方

◀ 座間味小学校一年生研究授業

# も く じ

写真日誌
- 第7回沖縄学校保健大会
- 中教委選挙　・センター長期研修生修了式
- 第一次毒ガス移送　・日琉親善高校駅伝
- 第三回へき地教育研究大会

講演　九州地区における
　　　へき地教育の現状と課題
　　　　　　　　　大塚　主………1
第三回へき地教育研究大会レポート
　　　　　　　　　編　集　係………7
沖縄県育英会の創設
　　　　　　　　　親泊　安徳………10
1970年度教育指導員反省会抄録…15
理科長期研修生研修報告
　　　　（研修センター）
　　　　　　　　　伊波　久弥………17
児童、生徒の貧血の実態について
　　　　　　　　　幸喜　政子………26
学校紹介
　豊かな人間性を目ざして
　　　　　　　　座間味小中学校………34
調査計画の将来に備えて
　　　　　　　　　松田　州弘………38
講座　会計用語の解説
　　　　　　　　　宮良　当祐………47
中教委議事録より………………50
日本古美術展の案内……………51
教育区債起債のための基礎資料…52
博物館名品紹介
児童、生徒数別学校数　｝裏表紙

# 文 教 時 報

No.122　'71/3

表紙……渡嘉敷の野生クバ

## 講演

## 九州地区におけるへき地教育の現状と今後の課題

講師　大分県竹田市立祖峰中学校長
　　　九州地区へき地教育研究連盟委員長

大塚主 先生

　私の住んでいる大分県の竹田市は古墳が多く、それを〝大塚〟と呼び、その主ということで私の名は〝主〟（ちから）と命名しております。この古墳の形は前方後円墳で、こちらにまいりまして亀甲墓を見、形の上で相通ずるところがあることから私と沖縄のつながりを感じました。いま私のくつの底には座間味、渡嘉敷の土がついておりますが、これを落さずに九州までもって帰りたいと思っております。

　戦前、沖縄は長野県と並んで教育県といわれていました。此のたび沖縄にまいりまして、あれほどの戦争による断絶があったにもかかわらず、今なお沖縄が教育県であることを知り、深い感銘を受けたのであります。私は昨年もこちらにうかがうつもりで準備をしたのでありますが、パスポートが下りず、とうとう来島できませんで、皆様の苦労がよく察しられました。そのような事情で去年はこれなかったのでありますが、大分大会に皆様の代表をお迎えすることができましたので大変うれしく思いました。

　さて、この第三回へき地教育研究大会が、このように盛会であることは大変喜ばしいことであります。しかし反面、へき地教育はそれだけ問題が多いということでもあると思うのであります。へき地教育の振興は、施設、設備、教職員の待遇等をよくすることが大切で、各県ともそういう点で努力をしているわけであります。そこで今日は、九州各県の状況についてお話し申し上げたいと思うのであります。

### へき地校の指定状況

　最初に、九州地区におけるへき地校指定の状況を申し上げます。へき地校の指定は文部省令で定めるへき地学校の級別指定規準に準拠して、県条例で行なうことになっておりますので、それぞれの県によって幾分か差があります。九州各県のへき地指定校数とその比率及教員数は次表のとおりでありますが、大分県の場合は他県よりも有利に指定されております。

　なお本土では、1級地から5級地の他に、暫定1級の指定がありますが、これは有限指定で昭和45年3月31日までとなっていたのを47年3月31日までに期間延長してあります。また、現行の指定規準については改定の要望

表1　へき地指定校（分校を含む）

| 区分 \ 県名 | 福岡 | 佐賀 | 長崎 | 熊本 | 宮崎 | 鹿児島 | 大分 | 沖縄 |
|---|---|---|---|---|---|---|---|---|
| 小学校 | 81 | 32 | 194 | 113 | 106 | 205 | 167 | 69 |
| 中学校 | 17 | 8 | 96 | 30 | 38 | 122 | 51 | 52 |
| 計 | 98 | 40 | 290 | 143 | 144 | 327 | 218 | 121 |
| 比率 小 | 11.4 | 14.0 | 39.6 | 19.0 | 32.7 | 31.5 | 37.1 | 28.9 |
| 比率 中 | 5.3 | 8.0 | 39.6 | 12.0 | 23.0 | 35.9 | 28.0 | 34.4 |
| 比率 計 | 8.7 | 12.1 | 39.6 | 17.0 | 29.4 | 33.0 | 34.5 | 30.4 |
| 教員数 | 726 | 190 | 2,983 | 798 | 1,032 | 3,339 | 1,586 | 1,140 |

が強いので基準の改定は必至であると思います。

**へき地教育の振興策について**

へき地教育の振興のためには多方面的な施策が必要なわけですがその二、三について申し上げてみたいと思います。

先づ、人事交流について、九州では大分方式と鹿児島方式が主なものでありますので、この二つについて説明いたしますと、大分方式は、全県下を六つのブロック（教育事務所）に分けます。そして県条例によって各ブロック内にA～Dの四つのランクを設けます。この場合Aが中心地、Dがへき地であります。人事交流はAB～CDというように行ない、勤務年限をへき地は3年、同一校は6年、同一教育区内は15年と定め、基準該当者を移動させるわけですが、移動希望は、基準以外の地区を書かせるようにしているわけであります。更に上級職登用にはへき地勤務を重視するようになっておりまして、交流の実情はどうかと申しますと、現在へき地勤務希望者も多く順調にいっております。この大分方式と似たような方法を行なっているのが熊本や宮崎県であります。

鹿児島方式は、全県下をABCDの交流区にランクした広域人事の方式をとっております（Aがへき地、Dは鹿児島市）。離島が多いということで事情の似ている長崎県はこの方式に似ております。

へき地勤務教員の優過措置についても全国的に採用されていますが、これも県によって多少異なり、九州各県はよい方であります。一覧表にしますと表2のとおりであります。

表2　特別昇給制度その他

| 級地 | 県名 | 大分 | 鹿児島 | 宮崎 | 熊本 | 長崎 | 佐賀 | 福岡 |
|---|---|---|---|---|---|---|---|---|
| 特昇短縮月数 | 1 | 6 | 6 | 12 | 6 | 9 | 9 | 6 |
| | 2 | 9 | 9 | 12 | 9 | 9 | 12 | 9 |
| | 3 | 12 | 12 | 12 | 9 | 12 | 12 | 12 |
| | 4 | 12 | 12 | 12 | 12 | 15 | 12 | 12 |
| | 5 | 12 | 18 | 12 | 12 | 18 | 12 | 12 |
| 特昇時期 | | 2級地以上は赴任と同時 | | | 最初の昇級期 | 赴任と同時 | 3ケ年勤務が条件 | 大分と同じ |
| 研修旅費 | | 1,2級 2,400円 3,4,5級 3,600円 | ないかどうか不明 | 2,800円 | 6,000円 | 2,000円 | 2,500円 | 1級地 3,000円 学校 10,000円 2級地 5,500円 学校 20,000円 3級地 9,000円 学校 30,000円 |
| 教育団体補助金（文部省からへき地教育研究会へ） | | 150,000円 | 170,000円 | 180,000円 | 120,000円 | 140,000円 | 150,000円 | 300,000円 |

　大分県の場合について説明いたしますと、教職員の待遇については、教育委員会や教育長との間に、九州中位の県より悪くならないように措置するという申し合わせができております。特昇制度については、1級地で3年勤務すれば昇給期間を6か月短縮し、2級地以上は赴任と同時に9〜12月短縮するということであります。研修旅費というのは、研修手当的なもので、特に研修会等に出席しなければ支給しないというようなものではありません。このほか、大分県ではへき地派遣教員の制度がありますが、希望者が割と多く、地元出身教員との差が問題となっております。

**小規模校教職員定員の改善**

　小規模校における教職員の定数については特別な配慮が必要であることは、皆様も身にしみて感じているところでございましょうが、大分県の例を申し上げますと、小学校は(1) 3個学年の児童を一つの学級に編成して8人以上となる学校には定員1名増、従って3個学年複式は解消。(2) 2個学年複式を2学級以上有する学校に定員1名増。複式は1学級になる。(3) 2個学年の児童を一つの学級に編

成して23名以上になる学校に定員1名増、従って22名以上の複式学級はできない。(4) 1年生を含む2個学年複式の学校で、その児童数が20～22人となる学校に1人増員（従って1年生を含む20人以上の複式学級はできない）中学校については、複式学級を解消するというようになっております。この定数改善に要する教員の確保は県費によってまかない、大分県の場合は現在195人の県費負担教員がいますが、これをもっと増員すべく要求中であります。全国的にはどうなっているかと申しますと、(1)中学校複式を解消している県が16県、(2)小学校の3個学年複式を解消している県が10県、(3)小学校の2個学年複式で22名以上の県が7県という状態であります。

### へき地関係予算の概要

次に国のへき地関係予算について昭和46年度の要求から申し上げますと、教職員対策で特別昇給、へき地手当の$\frac{1}{2}$補助、多学年学級担当手当（日額）を学級120円→180円、3～5個学年90→135円、2個学年複式75→115円にそれぞれ引きあげる。教員宿舎 1360戸 分（離島過疎地域は補助率$\frac{2}{3}$）の建設等を要求中とのことであります。尚座間味、阿嘉、渡嘉敷で教員住宅をみせていただきましたがこちらの教員住宅は本土のそれにくらべてすばらしく、まるで高級マンションのような感じを受けました。

へき地教育環境の整備につきましては、ス

クールバスやボートの購入、携帯用歯科用ユニット等の整備費、給水施設、へき地集会室、小中学校校舎の新増築、同統合校舎新増築、同危険建物の改築等の補助率アップ等が要求されておるようであります。教員宿舎のところでも申し上げましたが校舎も沖縄のは大変に立派で、気候風土のせいとは思いますがこちらの先生方はその点しあわせであると思うのであります。

つぎに児童生徒対策費についてみますと、寄宿舎居住費の補助率は従来通り$\frac{1}{2}$ですが、食費、日用品費、寝具費等の単価、高度へき地パン、ミルク給食費の単価引きあげを要求しています。また遠距離通学費として小学校4K以上、中学校6K以上の交通機関利用者について$\frac{1}{2}$は補助、$\frac{1}{2}$は交付税に積算して結局全額国が負担するようになっております。その他医師、歯科医師、薬剤師等の派遣費補助として1回 6,000円の$\frac{1}{2}$を補助する予算が計上要求されております。へき地教育の内容改善について申し上げますと、へき地教育研究のため46校を指定し、複式教育課程の作成、複式学級用教科書の調査研究（三教科）、へき地学校複式指導者調査（全国三会場）等が計画されております。

### 全国及び九州地区へき地教育研究連盟

以上が昭和46年度の予算要求にみる国のへき地関係予算の概要でありますが、今度は全国のへき地教育研究連盟の組織や活動状況を

紹介したいと思います。

先ず組織でありますが、県単位で参加し、毎年1回開催される大会は県代表1人で成立いたします。経費は45年度について申しますと、130円×へき地手当受給者×0.55の県分担金と文部省補助100万円で運営しております。具体的な活動について申し上げますと、へき地教育研究大会を毎年1回文部省と共催で開いて参りました。たとえば1970年の第19回大会は青森県で開催されましたが、71年度は新潟県、72年度は北海道、73年度は徳島県が予定されております。

独自の活動としましては、各都道府県の人事、優遇策等の実情や定員・定数の施策等についての調査、その他教育問題等について調査を行なってまいりました。また、へき地指定規準や補助率のアップ等について関係当局と交渉してきました。次に九州地区へき地研究連盟の現状と今後の活動計画についてお話し申し上げたいと思います。

九州地区のへき地研究連盟も県単位で参加し、負担金は5,000円となっております。九州地区へき地教育研究大会は、長崎、熊本、鹿児島、宮崎、佐賀、大分、福岡の順に開催され、70年の16回大会は大分県で開催されたわけであります。71年度は福岡で開催されることになっておりますが、沖縄の72年本土復帰を記念して72年の大会は沖縄で開催したら大変意義深いものになるのではないかと思います。

さて大分大会はテーマを大きく二つに分け、Aテーマは教科の授業研究と各県代表による研究発表、Bテーマは問題別に①少人数学級、②複式学級、③進路指導、④教材教具、⑤学校経営（学級経営も含む）に分けて研究発表が行なわれました。特に中山文教局長さんを講師としてお迎えすることができましたことは、私たちの大きな喜びでありました。来年の福岡大会は「へき地における小、中学校の学校経営ならびに学習指導上の諸問題について研究協議するとともに研究成果を交換することによって、各県へき地教育の近代化とその充実振興をはかる」という趣旨で昭和46年10月7日～8日の2日間福岡市を中心に開催されることになっております。大会テーマもAテーマは教科別、Bテーマは問題別に①学校経営、②小規模学校学習指導、③複式学習指導、④中学校の学習指導、⑤中学校のクラブ活動、進路指導となっております。沖縄からも多数参加して下さることを期待しております。

### 今後の課題

時間も大分たったようでございますので最後に今後の課題について申し上げ話しの結びにしたいと思います。

その1つは学校の統合問題であります。大分県の長期計画による学校の増減をみますと小学校の場合昭和42年449校、昭和50年では362校、で統合により95校減、分離により8

校増、中学校が同じ年度で185校→110校統合により81校減、分離により6校増となっておりますが、学校統合については学校現場からかなり大きな抵抗があります。それはまったく理由がないことではありませんが、多教科担任が少なくなる等教育の質を高めるためには学校統合の問題はやはり必要なことではないかと思うのであります。また、へき地校勤務教員優遇措置としての特別昇給の問題につきましても、現在どの県も3年勤務を条件にしており、特昇の機会も1回きりしか認めていないわけですが、1度特別昇給の後3年を経過すれば特昇できるような要求も実現させなければならないと思うのであります。

へき地教育の今後の課題については枚挙にいとまがないわけでありますが、しかし、私はへき地は決して悪いところではないと思うのであります。むしろ教育者としてのほんとの生き甲斐はへき地にあると思うのであります。広島のへき地校の子どもたちに「将来何になりたいか」という希望を調べたところ「先生になりたい」というのが圧倒的に多かったという報告がありますが、これはへき地において先生方がいかに尊敬と信頼を受けているかということのあかしであろうと思うのであります。このように現在の日本において真の教育はへき地にあるのでありまして、日本の教育の危機を救うのはへき地の教育であると信ずるのであります。へき地の教育は色々と苦しい条件のもとにあるが、やり甲斐がある。皆様方はこのような離島へき地に赴任する時、泣いて那覇の港を離れるでありましょう。しかし2年なり3年なりのへき地勤務を終えて島を離れる時は子どもたちとの別れがつらくて泣くでありましょう。

日本の教育のよさはへき地にある。教育を愛し、子どもを愛し、すばらしい教育をやっていきたい。できてもできなくても、このように念願するものであります。　（拍手）

（1971年1月22日、第三回へき地教育研究大会での講演より、　文責豊島）

# 第3回へき地教育研究大会報告

編 集 係

　東支那海の低気圧からのびた前線が強い風雨をもたらす荒れ模様の1月20日〜22日、第三回へき地教育研究大会は南部連合区、慶良間の島々で開催された。座間味、渡嘉敷両村の連絡船に泊港北岸から乗り込んだ各部会場への参加者は船中で久方振りの語らいに興ずるもの、早くもへき地教育について論じ合うものやらで賑わっていた。定刻8時に出港、港口を出ると船のゆれが大きくなり、船室で静かに横たわる者もいる。途中阿嘉部会場への先生方を下船させ、目的地座間味についたのは予定時間を幾分かすぎていた。日程を変更してすぐ研究授業がはじまる。校舎建築が全沖縄共通の設計によっているため、児童生徒数の少ないへき地校では教室の後や横が大きくあき、過密地域をみた目にはうらやましくさえ感じられた。

　研究テーマは「学習への参加度を高める生徒指導をどのようにすればよいか」テーマ設定理由の冒頭に「運動場で喜々とたわむれる子どもたち!! あの元気ないきいきとした姿を室内、学習の場にもち込めないものか。……」とあったが、知識のつめ込みでなく、児童生徒の主体的、創造的な学習態度の育成こそ教育の真髄であることを思い、またへき地になる程消極的になっていく子どもたちの姿を見るとき、けだし当然のテーマ設定というべきであろう。それだけに先生方のとりくみがいかに真剣なものであったかは研究発表の場で容易にうかがい知ることができた。

　今回のへき地教育研究大会の特色の一つは、参加者全員が大会場のおかれた座間味、渡嘉敷、阿嘉に民宿をしたという点にある。例

中学生の案内で民宿へ

えば座間味の場合33人の外部からの参加者が、教員住宅やPTA会長副会長さん宅地元出身の先生宅、有志の方々の家にそれぞれ分散宿泊した。旅館が二軒しかなく、しかも収容人員も少ないとあっては、このような大会を催すのは並大低のことでなく、結局、学校、教育委員会、PTA、村役所その他地元村民の方々の協力なしには大会の成功は期しがたいのであるが、座間味、渡嘉敷両村ともに村をあげてへき地教育研究大会のために万全の協力体制をしいて下さったのには頭の下る思であった。

大会二日目は各部会場で、10:00〜15:00まで研究討議が行なわれ、15:00〜17:00に全体会場の渡嘉敷へ移動して 17:00か 18:00までへき地教育連盟総会が開かれた。ブルドーザーのような行動力とファイトをもった平識会長から、これまでの会活動についての報告や今後の抱負等が熱っぽく語られた。18:00 から情報交換会。渡嘉敷産の新鮮なサシミが会場の雰囲気を一層盛り上げた。

第三日

9:30〜10:30 まで研究発表。竹富教育区鳩間小中学校長、藤田長信先生の「私

藤田長信鳩間小中学校長の研究発表

の学校経営—小中併置校における—」は小規模校における学校経営のむつかしさそれを克服するための努力について淡々とした口調で発表されるのがかえって聞く者に強い印象を与えた。(最近、鳩間島も全島引あげの話が出ている)

また国頭教育区安田小学校仲間敏之教諭は九州地区へき地教育研究大会参加報告をかねて「複式学級の学習指導の現状」について研究発表を行なった。

しばらく休けいのあと、11:00 から文教局のへき地教育についての施策説明とそれに対する質疑応答が行なわれた。現在文教局のへき地教育に対する予算措置は、貧困な政府財政の故に充分とはいえないが、前向きの姿勢で努力していることは、説明と質疑を通して参加者に理解できたようだ。今後も局、現場ともにへき地教育振興のため努力していくという

共通理解を得て午前の日程を終った。

　午後は本大会の講師として大分県から来沖された大塚主先生の講演が行なわれた。（演題と内容は前掲）大塚先生は大分県竹田市立祖峰中学校長であると同時に九州地区へき地教育研究連盟委員長の要職にあり、勿論現任校の祖峰中学校もへき地指定校である。また御子息もへき地校に勤務しているという一家をあげてへき地教育にとっくんでおられる先生の講演から参加者一同深い感銘を受けたようであった。

　2:30～3:00閉会式もとどこおりなくすすみ、会場には本大会をふり返り明日からの教壇実践への新たな意欲のもり上り

と、一方ホッとしたような空気がただよう。大会世活係の国吉主事から事務連絡を終りいよいよ解散という時、ハプニング？が起った。渡嘉敷教育委員会事務局の小嶺さんから「海上シケのため本日は出港できません」という連絡に、一瞬会場がざわめいたが、そこはへき地の事情に通じている者の集まりで、もう一日渡嘉敷の味をかみしめるべく宿へ引き上げる。

　翌23日、ようやく空模様も落ちつきをみせ、8:00に渡嘉敷桟橋を出港。海上のうねりはまだ高く、予定時刻よりおくれて無事泊港着岸、来年の再会を胸に解散した。

全体会が行なわれた渡嘉敷

# 財団法人 沖縄県育英会の創設

## ―本土復帰に伴う琉球育英会の措置についての試案―

高校教育課 主事 親泊安徳

### 一、はじめに

1972年の本土復帰に伴い現行の琉球育英会法（1952年立法第35号）は廃止されることが予想されるので、現在、琉球育英会が行なっている育英奨学に関する事業、すなわち、㋐学資の貸与並びに給与、㋑学資の貸与並びに給与を受ける学生の補導、㋒修学上必要な施設の設置及び運営等いわゆる人材育成のための事業を復帰後も維持継続するために琉球育英会の事業を承継する育英奨学事業団体を創設して、沖縄県独自の育英奨学事業の持続をはかる必要がある。

### 二、育英奨学事業の現況

#### 1 奨学制度の意義

今日の奨学制度は、「すべて国民は、法律の定めるところにより、その能力に応じて、ひとしく教育を受ける権利を有する（憲法26条1項）」ことから、国民の「ひとしく教育を受ける権利」に対応するものであり、したがって英才の育成だけでなく、学校教育を受けられる「能力ある者」すべてを対象としなければならない。このことを明文化したのが教育基本法第3条2項の規定である。すなわち、「国及び地方公共団体は、能力があるにもかかわらず、経済的理由によって修学困難な者に対して、奨学の方法を講じなければならない」。

国において、奨学の方法を講じている機関が日本育英会である。日本育英会は、日本育英会法に基づいて設立された特殊法人である。

沖縄においては、琉球育英会が県独自（琉球政府）の施策をおりこんだ奨学の方法を講じている。

ところで、琉球育英会は、琉球育英会法に基づいて設立された特殊法人であるため、沖縄が復帰した場合は、日本育英会に吸収されるのでなければ、特殊法人としては存続し得ない。なぜなら、特殊法人である琉球育英会を存置するために日本育英会法の他に特別法を制定することは考えられないからである。

しかし、育英奨学事業は国のみが行なう事業ではないから、沖縄県独自の育英奨学事業を行なう機関（例えば公益法人）が存在しても差支えない。

以上のことから、現在、特殊法人である琉球育英会の行なっている育英奨学事業を復帰後も県段階の育英奨学事業として存続させる方途を講ずるため、復帰する以前に琉球育英会の組織を変更する方法を考えてみたい。

2　琉球育英会の事業

琉球育英会の行なっている育英奨学事業を1971会計年度の事業費からみると、およそ次のとおりである。

(1) 奨学費

① 国費学生奨学費

　国費大学院学生52人、国費学部学生811人に対して、国（文部省）の給与する奨学費の他に琉球育英会が同会の支給規程に基づいて給与する奨学費で合計72,698ドルとなっている。

② 自費学生奨学費

　自費学生補導費に充当されるもので、476人の自費学生の分をそれぞれの大学に納付する。合計3,442ドルとなっている。

③ 特別貸与奨学費

　日本政府援助によるもので、合計225,000ドルが大学及び高校の特別貸与奨学学生に貸与される。そのうちわけは次のとおりである。

　ア　大学特別貸与奨学費

自宅通学生　月額　13.88ドル

　　　　　　奨学生　192人

自宅外通学生　月額　22.22ドル

　　　　　　奨学生　394人

　イ　高校特別貸与奨学費

　　月額　8.33ドル

　　奨学生　750人

④ 貸費学生奨学費

　大学生を対象に学資を貸与するもので、上記①～③の奨学制度を補充するもので、琉球育英会独自の資金によるもので、月額8.33ドル、奨学生22人分、2,000ドルである。

⑤ 県費奨学生費

　国費自費学生制度から県費奨学制度への移行措置として設けられたもので、月額50ドル、奨学生8人、合計2,550ドル計上している。

⑥ 商社団体等依託奨学金

　商社、団体篤志等の出資に基づいて給与される奨学金で、月額10ドル

〜30ドル、奨学生26人、合計 5,467ドルとなっている。

(2) 学生寮運営費

沖英寮（東京）、南灯寮（東京）沖縄学生会館（千葉）、大阪寮、福岡寮、熊本寮、宮崎寮、鹿児島寮の8学生寮の管理運営に必要な経費が18,465ドル計上されている。

(3) 国費自費学生選抜費

国費自費学生選抜のために必要な経費で、試験問題の作成費、会議費諸謝金、印刷製本費、通信運搬費等合計6,554ドルである。

(4) 債務償還費、その他

大阪学生寮敷地購入（1970年度）資金の債務引当で、19,609ドルとなっている。

その他、人件費、事務費等に必要な経費として、69,765ドル、学生補導費845ドル計上し、貸与した奨学金の返還金は、別途奨学資金造成のため積み立てることとし、その額は10,213ドルとなっている。

なお、経費の総額は 438,426ドルでその内訳は日本政府援助金 225,000ドル、琉球政府補助金 190,315ドル、その他23,111ドルである。

## 三　財団法人、沖縄県育英会の創設

特殊法人琉球育英会を解消しなければならないことについては二、(1)の後段で述べた。しかし、法人設立の根拠法は異なるけれども民法の規定によって設立される法人（例えば財団法人）が復帰後の育英奨学事業を維持継続していくことは可能である。現に他の都道府県にはそのような財団法人が存在する。

以下、復帰対策の一試案として、民法第34条の規定に基づく財団法人を設立して、特殊法人琉球育英会にかわる育英奨学事業団体とすることを前提に、琉球育英会の行なっている育英奨学事業を承継する法人を仮に「財団法人沖縄県育英会」と呼称し、その設立と育英奨学事業の承継について考えてみたい。

### 1　琉球育英会の解消

琉球育英会を解消するには、別に立法をもって定めなければならない（琉球育英会6条）から、琉球育英会法を廃止するための立法（以下廃止法と略称する）を制定しなければならない。この廃止法を制定するに当って、特に重要なことは、単に琉球育英会を解散し、その資産を琉球政府の一般会計の中に承継するものであってはならない

ことである。琉球育英会は、本土復帰した場合、「特殊法人」としては、その存立があやぶまれるけれども育英奨学事業団体としては復帰後といえども、なお、その必要性を減じるものではないから、同会を解消する以前に民法第34条の規定に基づく財団法人沖縄県育英会を設立して、琉球育英会の事業（権利義務一切）を承継させる方策を講ずることによって、育英奨学事業の間断なき継続をはかることができると思う。

なお、この場合、復帰前に沖縄で設立された民法第34条の規定に基づく財団法人は、復帰後も当然その効力があるものとすることを前提とするものである。

2　財団法人沖縄県育英会の創設

以上のことから、琉球育英会を廃止するための立法は、およそ次のようなことを内容とするものでなければならないであろう。

ア、琉球育英会の解散及び同会の権利義務一切を承継する法人を特定する。
イ、琉球育英会が現に行なっている事業は、同会が解散してもなお存続できるようにする。
ウ、現に琉球育英会に対して行なっている運営補助金は同会の事業を承継する法人に対しても行なうようにする。
エ、琉球育英会法を廃止するとともに、廃止に伴う経過措置を講ずる。

上述のような内容の廃止法が制定されることを予想して、琉球育英会の権利義務一切を承継する法人（財団法人沖縄県育英会）を民法第34条の規定に基づいて設立しなければならない。そのために、各界を網羅した設定発起人会を結成して、商社民間団体、市町村及び個人有志からの寄付金をつのって法人設立に必要な基金の造成をはかるとともに設立許可を得ておかなければならない。

そして、廃止法が制定されたときは、それに基づいて琉球育英会の権利義務を承継することによって、復帰後も沖縄県独自の育英奨学事業の継続を期すことができる。

とくに、国費学生制度は、復帰後もこの制度の趣旨を生かして、これに準じた措置を講じることを、昨年11月20日の閣議で決定（復帰対策要綱第1次

分）しているから、この措置をスムーズに遂行していくためにも琉球育英会の機能を停止することはできない。

また、現行の特別貸与奨学制度に関しても、復帰の時点で、沖縄側の特別貸与奨学生であるものは復帰後も沖縄側の特別貸与奨学生として取り扱うのが奨学生の立場からは望ましいことであり、また、日本育英会との関係も事務上スムーズにいくものと考える。このことは、最終的には文部省との話し合いによって決まることではあるが、奨学生の立場を考えて、沖縄側に残るものとして、その準備をする必要がある。

沖縄県育英会の事業は、将来、変動することが予想されるけれども、当分は、二、2で述べた琉球育英会の事業と同程度の規模内容となるであろう。

**四、おわりに**

1969年12月、文教審議会は、行政主席から諮問のあった「国費自費学生制度の移行措置並びに同制度にかわる育英奨学制度をどうしたらよいか」について答申し、その中で殊に県費による奨学制度の創設を提唱するとともに特殊法人琉球育英会の事業及びその権利義務の一切を承継するための「育英財団」を設立すべきであると答申している。

このことからも、特殊法人琉球育英会を沖縄が本土復帰する以前に解消し、民法第34条の規定に基づく財団法人が解消する琉球育英会の事業及び資産等を承継することによって将来、沖縄県独自の育英奨学事業の充実強化を図ることができる。

豊かな県づくりは、まず「人」づくりから始めなければならない。

# 1970年度教育指導員反省会抄録

　昨年10月21日から12月15日までの56日間、全琉各地の小、中、高校教師を対象に各教科の指導員が文部省より派遣され、現職教員の資質向上のための指導にあたった。約2か月にわたる指導の全日程を終えて帰任を前に去る12月14日教育研修センターにおいて全体の反省会がもたれ、各指導員から示唆に富む所感の発表があった。

　その概要を抄録掲載します。

（文責・豊島）

- 教師が熱心のあまり、児童生徒の考える力を養うという面がおろそかにされていないだろうか。
- 教師が親切すぎるためか、児童は学習意欲にかけるきらいがある。自発学習を助長するため、子どもの実態を知る努力と方法を工夫してほしい。
- 施設、設備や教師の指導力に学校間の格差が大きい——人事の交流が必要
- 教師の研究意欲は高いが情報が不足している。よりよい情報の提供に行政的な面の努力が望まれる。
- 大規模校が多いように思う、校長先生が児童生徒の顔と名前を全部おぼえられる程度の規模が望ましいのではなかろうか。
- 物理的には狭い空間であるが、地域間の格差が大きいことを痛感した。
- 本土にばかり顔を向けないで、足下をしっかりみつめ、その土地の豊かさを耕してほしい。
- 教師一人の努力には限度がある。横の連絡を密にすることによって教育水準の向上がなされるのではないか。………相互研修の必要
- 一人一人の教師の努力が学校経営の中に生かされていない感じがする。
- 「お習いしたい」ではなく「どう思うか、どう考えるか」という積極性主体性がほしい。
- 離島では教科書会社の資料を一番のたよりにして教材研究をしているところもあるが、もっとつっこんだ研究がほしい。
- 生徒指導の面で生徒に安易に妥協していないか、工業実習における服装や長すぎる髪などどんなものだろうか。

- テレビ利用授業は大いに結構だがそれによって独自の計画を失なうようなことを警戒すべきである。
- 学校行事、学校外の行事等を精選する必要がある。
- 週番制や週訓は廃止した方がよいのではないか。一考をうながしたい
- 研究体制や指導体制に学校間の差がある。

指導員の先生方1人々々から反省事項や助言が述べられた。

## 中央教育委員会
### 委員長、副委員長プロフィル

前委員長、副委員長の任期満了にともない去る1月の中央教育委員会で新しい委員長と副委員長が選任されました。

委員長 玉 木 芳 雄
- 昭和4年　沖縄県師範学校専攻科卒業
- 〃　23年　本部中学校長
- 〃　36年　琉球政府金融検査部長
- 〃　39年　中央教育委員就任

副委員長 小 嶺 憲 達
- 昭和5年　沖縄県師範学校本科第一部卒業
- 〃　40年　文教局総務部長
- 〃　43年　文教局長
- 〃　44年　公立学校職員共済組合理事長

**教育研修センター長期研修報告**

# 物質の基礎的性質及びその変化をどう指導するか
―中学校の化学領域で原子論的物質観をどのように育てるか―

教育研修センター昭和45年度長期研修生

伊 波 久 弥

　琉球政府立沖縄教育研修センター理科研修課では、1965年以降この長期研修制度を実施し、すでに小学校は8期まで、中学校は3期まで終了した。研修人員は小学校43人、中学校17人で各地域で理科教育の指導者として活躍している。

　この制度は研修期間が半年で、講義、実験、実習が約6割、個人研究が4割の割合で研修させている。今回は第三期中学校理科教育長期研修生伊波久弥氏の研究報告の一部を紹介する。尚第三期長期研修生と研修テーマは次表のとおりである。

（理科研修課）

第三期中学校理科教育長期研修講座修了生
期間　1970年4月1日 ～ 1970年9月30日

| 連合区 | 氏　　名 | 勤務校 | 教科領域 | 研　修　テ　ー　マ |
|---|---|---|---|---|
| 北部 | 宮城　久侑 | 国頭中校 | 化学 | ○物質変化における基礎概念の指導について（化学変化の量的関係を通して） |
| 中部 | 砂辺　松善 | 古堅〃 | 〃 | ○中学校化学領域における視聴覚機器の活用とその指導法について |
| 〃 | 伊波　久弥 | 石川〃 | 〃 | ○物質の基礎的性質及びその変化をどう指導するか |
| 那覇 | 島袋　文邦 | 石田〃 | 生物 | ○中学校における呼吸の指導について（呼吸物質を中心に） |
| 〃 | 外間　昭栄 | 小緑〃 | 物理 | ○エネルギー概念をどのようにとらえどのように指導するか |
| 南部 | 金城　永昇 | 東風平〃 | 〃 | ○中学校における電磁気教材の指導について |
| 宮古 | 安谷屋　昭 | 平良〃 | 地学 | ○地学教材としての露頭の研究（郷土地質の認識のため） |
| 八重山 | 石垣　昭 | 石垣二〃 | 化学 | ○探求の過程を通して科学の方法を身につけさせるための教材研究 |

## 目　次

I　テーマ  
II　設定理由  
III　改訂指導要領に示されている化学のねらい ⎫  
IV　科学の方法における「モデルの形成」について ⎬ 省略  
V　展開計画試業 ⎭  
VI　基礎実験例  
　1．気体どうしの拡散  
　2．熱による粒子の運動　　　4．水の合成  
　3．分子の大きさの測定　　　5．金属の酸化  
VII　参考文献 ⎫ 省略  
VIII　おわりに ⎭

## VI　基礎実験例

### 実験1　気体どうしの拡散

〔目　的〕　気体の粒子も運動しながらひろがっていくことを視覚的に理解させる。

〔器具、材料〕　太いガラス（蛍光燈を利用したもの）、スタンド、脱脂綿、コルク栓（太いガラス管にあうもの）、シャーレ（ふた付き）、濃アンモニア水、濃塩酸

〔方　法〕　右図のように目盛を入れ長さ約80cm内径4cmのガラス管をスタンドにとりつける。そのガラス管の左はしから濃アンモニア水をふくませた脱脂綿を、右はしからは濃塩酸をふくませた脱脂綿を同時にさしこみ、さらにコルク栓でふたをし、変化のようすをみる。

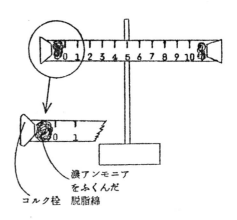

〔留意点〕　コルクでふたをしないと気体が外側にもひろがっていくので、白煙が周囲にも生じ、観察しにくくなる。

反応は濃アンモニア水と濃塩酸で約3分後に7付近の所でおきることが観察される。

実験2　熱による粒子の運動
〔目　的〕温度の高い液体ほど、その粒子の運動のはげしいことを知らせる。
〔準　備〕ビーカー（500CC）2個、スポイト、赤インク、湯
〔方　法〕2個のビーカーに冷水（室温）、温水（60〜70°C）をそれぞれ500CCずつ入れておく。それにスポイトで赤インクを吸い上げてスポイトの管のまわりをきれいにふいてからビーカーの水の中に静かに入れ、先がビーカーの底についたら、静かに滴下する。一定量滴下したら静かに出して次のビーカーにも同様に滴下する。
冷水、温水中でのインクのひろがりかたを観察する。

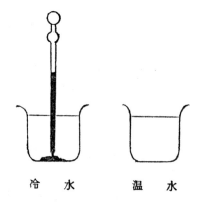

冷　水　　　温　水

〔留意点〕
。スポイトに吸い上げるインクの量はビーカーの水面の高さよりも高くしないと、スポイトに逆に水が入ってくることもある。
。温水のほうのインクは5〜10分で水全体にひろがるが冷水のほうは30〜40分位かかる。
。インクのかわりに重クロム酸カリウム、又は過マンガン酸カリウムの粒を加えてやっても同じ結果がみられる。

実験3　分子の大きさの測定
〔目　的〕化学変化の量的関係で取り扱った分子の大きさのオーダーを、単分子膜の厚さの測定を通して推測させる。
〔器具、材料〕ビーカー（100CC 2個）、スポイト、乳鉢、メスシリンダー（5〜10CC用）、水槽、ものさし、オレイン酸、メチルアルコール、パルミチン酸
〔方　法〕次のような操作で行う。
1. オレイン酸をメチルアルコールで500倍にうすめる。
    。オレイン酸1CC＋メチルアルコール49CC（50倍）
    。50倍にうすめたもの5CC＋メチルアルコール45CC（50倍×10倍＝500倍）
2. 500倍にうすめたオレイン酸溶液何滴で1CCになるかをしらべる。
3. 水槽に水を入れ、その表面に乳鉢でよくこまかくしたパルミチン酸の紛末を中央部にかるくまく。（チョークの紛なども代用できる）

4. その上に 500倍にうすめたオレイン酸 1滴を滴下する。
5. オレイン酸がひろがったら、おおよその直径を測る。

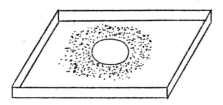

〔測定例〕
① 溶液1CCあたりの滴数＝56滴
② 1滴の体積＝$\frac{1.0}{56}$＝$17.8\times 10^{-3}$ CC
③ 1滴中のオレイン酸の体積
   ＝$\frac{17.8\times 10^{-3}}{500}$＝$3.56\times 10^{-5}$ CC
④ オレイン酸膜の厚さ＝$\frac{V}{\pi r^2}$
   （膜の直径8cm）
   ＝$\frac{3.56\times 10^{-5}}{3.14\times 4^2}$＝$7.08\times 10^{-7}$ cm
⑤ 分子1個の体積＝$(7.08\times 10^{-7})^3$
   ＝$3.55\times 10^{-19}$ CC
⑥ 1滴中の分子の個数＝$\frac{3.56\times 10^{-5}}{3.55\times 10^{-19}}$
   ＝$1.0\times 10^{14}$ 個
⑦ 1滴中のオレイン酸の質量
   ＝$3.56\times 10^{-5}\times 1$＝$3.56\times 10^{-5}$ g
   オレイン酸の比重＝1g/CC とする。
⑧ オレイン酸1分子の質量＝$\frac{3.56\times 10^{-5}}{1.0\times 10^{14}}$
   ＝$3.56\times 10^{-19}$ g

〔留意点〕
○水槽の水面にパルミチン酸の紛末をまく時、中央にかるくまき、オレイン酸の1滴でおしひろげるようにする。一面にまくとオレイン酸がひろがりにくく単分子層になりにくい。

実験4　水の合成
〔目　的〕水は水素と酸素とが一定の割合だけ反応してできることを理解させる。
〔準　備〕ユージオメータ、誘導コイル、電源装置、水銀、水素発生装置、酸素発生装置、大型パット
〔方　法〕
(1) 2つの白金線の両端を誘導コイルの両極につなぐ。
(2) 水銀そうから目盛り管の上端まで、水銀を充分にみたす。
(3) 水素発生装置から純粋な水素を2方コックの上端に通す。
(4) コックをまわしてユージオメータに水

素ガスを入れるようにし、水銀だめを静かに下げて10CC正しく入れ、コックを閉じる。

(5) 酸素発生装置から乾いた酸素を送り水素と同様にして、コックを開いて水銀だめを下げ、正しく 5CC 酸素をとり、コックを閉じる。

(6) 水銀だめを下げ、減圧にしてから、誘導コイルをはたらかせて、火花放電で点火し化合させる。

(7) 上記の方法で酸素一定量に対して水素の量を、5CC、10CC、15CCと変えて反応させ、その結果を調べる。

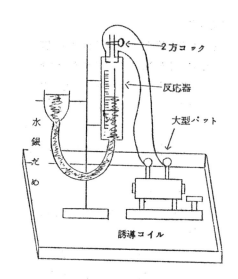

〔結果〕測定例

| | 酸素 | 水素 | 管にのこった気体の量 | のこった気体名 | 化合した酸素量 | 化合した水素量 | 化合の割合(水素/酸素) |
|---|---|---|---|---|---|---|---|
| 1 | 5.0 | 5.0 | 3.0 | 酸素 | 2.0 | 5.0 | 2.5 |
| 2 | 5.0 | 5.0 | 2.5 | 酸素 | 2.5 | 5.0 | 2.0 |
| 3 | 5.0 | 5.0 | 2.5 | 酸素 | 2.5 | 5.0 | 2.0 |
| 4 | 5.0 | 10.0 | 0 |  | 5.0 | 10.0 | 2.0 |
| 5 | 5.0 | 10.0 | 0.5 | 水素 | 5.0 | 9.5 | 1.9 |
| 6 | 5.0 | 10.0 | 0 |  | 5.0 | 10.0 | 2.0 |
| 7 | 7.0 | 15.0 | 2.0 | 水素 | 7.0 | 13.0 | 1.9 |
| 8 | 5.5 | 15.0 | 4.0 | 水素 | 5.5 | 11.0 | 2.0 |
| 9 | 6.0 | 15.0 | 3.0 | 水素 | 6.0 | 12.0 | 2.0 |

○ 市販のユージオメータを使用した。
○ 電源装置の電圧は 3V で放電した。
○ 数量の単位はユージオメータの目盛量である。

〔留意点〕
- この実験は合成比（化合比）を調べるのであるから、使用する水素、酸素は純粋な物を使うようにする。（この点が実験成功のカギである。）
- 水素を先に入れ、それから酸素を入れて、酸素中に水素が拡散されるようにする。
- ユージオメータは万一水銀がこぼれたりすることを考慮して大型バットにのせておくとよい。
- 水銀を使うと、合成されてできた水が水滴となってできているのがみられるが、ただ合成反応だけをみるのなら水でも充分である。

実験5　金属の酸化

〔目　的〕金属の酸化において、その反応に関係する物質の質量の比は一定であることを理解させ他の化学変化の量的関係とあわせて、定比例の法則を導く。また、実験結果からの推論により、粒子モデルが形成できるようにする。

〔実験1〕マグネシウムの酸化

【準　備】マグネシウム（リボン状）、アルコールランプ、蒸発皿、ピンセット、上皿天びん（感度100mg）

〔方　法〕
- マグネシウムリボンを適当な大きさに切りそれぞれの質量を測ってから蒸発皿に入れる。その一部をピンセットではさんでアルコールランプの炎で点火し、それを蒸発皿にうつし燃焼させる。

【測定例】　Mgo/Mg　の計算値＝1.6

| 空の蒸発皿 | マグネシウム蒸発皿 | マグネシウム | 加熱後のマグネシウム＋蒸発皿 | 酸化マグネシウム | Mgo/Mg |
|---|---|---|---|---|---|
| 42.6(g) | 43.7(g) | 1.1(g) | 43.9(g) | 1.3(g) | 1.2 |
| 40.4 | 40.9 | 0.5 | 41.0 | 0.6 | 1.2 |
| 38.1 | 39.0 | 0.9 | 40.1 | 1.1 | 1.2 |
| 51.9 | 53.9 | 2.0 | 54.2 | 2.3 | 1.2 |
| 44.3 | 45.8 | 1.5 | 46.1 | 1.8 | 1.2 |

〔留意点〕
- マグネシウムリボンを一度に燃焼させると高温になって蒸発皿が割れることがあるので少しずつ加えながら燃焼させるようにする。
- 上記のため、燃焼に時間をかけるので、酸化マグネシウムの一部が飛散するが、これは結果が酸化マグネシウムの絶対量よりも、その比を求めるにあるので無視してよい。

〔実験2〕銅の酸化

〔準 備〕銅(粉末)、てんびん(感量100mg)、アルコールランプ、るつぼ、三脚、三脚架乳鉢、ステンレス製さじ

〔方 法〕
- 任意の量銅の粉末を正確に秤量し、るつぼに入れて開放のままアルコールランプで加熱する。冷却して質量を測定し、次にそれを砕いて再び加熱する。加熱→冷却→秤量→粉砕→加熱のサイクル(1サイクルの所要時間は約10分間)を、質量が一定になるまでくり返す。

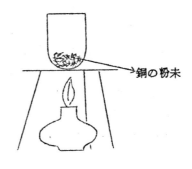
→銅の粉末

〔測定例〕 計算値 **CuO/Cu** =1.25

| 加熱前の質量 (A) | 加熱時間における質量の増加量 | | | | | | | | | | 加熱後の質量 (B) | B/A |
|---|---|---|---|---|---|---|---|---|---|---|---|---|
| | 1(分) | 5 | 10 | 15 | 20 | 25 | 30 | 35 | 40 | 45 | 50 | | |
| 2.0 g | 0 | 0.2 | 0.3 | 0.3 | 0.3 | 0.3 | 0.3 | | | | | 2.3 g | 1.15 |
| 3.0 g | 0 | 0.2 | 0.4 | 0.4 | 0.4 | 0.4 | 0.4 | | | | | 3.4 g | 1.13 |
| 4.0 g | 0 | 0.3 | 0.4 | 0.5 | 0.5 | 0.5 | 0.5 | | | | | 4.5 g | 1.12 |
| 5.0 g | 0.2 | 0.5 | 0.6 | 0.6 | 0.6 | 0.6 | 0.6 | | | | | 5.6 g | 1.12 |
| 10.0 g | 0 | 0.4 | 0.7 | 0.7 | 0.7 | 0.7 | 1.1 | 1.2 | 1.3 | 1.3 | 1.3 | 11.3g | 1.13 |

〔結果の考察と留意点〕
(1) 試料を多量にとると、質量の増加が一定になるまでに時間がかかる。試料の質量2〜5g程度上皿てんびん(感度100mg)使用の場合、1回の加熱時間は3分間で、3〜4サイクル行なう

と、質量にほぼ一定になる。
(2) CuO Cuの値は、計算値と少々誤差があるが、(1)の条件で実験すれば、ほぼ一定（定比例の法則）の結論は導きだすことができよう。
(3) 銅、マグネシウムの酸化実験をあわせて行なえば、それらの実験データから推論により、「金属が他の物質と化合物を生ずるとき、金属種ごとに一定比率で反応するのではないか」という仮説設定できよう。この際、質量増加を説明するモデル形成の学習過程もたいせつである。
(4) 実験1実験2のデータを下図のようにまとめてグラフ化し、次の問題を考えさせることもできる。また、これらの問題をどう解釈するかということが、一つの評価ともなろう。
1) このグラフから、どのようなことが読みとれるか。
2) 45°の線は何を表わしているか。
3) a、b、cは何の量を表わしているか。
(5) 前のような反応現象をモデルによって解釈するための資料として、ボルト（長いもの、短いもの）とナットとの組みあわせた物の質量関係のデータをあげておく。

短かいボルトとナット（g）

| B | BN | BN/B | BN$^2$ | BN$_2$/B |
|---|---|---|---|---|
| 8 | 11 | 1.37 | 13 | 1.62 |
| 16 | 21 | 1.31 | 25 | 1.56 |
| 24 | 30 | 1.25 | 36 | 1.50 |
| 32 | 39 | 1.22 | 48 | 1.50 |
| 40 | 49 | 1.22 | 60 | 1.50 |
| 47 | 60 | 1.27 | 72 | 1.53 |
| 54 | 68 | 1.26 | 83 | 1.53 |
| 62 | 78 | 1.25 | 95 | 1.53 |

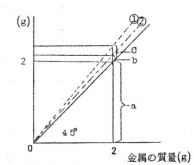

① ------- 酸化マグネシウム
② ——— 酸化銅

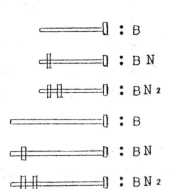

長いボルトとナット（g）

| B′ | B′N | B′N/B′ | BN² | B′N²/B |
|---|---|---|---|---|
| 12 | 14 | 1.16 | 16 | 1.23 |
| 24 | 28 | 1.16 | 32 | 1.33 |
| 35 | 41 | 1.17 | 48 | 1.37 |
| 47 | 55 | 1.17 | 63 | 1.34 |
| 58 | 68 | 1.17 | 78 | 1.33 |
| 69 | 81 | 1.17 | 94 | 1.36 |
| 80 | 95 | 1.18 | 110 | 1.37 |
| 92 | 108 | 1.17 | 125 | 1.35 |

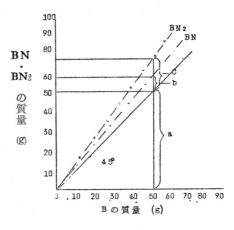

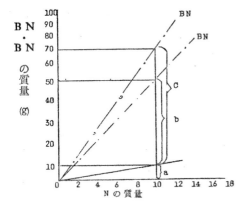

これだけの資料をもとにして、酸素と酸化マグネシウム、酸化銅との質量関係をNとBN・BNとの質量関係と対比させて考えさせるようにするとよい。

なお、BとBN、BN²との関係をどのように解釈するかを考えさせるのも発展的段階の問題としてよいと思う。

B： ボルトの記号
N： ナットの記号

## Ⅶ 参考文献

| 著（編）者 | 書　名 | 出版社 |
|---|---|---|
| ○ 永田義夫 | 中学校学習指導要領の展開（理科編） | 明治図書 |
| ○ 興津・武田 | 科学の方法で探究させる理科授業―中学第一分野 | 明治図書 |
| ○ 森川久雄 | 中学理科教育の現代化 | 明治図書 |
| ○ 文部省 | 中学校指導書理科編 | 大日本図書館 |
| ○ 〃 | 〃誌 | 東洋館 |
| ○ 雑誌 | 科学の実験 | 共立出版 |
| ○ 〃 | 理科教育 | 明治図書 |
| ○ 〃 | 理科教室 | 国土社 |
| ○ 〃 | 理科の教育 | 東洋館 |
| ○ 山内恭彦訳 | IPS物理 | 岩波書店 |
| ● 学校教育全書(10) | 理科教育 | 全国教育図書 |

第7回　沖縄学校保健大会研究発表

# 児童、生徒の貧血の実態について

金武小学校養護教諭　幸喜　政子

はじめに

金武区教育委員会では児童生徒の健康の保持増進をはかるため今年から始めて血液型、貧血、尿検査の予算が計上されましたので全児童生徒に対し、血液型、貧血、尿検査を実施致しました。この中で特に問題の多い貧血の実態について年令別、性別、生活環境、食生活、疾病との関係について調査致しましたので報告致します。

**貧血とは**

血液の総量には不足はないが酸素を運ぶ役目をする赤血球の血色素が欠乏した状態を貧血という。薄い血液が流れているのである。
血液中の赤血球の容量をヘマトクリット値とよびその正常値は45%である。赤血球の数は $1mm^3$ の血液の中に男子500万個女子400万個あり血色素の量は100CCの血液中に男子 16g (100%) 女子14g (90%) である。12g 以下になれば血色素が足りないため、酸素を運ぶ物が足りないので体内の生理機能が鈍くなる。

**貧血の種類**
1. 急性失血性貧血
2. 鉄欠乏性貧血
3. 続発性貧血
   ○ 寄生虫。感染性疾患（ブドウ球菌、連鎖球菌感染症、肺炎、膿胸、敗血症、梅毒、結核、膿皮症、リウマチ熱）
   ○ ビタミン$B^2$群 不足。胃腸疾患。腎疾患。妊娠。悪性腫瘍。血液毒など
4. 悪性貧血　5.溶血性貧血　6.再生不能性貧血　7.小児期貧血

1. 調査対象
   金武小学校　男子403人　女子413人
   　　　　　　計816人
   金武中学校　男子279人　女子335人
   　　　　　　計609人
2. 調査期日
   金武小学校　第一回　1970年9月14日（全児童）
   　　　　　　第二回　〃　11月14日（H.b 69%以下の児童）
   金武中学校　第一回　〃　10月15日
3. 検査機関
   沖縄寄生虫予防協会
4. 検査方法
   ヘマトクリット氏法による貧血検査
5. 検査結果 検査の結果は次の図1～3に示すとおりである。

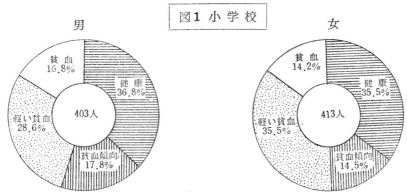

小学校における貧血は男子よりやゝ女子に多い。

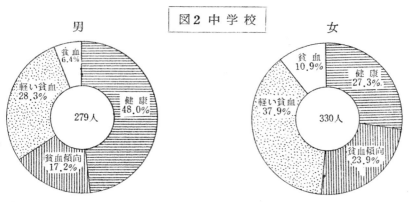

中学校における貧血は男子よりはるかに女子に多い。女子では月経のために失な

われる鉄量がある。女子は男子のほぼ倍量鉄が必要といわれる。したがって女子は鉄分を十分にとる必要がある。

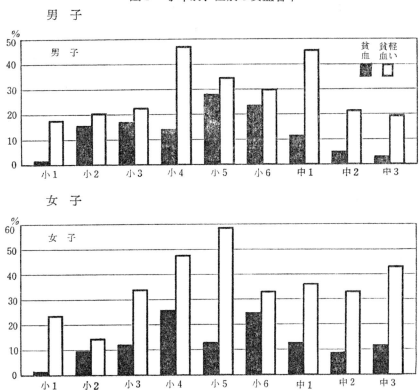

図3　学年別、性別の貧血者率

学年別状況は、小学校2年頃から男女共に増加の傾向を示し男子では4年5年6年中1年までがピークで中2年から減少している。女子では、4年、5年6年に目だって多いが、男子に比較して各学年共貧血の頻度は高くなっている。小学校4、5、6年は最も活動が盛んな時期であり、又この時期は男女共に成長発育の激しい時期である従ってこの時期の活動、成長に伴う鉄の需給のバランスがくずれて鉄欠乏をおこすことが考えられる。

## 6. Hb69%以下の児童127人に対する健康相談アンケートによる諸調査の結果

### (1) 疾病との関係

| | 慢性鼻炎 | 慢性結膜炎 | 頸部リンパ線腫張 | 慢性扁桃肥大 | 無害性心雑音 | 喘息 | 胃腸疾患 | 皮フ疾患 | 外道炎 | 腎炎 | 慢性副鼻腔炎 | 関節炎 | 関節リウマチ | 肥満症 | リウマチ熱 | 中耳炎 | 扁桃線炎 | 耳下腺炎 | 虫垂 | 小児マヒ | 口角炎 | 結膜核 | 計 |
|---|---|---|---|---|---|---|---|---|---|---|---|---|---|---|---|---|---|---|---|---|---|---|---|
| 現症 | 15人 | 7 | 6 | 4 | 4 | 3 | 8 | 2 | 2 | 2 | 1 | 1 | 1 | 1 | | | | | | | | | 58 |
| 既応症 | 3人 | 6 | 2 | 6 | | 1 | 1 | | 6 | | 1 | | | | | 1 | 1 | 2 | 2 | 1 | 1 | 1 | 35 |

貧血の原因と考えられる疾病については感染性疾患が最も多く、鉤虫や血液固有の疾患は認められなかった。

### (2) 自覚症について

| 自覚症 | 延数 | % |
|---|---|---|
| 疲労感 | 35 | 28.0 |
| 息ぎれ | 34 | 27.2 |
| 動悸 | 43 | 34.4 |
| 顔色が悪い | 27 | 21.6 |
| 倦怠感 | 24 | 19.2 |
| めまい | 17 | 13.6 |
| 倒れた事がある | 15 | 12.0 |

自覚症についての表は健康相談に於ける問診の結果です。日常健康そうに見える学童でもこのような自覚症状があり体内の重要な臓器に負担がかかっています。

早期に発見し対策を講ずる必要がある。

### (3) 食事との関係（アンケートによる結果）

| 偏食 | 小食 | 朝食 | | 献立に気をつけない | おやつの時間 | |
|---|---|---|---|---|---|---|
| | | 時々欠食 | 毎日欠食 | | きまっている | きまっていない |
| 107人 | 68人 | 31人 | 9人 | 60人 | 13人 | 112人 |
| 85.6% | 54.4% | 24.8% | 7.2% | 48.0% | 10.4% | 89.6% |

貧血児の食事の傾向は前表のように偏食、小食、欠食児童が多く家庭の栄養に対する認識不足や豊富に食事がありながら一種の栄養失調の状態にある子供、朝食をとらない子供、飲物とかキャンデー、パン等、栄養的にかたよりのある食事内容の子供が多い。

**きらいな食物について**

一般に野菜類、肉類、魚類の嫌いな子供が多く特に油肉、人参、ニガウリ、パセリ、セロリ、ピーマン、玉ねぎ、海草類を好まない子が多かった。

(4) 体位による貧血の割合（全校平均値との比較）↗

|  | 上 | 中 | 下 | 計 |
|---|---|---|---|---|
| 身長 | 37.0% | 15.7% | 47.2% | 127人 |
| 体重 | 33.8 | 18.1 | 48.0 | |

発育量（5月〜10月まで6か月間）

|  | 上 | 中 | 下 |
|---|---|---|---|
| 身長 (cm) | 4.1 | 3.5 | 3.9 |
| 体重 (kg) | 2.3 | 2.1 | 1.8 |

貧血児は男女とも体位（下）に多いが（上）にもかなりいる。年間発育量から見ると体位（上）のものは発育量も大であり急速な成長に伴なう栄養補給が大切である。

(5) 生活環境と貧血

　(ア) 保護者の職業

|  | 公務員 | 軍雇 | 商業 | 大工 | 農業 | サービス業 | 会社 | 漁業 | 労務 | 医療 | 運転手 | 家事 | 洋さい | 不明 | 死亡 | 別居 | 計 |
|---|---|---|---|---|---|---|---|---|---|---|---|---|---|---|---|---|---|
| 父 | 13 | 6 | 14 | 18 | 18 | 9 | 12 | 2 | 4 | 2 | 5 | | | 3 | 7 | 14 | 127 |
| 母 | 6 | 29 | 23 | 0 | 9 | 12 | 5 | 0 | 1 | | | 36 | 2 | 1 | 3 | | 127 |

貧血児（125名）の保護者の職業は上表のようになっておりそのうちの(68.5%)は共働き家庭で(18.8%)は欠損家庭である。中には兄弟がそろって貧血になっている家庭もある。

(イ) 家族構成

| 家族数 | 3 | 4 | 5 | 6 | 7 | 8 | 9 | 10 | 11 | 12 | 計 |
|---|---|---|---|---|---|---|---|---|---|---|---|
| 人員 | 4人 | 7人 | 18人 | 33人 | 22人 | 23人 | 11人 | 7人 | 1人 | 1人 | 127人 |

家族数は5人以上が全体の91.3％になっており大家族に多い。

(ウ) 兄弟の数

| 1人 | 2人 | 3人 | 4人 | 5人 | 6人 | 7人 | 8人 | 9人 |
|---|---|---|---|---|---|---|---|---|
| 3 | 5 | 27 | 35 | 24 | 69 | 8 | 4 | 2 |

(エ) 生活程度

| 上 | 中 | 下 |
|---|---|---|
| 20 | 89 | 18 |

以上の調査から貧血児の大部分が小感染の反復や食餌および生活環境の悪条件など養護不良による者が多い。

7. 事後処理

　　Hb 70％以上に対する指導

　(1) 栄養指導

　　(ア) 偏食をさけバランスのとれた食事を与えましょう。

　　(イ) 蛋白質、鉄分の多い食事を与えましょう。
　　　鉄の消費は大人男子1日1mg女子約2mgです。消費した分の鉄分は毎日吸収しなければなりません。しかし食物の中の鉄分はなかなか体内に吸収することは難かしく普通6～10％くらいしか吸収されませんから1日の副食に鉄が10～15mg含まれるように食品をくみあわせましょう。

鉄をたくさん含む食品の例

| 食品100gの中に含まれる鉄の量(mg) | 普通1日にたべる量(g) | 鉄の含まれる量 |
|---|---|---|
| 卵の黄味　6.3mg | 18 g | 1.1mg |
| 煮干し　18.0 〃 | 5 〃 | 0.9 〃 |
| きな粉　9.0 〃 | 30 〃 | 2.7 〃 |
| 青のり　106.0 〃 | 3 〃 | 3.2 〃 |
| レバー類　16.0 〃 | 100 〃 | 16.0 〃 |
| あさり　25.0 〃 | 10 〃 | 2.5 〃 |
| 糖みつ　10.0 〃 | 30 〃 | 3.0 〃 |

○ その他の鉄分の多い食品名
　ゴマ　バター　チーズ　豆類　肉
　魚　海草類　貝類　えび　野菜類

○ 蛋白質の多い食品名
　肉類　魚類　卵類　豆類

(2) 貧血の予防
　(ア) 偏食をしない
　(イ) 加工食品を長い間用いない
　　　着色剤や防腐剤を加えた食品を長い間食べていると、肝ぞうや骨ずいがしらずしらずにおかされて造血機能をおとろえさせることがある。又、薬の中には使用法を誤まると肝臓や骨ずいに害を及ぼすことがある。／

(ウ) 貧血の直接原因をみつけ早期に治療する。
Hb　69%以下に対する指導
(1) 精密検査のすすめ
(2) 栄養指導（70%以上と同じ）
(3) 校医の指示により鉄剤の投与（各家庭に於いて）
(4) 保健指導
　(ア) 現症の治療
　(イ) 小感染の防止

8　2次検査の結果（Hb 69%以下127人）

| 分類　ヘマトクリット　ヘモグロビン　区分 | 貧血　33%以下　69%以下 | 軽い貧血　34〜37%　70〜80% | 貧血傾向　38〜40%　81〜86% | 健康　41%以上　87%以上 | 計 |
|---|---|---|---|---|---|
| 1年 男 |  | 1 |  |  | 1 |
| 1年 女 |  |  | 1 |  | 1 |
| 2年 男 | 3 | 7 |  |  | 10 |
| 2年 女 |  | 2 | 2 | 2 | 6 |
| 3年 男 | 4 | 6 | 1 | 1 | 12 |
| 3年 女 | 2 | 1 | 2 | 4 | 9 |
| 4年 男 | 4 | 2 | 2 | 1 | 9 |
| 4年 女 | 4 | 10 |  | 1 | 15 |
| 5年 男 | 5 | 11 | 4 | 1 | 21 |
| 5年 女 | 7 | 3 |  | 1 | 11 |
| 6年 男 | 6 | 8 |  | 1 | 15 |
| 6年 女 | 5 | 9 | 3 |  | 17 |
| 計 男 | 22 | 36 | 7 | 4 | 70 |
| 計 女 | 18 | 24 | 8 | 8 | 57 |
| 総計 | 40 | 60 | 15 | 12 | 127 |
| % | 31.5 | 47.2 | 11.8 | 9.4 | 100.0 |

第一次検査でHb69%以下の児童に約1ヶ月間家庭に於いて食事療法鉄剤の投与を実施した後の検査結果である。↗

127人中Hbが増加した者110人（86.6％）変らない者2人（1.5％）減少した者15人（11.8％）

Hbの増加量

|  | 1〜5% | 6〜10% | 11〜15% | 16〜20% | 21〜25% | 26〜30% | 36〜40% | 計 |
|---|---|---|---|---|---|---|---|---|
| 人員 | 29 | 22 | 24 | 22 | 6 | 3 | 4 | 110 |
| % | 26.4 | 20.0 | 21.8 | 20.0 | 5.5 | 2.7 | 3.6 | 100.0 |

まとめ

1. 貧血児は、小学校で15.3％、中学校で8.8％居り、小学校では上学年になるにしたがって多くなり女子は男子より多い。
2. 生活環境では生活程度中以下の共働き家庭や欠損家庭（別居、死別）、大家族に多い。
3. 食事は偏食、小食、欠食児が多い。朝食欠食の理由は、母親が朝食を作ってくれなかったものが多く、次いで本人の朝寝夜ふかしのための食欲不振、ふとりたくない等である。
4. 諸疾病を持っている者や、なんらかの貧血の自覚症を持っている子が多いことから早期に原因になっている疾病を治療する等対策を講ずる必要がある。
5. 事後処理（家庭連絡表）によって両親及び、児童の栄養への関心が高められた。

以上貧血児の実態についてのべてまいりましたが、研究期間が浅く、充分な資料を得ることが出来なかった。しかし地域の実態は、まだまだ働くことに熱心で食事については関心がうすい傾向が見受けられる。

これら食生活は保健上最も基本的な問題であり、単なる調査に終ることなく、今後も校医、学校、家庭とが連絡を保ちながら学童期に於ける食事の適正な指導と、健康管理、健康教育に努力していきたいと思います。

〔学校紹介〕

## 豊かな人間性を目ざして
### ―座間味教育区立座間味小中学校―

教頭　比嘉　秀雄

（けらま鹿）

### 1. 地域社会の概況

　那覇からおよそ40粁の洋上に点在する20余の島々‼紺碧の空とコバルト色に映える海‼真砂の白浜にふちどられた島々‼自然の雄大さと美しさを心にくいまでに味わわせてくれる。そこが、今海洋博開催候補地として脚光を沿びている座間味である。

　泊港より定期船鹿島丸（145ｔ）で次々と移り変る大小様々な島々の景観を楽しみながら２時間で座間味港に着く。海岸線は屈曲が激しくその上島々が散在し風光明媚である。そこにわが座間味小中学校がある。

　校区は字座間味、阿佐、阿真の三部落で人口約700人、戸数180戸の小さな漁村である。島の人々は人情厚く思いやりがあり、且つ世話好きときている。協力心も強くしかも底ぬけに明るい。村の立地条件からして戦前戦後を通じて鰹業が盛んであるが季節操業のため半年は全く海にでられない。そこで一年中操業ができるように漁船の大型化を計画している。

### 2. 学校の沿革

　本校は明治18年９月校名公立座間味小学校して発足し今年で86周年を迎える。当時は校舎もなく座間味間切番所（12坪）を使用し、志願制の４年制小学校で読方、書方算盤、特に「沖縄対話」上、下

を使い共通語に馴れさせたが方言混用であったと記録されている。第一期生は18名で13才から20才に及んでいれようである。

今次大戦において座間味は米軍の沖縄作戦最初の上陸地点として苛烈を極めた戦斗により、住民の死傷、自決した者が多くその中には純真な学童約50名も痛々しい最後をとげている。

戦後1946年第18代校長知念繁先生と6名の先生方でいち早く座間味初等学校を開設し子弟の教育に打ちこんでいる。あれから二五年後の今日、教員15名、児童生徒 181名の小規模校で年々在籍が減少し過疎化の傾向にあったが島の人口が増えつゝあるので見通しは明るい。

3. 本校の児童生徒

赤銅色に焼けた顔に白い歯なみが美しく微笑む。実に純真無垢で愛くるしい。先生からいわれたことはとても素直に守ってくれる。反面、ねばりがなく根性が足らない。思った事も発表してくれない消極さがある。しかし鍛えよう如何んによってはどこまでも伸びる。その証拠に今までに地区排球大会において準優勝、優勝し、全島大会においても強豪チームを次々となぎ倒し準優勝した経験がある。子どもたちには無限の可能性が秘められている。ことば使いはやゝ粗雑であるが、みんな共通語を使用（家庭でも）し挨拶もよくやる。外来者が最初に感ずることは道がきれいに掃き清められていることと、見知らぬ旅人にもよく挨拶をすることである。ある旅人が「ほめて下さい。」とわざわざ学校に訪ねてきた程である。

クラブ活動も盛んで各クラブとも毎日やっている。尚児童会、生徒会ではその活動の一環として早起き会をやりラジオ体操と道路の清掃を毎朝やっている。

4. 本校の教育目標

(1) ものごとを深く考える。
(2) 正しいことをやりぬく根性のある子。

(3) 自主的で清操豊かな子
(4) 体が強くて明るい子

5．経営方針

(1) 学級の実態や子どもの個性を充分に把あくし、それに即した学習指導と生徒指導につとめる。
(2) 教材研究を充分にし、基本的、基礎的事項の精選につとめる。
(3) 創意くふうにより常に美しい環境づくりにつとめる。
(4) 親和的で明朗な職場の建設につとめる。
(5) 事務の簡素化、能率化を図り職員の研修の機会を多くもつ。
(6) 地域社会と連繋を密にする。

6．本年度の重点目標

「学習への参加度を高める生徒指導」
学級全体がいきいきと学習へ参加できるようにする。その視点として(1)生徒理解(2)小集団学習(3)現職教育の強化(4)学校環境の整備

7．現職教育

ひとりひとりの子どもの個性や能力の発見とその伸長を期して行なわれる教育の営みは教師の子どもへの限りない愛と教育への情熱そして日々の教壇実践にある。

(1) 学校の実態や過去の反省に立脚する。
(2) 到達目標をはっきりさせる。
(3) 研修の重点化をはかる。
(4) 継続的、合理的に研修する。

毎月第一、二木曜日を授業研究会、その他の曜日は隣接学年研究会等をやっている。

8．地域社会との連繋

P・T・Aの学校への協力はこれ又、頭の下る思いがする。宮城、宮平正副会長の名コンビのもとに全会員がガッチリと結束している。

他校参観、球技大会、山羊の飼育と各部活動も盛んである。昨年の夏は学校環境整備のため全父兄が四日間延べ600人（会員は100人）が汗みどろになって奉仕作業をし、校門、観察池、飼育小屋、屛のブロック積みと金額に換算すると約2,000弗の大金となる。その他、P.T.Aの役員、婦人会、青年会の方々の特別奉仕も大であった。皆さんの汗と努力の結晶で学校は見ちがえるほど明るく美しくなった。一本一本植える草木も花も教材と直結させ魅力のある動的な学校環境づ

くりが着々と進んでいる。

9. へき地校の問題点

今次の教育課程の答申でもその前文に施設設備、教員養成等いわゆる「教育条件の整備」を強くうちだしているが、へき地教育の問題点の多くは、学校の基盤であり背景である地域の環境条件の改善と学校の教育条件の整備が基本的問題である。このためには行政の各分野における充実した総合的施策を重点的に実施してもらわねば効果的解決はのぞめそうもない。教員組織についても抜本的施策が必要である。如何なる教員組織が教育効果を高めるかは当局は充分ご承知の筈である。へき地振興法の完全実施を訴えて結びとします。

## ＜研究団体紹介＞

### 沖縄県高校数学教育会

① 会の発足　1963年
② 会　長　山里政勝
③ 会員数　225人
④ 事　業
　(ア) 研究大会の開催
　(イ) 標準学力テストの実施
　　　高校生の数学の学力をは握し、学習指導対策の樹立に資す。
　(ウ) 会誌の発行
　(エ) 九州数学教育会への参加
　(オ) その他
⑤ 1969年日本数学教育会50周年記念大会で山里政勝会長が表彰された。

### 沖縄県算数数学研究会

① 会の発足　1963年
② 会　長　大城真太郎
③ 会員数　497人
④ 事　業
　(ア) 研究大会の開催
　　　本土から講師を10人内外招へいして模範授業をしてもらったり、会員による研究授業等、特色ある研究会を開催している。

# 調査計画の将来に備えて

調査計画課長　松田　州弘

## 1. 泥棒を見て縄をなう

　農村でさえ縄をなう仕ぐさは大半なくなったし、泥棒も簡単に縄にかかるような、ぼんやり泥棒はいなくなった。泥棒を見て縄をなうという諺は、現在の生活とはピントはずれになっているかもしれないが、それでも泥棒を見て縄をなうというおかしな話は、私たちの日頃の生活にたいせつな示唆を与えるものである。

　公私の別なく、或は、事の大小にかかわりなく、日頃予想される問題に対して、事前に準備したり、何かにつけて、待つあるを頼むといったような生活の構え等について反省した場合、基本的な、おおまかのことについては事前にお膳立てされているようであるが、実際に事をはこぶ上のこまごまのことになると、その場凌ぎの計画や、準備しかなされていないような状態が見受けられる。

　1972年度の本土政府の援助も、今までの大蔵省内示を見ると、例年よりもいくぶん増額し、新規の項目も芽を出すなどの成果があったのであるが、要請にあたっては、5〜600頁に近い厖大な資料が文部省や対策庁に提出された。

　これらの資料は、文教局として予算要求に必要な全分野にわたるものであったが、文部省や対策庁から至急に要求されて提出した資料の中には、いくらか泥縄式の資料がなかったわけではない。「提出する度に、数字がちがうのはどういうわけか」との苦情をいわれたのもあった。

## 3. 縁の下の力持ち

　長期計画の妥当性を維持するものはのぞましい施策の方向づけと、合理的な調査結果による実態把握の両面であると考える。特に、文教行政にかかる諸般の実態調査は、施策の方向樹立に対しても、長期計画に対しても、表裏一体をなすも

のでなければならない。

　本土政府に対する1972年度の予算要求の概算説明にあたって、特に痛切に感じたことは、予算獲得のきめ手は、その時の政府の施策にも左右されるものもあるが、予算の要求額については何といっても、その裏づけとなる実態と、計画が、どれ程の妥当性のあるものかどうかにかかっているということであった。また、施策に左右されるといっても、施策をたてるそのことが、実態の把握なしでは、砂上の楼閣にもひとしい不安定なものになりかねない。

　このように諸調査は、文教行政の施策遂行を一層強化するものであり、更に教育の内容や、指導方法等の向上に寄与する等、教育の広い分野にわたって、縁の下の力持ちとしての役割が達成できるように、行政組織や、施設、技術、財政等、配慮されなければならない。

　4. 燈台の下暗し

　経済的に高度の成長をなし遂げた祖国は、教育の分野においても、急速な発展を遂げ、沖縄の教育レベルをはるかにひきはなしてしまった。各都道府県もまた、それぞれの地域差はあっても、全体として相当の較差があり、更に流動的に向上しつつある現状である。

　このような状況の中で、これまで以上に、沖縄の教育の現況について、全国水準や、類似県との較差について、より適確に把握しながら、その較差を是正するための長期計画を、樹立しなければならない。そのためには、諸調査の実施による多方面の実態把握が、必要である。しかしながら、これまでの調査について、本土との状況を比較してみると、調査に関する業務上の較差のあることを卒直に認めざるを得ない実情である。これまでに文部省が、各都道府県に業務指定統計調査や調査として委託して実施したものをあげると、次表のとおりで49種目におよび、また、各都道府県が自主的に単独で行なったものをあげると57種目の広範囲におよんでいる。

　国で行なった調査が抽出法によるものが大半であるのに対して、沖縄の調査は悉皆調査によるものが多いという点で特色はあるが、とりあげられた種目の範囲はとてもおよばない状況である。更に最近は、生涯教育、社会教育調査、特別教育活動調査など、教育の物的諸条件だけでなく、教育の内容に関連する施策樹立のための調査が行なわれている。

　調査計画について、行政組織上一課を設けている点において他の都道府県に優

位のようにあるが、これまでの調査の業務内容や、執行体制、財政上の裏付け等において大きい較差がある。例えば、学校教員調査は本土では3年に一回実施されているが、沖縄は25年間に1回（1959年）実施されただけで、給与その他教員についての資料が充分整備されているとはいえない。

これまで、本土においてすでに調査されたことについて、復帰後その実態を本土と同じように調査し把握する必要があり、更に、復帰に伴って新しく特別に調査すべきものも予想される。したがって、今後の大きい課題は、文教行政の中で、調査計画の業務上の能率化が必要であり、そのための集中管理による執行体制が必要であると考える。

5. あたるも八卦、あたらぬも八卦

「統計は、数字をもって嘘をつく」といった人がいる。調査の結果は、目的に準じて、客観的に統計、分析されるのであるが、調査の実施、方法、統計分析等で、合理的に運営されない場合は、まさしく嘘をつく結果となる。

また、施策樹立の時期に活用できるように結果がまとめられなければ、存在価値の低いものになる。このようなことから、統計調査は、適切な時期に正確に実施されなければならない。

また、調査、統計の重複があっては行政事務が繁雑となり、他の業務にまで、能率の低下をまねくことにもなる。

更に、教育関係の調査、統計の全体の体系を整備することは、文教施策の分野別の均衡をはかる上で重要なことである。その他、秘密の保護や統計、調査に従事することのできるものについての本土法の任用規定等は統計調査の事務が、能率の上からも、統計調査の役割の上からも、ある程度事務の集中管理が必要であることをものがたっている。もし、それぞれの統計調査事務を関係課におく場合には、指導主事、管理主事もしくは、社会教育主事等の分掌事務としておかれることになり、日頃の行政管理、指導の職務に忙殺されて、統計調査の検証や、集計、分析、結果報告書のまとめ等、とかく等閑にされるおそれがあり、たとえ執行したとしても、本来の職務遂行に少なからぬ影響のあることが予態される。

結果のまとめも、活用上、適正な時期を失してもらうことにもなりかねない。統計調査の集中管理は、事務執行上の能率化ばかりでなく、主管課の所要定員についても、最少限度に組織することができ、短期間内で更迭されがちな非常勤職

員も割合長期に採用することが可能で、その事務指導も容易である。

以上のことから現在の各課の中でもたれる業務調査や将来新しく実施しなければならない調査、および指定統計調査等、集中管理するために検討する必要がある。幸いにして、沖縄においてはこれまで、統計、調査に関する主管課が行政組織の上で位置づけられていることは、たとえそれが、小範囲の調査や組織であったとしても、今後、予想される統計調査事務の繁忙さに対応できる一応の基盤ができたものとして、今後の拡充整備に期待したい。あたるも八卦、あたらぬも八卦であってはならない。是非、教育の実態を把握することにおいて真実性のある統計調査でなければならない。

## 6. 轍を踏むな

つぎに、復帰に際して統計調査上の課題としてとりあげることは、指定統計調査（学校基本調査、保健統計調査、教員調査）をどこで主管して行なうかということである。これらの指定統計調査は、本土においては、統計法、および各統計調査規則の定めにより、知事部局の中の統計課（部）で教育関係以外の諸調査と一しょに行なわれている。

規則の中には、調査票の配布、提出や集計、結果の公表等、調査の実施にあたっては都道府県知事の責任が定められていて、教育委員会は、協力を求められる立場におかれている。

ところが、関係者の意見などによると、調査対象が、学校等、教育関係機関であり、県教委の事務職員の方が、指導検証上の問い合せ、集計、分析、結果のまとめ等事務系列の上で自然であり、その実質的な活用、他からの問い合せについての回答、文教行政の直接の影響力、県教育委員会との関係等、県教育委員会の事務局の業務として実施した方が、能率的で、自然な体制であることなどがあげられている。

しかしながら、戦後、本土においては、統計法によって、知事部局において、管理されてきたために、その必要定員等も知事部局におかれ、そのために、事務を県教委にうつすことは、法令の改正、その他、承認等をうけて可能であっても、所要定員をつけて移行することが困難のようである。仮に、沖縄において統計調査を本土並にするということは、先にあげた学校基本調査や、学校保健統計調査、教員調査等、統計庁が主管し、説明会、指導、集計、結果等、すべて統計庁まかせということになるわけであ

る。

　沖縄の教育行政指導は中央教育委員会で定められるものであるが、その基本的な資料となる統計調査は、委員会の事務局外の他部局まかせということになり、運用上も、このましい結果とはならない。すでに、復帰に臨んでの特令措置の中に、これらの指定統計を現在とおり、中央教育委員会事務局としての文教局で実施できるように要請されているが、前轍を踏むことなく復帰の際の沖縄からのお土産として、本土にそのまま移行したいものである。

　以上、日頃、考えていることを思いつくまゝにまとめたものであるが、将来の調査計画に備えて、読者、諸賢のご批正、ご教示があれば、幸である。

## 国、県で行なわれている主な調査

### 1. 国で行なわれている主な調査

| 調査名 | 調査内容 | 調査名 | 調査内容 |
|---|---|---|---|
| 学校基本調査 | 学校数、学級数、生徒数（毎年） | 産業教育施設設備充実状況調査 | 整備状況 |
| 学校保健統計調査 | 身長、体重、胸囲（毎年） | 定時制教育設備充実状況調査 | 〃 |
| 学校教員調査 | 年令、勤務年数、給与等（3年毎） | 地方公務員給与実態調査 | 職種別、年令別、学歴別 |
| 学校教員需給調査 | 教員数、免許状等 | 小、中学校現員現給調査 | 等級号給別分布 |
| 産業教育調査 | 教員数、施設々備等 | 婦人教育現状調査 | 現状、事業計画、経費 |
| 学校給食調査 | 学校数、経費、設備、職員 | 公民館配置状況調査 | 市町村公民館 |
| 社会教育調査 | 公民館、博物館、その他 | 青年学級等実状況調査 | 実施内容、学習者数 |
| 地方教育行財政調査 | 地方行政 | 家庭学級 〃 | 国補助対象自主開設学級 |
| 学校設備調査 | 一般教材、設備の保有数 | 教職員保健調査 | 教職員の健康診断報告 |
| 学校環境及び特性に関する調査 | 学校状況、産業分布等 | 学校給食調理従業員調査 | 調理人の人数、給料等 |
| 公立学校建物実態調査 | 保有、充足、用地 | 学校給食実施状況調査 | 給食区分、共同調理場数 |
| 理科教育設備整備充実状況調査 | 整備状況 | 学校栄養士設置状況調査 | 栄養士名、給与等 |
| 中学校産振設備整備充実状況調査 | 〃 | 社会体育実態調査 | 市町村スポーツ活動、体育施設 |

調査計画の将来に備えて　43

| 調査名 | 調査内容 | 調査名 | 調査内容 |
|---|---|---|---|
| 職場体育調査 | スポーツ活動と組織 | 就職状況調査 | 就職者数、未就職者数 |
| 就学猶予者に教科書無償給付のための調査 | | 職場の学歴構成調査 | 就業者の職種と学歴 |
| | | 私立学校の支出および収入に関する調査 | 経費、財源 |
| 教科書等の公正確保指導調査 | 実状の調査報告 | | |
| 学業遅進状況等調査 | 学業遅進者数 | 大学入学者実態調査 | 入学者数 |
| 教職員勤務量調査 | 勤務時間、欠課時間 | 長期欠席児童生徒調査 | 理由、家庭環境、援助 |
| 高等学校育英事業調査 | 受給希望者数、受給状況 | 定時制課程（夜）生徒の生活実態調査 | 家庭環境、労働条件、学習状況 |
| 高等学校退学者状況等調査 | 退学者数、転学者数 | 特殊学級（精神薄弱者）実態調査 | 生徒数、学級数、家庭環境 |
| 児童生徒運動能力調査 | 体位、体力、運動能力 | 父兄負担の教育費調査 | 支出額 |
| 児童生徒体位個人調査 | 平均値、相関、回帰 | へき地学校実態調査 | 学校数、児童生徒数、施設々備 |
| 児童生徒体力調査 | 体位、体力、運動能力 | へき地教育調査 | 学校数、施設、設備 |
| 社会教育関係団体調査 | 団員数、活動、経費 | | |
| 就学援助に関する調査 | 児童生徒数、家庭環境 | | |

## 2. 県（独自）で行なわれている主な調査

| 区分 | 調査名 | 調査内容 |
|---|---|---|
| 地方教育行財政 | 地方教育行財政調査旅費の調査 | 教職員、児童生徒にかかる旅費の公費、私費別調査 |
| | P.T.Aに関する調査 | 加入方法、会費、活動、予算、決算 |
| | 学校運営費実態調査 | 学校運営のために支出された経費 |
| | 市町村教育委員、教育長に関する調査 | 教育委員、教育長の任期、経歴等 |
| 施設々備 | 教職員住宅需給調査 | 住居の実状と教職員住宅入居希望 |
| 給与関係 | 職員数及び給与額等に関する調査 | 職員数、給与額 |
| | 教職員構成調査 | 給与区分別、事務職員、その他 |

| 区　分 | 調　査　名 | 調　査　内　容 |
|---|---|---|
| 行政管理指導<br>小・中学校 | 長期欠席児童生徒調査 | 50日以上欠席者の理由別、状態別、保護者職業別に調査 |
| | 教職員構成調査 | 職種別、年令別、勤務年数別免許状別、授業時数別 |
| | 中学校生徒の卒業後の進路状況調査 | 卒業者の高校別志願者数、進学者数（全定別）、就職者の職種勤務地別 |
| | 中学生徒の進路希望調査 | 進路希望校、就職希望種類別、内外別 |
| | 小、中学校見込児童生徒数調査 | 入学予定の児童生徒数 |
| | 宿日直実施状況調査 | 小、中学校の宿日直実施状況 |
| | 中学校における免許状、教科別構成調査 | |
| | 義務教育人口推計調査 | 年令別幼児数、児童生徒数年度別、学年別児童生徒推計 |
| | 旅費、需用費における私費負担 | 支出項目別 |
| 幼　稚　園<br>指　　導 | 幼児教育並及状況調査 | 年令別幼児数、就園率 |
| | 宿泊を伴なう共同生活実習実施状況調査 | 実施状況 |
| | 選択教科履修状況調査 | 履修状況 |
| | 学校相談実施状況調査 | 実施計画と状況 |
| | 研修等実態調査 | 実施状況 |
| | 校籍調査 | 学校沿革、地理的条件文化的社会的条件、施設々備の保育状況調査 |
| | 指導日数に関する調査 | 指導実施計画、実施状況 |
| | 学力調査 | 各教科全国標準学力 |
| 社　会　教　育 | 青年学級等開設計画調査 | 開設目的、経費、学習内容、生徒数 |
| | 青年グループ調査 | 参加者、活動内容、経費等 |
| | 青年学級生調査 | 青年学級生の意識、学習内容、学習意欲の充足等 |

| 区　　分 | 調　査　名 | 調　査　内　容 |
|---|---|---|
| | 青少年共同宿泊研究実施状況調査 | 実施団体数、参加人 |
| | 成人式関係調査 | 新成人者数、式の内容等 |
| | 婦人小集団調査 | 婦人小集団の現状について |
| | 都市社会教育調査 | 都市地区の小企業に勤務する勤労青年の意識（職場への適応と人間関係） |
| | 社会教育費に関する調査 | 人口、市町村費、社教費施設費等 |
| | 社会教育委員に関する調査 | 条例制定年月日、委員数委員手当、会議回数 |
| | 社会教育主事に関する調査 | 専任、未設置、兼任 |
| | 家庭教育に関する調査 | 家庭学級数 |
| 体　育・保　健 | 教職員成人病調査 | 教職員の成人病、血圧測定 |
| | 寄生虫卵検査報告 | 児童生徒 |
| | 学校保健基本調査 | 児童生徒の疾病異常、身長、体重、胸囲、保健活動施設 |
| | 体育担当教員実態調査 | 免許の有無、特技、持時間 |
| | 水泳能力実態調査 | 児童生徒の泳力 |
| | 学校体育実態調査 | 業間体育、格技配当時間等 |
| | 児童、生徒の食事調査 | 1回、1日分の食事摂取量1回分のカロリー |
| | 社会体育実態調査 | 市町村における組織、指導者数、特技 |
| | 安全教育指導実態 | 前年度間の交通事故違反件数、生徒職員の運転免許、自動車所有状況、交通安全指導対策 |
| | 就学時健康診断実施状況調査 | 学校就学前の疾病調査 |
| | 児童、生徒の家庭教育実態調査 | 学校以外の生活時間家庭生活に対する意識調査（アンケート） |

| 区　　　　分 | 調　査　名 | 調　査　内　容 |
|---|---|---|
| 高　等　学　校<br>学　校　管　理 | 出身市町村別、在学者数調査 | 保護者の現住所別生徒数 |
| | 高校卒業者の進路状況調査 | |
| | 生徒数教職員数調査 | 課程別生徒数、教職員数 |
| | 定時制、通信制教育の現状に関する調査 | 学校医授業形態、生徒の意識生活実態 |
| | 学校徴収金状況調査 | 学校別、学年別 |
| | 卒業後の進路状況調査 | 課程別、学科別、県内外 |
| | 高等学校の職業に関する学科の調査 | 生活実態 |
| | 高等学校入学状況調査 | |
| | 大学進学志願者調査 | |
| | 学科改編、学級増についての意見調査 | 教科改編学級増についての学校の意見 |

<講座>

# 会計の観念と用語の解説

経理課　指導係長　宮　良　当　祐

　学校の財政会計の処理は学校運営を如実に反映し、その執行の適否は直ちに学校運営にはね返ってくるものである。

　したがってその執行の直接の担当者である学校事務職員（会計担当）の方々に財政会計処理の精神と実務をよく体得し、精通していただき官庁会計（学校会計も含む）の運営をより完全なものにしたいというのは日頃の念願であります。

　ところで、始めて会計職員になられた方や或いはまだ会計事務の経験が浅い方々の為に会計の意義を説明し、併せて日頃何時も用いている会計用語ではあるがまだその意味を完全に解してない方々の為に会計用語の解説をすることにしました。

　※　会計の意義

　実質的意義における会計の観念は一般的には「経済主体に属する金銭、その他の財産の出納、記録、計算、整理に関する手続作用、即ち経済活動に関する経理手続作用」とされている。

　現代社会において経済活動を行なう者は、その活動に伴なって絶えず財産に増減異動を生ずるがこれらの増減異動は何等かの手段によってそれを記録し、整理する必要がある。すなわち、経済活動に伴って生じた財産の増減異動を一定の秩序の下に組織的に出納、記録、計算、整理をして常にその状態を明確にし、これを基礎とし、さらに進んではその発生原因の把握と、その結果の分析検討によってその者の将来の経済活動の合理化に資することが必要である。実質的意義における会計の概念とはこのためになされる作用のすべてを総称するものである。

　会計の観念には前述の実質的観のほかにこれと異なった別個の意義がある。これは右の会計本来の観念から転化して他の観念を形成したもので実質的観念に対

し形式的観念とも云われているものである。すなわち一団として経理される財団的観念を意味するものであって、この観念においては前述の実質的意味すなわち会計作用とは異なる擬人的組織体を意味するものである。政府の会計を分って一般会計および特別会計とされているのはこの観念の意味である。

政府の収入、支出についてはその通覧と理解を便ならしめ、その紊乱を防止するため会計統一の原則に基づき、政府の経理を単一として行なうことが理想であるが複雑厖大な政府の行政および事業の実体からみてこの理想のみを貫くことは不合理で場合によっては不便を伴うことがある。

財政法第11条においてはかゝる事情によって必要ある場合に限り法律をもって別に会計単位を設けることができる旨規定されている。本来1個であるべき政府の経理について法律上擬制をおき独立の会計単位を設け、これらは独立してそれぞれ財団的な機能をもち、当該会計法規の範囲内で他の会計単位との間に取引関係を発生せしめることが許容されている。

以上の一般会計及び特別会計の場合に用いられている形式的観念はこれを財団的観念とも称する。

実質的観念における会計はその客体たる財産の種類に従って分類すれば現金に関する会計、不動産に関する会計および物品に関する会計に大別されるが、それらの個々の意義については紙面の都合上割愛する。

次に会計用語の説明をします。
- **支出負担行為** 政府の支出の原因となる契約その他の行為をいう。
- **政府債務負担行為** 立法に基づくもの又は才出予算の金額若しくは継続費の総額の範囲内におけるものの外政府が債務を負担する行為をなすにはあらかじめ予算をもって立法院の議決を経なければならない。上記に規定するものの外災害復旧その他緊急の必要がある場合においては政府は毎会計年度、立法院の議決を経た金額の範囲内において債務を負担する行為をなす事が出来る。以上の規定により政府が債務を負担する行為は、これを政府債務負担行為という。
- **前金払** 支払うべき債務の履行期到来前において確定債務金額を支出することをいう。
- **概算払** 債権の履行期到来前に、かつ

支払うべき債務金額の確定前に概算をもって支出することをいう。

本来経費を支出する場合にはその対象たる支出義務の確定、すなわち支出金額の確定及び履行期到来が必要であるが、概算払は支出義務未確定のうちに支払うのであるから特例的支出といえる。前金払は、債務の履行期到来前に支出する点において概算払に似た特例的支出であるが、前金払は確定した債務金額を支払うものである点において概算払と異なる。

◦ **継続費**

継続費は工事、製造その他の事業で、完成に数会計年度を要するものについて、経費の総額及び年割額を定めあらかじめ議会の議決を経て、数年度にわたって支出するものである。（財政法第13条）たとえば、河川のダムなどの築造で、完成に数年間を要するような場合、しかも1カ年毎の工事では効用を発揮し得ないような場合、事業を計画的にやろうとすれば、完成までの数か年度の経費総額をまとめて、あらかじめ、議決を受けて置く必要がある。その場合の議決を求める形成が継続費である。

◦ **予備費**

予見し難い才出予算の不足を補なうために認められる制度であって、その管理及び使用は財政法第31条に規定されている。

通常予算は才入才出の見積りであるから、予算成立後才出に計上された既定経費に不足を生ずる場合又は新規の経費を必要とするに至る場合が生ずる。かかる事態に応ずる制度としては予算の移用、流用、補正予算の制度があるが、補正予算を必要としない程度の時々発生する予算の不足に応ずるのが予備費の存在理由である。

## 中教委だより

第214回臨時中教委
期日　1971年1月4日（月）
議題　(1)正副委員長の選挙について
　　　　委員長　玉木　芳雄
　　　　副委員長　小嶺　憲達
協議題
　(1)琉球大学委員、懲戒委員及び建設委員の推せん及び選挙について

第215回定例中教委
期日　1971年1月19日（火）～1月23日（土）
議題
(1) 学校設置認可について
　　浦添教育区立神森中学校
　　（1972年4月1日開校）
(2) 学校廃止認可について
　　竹富教育区立由布小学校
　　（1971年3月31日廃止）
(3) 幼稚園教育振興法施行規則の一部を改正する規則について
　　別表第二（幼稚園教育職員給料表準則）の改正
(4) 就学困難な児童及び生徒に係る就学奨励についての政府の援助に関する立法施行規則について
　　経済的理由によって就学困難な公立小中学校の要保護、準要保護児童生徒に学用品費、修学旅行費、通学費等を援助するに際して、一人当り単価を定めるとともに教育区ごとに補助の対象とする。人員を算出する事務を文教局長に委任し、更にはその他に補助の手続について規定している。
(5) 教育に関する寄附金募集の認可申請について
　　玉城小学校創立90周年
　　屋我地中学校創立20周年
　　北小学校創立88周年
　　沖縄盲学校創立50周年
　　具志川小学校創立25周年
　　大宮小学校創立10周年
(6) 教育区債許可について
　　名護区教育委員会
　　具志川区教育委員会
　　大里区教育委員会
　　石川区教育委員会
　　那覇区教育委員会
　　伊良部区教育委員会
　　宜野座区教育委員会
(7) 職員人事について
(8) 1971年度公立小中学校々舎等の追加割当について
(9) 1971年度政府立学校職員人事任用方針について
(10) 免許法認定講習の開設について
〔協議題〕
(1) 博物館の茶室建設計画について
　　（保留）
(2) 各種学校設置認可申請について
　　（諮問事項）
　　大城珠算学校（1971年4月1日開校）
　　国際料理学院（1971年4月1日開校）
〔報　告〕
(1) 公立学校へき地勤務者特例措置要項（助言）について
〔継続審議〕
(1) 本土法適用に関する準備措置について
※1月20日～22日へき地大会参加（座間味村、渡嘉敷村）

## 日本古美術展開催の案内

△会場　琉球政府立博物館
△会期　昭和46年3月20日〜4月18日
△陳列品　サントリー美術館収蔵品から61点、147個を出品。
　　　　　国宝1点、重要文化財3点、重要美術品4点を含みます。

............ ◇◇◇ ............

今回の日本古美術展は、平安末期から江戸期にわたる貴族や庶民の生活文化の結晶ともいえるミくらしの中の美術品ミの数々が出展されます。いいかえれば、この展覧会では頼朝から和ノ宮にいたる時代の人びとの生活が主題であり、古墳時代の出土品や仏教美術はひとまずおいて、身近かな生活史の側面に焦点を絞りました。これら華麗な文化遺産が、復帰を目前にひかえたいま展観されますことは意義深いことと思われます。前回、同博物館で催された日本古美展とは趣きを一新し、人間臭の漂う古美術品を通じて、ユニークな時代絵巻をご披露したいと願っています。

高校生、大学生の皆さんはもとより、小、中学生や主婦、お勤めの方々などそれぞれお楽しみいただけるよう準備をすすめています。多くの方々のお出をお待ちしていま。

............ ◇◇◇ ............

△主催　琉球政府立博物館
　　　　サントリー美術館
△後援　文化庁
△協賛　沖縄タイムス社、琉球新報社
　　　　琉球放送、沖縄テレビ、ラジオ沖縄、沖縄放送協会、沖縄教職員会、那覇市、日本風俗史学会

---

## 原　稿　募　集

本誌では、バラエティに富む誌面づくりにより、諸者の皆様に親しみやすいミ文教時報ミにするため、広く読者諸兄の原稿を募集いたします。

身辺の〃ずいそう〃や学校、委員会等における話題、ニュースから教育論、研究報告等題材に制限はもうけません。

字数は、ミずいそうミや話題等は400字詰原稿用紙2枚以内教育論、研究報告等は図表等を含めて400字詰原稿用紙10枚内外におさめて下さい。

掲載の分には薄謝をさし上げます。

## 1971年度交付税教育費基準財政需要額
(教育区債記費のための基礎資料)

調査計画課

| 教育区 | 小学校 経常 | 小学校 投資 | 小学校 計 | 中学校 経常 | 中学校 投資 | 中学校 計 | その他 経常 | その他 投資 | その他 計 | 合計 経常 | 合計 投資 | 合計 計 |
|---|---|---|---|---|---|---|---|---|---|---|---|---|
| 国頭 | 60,324 | 7,155 | 67,479 | 42,854 | 4,807 | 47,661 | 19,306 | 2,743 | 22,049 | 122,484 | 14,705 | 137,189 |
| 大宜味 | 28,052 | 3,375 | 31,427 | 24,405 | 2,747 | 27,152 | 14,647 | 2,489 | 17,136 | 67,104 | 8,611 | 75,715 |
| 羽地 | 20,194 | 2,295 | 22,489 | 17,242 | 1,888 | 19,130 | 10,981 | 2,291 | 13,272 | 48,417 | 6,474 | 54,891 |
| 屋我地 | 37,954 | 5,130 | 43,084 | 19,717 | 3,090 | 22,807 | 18,261 | 2,686 | 20,947 | 75,932 | 10,906 | 86,838 |
| 今帰仁 | 11,571 | 1,755 | 13,326 | 8,283 | 1,202 | 9,484 | 12,761 | 2,334 | 15,095 | 32,614 | 5,291 | 37,905 |
| 上本部 | 53,276 | 7,560 | 60,836 | 32,345 | 5,665 | 43,010 | 23,519 | 2,977 | 26,496 | 114,140 | 16,202 | 130,342 |
| 本部 | 22,871 | 2,970 | 25,841 | 11,000 | 1,717 | 12,717 | 13,622 | 2,421 | 16,043 | 47,493 | 7,108 | 54,601 |
| 部 | 70,229 | 8,910 | 79,139 | 51,617 | 6,695 | 58,312 | 26,727 | 3,155 | 29,882 | 148,573 | 18,760 | 167,333 |
| 部 | 22,520 | 2,700 | 25,220 | 10,562 | 1,717 | 12,279 | 13,084 | 2,404 | 15,488 | 46,166 | 6,821 | 52,987 |
| 名護 | 71,755 | 10,665 | 82,420 | 34,731 | 6,180 | 40,911 | 39,433 | 3,472 | 42,905 | 145,919 | 20,317 | 166,236 |
| 久志 | 37,305 | 4,860 | 42,165 | 29,298 | 3,262 | 32,560 | 15,143 | 2,516 | 17,659 | 81,746 | 10,638 | 92,384 |
| 宜野座 | 21,648 | 2,700 | 24,348 | 10,324 | 1,717 | 12,041 | 12,805 | 2,376 | 15,181 | 44,777 | 6,793 | 51,570 |
| 金武 | 36,996 | 5,535 | 42,531 | 15,910 | 2,918 | 18,828 | 22,176 | 2,743 | 24,919 | 75,082 | 11,196 | 86,278 |
| 伊江 | 30,254 | 4,455 | 34,709 | 17,336 | 3,090 | 20,426 | 18,183 | 2,594 | 20,777 | 65,773 | 10,139 | 75,912 |
| 伊是名 | 24,920 | 2,700 | 27,620 | 13,136 | 1,545 | 14,681 | 11,451 | 2,316 | 13,767 | 49,507 | 6,561 | 56,068 |
| 伊平屋 | 20,574 | 2,700 | 23,274 | 12,411 | 2,060 | 14,471 | 14,346 | 2,407 | 16,753 | 47,331 | 7,167 | 54,498 |
| 恩納 | 42,388 | 5,400 | 47,788 | 32,319 | 3,777 | 36,096 | 19,249 | 2,645 | 21,894 | 93,956 | 11,822 | 105,778 |
| 石川 | 52,877 | 7,965 | 60,842 | 25,998 | 5,150 | 31,148 | 32,836 | 3,217 | 36,053 | 111,711 | 16,332 | 128,043 |
| 美里 | 81,541 | 11,880 | 93,421 | 38,906 | 7,038 | 45,944 | 41,334 | 3,625 | 44,959 | 161,781 | 22,543 | 184,324 |
| 与那城 | 65,241 | 9,585 | 74,826 | 21,372 | 2,747 | 24,119 | 26,655 | 3,151 | 29,806 | 113,268 | 15,483 | 128,751 |
| 勝連 | 60,277 | 8,640 | 68,917 | 47,770 | 8,412 | 56,182 | 26,144 | 2,956 | 29,100 | 134,191 | 20,008 | 154,199 |
| 具志川 | 129,577 | 19,575 | 149,152 | 65,427 | 12,189 | 77,616 | 66,752 | 4,582 | 71,334 | 261,756 | 36,346 | 298,102 |
| コザ | 187,059 | 27,810 | 214,869 | 88,875 | 17,339 | 106,214 | 105,758 | 6,014 | 111,772 | 381,692 | 51,163 | 432,855 |
| 読谷 | 76,567 | 11,880 | 88,447 | 40,473 | 7,725 | 48,198 | 40,365 | 3,538 | 43,903 | 157,405 | 23,143 | 180,548 |
| 嘉手納 | 49,924 | 7,560 | 57,484 | 24,075 | 4,635 | 28,710 | 31,598 | 3,107 | 34,705 | 105,597 | 15,302 | 120,899 |
| 北谷 | 41,364 | 6,345 | 47,709 | 16,740 | 3,090 | 19,830 | 25,873 | 2,797 | 28,670 | 83,977 | 12,232 | 96,209 |
| 北中城 | 23,264 | 3,645 | 26,909 | 13,912 | 2,403 | 16,315 | 20,313 | 2,707 | 23,020 | 57,489 | 8,755 | 66,244 |
| 中城 | 41,479 | 5,400 | 46,879 | 21,486 | 4,120 | 25,606 | 20,442 | 2,806 | 23,248 | 83,407 | 12,326 | 95,733 |
| 宜野湾 | 135,674 | 19,170 | 154,844 | 57,462 | 11,159 | 68,621 | 72,827 | 4,520 | 77,347 | 265,963 | 34,849 | 300,812 |
| 西原 | 34,563 | 5,265 | 39,828 | 18,820 | 3,433 | 22,253 | 22,548 | 2,752 | 25,300 | 75,931 | 11,450 | 87,381 |

| 教育区 | 小学校 経常 | 小学校 投資 | 小学校 計 | 中学校 経常 | 中学校 投資 | 中学校 計 | その他 経常 | その他 投資 | その他 計 | 合計 経常 | 合計 投資 | 合計 計 |
|---|---|---|---|---|---|---|---|---|---|---|---|---|
| 浦添 | 127,746 | 18,090 | 145,836 | 53,515 | 10,300 | 63,815 | 70,405 | 4,258 | 74,663 | 251,666 | 32,648 | 284,314 |
| 那覇 | 856,295 | 116,640 | 972,935 | 351,258 | 64,376 | 415,634 | 399,958 | 20,101 | 420,059 | 1,607,511 | 201,117 | 1,808,628 |
| (久) 具志川 | 21,899 | 3,105 | 25,004 | 12,228 | 2,060 | 14,288 | 16,545 | 2,515 | 19,060 | 50,672 | 7,680 | 58,352 |
| 仲北里 | 45,571 | 6,075 | 51,646 | 25,875 | 3,605 | 29,480 | 18,124 | 2,669 | 20,793 | 89,570 | 12,349 | 101,919 |
| 大 | 6,849 | 810 | 7,659 | 5,295 | 515 | 5,810 | 8,950 | 2,167 | 11,117 | 21,094 | 3,492 | 24,586 |
| 大南 | 12,351 | 1,755 | 14,106 | 7,676 | 1,030 | 8,706 | 11,258 | 2,305 | 13,563 | 31,285 | 5,090 | 36,375 |
| 豊見城 | 45,668 | 6,885 | 52,553 | 20,945 | 3,948 | 24,893 | 24,443 | 2,876 | 27,319 | 91,056 | 13,709 | 104,765 |
| 糸満 | 127,391 | 19,845 | 147,236 | 67,958 | 12,360 | 80,318 | 54,144 | 4,484 | 58,628 | 249,493 | 36,689 | 286,182 |
| 東風平 | 31,253 | 5,130 | 36,383 | 18,941 | 3,605 | 22,546 | 19,694 | 2,765 | 22,459 | 69,888 | 11,500 | 81,388 |
| 具志頭 | 29,462 | 4,590 | 34,052 | 14,928 | 2,575 | 17,503 | 16,150 | 2,570 | 18,720 | 60,540 | 9,735 | 70,275 |
| 玉城 | 40,438 | 6,075 | 46,513 | 19,188 | 3,605 | 22,793 | 19,736 | 2,767 | 22,503 | 79,362 | 12,447 | 91,809 |
| 知念 | 25,266 | 3,780 | 29,046 | 18,137 | 2,747 | 20,884 | 14,924 | 2,503 | 17,427 | 58,327 | 9,030 | 67,357 |
| 佐敷 | 25,519 | 4,050 | 29,569 | 16,651 | 3,090 | 19,741 | 17,801 | 2,660 | 20,461 | 59,971 | 9,800 | 69,771 |
| 与原 | 28,433 | 4,455 | 32,888 | 16,831 | 3,090 | 19,921 | 22,191 | 2,712 | 24,903 | 67,455 | 10,257 | 77,712 |
| 大里 | 26,927 | 3,915 | 30,842 | 15,132 | 2,747 | 17,879 | 16,227 | 2,574 | 18,801 | 58,286 | 9,236 | 67,522 |
| 南風原 | 32,397 | 5,265 | 37,662 | 19,188 | 3,605 | 22,793 | 21,338 | 2,794 | 24,132 | 72,923 | 11,664 | 84,587 |
| 渡嘉敷 | 10,674 | 1,080 | 11,754 | 9,344 | 687 | 10,031 | 8,804 | 2,173 | 10,977 | 28,822 | 3,940 | 32,762 |
| 座間味 | 16,732 | 1,890 | 18,622 | 14,925 | 1,373 | 16,298 | 9,307 | 2,200 | 11,507 | 40,964 | 5,463 | 46,427 |
| 粟国 | 16,660 | 1,350 | 11,010 | 8,320 | 1,030 | 9,350 | 10,062 | 2,241 | 12,303 | 28,042 | 4,621 | 32,663 |
| 渡名喜 | 7,587 | 945 | 8,532 | 5,660 | 515 | 6,175 | 9,071 | 2,187 | 11,258 | 22,318 | 3,647 | 25,965 |
| 良平 | 127,882 | 18,090 | 145,972 | 77,936 | 12,532 | 90,468 | 57,739 | 4,381 | 62,120 | 263,557 | 35,003 | 298,560 |
| 辺土名 | 61,909 | 9,585 | 71,494 | 43,207 | 6,867 | 50,074 | 30,807 | 3,119 | 33,926 | 135,923 | 19,571 | 155,494 |
| 羽地 | 21,645 | 3,105 | 24,750 | 17,030 | 2,575 | 19,605 | 15,368 | 2,464 | 17,832 | 54,043 | 8,144 | 62,187 |
| 伊野部 | 17,245 | 2,700 | 19,945 | 11,808 | 2,060 | 13,868 | 14,380 | 2,422 | 16,802 | 43,433 | 7,182 | 50,615 |
| 多 | 43,910 | 6,750 | 50,660 | 25,992 | 4,292 | 30,284 | 24,341 | 2,818 | 27,157 | 94,243 | 13,860 | 108,103 |
| 間 | 16,135 | 2,025 | 18,160 | 11,751 | 1,202 | 12,953 | 11,723 | 2,282 | 14,005 | 39,609 | 5,509 | 45,118 |
| 石垣 | 178,599 | 24,435 | 203,034 | 97,980 | 15,794 | 113,774 | 69,720 | 4,992 | 74,712 | 346,299 | 45,221 | 391,520 |
| 竹富 | 71,488 | 6,615 | 78,103 | 54,383 | 4,635 | 59,018 | 16,556 | 2,592 | 19,148 | 142,427 | 13,842 | 156,269 |
| 与那国 | 24,146 | 3,105 | 27,251 | 13,923 | 1,717 | 15,640 | 13,609 | 2,357 | 15,966 | 51,678 | 7,179 | 58,857 |

# 黒塗遊雁螺鈿文庫

重要文化財

貝摺奉行所製作

41.5×31.0×16.2（cm）

　沖縄の漆芸は、慶長年間以後王府が工芸の奨励をおこなったので盛んになった。
　17世紀初期になると貝摺奉行所がおかれた。保栄茂盛良が奉行となり貝摺主取二人、絵師主取一人、属僚六人、桧物師主取二人、その他磨物師主取、木地引勢頭、御櫛物師主取、三味線打主取、矢矯主取各一人をおいた。
　王府は中国の技術習得のため1636年に曾氏国吉を遣わし嵌螺法を学ばしめ、1690年には大見武憑武を派遣して煮螺の法を伝習せしめた。
　沖縄の螺鈿は薄い貝をはりつける方法をとり青貝とよばれる。文様の色彩を貝（主として夜光貝）のそれぞれの色で表現した。すなわち青い樹木には貝の青い部分を、花には貝の赤い部分を細かくはりつけて装飾性を高めた。
　この黒塗遊雁螺鈿文庫は秀作の一つで、黒い地色に湖面で遊飛する雁の活々とした様が上部面と四側面にうまく構成されている。また、光の方向による色彩の変化も黒地との調和がとれて見る者を楽しませてくれる。

（博物館主事　玉城盛勝）

---

1971年3月25日　印刷

1971年3月30日　発行

文　教　時　報　（122号）

発行所　琉球政府文教局総務部　調査計画課
印刷所　サン印刷所

博物館名品紹介
## 黒塗遊雁螺鈿文庫

| 2 | 1 |
| 3 | |
| 4 | |
| 5 | |

1. 蓋
2. 上　側面
3. 下　〃
4. 右　〃
5. 左　〃

## 児童・生徒数別学校数

| 区分 | | 計 | 100人未満 | 100～249 | 250～499 | 500～999 | 1,000～1,499 | 1,500～1,999 | 2,000以上 |
|---|---|---|---|---|---|---|---|---|---|
| 小学校 | 総数 | 244 | 48 | 46 | 50 | 53 | 27 | 15 | 5 |
| | 北部 | 62 | 15 | 22 | 16 | 8 | 1 | — | — |
| | 中部 | 56 | 3 | 4 | 11 | 24 | 9 | 5 | — |
| | 那覇 | 36 | 2 | 2 | 6 | 4 | 10 | 7 | 5 |
| | 南部 | 30 | 4 | 3 | 9 | 8 | 5 | 1 | — |
| | 宮古 | 21 | 4 | 2 | 5 | 7 | 2 | 1 | — |
| | 八重山 | 35 | 17 | 12 | 3 | 2 | — | 1 | — |
| | 澄井・稲沖 | 2 | 2 | — | — | — | — | — | — |
| | 私立 | 2 | 1 | 1 | — | — | — | — | — |
| 中学校 | 総数 | 154 | 41 | 36 | 26 | 27 | 14 | 9 | 1 |
| | 北部 | 42 | 15 | 14 | 7 | 5 | 1 | — | — |
| | 中部 | 29 | 2 | 8 | 1 | 8 | 7 | 3 | — |
| | 那覇 | 19 | 1 | 3 | 3 | 2 | 3 | 6 | 1 |
| | 南部 | 21 | 6 | 2 | 3 | 9 | 1 | — | — |
| | 宮古 | 17 | 2 | 3 | 10 | 1 | 1 | — | — |
| | 八重山 | 22 | 12 | 6 | 2 | 1 | 1 | — | — |
| | 松島 | 1 | — | — | — | 1 | — | — | — |
| | 澄井・稲沖 | 2 | 2 | — | — | — | — | — | — |
| | 私立 | 1 | 1 | — | — | — | — | — | — |

文教時報

123

第二〇巻（第四号）

琉球政府文教局調査計画課

写 真 日 誌

▲文部省柳川給食課長を講師に給食研修会（3月1〜6日）

　沖縄における学校給食行政の調査と学校給食研修会の講師として来沖した文部省体育局学校給食課長柳川覚治氏は、給食行政の実情調査や給食施設を視察の他、南部会館と中の町小学校における給食研修会で「学校給食の現状と将来の動向」を主題に講演を行なった。

▼区教育委員の選挙（3月）

　2年ごとに行なわれる区教育委員の選挙が3月改選期に全琉55の教育区で行なわれた。そのうち33教育区は無投票、21教育区は投票が行なわれた。本土復帰を前に教育委員会制度が問題になっているが、投票率は全琉平均67.9％であった。また投票が行なわれた教育区では定員64人に対し、立候補者は91人であった。

南風原教育区の投票風景と立候補者の立看板

▲日本古美術展の開催（3月20日～4月18日）
　政府立博物館とサントリー美術館の共催で去る3月20日～4月18日まで〝くらしの中の美術品〟を展示して日本古美術展が開催され多くの参観者を集め多大の感銘を与えた。なお会期中に記念講演も行なわれ本美術展の意義を一層深いものにした。

◀玉城村青年会の研究発表（3月27日）
　農村における青年会活動は、本土就職や農業外就職者の増加等により年々きびしい条件の下にあるが、「青年会活動を活発にするためには、部活動をどのように強化すればよいか」という研究テーマで玉城村青年会が2か年がかりの研究成果を村役所ホールで発表した。

▶南部商業高校開校（4月8日）
　後期中等教育整備拡充計画の一環として高校の増設が望まれているが、今年4月から東風平村に南部商業高校が設立され去る8日に開校式が行なわれた。
　今年度の入学者は360人(男26人、女334人)で教職員数28人、新設計のモデル校舎は日政援助により単年度で建築される。

センター全景と第一研究室

▲糸満青年の家落成、開所（4月9日）

　70年6月に工事をはじめた糸満青年の家（所長伊是名甚徳氏）は去る3月に落成、4月9日に開所式を行なった。

　糸満町賀数の風光明眉な岡の上に立つこの青年の家は延べ面積1,072.5㎡のしょう洒な2階建で、宿泊室、事務室、食堂、研修室等を備え、青少年研修の場としての役割が期待されている。なお、将来計画として本館の増築、体育館、プール、グラウンド等の整備が予定されている。

▼佐敷幼稚園の開園式（4月15日）

　幼稚園振興は文教局の主要施策の一つであるが、今年度も公立幼稚園として新しく認可された。今帰仁、佐敷、大里等の幼稚園で開園式が行なわれた。胸にリボンをつけ、父兄に手をひかれて、にぎやかな開園風景はまさに春爛漫の感じである。

# 文教時報

No.123　'71/5

## もくじ

**写真日誌**
- 給食研修会　・教育委員選挙
- 日本古美術展　・玉城村青年会研究発表会
- 南部商業高校開校
- 糸満青年の家落成　・佐敷幼稚園開園

中教委だより……………………目次裏

**〈座談会〉**
海外の教育事情を視察して………1

教職員の海外教育事情視察
実施計画のあらまし……………15

**〈研修報告〉**
小学校における生徒指導
　　　　　城間　期一…………17

復帰と教育行政
　―校舎建築をめぐる問題―
　　　　　阿波根　朝次…………22

改訂指導要領における音楽の
基礎をどのように考えるべきか
　　　　　伊志嶺　朝次…………35

**〈講　座〉**
会計の観念と用語の解説
　　　　　宮良　当祐…………41

学校基本調査にみる卒業後の状況
　　　　　編　集　係…………45

博物館名品紹介　　　　　｝裏表紙
1970年度児童生徒1人当り公教育費

表紙……サバニ

# 中教委だより

## 216回臨時中教委
期日　1971年3月9～10日
議題
- 1971年度補正予算について行政主席より意見を求められたことに対する回答
- 琉琉育英会の権利義務承継等に関する立法（案）について
- 政府立高等学校の適正配置及び教職員定数の標準等に関する立法施行規則について
- 政府立高等学校長、教頭、主事への昇任基準について

## 第217回定例中教委
期日　1971年3月24～26日
議題
- 琉球学校給食会の権利義務承継等に関する立法（案）について
- 学校給食用パンの学校渡し単価の指示について
- 高等学校の定通制教育振興法の一部を改正する立法（案）について
- 政府立小学校、中学校及び特殊学校の校長、教頭、主事への昇任基準について
- 地方教育区教育職員の給料の調整額の基準に関する規則の一部を改正する規則について（風疹児担当教諭の調整給）
- へき地教育振興法の一部を改正する立法（案）について
- 義務教育諸学校の学級編成及び教職員定数の算定基準の一部を改正する規則について（複式学級の改善）
- 学校の廃止認可について
  1971年4月1日で竹富区教育委員会網取小学校、同中学校を廃止、1972年4月1日で名護教育区天仁屋、嘉陽、三原中を廃止して久志中へ統合
- 私立学校職員共済組合法（案）について
- 教育区債の起債許可について
- 幼稚園の設置認可について
  喜屋武幼稚園　　城東幼稚園
  松田幼稚園　　　漢那幼稚園
- 職員人事ついてに

＜座談会＞

# 海外の教育事情を視察して

出席者
　文教局管理部長　　仲宗根　　繁　　　　大宮小学校長　　岸　本　喜　順
　久松小学校長　　　花　城　朝　勇　　（前）中の町小学校教諭　糸　嶺　一　雄
　司会　調査計画課長　松　田　州　弘
　記録　同広報担当　　豊　島　貞　夫　　平　田　与　進

**松田**　本日は御多忙のところをお集りいただきありがとうございます。皆様方には70年度の文部省派遣海外研修教員として広く欧米の教育事情について視察研修なさってこられたわけですが、今日は欧米の教育の動向や世界的視野から沖縄の教育を考えるというようなお話をざっくばらんに語っていただきたいと思います。
　最初にどのようなコースで視察なされたわけですか。

**仲宗根**　私は第16団の高校班に所属して11月11日から12月10日まで1ヶ月の日程で主要視察国はアメリカ北部とスペインの二ヶ国でありました。その他の国々（イギリス、フランス、ドイツ、イタリア、オランダ、スイス等）にそれぞれ2、3日滞在して視察してきました。

**花城**　私たち3人（岸本、糸嶺、花城）は21団の小、中、高校の混成チームで主に米国の教育事情を視察しましたが、西ヨーロッパの国々についても1〜2日間程度の視察を行なってまいりました。日程はやはり1カ月で羽田を10月26日に発って、もどったのが11月26日ですね。

## 変りつつある教育制度

**松田**　皆様方はほんとの世界一周をなさってこられたわけですね。強行スケジュールで大変だったと思います。それでは広範囲の視察をなさってこられたわけですが、話題を学校教育の面にうつして話し合っていただきましょう。

**岸本**　それではアメカの教育制度から申しましょう。
　連邦政府の教育局は三つの指針を示すだけで、各州の法律によって特色のある

教育が行なわれているわけです。たとえば学校制度について申しますと、主なものはいわゆる6・3・3制ですが、郡部では8・4制や6・6制もありますし、同じ州内でもいろいろな学制があるわけです。ただこの学制についてはニューヨークで目下研究中ですが、ニューヨークは現在6・3・3の12カ年義務教育制をとっているのですが、4・4制や幼稚園を含めての6・4・4制を研究中とのことでした。

**仲宗根** いまニューヨークの話が出ましたが、ニューヨーク市の教育次長ホイヤー氏と話し合った際、いまお話しの学制改革のこと、とくに高校のことが話題にのぼったわけですが、『ニューヨークは近年人口増加がいちじるしくいわゆる過密現象が生じ、学校施設にも不足をきたすようになった。その打開策として6・3・3制から小学校5年に高等学校を4年にする5・3・4制へ移行し、現在87％が5・3・4制を実施している。あと1、2年で100％、5・3・4制に移行すると思う。教育界からは反応はないが、一般からは歓迎されている。』というような話しがありました。

### 個性に応じた教育

**糸嶺** 教育の目標についてですが、米国では二つの大きな項目を教育の目標にあげているように話を聞いてまいりました。一つは個人の成長、もう一つは個人と団体の協力による福祉社会の実現ということですね。すべての人にそのもっている能力を十分伸ばす機会を与えてやるということ、これが第1の目標で、たとえば教育内容は個人の能力、適性、興味に応ずるように形式内容が柔軟性をもって配列され個々の子どもに合うように多種多様な教育が現実になされている。こういったようなことが我々の興味と関心を強くひくわけです。

特に中学校の職業教育はそういう意味で充実しているという感じを受けたですね。

**松田** そうなりますと選択教科の指導などはどのようになされているのですか。

**岸本** 前の人の報告で見たのですが、中学校の場合、必修科目は国語、社会、数学、理科の4教科で、あとは選択になっている。また高校の場合、米国では国語だけが必修というのもあるようで、選択の巾が非常に広い。そのためか生徒たち

はのびのびと学校生活を楽しんでいる。日本の場合、時間数まで文部省から基準が示されていて、画一的である。学校の特色を出すということが困難ですね。これはシンシナティーの中学校で見てきたのですが、この学校はドイツ系の生徒が多く、国語（英語）があまり上手でないということで国語の時間をとくに多くしていましたですね。日本では学歴を尊重するということもあって入学試験を意識するために選択教科を多くとれないという悩みがあるんですね。

が25人、校長1人、副校長3人、カウンセラー4人、その他給食補助教員等で25人という陣容になっておりました。

**花城** 今の話と関連しますが、日本では教員というのは定数化するという観念が強いわけですが、米国ではパートタイムの教員が多いですね。例えば彫刻の講師を一般社会から依頼するといった具合でこれは人件費の面でも安くつくわけですね。こういうよう

（ニューヨーク リッチマン ハイスクール）看護科は午前中病院午後から保育実習がある

**松田** 選択教科が多くなると、教員、施設等の問題はどのようにしているんですか。

**岸本** バーミンガムの高校の例ですが生徒1500人の学校で、教師が71人事務職員

なパートタイム教師の利用が、中、高校をとおして広く行なわれているということも一つの特色ですね。

**糸嶺** バーミンガムの中校だったと思いますが、中学1年生の授業を参観させて

いただいた時、われわれからいわせば不思議な授業を見たんです。それはお化粧の方法についての授業なんですが、これもパートタイムの講師だということでした。こういうような授業は、父兄の希望、あるいは個人が関心をもっている場合、希望者だけを集め、講師を依頼して授業を開設するという方法をとっているようですね。

## チーム編成による学校運営

**松田** これまで、学校制度や教育内容、教員等についてお話しいただいたわけですが、今度は職員組織や管理面についてうかがいたいのですが。

**仲宗根** 私のみた学校では、これまでのお話しのように職員の定数は本土、沖縄に比べて潤沢にとられているようでした。学級編成も1学級で25～30人程度でしたが、しかしニューヨークの場合は事情が少しちがっていまして、マンモス校が多く、例えば普通高校の場合でしたが2500人定員の学校に4000人も在籍者がいるという例もありました。これはおそらく高等学校まで義務教育制にしているためであろうと思われるのですが、反面教員や施設面ではかなり良いように見受けました。感心しましたのは、施設を教師や生徒がとても大事にして、よく管理している事です。屋外運動場など殆んどの学校がもっていませんが、運動場をもっているSHAKER. High Schoolなどは、きれいな芝で周囲も柵をまわし、管理人をおいて外来者を一歩も入れないほどきびしい規制をして管理していました。

**松田** そういうマンモス校における運営はどういうようにやっているんでしょうかね。

**仲宗根** これはリッチマンハイスクール（ニューヨーク市）の例ですが、生徒数4600人、教員300人、その他の従業員100人というマンモス学校なんですね。そこでこのようなマンモス学校でいったいどのようにして学校運営をしているだろうかと興味をもってみてきたわけですが、この学校では2部制をとっておりましてね、上級学年の3、4年生が1部授業（7:30～12:30）、低学年の1、2年が2部授業（12:30～5:10）というふうに分けているわけです。上学年を1部にもってきたわけは、この学校には割合貧困家庭の子が多く、上学年はアルバイトに出る子が多いためだと説明しておりました。

一方、教職員の意見はどのようなしくみで学校運営に反映させているかといい

ますと、チーム編成によっているわけです。全教員を15のチームにわけて、各チームにチェアマンをおき、そのチェアマンを通して学校運営についての意見を反映させるというしくみになっているわけです。このチェアマンになるのがなかなか大変なことで、4～5年かかってやっと試験をパスすることが出来るとのことでありました。

　　学　校　施　設
松田　施設面はいかがですか。
花城　たしかビリングスの小学校だったと思いますが、ここの学校は円形校舎が二棟あって校長の自慢のタネなんですね。というのは、校舎の設計を校長自身がやったというわけです。米国ではこういう校舎建築についても学校なり校長の意見を尊重するという建て前ができているようですね。
岸本　施設といいますと、ある高校では音楽教室が3つもあったり、また体育館が男女別々にあったり、これは1棟を中央で二つに区切ったものでしたが、あるいは演劇部のためにステージがあるんですが、これがその辺にみるようなものとはちがって大規模なんですね。しかも屋体は別にあるわけなんです。廊下なども巾を広くとって生徒個人のロッカーをおいてあるといった具合でほんとに施設面では恵まれていますね。
仲宗根　やはりアメリカでですが、体育館の他に女子の徒手体操室もいくつかつくっており、こちらとくらべるとぜいたくな感がいたしました。しかし屋外運動場のある学校を見たことがないんですが、そのために体育館が多いのではないかと思いました。一方スペインはアメリカとかわっていまして、運動場をもっている学校が割と多かったですね。

　それと校舎の色彩に配慮がなされていて棟毎に色彩がちがい校門から入ると非常に美くしいですね。沖縄あたりも同一色彩にせず校舎毎に色を変えるという工夫をすべきじゃないかと思うんです。これは情操教育という点からも一考を要する問題だと思います。
花城　そうですね。光線も間接採光、壁の色彩等もやわらかくおちついた雰囲気をかもし出して学習の場にふさわしいですね。

糸嶺　州を異にして3か所で学校施設を見たわけですが、たしかに充実しておりますね。

先程の体育館の話しですが、体育館があって更に小体育館が2〜3つあり、それから女子用徒手体操場、球技やサッカー準備体操ができるような附帯施設、そしてすべての建物には手洗が必ずついてるという具合でほんとにいたれりつくせりという感じですね。

**学校教育の中の校長と教師**
**松田** これまでいろいろお話しをうかがってみますと、われわれと同一線上にあるのもあるし、またずいぶんとかけはなれたところもあるわけですね。

ところで、校長先生と先生方は学校運営という点でそれぞれどのように結びついているんでしょうか。

**花城** 或る高校の例ですが、ここでは8時始業になっていて校長は30分前、教員は15分前に出勤します。

校長の役割は教育課程の管理と生徒の安全管理がおもなものになっていまして、教育課程の管理では毎日各教室を歩いて始業の進捗状況を見ているわけですね。ところがそれは教師を監督するという意味ではなく、校長の仕事として見る。教員は責任をもって仕事を遂行するというそれぞれの立場を貫いているわけです。

生徒は3時30分に下校しますが、生徒が下校すれば、校長も下校してよいし、教員は自分の授業がすめば帰ってよいようになっている。

それでは校長と教員の意志の疎通はどうかというと、全体的なものは月1回1時間位のミーティングの時間をもってやっているわけです。

**岸本** 中学校の場合でしたが、校長には一定の仕事はないような感じを受けたですね、出勤したらタイムカードで教師の出勤状況を把握し、また採用して3年未満の教師については教頭と相談して綿密な指導を行ない、指導案も毎日書かしているとのことでした。更に個々の教師に対する指示は指示箱を利用してやっているようだったですね。

**仲宗根** 米国では教員の採用が契約制になっているためにこちらとはずいぶん変ったところもでてくるわけでしようね。私は主として高校を見たわけですが、大体の教師は5.00まで残っているようでしたが、それは生徒との話し合いや校長との個別的な話し合いの時間になっているようでした。

よく問題になる勤務評定はニューヨークではやっていないようでしたが、これは結局信頼と使命感をもって仕事にとっくんでいるからだと感じたわけです。

糸嶺　そうですね。先生方1人1人が教育観と責任感を土台にしっかりした自覚をもっているということを強く感じましたね。

それから先生方がやりたいと思っていること、あるいは願いごとを校長からとめられるということは殆どないと言い切っていましたが、これはやはり先程から話しのとおり信頼や責任感で結ばれているからだと思いますね。

## すすんでいるカウンセラー制度

仲宗根　それから生徒指導に関連してですが、私が視察した学校ではカウンセラーのところへ相談に来るのは教師からの呼びかけというよりも生徒がすすんで相談に来るということでした。教師からの呼びかけでやるのは進路関係の相談ぐらいのものだということでしたが、これも生徒と教師の信頼関係ができているからではないかという印象を受けましたですね。

岸本　進路指導は受け持ちよりもカウンセラーの方が大きい役割を果しているようですね。

花城　一般にわれわれの印象としてはカウンセラーといえば問題児を対象にするということですが、通常児の指導が多いようですね。問題の根が深いような子は専問の機関にゆだねて、むしろカウンセラーは特殊な子のためではなく、全体の子どもたちのために働くというような…

或る高校で問題児がでて困るようなことはないかと質問しましたら、立派なカウンセラーが多いので問題児で困ることはないと話しておられたですね。

仲宗根　これはアメリカ、クリーブランドの、セーカーハイスクールの場合ですが、副校長が2人いて1人はカウンセラー担当なんですね。生徒が1825人いますがこれを2分しましてそれぞれに4人ずつのカウンセラーを配置しているわけです。

岸本　高校へ進学する場合のコースの決定もカウンセラーの権限になっているような感じがしましたね。とにかく米国の場合カウンセラーは仕事の範囲も広く生徒からの信頼も厚く、地位も高いという感じですね。

糸嶺　もう一つ生活指導と関連して日程の問題ですが、教室移動時間（こちらの休み時間）になると低学年の児童は先生

がついてトイレに入れ次の校時に支障がないようなしつけをしているんですね。それと5校時の間に10分間の〝遊びの時間〟（あるいはスポーツの時間）を設けて、この時も先生がついて一緒に遊ぶわけです。ところが昼食の時間は子どもたちは学校食堂で自分たちで金を払ってセルフサービスで食事をとるわけですが、この時は先生はつかない。といいますのは、職員食堂が別にあってそこで食事をとるわけです。

**松田** その食堂は学校の経営ですか。

**糸嶺** 食堂は学校の給食要員が運営しているわけです。その食堂における生徒のマナーなんですが、これがまた立派なもので粗暴な行動をする子は1人もいないわけですよ。とにかく基本的なしつけがしっかり行なわれているという点、感心させられましたね。

**仲宗根** 先程申しましたセーカーハイスクールで我々も一緒に学校の食堂で昼食をとったわけですが、そこでは多種類の料理がカウンターの上に並べられていて生徒は各自自分の好みのものをお膳にとっていき最後のところに計算係がいて昼食代を支払うようになっているわけです。

**花城** いわゆるカフェテリア方式ですね。こちらの学校給食は一律に同じ献立で同じ量のものをとらせるわけですが、この方式ですと、その日の健康状態や子どものふところ具合、あるいは自分の好みによって給食を受けることができるわけで、和やかに語り合いながら食事を楽しんでいますね。そういうところはこの辺ではちょっと見れない雰囲気ですね。

### スペインの学校教育

**松田** 今までの話は米国を中心になされたわけですが、このへんでスペインのことについてお話し願いたいのですが……

**仲宗根** それではスペインの教育事情について申し上げましよう。

マドリッドの教育制度ですが、2～5才が幼児教育あるいは保育学校で6～10才がいわゆる小学校になっています。中学校は3つの段階に分れています。一つは普通の中等学校、二つは職業中学校、三つは補修段階の中学校で職業訓練を行なっているわけです。普通や職業中学校の課程を終えると高校に進学できますが、補修段階の場合は職業訓練ということになっているのでこれを終えると社会に出るわけですが、4か年の工業中等学校というのがあるのでそれを終えれば高等教育の方にも進むことができるように

なっているわけです。

このスペインという国は教育に力を入れていこうという姿勢が強く、文部大臣は①10年間で教育予算を3倍にする。②人づくりは国の最大の資本である。③学校をもっとはつらつとして現実に目をむけた楽しい学校にするという三つの大きい目標に向って教育行政を進めている人だということでした。

以上の三つの基本的な政策から具体的には①義務教育は全部無償とする。この場合単にスペイン国籍の人ばかりでなく、スペインに住んでいる外国人の子弟の場合も無償にする。②家庭貧困のため上級学校に進学できない者は国が無償で進学させてやろう。③ミ学生法ミを立法して学生に教育や職業選択の権利を与えると共に、家庭の不幸や病気に対しては学校保険の実施によって学生の福祉を増進していこう。④生涯教育の機会をすべての人に確保する。という構想をもっているようで教育に力を入れていこうという気慨があふれ、しかも内容も非常に斬新なものでその将来が期待されるわけです。学校現場を訪問しましても子どもも教師も生き生きとしており、外来者にも大変親切で、我々も校門まで出迎えをうけるぐらいでした。

一日の日課はアメリカやこちらとちがいまして11時から30分間コーヒータイムが設けられ、子どもたちはそれぞれ家からもってきた軽食をとりながら談笑したりするわけです。更に昼食時間が2:00～4:00までの2時間ありましてこの時間は殆んどの生徒が家へ帰って昼食をとり昼寝もするわけです。また街の店も全部閉店してしまいます。施設面では米国とくらべてまだまだの感じがしました。建築技術の面ではあるいは沖縄より劣っているような感じも受けましたですね。それに較べ備品関係は割とととのっているという印象を受けました。

**州ごとに異なる教育行政**

松田　それではこの辺で教育行政面についてもお話しをおうかがいしたいんですが。

花城　アメリカの委員会制度について申しますと、これはモンタナ州ビリングスの委員会で懇談した時の話しですが教育行政権は連邦政府にあるのではなく、各州独立した権限がもたされているということです。そして州の教育委員会があって、更に州の中に地方学区というのがあり、その学区に教育委員会が設置されているわけですね。委員の構成は州によ

って7〜11人となっており、職域別に例えば医師の代表、弁護士、会社経営者、会計士、主婦代表という形式で公選されるわけですが、選挙の方法は各職域の候補者選定委員によって選定された候補者を公選するというぐあいに行なっているようで、その辺がこちらとちがい大変興味をおぼえたわけです。

一方州によっては教育委員を州知事の任命によっているところもかなりあるという話しでしたね。

それからもう一つこちらとちがうところは委員会、事務局の機構で、これはビリングスの場合ですが次長（アシスタント）がたくさんおかれていることですね。それは仕事の分担を例えば財務担当業務一般担当、カリキュラム担当、小学校担当、中学校担当、高等学校担当、という具合に各分野について責任を負わされているということですね。

**仲宗根** スペインの場合は教育一般に関するすべての事項は文部省が管轄していて、私立学校の諸活動も文部省がコントロールしていますね。

### 人 事 行 政

**松田** 人事行政はどのように行なわれているんですかね。

**仲宗根** これはニューヨーク市の場合ですが、教員の採用は試験によっているようです。もっとも他の州では試験を実施していないようですが。人事交流については行政面で積極的に交流をはかっているということはしていないようです。本人が転勤したいときは現任校と赴任希望校の校長の諒解が得られれば可能のようですね。したがって何年以上は同一校勤務はできないというような制限はないので長いのになると同一校に10年、17年という先生もいるという話しでしたが、実情としてはこのような長期勤続者はそう多くないということでした。それから定年制の問題ですが、次長の説明によると70才以上は契約をしないという話しでありました。

**花城** 老後の保障をする一応のめどといったような話でしたね。

**仲宗根** 一方新採用のときの契約ですが、最初の3年間は試用期間でこれをパスすれば本契約となり毎年更新していくようです。

給料について申しますとニューヨーク市の場合初任給で年報11,450＄、8年後に15,600＄ぐらいで校長はこれの倍額になるとのことでありました。

**花城** ニューヨークはかなり良いです

ね。ビリングスのサラリースケジュール によると4年制大学を卒業した者の初任 給が年報 6,600＄その後単位を15単位と か30単位取得したり修士号をとったりす れば勤務年数とかみ合わせて昇給させる ようになっています。校長は教員とは別 表になっていて非常に高いということで すね。

## 青 少 年 問 題

**松田** 次に青少年問題についてお話しを うかがいたいのですが、学校教育のとこ ろではカウンセラーの配置が充分行なわ れているようなことでしたが。

**岸本** そうですね。カウンセラーを多く 配置して生徒相談にあたらせるととも に、生徒自体で規律を守るというよう な、たとえばシンシナティーの学校です けれど、これはみたわけではないんです が、廊下に生徒の週番のようなものがす わっているわけですね。そしてたとえば たばこを吸うような生徒をみつけたらす ぐに校長のところへつれていくわけで す。そこで大変感心したのは生徒どうし だからといっていいかげんなことをしな いというんですね。週番の権威というの か、つかまった生徒も反抗的な態度はと らず非常に恐縮した態度でいるという話 しでした。

**花城** 今お話しの当番なんですが、授業 時間中もずっと廊下にすわりっぱなしな んですね。では勉強の方はどうなるかと いいますと、先生から指示を受けて勉強 しながら当番勤務に服しているわけで す。

**松田** 先程から教職員の責任分担やチー ム編成ということで学校運営に参加して いるというお話しでしたが、今の生徒の 当番勤務ということもおのずからそうい う学校のあり方に根底で結びついている ような気がしますね。

**花城** そうですね。生徒はたとえば勉強 であれば自分で勉強するものだという立 場に立っているようですね。授業形態で も一斉授業というのはめったに見られな いわけです。したがって生徒の当番でも 教室に入って先生の講義聞くだけが勉強 ではないわけですから勤務と勉強が十分 成り立つわけですね。

**仲宗根** 青少年問題でニューヨークの場 合一番問題になっていることは麻薬のこ とだということでした。先程喫煙の話し がでましたが、学校内では勿論禁煙です が、一歩校門を出ると別に学校側から禁 止するようなことはしていないですね。 私たちが訪問したリッチマンハンスクー

ルでも下校時の校門で群をなしてたばこを吸っているのを見ました。

　性の問題もやはり重要な問題であるらしく、男生徒に対しても近い将来性教育の計画があるとのことでした。また学校に対する不満をストライキやバリケードを築いて表明するというようなことはニューヨークではないということでしたね。

**花城**　シンシナティーのヒルスハィスクールですが、ここは２年制の高校で生徒会に規約などはありますかという質問に対して、副校長の答えでいわく「そんなものはない。彼等だけの城をつくるのではなく、学校の方針と彼等の生活とは一致している」ということだったですね。それから、ポータージュニァハイスクールで（ここの校長先生はブラウンさんといいまして久米島にもいたことがあるそうですが）生徒と学校側の間に問題が起るようなことはないかという質問に対して、ブラウン校長先生は「給食のソーセージが一きれしかはいっていなかったとか、もっと楽しく遊べる機会がほしいという程度であって、話し会えばその場で解決する。自分らどうしのけんかは日本も同じじゃないか」という返事で実に面白いなあと感じたんですがね。

**松田**　学校経営上、生徒と学校側にまさつはないわけですね。

**花城**　常に子どもたちとの対話があるということでしょうね。

**糸嶺**　松長先生に問題児のことをたずねましたら、問題児はいないとはっきり断言しておられましたね。ただ一般的傾向としては問題児は増加傾向にあるようですね。そこで先程の話と結びつくと思うのですが、あちらでは学校の内と外を分けて考えているようで、結局問題児がいないというのは学校内のことのように思うんです。

　教育委員会には人種差別問題に関して担当の主事をおいているようですが、それに関連して校外における問題児の指導にもあたっているようで、校外指導に関してはこちらの方がすすんでいると思いますね。

**松田**　たしかに私たちは、校外における生徒の行動は無関係であるというわり切り方はできないですね。

**岸本**　映画館とか雑誌等についても解放的にすぎるような印象を受けたですね。

### 人種差別撤廃への努力

**仲宗根**　有害図書的なもの、それもかなり悪質なものが大通りに堂々と並べられ

ているが、それに対し子どもたちへの対策がどうなっているか不明ですね。人種差別の問題ですが、アメリカのクリーブランドで教育長のアィディアによって4年前サプリメンタリィエディケーションセンターSUPPLEMNTARY EDUCATION CENTER という施設を設け、ここで社交的な人間（社交的な人間とは白人、黒人の問題が複雑にその裏にひそんでいるようであるがその問題解決のため）の教育をやっていますね。これは各学校でできないような施設をまとめて施設して毎年2回位学年別に社会科関係の勉強をしたりあるいは芸術科、理科、国語というような勉強をそれぞれ専用の施設を利用して行なわせているんですが、およそ200ぐらいの小学校が利用しているということでした。そして連邦政府や州からも補助を受けているという説明でしたが、やはり人種差別問題については相当大きな悩みをもっているんだという印象を受けたわけです。

**花城** やはり国内問題としては最大でしょうね。それだけに黒人の教育については力を入れているようで、シンシナティーの中学校では市の教育委員会で特別なテキストを編集して、特別に指導を行なっていましたし、また黒人学校の社会科の教室の壁に黒人少女の肖像画をかかげてその横にミビー プライドリィミ（プライドをもて）という言葉を掲げてはげましているんですね。で今先も話しがありましたように連邦政府としても財政的な援助をしているということで、非常に印象的でしたね。

**糸嶺** 普通の学校でも行政的な配慮がなされていますね。例えば黒人学校には10:2の割合で白人の子を入学させるとか逆に白人の学校に黒人の子どもを入学させるというぐあいに相当な努力がはらわれていますね。

## 旅行者としての印象

**松田** いままで学校教育や教育行政、青少年問題、あるいは人種差別に対する対策等教育の各分野についてお話し合いをしていただいたわけですが、この辺で30日間にわたる研修旅行で一旅行者としての一般的な感想をおうかがいしたいのですが………

**仲宗根** ハワイでの印象ですが島全体が美しく清潔で住みよいという感じでしたね。しかしもともとそうであったわけではなく市民の努力のたまものだったと思うんですよ。今でも家の周囲を不潔にすると町会から注意されるとか常に環境の

美化ということに非常な努力をしているわけですね。

沖縄も将来観光立県をめざしているわけですが、そういう面の全県的なとっくみが必要ですね。

話題の多かった座談会

**花城** アメリカやヨーロッパともに感心したですが、市民が外人に対して親切に接していますね。柔和というか何でもサンキュー、それから他人に迷惑をかけないという心がけができていますね。これはアメリカでの経験なんですが、17、8才位の若い女の子の足をまちがってふんだのですが、むこうのほうが先に「エクスキューズミー」といったのにはほんとに恐縮したんですが、学ぶべきだと思ったですね。

**岸本** 同感ですね。他人に迷惑をかけないということですが、フランスでは自動車がやはり多いのですが、クラクションをならさないですね。また二階のシャワーは夜は遠慮して使わないというような心づかいをしているわけですね。

ただ一年に一度だけ12月31日にどんちゃん騒ぎが大っぴらにでき自動車のクラクションも鳴らしたいだけ鳴らしてよいし、キッスも自由だという話しでしたけど……

**糸嶺** 先生方のお話しのとおりなんですが、秩序正しいというのが、乗り物に乗るときはちゃんと列をつくって待っていますね。それから、生活を楽しんでいるという感じでゆったりしている。こちらでは何だかガチャガチャしているんですが……。そして公園や街路樹あたりにリスがいるという調子で情操教育を自然に行なうような環境などうらやましいですね。

**松田** いろいろと有益なお話しをうかがいましたが、まだ語りつくせないものがあると思います。時間がたりなくて残念なんですが、また色々な機会に発表していただくことにして、最後に今後いかれる先生方に対するアドバイスといったようなものを一つ………。

**糸嶺** アメリカは別として、ヨーロッパの場合はその国の文化についてある程度

の知識をもっていくべきだと痛感しました。やはり何の予備知識もなしに行くと理解が底の浅いものになってしまいますね。
**仲宗根** 確かに見ても分らないということになりますね。
**岸本** 団体旅行ということになりますので、体調を整えておくことも大事ですね。それに欧米は、こちらと比較にならぬ程医療費が高く1回の注射で40＄もとられますからね。これはフランスの場合でしたけど。
**仲宗根** 出発前に医者に健康相談をしておくとよいですね。そして或る程度は薬も準備しておいた方がよいですね。
**花城** アメリカでは片言英語で何とか通用するのですが、ヨーロッパではちょっと無理ですね。しかし英語は国際語ですから或る程度心得ておくべきですね。特に個人で歩くような場合はどうしても必要じゃないでしょうか。
**仲宗根** 英語力は視察効果に影響しますね。それと視察の記録ですが、スタートから簡単でよいですから細かくメモしておくべきですね。服装など余り持つ必要はないし、一着でも間に合います。
**松田** それではこの辺で、長時間どうもありがとうございました。

# 教職員の海外教育事情視察実施計画のあらまし

編集係

文部省主催で昭和34年度から実施されてきた教職員海外教育事情視察は、全国で30名内外の派遣人員でほとんどが校長、教頭、教員で男だけであったが、昭和45（年1970年）から一気に500名に増員された。派遣者の範囲も全教育職員に拡げられ、復帰を前にして昭和45年度から沖縄からも5名が派遣された。この実施計画のあらましは次のとおりである。

1. 目 的
 小学校、中学校、高等学校、幼稚園、盲学校、ろう学校、養護学校の校長、教頭、中堅教員および教育行政機関の職員（以下教職員という）を海外に派遣し諸外国の教育事情を視察調査させることによって、わが国の教育事情と比較検討する機会を与え、教職員に国際的視野にた

った識見を身につけ、教職に対する誇りと自覚を高めさせ、もって初等中等教育の振興を図ることを目的とする。

2. 視察調査項目

派遣者は、諸外国の教育をとりまく社会的な諸条件（地理的、歴史的、民族的な背景等）および経済、文化、生活等を視察するとともに、次の項目のいずれかについて調査する。

(1) 学校の管理運営
(2) 教育内容および方法
(3) 教育施設および設備
(4) 教職員団体
(5) その他

3. 視察方法および視察団

視察は原則として派遣者25名を1団とし、小学校教員を主とする団、中学校教員を主とする団、高等学校教員を主とする団に編成し、各団ごとに文部省で定めた計画によって視察する。各団とも学校等の視察調査は原則として1か国または2か国において約10日間実施するものとし、他の数か国については、主としてその国の経済、文化、生活等を視察する。

4. 派遣期間および団別視察国

派遣期間は各団とも約30日間とする。

団別の視察国は、例えば16団の高等学校教員を主とする国は主視察国アメリカ東部とスペイン、他視察団はイギリス、フランス、ドイツ、東ベルリン、イタリア、オランダとなっている。

5. 候補者の推せん

各都道府県教育委員会は、別紙推せん要綱にもとずき、派遣候補者の関係書類を文部省に提出する。

6. 派遣者の決定

各都道府県教育委員会から推せんのあった者について、文部省において選考し派遣者およびその所属団を決定し各都道府県に通知する。なお通訳担当者については、文部省で行なう面接試験等を実施のうえ決定する。

7. 事前研修会および報告会

海外視察を円滑に行なうための事前研修会を2回程度および帰国後の報告会を各団ごとに行なう。

8. 視察調査結果の報告

海外派遣者は、別に定めるところによりその視察調査報告書を帰国後1か月以内に都道府県教育委員会を経由して文部省に提出する。

9. 経費の負担

海外視察に要する経費（航空賃、滞在費および支度料等）のうち航空賃および滞在費について、定額を派遣者に対し国庫補助する。

# 小学校における生徒指導

教育研修センター教育相談室　城間期一

　**はじめに**

　本稿は1970年7月から1971年2月までの間、沖縄教育研修センターで実施された小学校生徒指導定期研修（1週間に1回）に参助した先生方の研修レポートより抜粋したものである。小学校における生徒指導を考える手がかりにでもなれば幸いである。

## 1. 事例研究

　　　　沖縄盲学校　運天　恒子

　学習は、子どもと教師、教材の三要素により構成されて、それがうまくかみ合わされて、はじめて生き生きとした授業ができるものである。その中でも、私は、子どもと教師のかかわり合い、つまり人間関係が最も重要であると思う。今までにも何千回となく授業をしてきているが、「あゝ、きようはうまくいったな。」と感じるときは、やはり子どもと教師のラポート（親和感）がうまくいった時なのである。いくら教師が教材研究を深めても、子どもたちひとりひとりが主体的に取り組んでくれなければ、その効果は期待できるものではない。毎日の授業のなかで生徒指導をどのようにすすめているか、事例をあげながら考えてみることにする。

　まず、学習以前の問題として、どうしても子どもの実態を適確に把握することが最も重要なことである。それは基礎学力やその他の能力、学習意欲だけでなく、個性や趣味、家庭環境、友人関係などと細かい面まで知っておく必要がある。特に盲学校のように、学力差はもちろん、生活経験、視力、年令、家庭環境などの個人差が大きく、その子どもの実態をよく把握し、「ひとりひとりの子どもは、今何を必要としているか」ということをみて、個々にあった教材づくりをすると同時に、ひとりひとりが満足して充実できるようなものも準備して、その指導にあたることが肝要であろう。

　（事例　1）

　体育着がなくて授業に参加しなかったA子の場合

　学習中の約束として、「体育時には必ず運動着を着る。」ということにしているが、A子は2学期になって、ずっとそのままの服装で出席したため「次から着がえてこない子は裸にする」といわれ、内向的なA子は教師にその理由を話すこともできずに、体育時には怠けるようになったが、それを知った学級

担任との話し合いによって、いともかんたんにその問題は解決された。このことは体育の専任教師はその子の家庭事情や性格についてじゅうぶんに知っていなかった。すなわちひとりひとりの子どもたちを理解していなかったために、そのような問題行動をおこしたものと思う。そういうことが度重なると、教師がねらっている教科の目標を達成できるどころか、教師に対しても敬遠し、ひいては体育のきらいな子どもにするおそれがあるといえる。

（事例　2）
消極的で全く話をしない子ども
　社会科の時間の「家族の仕事しらべ」のとき、「〇〇にいさんは……〇〇ねえさんは……」と教師が家族みんなの名前をいいながらさそいかけると、ふだん何を聞いても、口をきこうとしなかったこの子が、もじもじしながら少しずつ話すようになり、休み時間にも、家族のことを話すようになり、人前に出ても、だんだん言うようになった。教師が家族のことを知っているということは、子どもにとっても親近感をもつことになり、ひいては安心して何でも話せるようになるものだと感じたわけである。

（事例　3）
　わがままで、いつも自分かってなことばかりして、注意を受けているT君が、たまたま病気で宿舎で寝ていたY君に「ひとりではさびしいだろうからこのラジオをおいていくよ。」といってラジオを貸してあげたとのこと………。
　担任が見舞いに行ったら、熱があるのに、ラジオを聞きながら静かに休んでいる。そのいきさつを聞いた担任は胸をうたれ、翌日の道徳の時間にそのことを題材にして話し合った。
　「いつも乱暴でけんかばかりしているT君だが、こんなに心の美しいところがあったんだ。」とみんなも認め、教師もまた「先生も嬉しくて涙がでちゃった。」とその感動をそのまま伝えると、やゝ、てれくさそうにしていたが、やはり嬉しさをかくしきれず、にこにこしていた。このように、ほめられること、認められるということは、子どもたちにとっては、大へんな喜びであり、特に低学年の場合などは、よくできたら、「うん、よくできた」「たいしたもんだ。」と体にふれ合いながら―このことは心のふれ合いをつくることでもあるが―ほめたりすることは子どもの成長にとっては大へん有効的である。上級生の場合でもその子の良い点をみつけ、ほめてやり、さらにそれを伸ばしてやり、意欲をもって学習できる場をつくってやることが大事だと思う。

　以上、事例をあげて述べてきたが、私たち教師が1時間の授業を通して、その教科の目標を達成するためにも、やはり、まず生徒の実態を理解し、教師と生徒の心のふれ合いを深

めながら、相互の信頼関係を確立するならば、授業の場でも意図的に指導を進めることができ、また、偶発的な問題に対しても、自然によい策が生まれるものと思う。このことは、ひいて学習指導のねらうその教科の目標達成を容易にするものであると思う。要は、教師が常に生徒との関係の中での自己をみつめ、生徒との心のふれ合う場を多くしながら、教師、生徒間の望ましい人間関係をつくることが、授業を進める場合の基盤であると思う。

## 2. 授業の場で生徒指導をどうすすめるか

　　　　　　小禄小学校　松岡　登代

　子どもひとりひとりが「有意義で、興味深く、充実した楽しい一時間だった。」と感じるような授業をやりたいと努力します。そのような授業をやるためには、まず、学級のふんい気づくりが大切であると思います。そういう意味で私は次のような学級の理想像をえがいています。

1. 明るくはつらつとしている学級
2. 生活にけじめのある子ども
3. 常に自分のすべき仕事をさがす主体性のある子ども
4. 安定した気持ち。不安、不満、劣等感のないこと
5. 人間関係に誤解がなく、信頼関係が保たれること
6. 話す人の意見をしっかり聞き、自分の意見もはっきりいえること
7. 学力、体力の両面で、強い者も弱い者も助け合うふんい気
8. 学習した知識を広く活用して、関係把握していく思考態度
9. 仕事、休息、運動、遊びのバランスがとれていること

　以上のような目標が学級全体のふんい気として育っておれば、たいていの授業は、生徒も教師も楽しいものです。

　4年生で社会科の学習単元に「人々のいきや生産物による結びつき。」があり、そこの学習で子どもたちが楽しそうなふんい気でしたので、あの授業を想起して考えてみます。

（学習過程）
1　学習計画を立てる
　①　調べ学習について話し合う。
　　○何を………（学習目標）
　　　・どこから来ましたか
　　　・どこでつくられますか
　　　・どこから送られてきますか

　　○どこで………（調べる場所）
　　　・山形屋、りゅうぼうなど
　　　・平和通りの店先き
　　　・那覇市場、農連市場、大嶺市場

○いつ　　日曜日
　　○だれと　グループで
　② 学習グループ編成
　　○住所が隣りである。
　　○人員は4人～5人
　③ 注意すること
　　○父母のゆるしをうけること
　　○メモ帳とバス賃をもつこと
　　○ものをたずねる時、他人にめいわくにならないように気をつけること。
　　○「失礼ですが、ちょっとおたずねします。どこからいらっしゃいましたか？」と敬語を使って聞くようにする。
　　○バスの乗り降りに注意する。
　　○横断歩道をわたる。
　　○不良らしい人にひっかかったら大声で助けをもとめる。
2　調べたことをまとめる
　　○表に書く。
　　○グラフで表わす。
　　○沖縄地図の中に記入する。
3　発表をする
　　○相手によくわかるような順序で話す。
　　　（失敗したことや思ったことも話すようにする。）
4　質問
　　○聞き手の方は、はっきりしなかったところを質問する。
5　教師が中心になり、生徒が発表した資料をもとにして、「なぜ、このような結果になったか。」について関係把握の思考を目的として、話し合いをさせつつ、まとめをしてノートに記録する。（以下略）

## 3. 児童の立場からみた授業の流れ

　　　　　　　諸見小学校　崎原　盛康

　児童を中心とした授業、児童中心の指導などとよくいわれるが、私たちの日常の実践は果たして児童中心になっているだろうかと考えてみると、はなはだ自信がないのである。口先では児童中心といいながら、実際は教師中心に、教師の判断のワク内で授業をすすめてきたような反省をしているものである。
　先日、教師と児童の関係の中で、自己はどうであろうかということをみるために、アンケート式に子どもたちの考えをきいてみた。

　**設問　どんなときに授業が楽しいと思いますか**

　この設問に対する子どもの反応はだいたい次の6項目に分類された。
1．教師の長所や短所
2．児童どうしの関係
3．学習用具のこと
4．教師と児童の関係
5．家族関係
6．児童本人のこと
　1の教師について
・先生は生徒の気持ちをよくわかっていると

思うし、みんなと気がるに話すのはよい。
・みんなとよくじょうだんを言い合ったり、はしゃいだりしてくれるのはよい。

また、逆に
・先生はあまり生徒のいうことをきいてくれない。何かたずねようとすると「だまれ」というのでいやな気もちになる。
・先生はやさしすぎて、きびしさがたりない
・先生は女にやさしく、男にはつよいばつを与える。

このように、教師としての自分のとる態度について、子どもたちは各人各様のうけとめ方をしているのである。

4の教師と児童の関係についても、先生は多くの生徒とよく話し合い、遊びはしゃぎもするが、あまり話さない。生徒のことも考えてほしい。そして、ふだんよく先生と話しをする生徒だけをあてる（指名）ように思うというきびしい批判が下され、ほんとに子どもから教わったという気持ちにさせられた。

以下、教師の特性と教師と児童の関係についてもう少し述べてみることにする。

上の設問に対する反応の最も多かったのは、教師の特性と教師児童の人間関係のことについてであったが、このことは、いかに授業をすすめるにあたって、こういうことからが大きく影響するものであるかということがいえよう。

教師のひとつの特性や行動に対しても、生徒によってそのうけとり方がちがうものである。

先生はみんなと気がるに話すのはよいが、その反面、あまり身近かに感じられすぎてきびしさがたりないとか、積極的な生徒には目を配るが、消極的な子どもに対する無視は不公平であるなどみたいに、「負うた子に教えられる」で、これまで、ものごとを自分（教師）中心に考え、評価し、自己満足していた自分の姿が、子どもたちの声によって、まるで鏡に写し出されたみたいで、生徒指導のあり方について、大きな反省をさせられるものである。

　　（あとがき）

沖縄教育研修センターで行なわれた小学校生徒指導の定期研修に下記の先生方が参加をした。

| 喜屋武小 | 金城　実 | 大道小 | 永村美代 |
| 小禄小 | 松岡登代 | 盲学校 | 運天恒子 |
| 盲学校 | 山城初子 | 諸見小 | 崎原盛康 |
| 古堅小 | 大城清一 | | |

各先生方のレポートのなかにも、たくさん掲載したいものがあったが、スペースのつごうによってできなかったことをご了解ねがいたい。

さらに、掲載された三氏の分についても、要約されたもので意をつくさないのもあるかと思う。

ただ、小学校における生徒指導のあり方、教師のかまえ、大きく教育のあり方について考えるきっかけにでもなれば幸いである。

なお、これらの先生方が中心になって沖縄小学校生徒指導研究会が結成されたこともつけ加えておきたい。

# 復帰と教育行政 その1

— 校舎建築をめぐる問題 —

阿波根　朝次

復帰も後1年に迫った。復帰によって教育事情が色々と変るだろうが、教育財政の面でも大きな変化が予想される。それらの変化を予見して、それに対する心構えを確立し、対策を検討することが必要だと思う。

又既に1967会計年度からハッキリ出て来ているが幼稚園、小中学校、区教委の予算は、交付税の導入により、市町村自体の予算から支出される比重が飛躍的に大きくなって来ることが予想され地元で市町村当局に働きかけて予算獲得に努力する所と、そうでない所との較差が大きくなるのではなかろうかと考えられるので教育関係者が教育財政に関心を持つ必要性が今よりも大きくなると考えられる。又各市町村毎に教育長が置かれるようになれば教職員の中から教育行政に携わる者も多くなると思うので、その意味からも、復帰すれば教育財政にどんな変化が起るかについて成可く多数の教育関係者に考え、話し合っていただきたいものである。

以上の見地から教育財政上の具体的な事柄について主として地方教育財政に関連して問題提起をしてみたい。

1. 校舎建築について

復帰すれば校舎事情が好転するだろうとは莫然とながら多くの人々が考えている事だと思うが、どんな変化が予想されるかについて余り明らかにされていないようである。

先づ最初に現在、沖縄の校舎事情が本土と比べて、どんな状態にあるかを、第一表及び第一図で見てみよう。

第一表　小中高校の校舎事情

| | | 小学校 | 中学校 | 高校 | |
|---|---|---|---|---|---|
| 生徒一人当り校舎面積 | 沖　縄 | 3.09m² | 3.64m² | 4.59m² | 文教局調査による |
| | 類似県 | 5.72 | 6.07 | 6.58 | |
| 必要面積に対する不足率 | 沖　縄 | 32.0% | 34.0% | 55.0% | |
| | 類似県 | 6.0% | 7.6% | 29.6% | |

注　時点：沖縄70.6.30本土69.5.1現在類似県：島根、徳島、高知、佐賀、宮崎校舎：体育館、プール、給食室を除く。

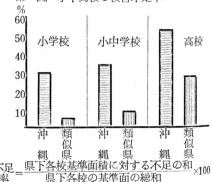

第一図　小中高校の校舎不足率

不足率 = 県下各校基準面積に対する不足の和 / 県下各校の基準面の総和 × 100

第一図は文部省の標準にあてはめて県下各学校の不足面積を出して、その合計を各校の基準面積の総合計で割った比率である。

　第一表及び第一図に示す通り沖縄の不足状況は本土に比して未だ可成り多く殊に高校では標準面積の半分も達成されていない訳である。沖縄の校舎建築予算が本土の水準に達していなければ校舎の量、質ともに本土からますます引き離なされざるを得ないが建築予算の水準は本土と比較してどうなっているだろうか。

　本土との比較と言っても本土全体としては沖縄の約百倍の規模を持っているのだから建築予算を生のまま比べては水準の判定ができない。それには類似県との比較、児童生徒一人当り費用の比較が考えられる。

　第二表はこの児童生徒一人当りの建築費の決算額を年度毎に比較したものであり、第二図はこれを分り易くグラフに画いたものである。

第二表　　生徒一人当り建築費の対本土比較（除起債寄付）

| 区分 | | 会計年度 | 1964 昭38 | 1965 昭39 | 1966 昭40 | 1967 昭41 | 1968 昭42 | 1969 昭43 |
|---|---|---|---|---|---|---|---|---|
| 小学校 | 本土 | | $9.26 | $11.85 | $14.57 | $17.40 | $20.66 (26.79) | $25.48 (32.03) |
| | 沖縄 | | $2.78 | $2.38 | $3.67 | $10.19 | $12.06 (12.48) | $9.50 (9.60) |
| 中学校 | 本土 | | $12.74 | $14.44 | $15.89 | $18.26 | $21.16 (27.00) | $25.09 (29.98) |
| | 沖縄 | | $10.47 | $12.59 | $6.05 | $14.50 | $19.66 (20.06) | $24.26 (25.10) |

注　沖縄：小学校は　この期間は在籍減期に入っている（小学校62会計年度）
　　　　　中学校は　66会計年度がピーク
　　本土：小中校ともピークを過ぎている（中学校ピークは昭37）
　　沖縄：校舎建築予算が67年度急増しているのは日政援の急増による
　　　　　68、69年欄のカッコ内数字は起債による支出を算入した金額（起債による支出を算入した場合、対本土較差は大きくなる）

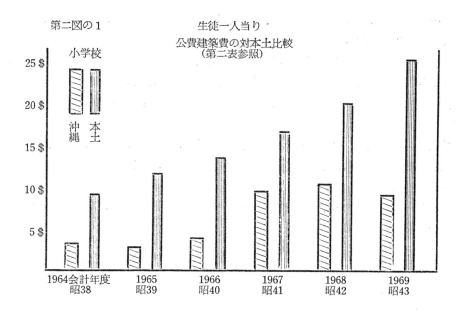

第二図の1　　　　生徒一人当り
　　　　　　公費建築費の対本土比較
　小学校　　　　　（第二表参照）

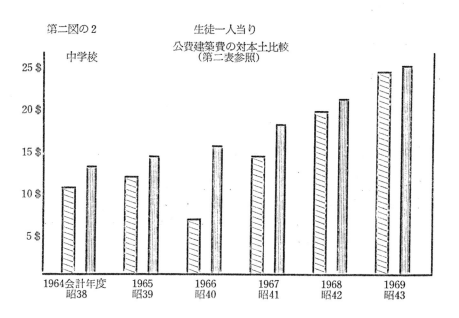

第二図の2　　　　生徒一人当り
　　　　　　公費建築費の対本土比較
　中学校　　　　　（第二表参照）

第二図でハッキリ分る通り沖縄の予算は小学校、中学校とも1967会計年度から大きく増加している。これは、この年度から大巾な日政援助が実現したからである。沖縄の中学校予算が64、65年相当な額になっているのは、小学校は62会計年度が在籍数のピークだったのに対して中学校の場合は66年がピークであるので64、65と大きな予算になり、66年はピークで生徒数の対前年度増が小さかったのと、67年から生徒数が減るじゃないかとの気分が予算当局の頭に作用したものと想像される。日政援助の著増が無ければ小中学校とも、そのまま伸び悩んだだろうが幸にして日政援助の著増によって逆に発展に転じた。

　この図でみると、中学校よりも小学校の水準が本土との較差が大きいように思われる。一面又第一図の不足率は小中学校ともほとんど変わりはない。この二つの事情を合せて、この事をどう解釈すべきか研究問題である。

　又第一図で見るように沖縄は小中学校とも本土に比べて不足率が高い事と、それに議会での佐藤首相の答弁の中でも、沖縄の校舎事情がおくれており、特に体育館、プールの設置が遅れているので考えてやりたいと言われているし、第二表に見るように生徒一人当りの建築費も本土のそれに劣っているので、復帰後はこの面の改善が相当期待できるのではないかと考えられる。

　この期待を実現する為に次の問題を検討する必要がある。

イ、予算の責任が文教局から市町村に移ることと関連する問題

ロ、校舎建築資金の確保に起債が必要になるがこれに関連した問題

ハ、校舎建設に要する市町村予算の捻出には市町村への交付税の増加が必要だが、その増加の見通しはあるか

ニ、校舎建築に要する校地拡張の必要性

ホ、沖縄の校舎と違って、本土の校舎は4割は木造であって、沖縄と本土とでは校舎事情が違うが、前述のような多額の予算が、ほんとうに必要であるか

ヘ、あまみ復帰の時と同様校舎建築費の90％が国庫負担になると手ばなしで期待できるか

校舎建築を促進して本土水準に上げるためには以上の諸問題を十分検討して、その結論の上に立って対策を攻究する必要があると思う。

　以上の諸問題につき順を追うて、資料に基づいて問題を提起してみよう。

　イ、現在沖縄では小中学校の校舎建築の責任は文教局に在るのだが、日本法では、この責任は市町村長にある。従って学校建築の計画及び予算編成は市町村長が、その責任においてなさねばならない。もちろん、それに対しては国庫補助も出るし、市町村への交付税でも校舎建築費をみてくれるがそれだけで安心しておれるか疑問がある。

第三表、第三図は小中学校建築費の合計額及び、その財源区分を示す数字と、これをグラフにして示したものである。

第三表　　　公費建築費の財源区分　　1969　会計年度
　　　　　　　　　　　　　　　　　　昭43

| 財源 | 国県又は文教局 | 市町村公費 | 公費計 | 備考 |
|---|---|---|---|---|
| 本土 | 万円 3,974,203 | 万円 11,970,422 | 万円 15,944,625 | 万円 223,404 |
|  | 24.9% | 75.1% | 100% | (1.5) |
| 沖縄 | ドル 2,726,750 | ドル 571,040 | ドル 3,297,790 | ドル 109,488 |
|  | 82.7% | 17.3% | 100% | (3.3) |

上表の建築費は小中学校建築費の合計であり、起債の大部分が市町村関係でると見て、これを市町村長費に加えた。

　　資料：文教局　教育財政報告書　1969会計年度
　　　　　文部省　地方教育費調査報告書　昭和43会計年度
　　公費：起債による支出を含む

　　備考欄の金額は、公費に組入れられた寄付と、組入れられない寄付の両方の和。カッコ内数字は公費計を100とした時のそれに対する比を示す。

第三図
```
         0    25%    50%    75%   100%
本土    |   市 町 村   |    国 県   |
沖縄    | 市町村 |      文 教 局       |
```

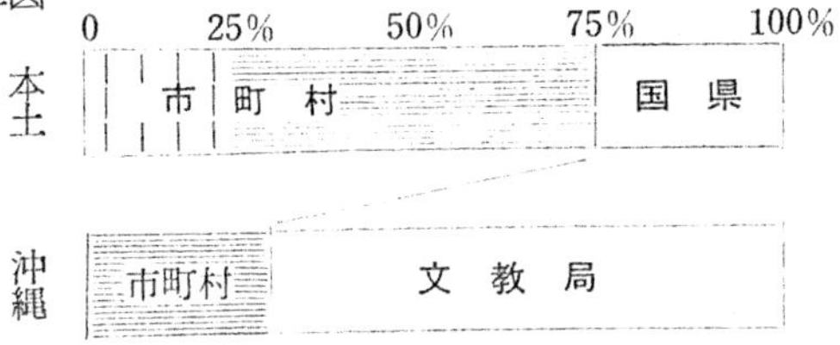

本土のグラフで、市町村の部分中　||||縦線のある部分は起債による支出を示す。
沖縄のグラフの市町村の部分にも起債による支出が含まれている。

　　資料：文教局　教育財政調査報告書
　　　　　文部省　地方教育費の調査報告書

ここで注目すべき事は現在の沖縄では小中学校の建築費の約83％が政府支出であって市町村支出は僅かに17％に過ぎないのに、本土の場合は校舎建築費の4分の3、約75％が市町村支出になっている。この市町村支出の約4分の1が起債による支出であり後の支出は自己収入及び交付税によるものと解される。国の支出は国から市町村への補助金である。これを沖縄にあてはめた場合どうなるかを試算すると第四表のようになる。

第四表　　本土並み公費建築費と財源区分

| 国県支出 | 市町政 | 公費計 | (内起債) |
|---|---|---|---|
| 万$ 150 | 万$ 450 | 万$ 600 | 万$ (113) |

第二表から、69年度の本土の生徒一人当り建築費は小中とも、約30$沖縄の69年の生徒在籍は小中校合せて約20万人
故に本土並み建築費は　　　$約600万

即ち本土水準並みの予算を沖縄で組むならば、小中学校建築費約600万＄、その内450万＄を市町村予算でまかなうが、そのうち113万＄を起債により調達して、これを長期低利で年賦償還し、337万＄を自己収入及び交付税でまかない残額150万＄の大部分を国庫補助で支出するわけである。

これらの数字は文部省の公式統計から導き出された数字であって決して筆者が勝手に作り出した数字ではない。

ここで疑問に思われるのは、義務教育費国庫負担法により、建築費は小学校は3分の1、中学校は2分の1の国庫補助があって、残額は交付税でみることになっているので市町村の負担は50％から66.6％の間になりそうだが、それが第三表のように75％になっているのをどう解釈すべきか？

考えられることは、現在沖縄では実際の落札価格を琉政が支出しているが、本土方式では政府の作った標準単価で補助が行われて、不足の分は地元が負担するようになっていること、地元が規準よりも良い建築をする為に自己負担でそうしている事などが原因だろうと思う。

1971年度の文教局予算には、小中学校の校舎建築に対する補助のため、573万＄の多額の予算が計上されているので、前記600万＄の予算はおどろくに当らないが、問題は450万＄の支出が市町村で負担できるほどに市町村への交付税が復帰によって増加するだろうかが問題で、是をはっきりさせない事には復帰後本土並みの校舎建築を実現する為の方途は立てられないと思う。

1970会計年度における市町村から教育委員会へ交付される教育負担金の当初予算は814万＄であり、現年度は1千万＄近くになると推定されるが、この中には政府の校舎建築補助金は含まれていない。この教育負担金は市町村の自己収入と交付税の中から支出される。校舎建築費は、現在はこれとは別途に支出されるが、本土方式になると、建築費補助は国庫補助と交付税に肩代わりされる。第四表中の市町村負担450万＄中起債113万＄以外の額と、起債113万＄に対する翌年からの年賦償還金は主としてこの交付税に依存する事になるだろう。

復帰すれば国庫からの交付税が県及び市町村に別々に交付されるが、その内県への交付税はそのまま県の新たな財源になるが、市町村への交付税は現在、琉球政府の税収入と日政援助を財源として、1971会計年度で2,395万＄が支出されることになっているので復帰により国庫からの交付税が正式に交付されるようになっても、現在の2,395万＄は正式の交付税に肩代わりされるのだから、正式の交付税が若し現在の琉政からの交付税とさしたる相違がなければ前述の校舎建築費を市町村が負担する事は困難であり、無理にそれをやれば現在、教育負担金の創設によって改善された分野の予算を縮少しなければならなくなるだろう。この意味で市町村への交付税が復帰に

よって、どの程度伸びるかは市町村当局だけでなく教育関係者にとっても深い関心事でなければならない。

復帰後、沖縄への交付税がいくら来るかは確実な数はつかまれていないようだ。類似県の実態と交付税予算の成長度合から極大ざっぱな推定を試みたのが第五表、第六表である。詳しい計算基礎は同表で見ていただく事にして結論だけを大ざっぱに言ならば、3千万＄台ではなかろうか。

第五表　類似県の市町村分担交付税
昭和42会計年度

|  | 交付税 | 弗換算 | 人口 | 面積 | 財政力指数 |
|---|---|---|---|---|---|
|  | 万円 |  |  |  |  |
| 山梨 | 447,253 |  | 76万人 | 4.5km$^2$ | 0.33 |
| 鳥取 | 342,536 |  | 58 | 3.5 | 0.26 |
| 島根 | 604,472 | 1,679万＄ | 82 | 6.6 | 0.26 |
| 徳島 | 463,911 |  | 82 | 4.6 | 0.25 |
| 高知 | 571,911 | 1,589万＄ | 81 | 7.1 | 0.23 |
| 佐賀 | 489,486 |  | 88 | 2.4 | 0.27 |
| 沖縄 | ? | ? | 93 | 2.4 | ? |

人口は昭40.10.1現在

資料：自治省　地方財政統計年報　昭和42年度
財政力指数：昭和42基財収入額／昭和42基財需要額（県）
　　　　この数値の低い県は財政力が弱いと一応見なされる。
昭和43　自治省地方財政白書では11県が財政力指数でEグループに属し、財政力指数 0.3未満とされているが、その内上表6県が人口100万未満の県である。

第六表　交付税の伸長（本土）状況
対前年度増加率

| 会計年度 | 昭39 | 昭40 | 昭41 | 昭42 | 昭43 | 昭44 | 昭45 |
|---|---|---|---|---|---|---|---|
| 県市町村分計 | 14.6% | 11.6% | 4.6% | 21.8% | 18.8% | (24.4) | (21.8) |
| 市町村分 | 19.6 | 12.3 | 10.7 | 21.8 | 24.8 | ? | ? |

資料：自治省　昭和45年版地方財政白書　P.172、362、378
◎沖縄の市町村への本土並み交付税額の試算
　イ　第五表の類似県中市町村への交付税額上位の二県、島根県と高知県を取る。市町村交付税の昭43、44、45の増加率を第六表から年間約25％とみて昭和45年の額を推定すると
　　　徳島県　1,679万＄×1.25$^3$＝1,679×1.96＝3,291万＄
　　　高知県　1,589万＄×1.25$^3$＝1,589×1.96＝3,114万＄
　第五表からみて沖縄は人口は上記二県より多いが面積は沖縄が小さい。
　　この二つの要素は交付税の増減につき互に反対の方向に作用するだろう。

もしこの推計が正しいとすれば、1971会計年度の予算水準で行けば、2千万＄台の交付税が3千万＄台に増え、一方事業税、不動産取得税が県税に移り、又ある程度の新しい市町村税が設定されて差引き増加する市町村収入の中から450万＄程度の校舎建築費が出せるという事になる。
この事について関係当局に確たる見通しがついているだろうか。

ロ、次に本土式財制体系で行くならば、本土並みの校舎建築を行うには全県の市町村計で百万＄以上の起債が必要である事を第四表で見て来た。69会計年度で小中学校の校舎建築の為に行なった教委の起債が約8万＄だから、この約14倍の起債が校舎建築のために必要だと言う事になる。その償還は低利の長期年賦の償還だから交付税で償還可能だと思うが、起債の枠を貰わねばならない。ところが、この起債は市町村税の徴集率が90％未満の団体については制限をする事が地方債の許可方針になっているのだが沖縄の場合、第七表で見るように、本土の市町村に比べて市町村税の徴集率が悪いので市町村によっては起債の枠が取れない所が出て来る可能性があると思う。

第七表　市町村税納入率と対本土比較（現年、滞納計）

| 会計年度 | 沖縄 | | | 本土 | | | 会計年度 |
| --- | --- | --- | --- | --- | --- | --- | --- |
| | 全琉 | 五市 | 町村 | 大都市 | 都市 | 町村 | |
| | | | | 96.0% | 95.5% | 94.9% | 昭和40 |
| 1967 | 82.8% | 80.2% | 86.8% | 96.2% | 96.7% | 95.8% | 昭和41 |
| 1968 | 81.1% | 77.8% | 86.6% | 96.6% | 96.2% | 96.6% | 昭和42 |
| 1968 | 81.5% | 78.7% | 86.5% | | | | |

五　市；那覇、コザ、石川、平良、石垣
大都市：大阪、名古屋、京都、横浜、神戸、北九州
資料：第八表と同じ

第八表　沖縄内市町村の市町村税納入率による分布　1969年度

| 90〜100% | | 80〜89% | 70〜79% | 60〜69% | 50%以下 |
|---|---|---|---|---|---|
| 恩納 99.2 | 大里 98.9 | 屋部 86.0 | 本部 78.1 | 久志 65.0 | |
| 羽地 98.4 | 具志頭 98.4 | 伊平屋 85.6 | 名護 73.2 | | |
| 伊江 98.4 | 東風平 96.3 | 屋我地 83.0 | 与那城 77.3 | | |
| 国頭 96.3 | 玉城 94.8 | 中城 88.9 | 嘉手納 76.6 | | |
| 金武 96.0 | 知念 94.2 | 宜野湾 86.8 | 具志川 76.3 | | |
| 大宜味 94.3 | 豊見城 93.7 | 勝連 81.3 | 美里 74.8 | | |
| 上本部 93.1 | 南大東 92.8 | 南風原 89.2 | コザ 74.4 | | |
| 今帰仁 92.6 | 城辺 99.9 | 与那原 87.1 | 那覇 79.1 | 佐敷 67.7 | |
| | | (久)具志川 85.7 | 糸満 78.2 | | 渡嘉敷 55.6 |
| 伊是名 91.5 | 上野 96.6 | 座間味 85.7 | 仲里 75.5 | | |
| 宜野座 90.6 | 伊良部 96.8 | 多良間 89.0 | 粟国 70.9 | | |
| 西原 89.9 | 東 92.0 | 与那国 84.4 | 平良 76.5 | 下地 61.7 | 北大東 37.5 |
| 読谷 98.5 | 渡名喜 96.2 | | 石垣 78.3 | | |
| 浦添 96.3 | | | 竹富 77.9 | | |
| 北中城 96.0 | | | | | |
| 石川 93.7 | | | | | |
| 北谷 90.6 | | | | | |

資料　地方課　市町村行財政資料第13集（1969会計年度）
　　　自治省　地方財政経計年報　昭和42年度
納入率　現年度及び滞納分の合計額に対する納入率

　第七表によれば、本土では大都市、普通都市、町村を問わず徴集率が一様に96%を越えているのに対して、沖縄では都市、町村を平均して81%で5市と町村の較差が大きい。この事から都市間の較差、町村間の較差も本土より大きいのではなかろうかと考えられる。それだけに本土に例を見ないような起債制限が起って来ないだろうか問題である。

　なお第八表は1969会計年度における沖縄内各市町村の市町村税徴集率（現年分と滞納分の計に対する）による分布表である。この表で31市町村が90%未満になっている。現年分だけの徴集率も18市町村が90%未満になっている。

　ハ、建築費と交付税の関連はイ、で述べた通りである。

　ニ、校舎建築には敷地が必要で校地が狭まければ要地買収が必要である。この土地購入の進行状況を推察する為に本土と沖縄における生徒一人当りの土地購入費を表にしたのが第九表であり、これをグラフで表わしたのが第四図、第五図である。

　表及び図から次の事が分る。

　第一表及び第一図で示した如く、校舎不足率は小中学校とも本土の方が沖縄よりも著しく小さい。それにもかかわらず、土地購入費が沖縄よりもはるかに大きい。この事は想外の感がするがこのことについてはせんさくを止めよう。

第九表　　生徒一人当り　土地費の対本土比較

| 区分 | 会計年度 | 1964 昭38 | 1965 昭39 | 1966 昭40 | 1967 昭41 | 1968 昭42 | 1969 昭43 |
|---|---|---|---|---|---|---|---|
| 小学校 | 本土 | ドル 0.89 | ドル 1.22 | ドル 1.73 | ドル 2.45 | ドル 3.60 | ドル 4.49 |
| | 沖縄 | ドル 0.18 | ドル 0.09 | ドル 0.41 | ドル 0.29 | ドル 0.25 | ドル 0.77 |
| | 沖縄の建築予算 | ドル 441,402 | ドル 366,603 | ドル 505,718 | ドル 1,50,080 | ドル 1,744,880 | ドル 1,339,830 |
| 中学校 | 本土 | ドル 1.32 | ドル 1.62 | ドル 2.06 | ドル 2.51 | ドル 2.78 | ドル 4.52 |
| | 沖縄 | ドル 0.59 | ドル 0.24 | ドル 0.40 | ドル 1.19 | ドル 1.76 | ドル 1.73 |
| | 沖縄の建築予算 | ドル 829,877 | ドル 1,037,835 | ドル 445,296 | ドル 1,175,000 | ドル 1,540,388 | ドル 1,875,311 |

資料　文教局；教育財政調査報告書　　文部省；地方教育費調査報告書
注；沖縄に比して、本土の土地費が著しく高い。
　　沖縄の中学校の場合
　　　67年の建築費急増とともに、土地費が4倍に伸びている。沖縄の小学校の場合も67年から建築費が急増しているが土地費の変化は少ない。

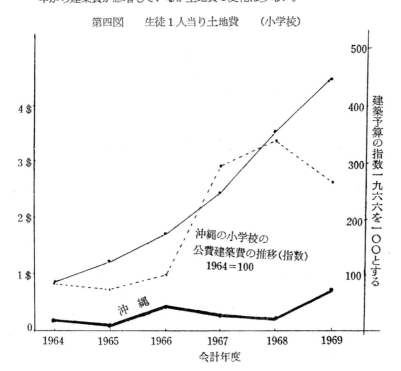

第四図　　生徒1人当り土地費　（小学校）

第五図　　生徒1人当り土地費　　（中学校）

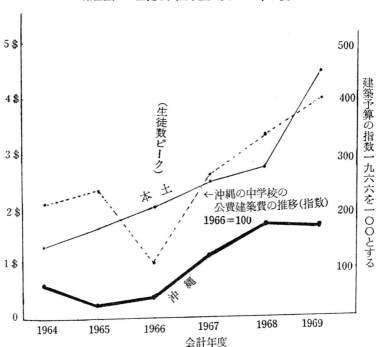

　第四図、第五図の点線は、それぞれの校種に対する建築費の決算額の年次推移を66年度を100とした指数で示したものである。

　小中学校に共通して言えることは1967年から建築費が急に増えており、それにつれて中学校の土地購入費が従来の4倍ぐらいにはね上っている。この土地費増は小学校の場合、67年、68年には大きな変化は見られないが69年は可なり増えている。第二図の2のグラフで分る通り、最近中学校の校舎建築費は本在水準に可成り近づいている。

　以上の事から、現在の中学校並みに建築が進むと校地を拡張しなければならぬ学校が多いのではなかろうかと想像する。

　第二の1で見ると小学校の建築費は中学校とは違って本在水準より可成り低い、しかし第一図で示されている通り小学校も中学校も同じ程度に校舎の不足率が高いので復帰すれば中学校同様校地拡張を迫られるのではなかろうか。

この事について何らかの対策を取らないといざとなってまご付くのではなかろうか。

　校地をどこに拡張するか、校地に、教室、特別教室、管理室、体育館、プール、給食室をどう配置するかを色々の見地から検討しておく事が必要だと思う。

　体育館を無計画に建てて後で館内での体育授業の騒音の為に近くの教室で授業に困る事のないよう、又音楽室の配置にも同様の配慮が必要だろう。地方では体育館が地域の集会に使われる事もあるかと思うが、その際大人の出入りで学校の授業が乱されぬような配置計画、或は夏の暑きに対する配慮が欠けていた為に国頭の或学校では夏中教室外で授業をしなければならなくなって、ブロック建の旧校舎を捨てて新校舎を作った例があるが、今までは校舎建築の費用は政府持ちだったから、そういう事も可能だったが、校舎建築の責任が市町村長に移ると村の乏しい予算では、そう言うぜいたくは困難になるだろうから校舎配置の長期計画をち密に建てる必要があろう。

　なお政府立学校の建設の為に用地を地元に世話してもらって、その代価が地元の負債になっている所もあると思うが、小中学校の校地拡張の為に地元でも金が要るので、この際政府で金を出して早急に買いあげる必要があろうし、又本土の新産都市における人口の社会移動の為に学校を新設或いは拡張する為の校地買収費の半額を国庫補助しようとの計画があるようだが、沖縄にも適用できる所があるのではなかろうか。

　ホ、沖縄の校舎はほとんど永久校舎になっていると思うが本土は未だ4割は木造校舎だと思う。従って改築の必要も大きいと思うが年間5、6百万$を支出しても本土並みの建築費にしかならないので、いつまで経っても本土との較差は縮まらない訳だが、ほとんど永久校舎ばかりになってもなお、年間5、6百万$の予算がほんとうに必要だろうか検討してみる事も必要ではなかろうか。それは不足している施設は何か、それを建てるに必要な土地はどうするか、各学校毎にビジョンを立てて、それを皆で語り合ってみる必要はないだろうか。その中には教室の改装、再塗装、教室と廊下の間に水準差を作る問題、二階から落ちるなどの危険防止、共同便所を連想させるような殺風景な校舎の塗装改善等、建てるだけでなく、よりよい教室の建設及び維持についてのビジョンが必要ではなかろうか。

　ト、最後に学校建設の為の財政措置として本土方式を取る場合、予算規様が大きく、不足率を急速に改善するだけでも大仕事だのに、制度も急変するのだから困難な問題が予想されるので、あまみ復帰の場合の事例の調査が是非必要だと思う。

　あまみ復帰の場合、校舎建築は90％を国庫で負担したと聞いておるが、あまみがそうだったから、沖縄復帰の際も同様だと手離しで安心していてよいだろうか。何となれば、あまみの復帰時

点における校舎事情、経済事情と沖縄の復帰時点におけるそれとの間には大きな差があると思うので、沖縄側の要求をまとめて早く本土政府と交渉する必要があるのではなかろうか。本土政府の沖縄援助予算は全額の補助ではなく一部は琉政が負担しなければならない。

本土政府が何％を補助するかについて、本土政府は漸次、日政の負担率を下げて行く方針だと聞いている。現在は日政の補助率は75％に下っているそうである。琉球政府と市町村とは財政事情が違うが、校舎建築関係の暫定措置として琉球政府への援助と同様市町村への建築費補助でも日政負担率を75％にしてよいか、よくないとすれば、その理由づけをどうするか、資料を揃えて本土政府と交渉をしなければ来年の予算に間に合わないのではなかろうか、殊にこれについて秋の国会で暫定法を制定する必要があるとすれば、なおさらの事である。

以上6項目にわたって問題提起をしたが、これは統計資料のみを基にした立言であるので現実とピッタリ合っているか疑問の余地も多いと思う。しかし、これらの問題をはっきりさせないと復帰後の校舎計画は立たないし、地方教育委員会としても、いざとなって大あわてせざるを得なくなるのではないかと思う。

そこで文教局、教育委員会、市町村関係者で財政に明るい者を一人づつ出して宮崎、鹿児島、熊本、高知、島根に派遣して、その他の財政面を含めて財政実態の視察調査をさせる必要があると思うがどうだろうか。　　　　　　　　　　　　　　　　　　　（筆者は元文教局長）

## 調査計画課で社会教育調査を実施

学校分野については、従来各種調査が行なわれてきたが、社会教育の分野については、これまで一回も調査がなされていなかった。そのため行政施策をうらづける合理的な資料を欠き、行政運営面でも色々と不便をしのんできた。

幸い、このたび文部省の御好意により、調査用紙を沖縄の分まで増刷していただき本土と一緒に調査を実施することになった。

主管課である調査計画課では、調査が円滑に行なわれ、また不備であった社会教育関係資料の整備ができるよう関係機関の協力をのぞんでいる。

調査期間、対象、事項等は次のとおりである。
(1)　時　期　　1971年5月1日　　7月1日　　10月1日
(2)　対象、事項等
　　社会教育機関や施設等について、活動状況、施設の整備状況、社会教育講座の数や内容、受講者、指導者等についてあらゆる角度からできうる限りその実態を明らかにしようとしている。

# 改訂指導要領における音楽の基礎をどのように考えるか

— 改訂の主旨が正しく理解されかつ指導に反映されるための考察 —

琉大講師　伊志嶺　朝次

## 1. 基礎へのアプローチ

　音楽科においては、昭和43年度の指導要領の改訂によって、これまで個々の学習活動の中で行われてきた基礎指導が、別個の内容として総括的に取扱われるようになった。過去の反省として、これまで個々の指導事項が充分理解されないために主旨が正しく生かされなかった経験から、次の二つのこと、つまり、基礎内容が別枠として設定された主旨と、基礎とは何かの問題を探ってみたいと思う。まづ主旨については、「新しい音楽教育の傾向は、こどもの音楽活動の表現的な面、および受容的な面のすべてを包含して、統合的に行われる傾向に進んでいるが、このような教育における学習を効果的に展開するには、すべての学習活動を通じる基礎的能力がなければならない」という浜野政雄氏の説明によく示されているように思う。だとすれば、基礎指導、例えば和音指導が歌唱（合唱）のみ[註1]を念頭においたものであったり、旋律指導が創作ばかりを対象に行われたりしてはいけないわけで、基礎指導というものがよりよい表現、よりよい鑑賞につながる形で行われなければならないことを示している。従って歌唱指導では通用しないというような和音指導やリズム指導は、どこかまちがっているわけである。ところが現実にはこのような指導例を時折り見受けるのである。改訂の主旨が、基礎という共通の土台の上に領域間の連係を密にすることをねらいとしている以上、基礎指導はそういった主旨が充分生かされるような形で行われるべきである。

## 2. 基礎とは何か

　沖縄における教育研究会で常に感じることは、研究の対象になっている事項が何であるかが充分理解されないまま、研

---

註1. 浜野政雄「音楽教育学概説」133頁
　　〈音楽の友社〉昭和43年

究が進められ討議が行われているということである。例えば、「和音感、リズム感、あるいは音楽性を高めるための指導をどのようにすればよいか」という研究課題を取上げた場合、「和音感」、「リズム感」、「音楽性」とは何か、又そのような感覚が高められた状態とはどんな状態かという、課題の本質や行き先を研究者も討議者も充分に理解しないまま研究され、討議されているということである。それでは地名だけをぼんやり覚えていて、位置もルートも全く知らないまま旅行するようなもので、大低の場合徒労に終ってしまうだろう。案の定、研究や討議が熱心なだけ、教師の苦悩は深まるばかりである。問題は何一つ解決されないまま！音楽性となると言葉の意味がもっと曖昧で、意味を限定するなりして理解をはっきりさせておかないと、それこそ地名、行き先、ルート等いっさい知らずに出かけるに等しく、無謀な企てといわねばならない。そこで、まず基礎の本質を探ることからはじめるべきであろう。

概念を充分言いつくせなかったり、逆に少々それよりはみ出ることがあっても、定義を試みることは思考を容易にしてくれる。そこで、「学習をそれぞれの段階で可能にする、学習環境をのぞく音楽的諸条件」を音楽科における基礎として理解することにする。音楽の学習を可能にする諸条件は、小、中、高、専門課程ではそれぞれ異るのは勿論である。例えば、小学校課程で学習したものはすべて中学校課程の基礎となるというぐあいにである。ここでは一応、小学校の段階に限って考えてみたいと思う。

さて、音楽の学習を可能にする諸条件（学習環境はすでに除いてある）をより基本的条件から段階的に列記してみると、次のように整理することができよう即ち、1.基礎感覚、2.基礎能力、3.基礎知識の三段階である。1の基礎感覚は要素の識別能力である。ピッチ感、つまり一点ト音を一点ハ音より完全五度高く感じ、一点ロ音を二点ハ音より半音低く感じる感覚が児童に備わっていなければ音楽教育ははじまらない。又、ModeratoとAllegroの速度のちがいやヴァイオリンとトランペットの音色のちがいがわからなければ音楽の学習は進展しない。すべてそういった音楽学習が成立つために必要な最初の条件が基礎感覚である。2の基礎能力とは具体的には発声や楽器操作の能力のことであるが、与えられた音なりフレーズなりを同じピッチ、ダイナ

基礎といえば誰でも音楽の三要素を思い浮べる。即ち、リズム、メロディー、ハーモニーである。ところが多くの場合トリックはここにある。つまり理解がそこで終ってしまうことである。理解がそこで終ってしまうと、感覚的にとらえられるべき大事な要素が抜落してしまう結果になる。リズムについていえば、時間（長短）、強さ（アクセント）、速度等の要素が相互に作用し合ってリズムを構成している。ところが、何と多くの教師が「リズムとは音符の長短なり」という乱暴な断定をしていることか！ そこから、「図式化されたリズムパターンを教え込むことがリズム指導である」という結論が生まれたりする。例えば、リズムパターンをリズム唱したりリズム打ちしたりすることはできるが、実際にみんなと一しょにうたったり、合唱したりするとテンポがおくれたり、拍子がずれたりする児童はリズム感がついているとはいえない筈である。基礎感覚が正しく理解されていないケースとして次の例をあげよう。ある教育研究会の分科会で「子供たちはⅠⅣⅤは完全に理解したが、合唱をさせると相も変らず和音のひびきがきたない。どうしてなんだろう？」という教師の嘆息をきいたことがある。そ

ミック、テンポでくり返し演奏することを可能にする条件、主として筋肉のコントロールのことである。3の基礎知識とは情報の理解、例えば楽譜についての知識や音楽の構造についての理解、つまりリズムパターンや和音の構造や関係を認識することである。このような学習段階の分け方はあくまでも理屈であって、学習がすすむにつれてこれらの段階の境界は次第に深く重なり合い、ついには不可分の状態で結びつくことは、読譜力というもの（楽譜の理解に基く音楽再現の能力）について考えてみれば直ちにわかることである。

改訂指導要領では、感覚的指導ということが従来より強く打ち出されている。それは、教師の意図や願望とはうらはらに、メカニックな指導に陥ってしまうことが過去に多かったことへの反省でもある。そこで、ここでは感覚的指導とはどのようなものであるかを考えてみたい。

### 3. 感覚的指導とは

結論から先に言えば、これまでのディスカッションから、基礎感覚と基礎能力を強張した学習は感覚的把握を結果するだろうことは容易に推論できる。以下論証してみたい。

の教師が、どうして子供たちがⅠⅣⅤを完全に理解していると判断したのかも勿論問題だが、もっとも重大なことは、ⅠⅣⅤの理解が即ち和音感、和声感と信じこんでいるところにある。即ち、ⅠⅣⅤの理解は基礎知識だけれども、基礎感覚がそれに先だち、うらづけられなければならないことを物語っている。これらの記号は「君たちの身につけた和音感は、実はⅠⅣⅤという風に理解されるんだ」という説明と識別の際のシンボルとして用いられるべきものが、感覚そのものと混同されて認識されている結果にほかならない。

しからば和音感の場合、感覚的にとらえるとはどういうことかといえば、合唱や合奏の際（勿論、斉唱の時の伴奏部も含めて）それらの和音のひびきを感じて演奏し、かつ、鑑賞の際、今ひびいている和音がⅤであること、又はⅠⅣⅤⅠの連結の効果が何であるかを感じてきくことである。従ってそのような能力は、ⅠⅣⅤを設定された条件下で単独に（あるいは複数で）ひき、それを生徒が言い当てることとは別物である。（勿論、和音感のついた子は言い当てることもできはするが）。以上のことから、基礎感覚やそれを表現する基礎能力は基礎知識に先だつ条件であることが理解されると思う。

もう少し別の角度から考えてみよう。基礎学習を考える場合の大前提は、基礎的な諸条件は歌唱や器楽においてよりよい表現を可能にし、鑑賞能力を高めるということでなければならない。言葉をかえて言えば、基礎指導はより近い目標にはちがいないが、最終的な目標ではないということである。そこで次の実例を考えてみたい。これも教育研究会での報告の一つである。ある一年生のクラスで教材「ひのまる」をとりあげた際、歌唱指導では子どもたちは

の如く正しくうたったのだがリズム打ちをさせると、

の如く一拍目を短く「従って二拍目にアクセントがかかるようなうち方をした」[註2]と。もっとも、この報告者はベテランの音楽教師で、この問題を歌詞を言いながらリズムうちさせることによって、簡単

に解決したのだが、もし指導者に上例のような賢明さがなく、

のビッコのリズムのまま終っていたとしたらどうだろう。ところが、悲しいことにはそうした不幸な例が実際に見受けられるのである。そこでさっきの大前提をもう一度思い出していただこう。もしかりに、いままで

しろじにあかく

と素直にうたっていた子どもたちが、いわゆる基礎指導をやったために（実際にはそのような基礎指導はない答だ）

しろじにあかく

とやりだしたとしたらどうだろう。それはもう、より不良な歌唱指導のための基礎指導ということになるではないか。そこで教師には児童の学習状況を鋭敏に判断する能力が必要である。上例では問題がうまく解決されたからよいが、さもないときはすべからくリズムうちはやめるべきである。何故なら歌唱に関しては学

註2．「 」のような表現はされなかったが実際の効果は上のようになる答

習はすでに成立しているのだから。そして別の教材で別の機会に試みればよい。リズムうちの指導は必要ないという主張のように誤解しないでいただきたい。ここでは基礎指導がいつ必要かというチャンスと、基礎の考え方及び指導の際の方法上のことを問題にしているのである。いつ必要かというと、実際の歌唱や器楽で拍子がうまくとれなかったり、合唱がうまくハモラなかったりする場合がその時である。考え方は大前提で示されたもので、方法とは、問題解決の方法は一つだけあるのではなく、ケース、ケースによって賢明なやり方があるべきだということである。先のリズムうちについて言えば、報告者の場合のように歌詞を言いながらうつのも一方法だし、あるいは、

♩♩｜♩♩｜♩♩｜♩ ‚｜
しろじにあかく
左右左右左右左右

のように歌詞に合わせてあるくと、もっと直感的に拍がとらえやすい筈だ。特効薬のように唯一無二の方法などというものはこの世にない。方法は絶えずより効果のあるものへと改善されなければいけないとはいうまでもなく、従って、一つの方法で問題が解決されなければ他の方

法を探し求めるべきである。

　最後に、音楽の要素はすべて不可分に結びついていることを指摘したい。そんなことは指摘されるまでもなく、誰でも知っているつもりだが、実際には、リズム指導なり和音指導なりが恰もそれ自体最終目標でもあるかの如く、他の要素との関連を忘れた形で行われていることをしばしば見受けるのである。もし、リズム、メロディー、ハーモニーなどの要素が別々に指導され得るものなら、音楽の生い立ちの順序に従って一、二年ではリズムだけ、三、四年ではメロディーだけ、五、六年では和音や和声だけ、中学校では読譜や記譜だけ、そして最後に高校の課程でそれらの綜合されたもの、即ち音楽を指導することが可能になる。これはだれが考えても馬鹿げた理論である。結局、音楽はそのように分解してしまうことのできないものであることがわかる。そして多くの誤ったやり方は、それらが単独の要素として存在するかのような錯覚から生じる。

　そこで次のようにまとめたいと思う。基礎は学習の順序としては基礎感覚が身につき、感じている通りに表現できる能力を修得して音楽表現が可能になり、自分のやっていることを理解して更に深く感じるために基礎知識を必要とする。但し、この過程はある程度身についた後は、境界が重なり合って相互に作用し合う。それはちょうど、音楽の三要素の場合のように便宜上それぞれの側面からの指導が行われるが、これらは音楽という有機体の中では分離し難い関係で結びついている。

---

**図書紹介**　〝高校生活を考える〟

沖縄県高等学校特別教育活動研究会では高校生の特別教育活動の手引書「高校生活を考える」を4月1日に発行した。去年初版を出し、高校生や教師から重宝がられているが今回はその改訂版で、(1)高校生の進学率や悩み、相談相手等を統計資料、アンケート資料等から図表化して示した。(2)ホームルーム年間計画の立案資料として生徒独自のものをとり入れた。(3)人間性のあり方を各項目の中で追求するよう配慮した。(4)学習についての具体的なとりくみについて配慮した等の特色をもたしてある。

　現場の生徒指導に直接あたっているベテラン教師が編集委員となって執筆も分担し、琉大教授与那嶺松助氏が監修に当っている。

<講　座>

# 会計の観念と用語の解説（2）

経理課指導係長　宮　良　当　祐

## 実質的観念における会計

　前回述べたように実質的観念における会計は、その客体たる財産の種類に従って分類すれば、現金に関する会計、不動産に関する会計および物品に関する会計に大別される。

　この三つの区分による財産管理等についての態様は、それぞれの法令によって規制されるが、この三つの法令の体系はその間において必ずしも互に有機的関係はつけられておらず、その属する関係法令によって各別に一定の秩序の下に整理されている。

　たとえば現金会計における収支は財産の異動には直接影響せしめず、現金の収支面のみが整理され、その他の財産の異動は現金の収支面とは関係なく別個の系統において整理されている。

　すなわち、政府の会計においては、これら三者を統合した財産の異動についての価値計算が行なわれない。

　このことは、政府の会計の有する特徴ともいえるところである。

　政府の会計が本来消費会計であり、企業会計のそれが経営成績の測定に欠くことのできない現金以外の財産の増減を含めての計算を行なう必要があるのに対し一般会計において現金の収支が最も重要視されるという本質的な性格の差異と、消費会計の特殊性から制度自体も現金収支を中心に発達してきたということができよう。

　現金もそれ以外の財産についての会計作用も法令および予算の目的に反することなくその適正な実行の確保を図ることが第一義的に重要視され、その理想のもとに会計組織も会計機関の違法不当を防止し、公正かつ確実に実行することに制度の重点がおかれてきたものである。

　現金会計は現金の収支および計算整理についての手続作用であって、これを規制する基本法規は会計法（1954年10月5日立法第56号）である。会計法は手続作用に関する法律であって、財政処理の基本に関しては財政法（1954年10月5日立

法第55号）の原則の適用がある。現金会計はさらに才入才出たる現金会計とそれ以外すなわち才入才出外現金についての経理に分けられる。文教局が取り扱っている才入才出外現金は主にＰＴＡ、後援会等による記念図書館、体育館建設資金としての寄付金や本土福祉団体等や個人からの風疹児に対する寄付金等がある。

物品会計とは現金以外の動産についての出納保管及びその計算整理に関する会計作用であって、これを規律する主な法規は物品会計規程（暫定1955年1月5日内主第1015号）であるが、会計制度中最も未開の分野としてその整備は現在政府の会計制度の課題として強く要請されているところであるが、1955年以降暫定的な会計規程しかなく早急に物品管理法および同法施行規制が制定されるべきだと思う。

不動産会計とは政府有の不動産および不動産の従物等ならびに権利の管理処分に関する会計作用でって、これを規律する主な法令は政府有財産法（1954年7月1日立法 第8号）および同施行規則（1954年8月21日 規則 第50号）であるが、政府有財産も物品会計と同様その管理処分に関しての基本事項については財政法の適用があり、また財産の取得および処分に関する契約等については物品会計規程と同様会計法の適用がある。

政府有財産法は法律上は「会計」の名称を用いてないが、実体は会計法規であることはいうまでもない。

### 形式的観念における会計

形式的観念における会計はこれを設置目的によって一般会計と特別会計とに分ける。

(1) 一般会計

国の収入支出は、通覧と理解を容易ならしめかつその経理の紊乱を防止するためにすべての収入支出を統合して単一の会計において経理することを理想とするのである。したがって特別の必要により法律をもって設置される特別会計に属する収入支出を除くほか、すべての収入支出はこれを統合して一団として経理すべきである。この経理を行なう会計が政府の基本会計ともいうべき一般会計である。

一般会計の特質は、それが消費経済的な会計であることである。

この特質から現金、物品、不動産に関しての計算整理は各々分立し、その間に有機的かつ総合的関係がなく、それぞれの法規の定めるところにより、各別に計

算整理される方式がとられている。企業会計においてはその本質上財産全体の価値計算が必要であろうが消費会計たる一般会計においてはその必要はなく、むしろその運営が正確かつ公正に行なわれ、住民の信託に応えることが重要であろう。

一般会計においては現金の収入支出が中心であるが、現金の収支の計算整理については、会計年度の区分について、発生主義的会計原則の観念を導入しているほか、手続作用については原則的に現金主義会計の原則を採用している。財政法（1954年10月5日立法第55号）第2条の規定により、政府の各般の需要を充たすための現金の収支は、たとえその収支が収益的収入であろうと、費用的支出であろうと、資本的収入であろうと経理面においては区別されず、単純に現金の収支面のみを単式簿記的方式によって整理されている。

この一般会計の簿記的経理方式は特別会計においても、企業的特別会計を除く全部の会計において原則として採用しているところである。いわば原始素朴的なこの経理方式については、近代会計学の感覚から常に批判もあるところである。

(2) 特別会計

政府の収入支出は、これを一団として経理することを理想とする予算単一の原則の例外として、財政法第11条の規定するところに従い、法律をもって特別会計を設置することができるとされている。

財政法第11条においては、特別会計を設置しうる場合として

(ア) 特定の事業を行なう場合
(イ) 特定の資金を保有してその運用を行なう場合
(ウ) その他特定の才入をもって特定の才出に充て一般の才入才出と区分して経理する必要がある場合

以上(ア)〜(ウ)に該当する場合と制限している。しかし、これらの条件に該当する場合であっても、無条件に特別会計の設置ができると解すべきではなくそのことにより行政の効率的運営を確保することができる場合でなければ許されない。

現行の特別会計を以上の区分により分類すると、(ア)に該当するものに政府立病院、(イ)に該当するものに資金運用部、産業投資、(ウ)に該当するものに郵便貯金等の特別会計がある。

**会計用語の説明**

○予算の流用

予算の執行にあたり行政主席の承認を

経て才出予算に定める同一の項に属する各目の経費の金額について各目間において相互に融通しその金額を融通を受けた目の経費の金額とすることをいう。才出予算は各項に定める目的すなわち予算の目的外に使用することは原則として禁止されているが、流用の制度は、予算の効率的運用を図るために移用の制度と共にこの原則の例外として認められている方法である。

〇予算の移用

予算執行にあたり、あらかじめ議会の議決を経た場合において、行政主席の承認を経て才出予算の定める各部局等の経費の金額又は部局内の各項の経費の金額の間において相互に融通し、融通を受けた部局等又は部局等内の各項の経費の金額とすることをいう。

この移用の制度も流用の制度と同様予算を目的外に使用することの特例であってこれを乱用することは議会の予算議決権を有名無実にするおそれがあり、またその運用が厳格に過ぎるときは移用を認めた趣旨が没却されるから、その運用については慎重でなければならない。

〇繰越明許費

政府の才出予算の経費のうち、その性質上又は予算成立後の事由に基づき年度内にその支出を終らない見込みのあるものであって、あらかじめ議会の議決を経て、翌年度に繰越して使用することを認められたものである。（財政法第14条）

一般に才出予算の経費の金額は、会計年度の区分及び独立の原則により、当該年度を経過した後は使用することができないのが原則であるが、財政法第40条のニに規定されている繰越明許費は、この原則に対する例外として、経費の性質上、あらかじめその年度内に支出が終らないものと見込まれるものについて認められた便法である。繰越明許費に属する経費を繰り越そうとするときは、繰越計算書を作製し、事項ごとに、その事由及び金額を明らかにして、行政主席の承認を得ることを要する。

また繰越明許費の金額については、予算の執行上やむを得ない事由があるときは、行政主席の承認を受け翌年度にわたって支出すべき債務を負担することができる。

# 学校基本調査にみる卒業後の状況

編 集 係

## はじめに

沖縄で学校基本調査が実施されたのは1957年からである。調査開始時と最近調査時の1970学年度の間にどのような変化がみられるであろうか。ここでは、主題を卒業後の状況にしぼってみることにしたい。

## 1. 進学状況

(1) 中学校

中学校卒業者のうち、高等学校や高専に進学した者の数は1表のとおりである。

1表 中学校の進学状況

| | 卒業者 | 進学者 | 進学率 | 左のうち 男 | 女 |
|---|---|---|---|---|---|
| | 人 | 人 | % | % | % |
| 1957 | 16,852 | 7,019 | 41.7 | 44.4 | 38.8 |
| 1964 | 23,313 | 12,794 | 54.9 | 54.3 | 55.5 |
| 1970 | 25,638 | 17,300 | 67.5 | 69.7 | 72.7 |

1表で明らかなように、進学率は年々向上して、1970年度は67.5%に達しているが、本土の進学率は同時点で82.1%に達しているので、まだ較差は大きい。

進学率の男女別内訳についてみると、男子は次第に低下し、女子は増加している。この傾向は志願率とおおよそ比例しているが、何故、女子の志願率が次第に高まり男子をしのぐほど多くなったか、その理由は不明である。

(2) 高等学校

高校卒業者のうち、大学や短大等に進学した者の推移は2表の通りである。

2表 高校の進学状況

| | 卒業者 | 進学者 | 進学率 | 左のうち 男 | 女 |
|---|---|---|---|---|---|
| | 人 | 人 | % | % | % |
| 1957 | 5,604 | 1,126 | 20.1 | 21.4 | 18.3 |
| 1964 | 6,509 | 1,298 | 19.9 | 21.1 | 18.6 |
| 1970 | 16,204 | 4,105 | 25.3 | 22.0 | 28.3 |

高校卒業者の大学や短大等への進学者も年々増加して進学率も25.3%に達し、全国平均24.3%をしのぐ進学率である。とはいっても、これは中学校から高校への進学率の低さがかなり影響していると考えられる。

男女別の進学率は1968年度以降、女子

の進学率が急増し、逆に男子は漸減し19
70年度では男22.0%の進学率に対し、女
28.3%と6.3%も高い進学率を示してい
る。この現象は本土ときわだった対照を
なしている。即ち本土の場合男の進学率
25.0%に対し女のそれは23.5%で男の方
が1.5%高くなっているのである。沖縄
の女子の進学率が高い原因の一つに本土
就職で1968年以降男子より女子が多くな
ったこと、しかも就職進学者が多いこと
を指摘することができるし、また一方、
短大進学者のうち女子が圧倒的に多いせ
いであるが、女子の短大進学者を本土と
沖縄内進学者に分けてみると 1968 年度
62.7%、1969年度56.1%が本土の短大へ
進学しており、本土就職や就職進学者と
の関連がこの面からもうかがえるのであ
る。

しかし、これらのことだけで女子の進
学率の高さを説明するのは不充分である
ように思われる。女子高校生の進学意欲
が高いのか、親の教育熱が女の子の方に
傾斜しているのか、それとも他に何が要
因があるのか興味のあるところであるが
いまのところ明らかにする手がかりをも
ち合わせない。

## 2. 就職状況

(1) 中学校

就職率は、進学率の上昇と逆比例して
減少傾向にある。

産業別の就職状況は3表のとおりであ
るが、第一次産業への就職率が激減し、
逆に第二次産業への就職率が激増してい
る。

3表

|      | 第一次産業 | | 第二次産業 | | 第三次産業 | |
|------|--------|------|--------|------|--------|------|
|      | 就職者 | 率 | 就職者 | 率 | 就職者 | 率 |
| 1957 | 3,574 | 55.6 | 540 | 8.4 | 1,336 | 20.8 |
| 1964 | 1,680 | 25.5 | 1,963 | 29.9 | 2,335 | 35.5 |
| 1970 | 910 | 16.5 | 2,583 | 46.8 | 1,567 | 28.4 |

ちなみに産業別の国民所得構成比を
1957～65年についてみると4表のとおり
である。

4表

|      | 第一次 | 第二次 | 第三次 |
|------|------|------|------|
| 1957 | 18.0 | 13.1 | 68.9 |
| 1964 | 14.8 | 16.5 | 68.8 |
| 1969 | 9.8 | 17.7 | 72.5 |

表で明らかなように沖縄における国民
所得の産業別構成は、1957年以来第三次
産業が圧倒的に大きな比重を占めてお

り、しかもそれはなお増加の傾向を示しているのである。そして第一次産業の減少、第二次産業の増加傾向があるとはいえ、産業別就職者の割合の変化と対応する程の変化があったとは認めがたい。

一方、本土就職者の数は年々増えて1964年に720人だったのが、1970年には2,099人になり、この数は就職者のそれぞれ10.9%、38.1%を占めている。

ところで本土就職者の産業別状況を1970年度についてみると、第一次産業0.0%、第二次産業73.8%、第三次産業19.7%となっており、このことが全就職者の産業別割合の年次変化に大きく影響しているものと思われる。

(2) 高等学校

高等学校の就職率も中学校同様減少傾向にあり、産業別の就職率もほとんど中学校の場合と同様な構成、年度変化を示している。ただ、本土就職者の増加が中学校に比べてはげしい（1970年は就職者のうち53.4%が本土就職）。

本土就職者の産業別就職状況をみると、圧倒的に製造業への就職が多くそのうち食料品、金属製品、機械工業へは男子が、繊維工業、衣服その他繊維製品工業へは女子の就職者が多い。電気機械器具工業へは1967年までは男子が多かったのが、1968年以降女子が多くなり、1969年には男146人に対し女318人になっている。

尚近年、注目すべきものに卸小売業関係への就職者の増加がある。1963年以降の推移をみると32人、46人、42人、58人、30人、70人、121人と増え、1970年には508人と急増しているのである。その内訳は1969年度についてみると女子が74%を占めている。

ともあれ、72年本土復帰をひかえ、一般的ムードとしてある復帰不安や、沖縄内の企業、公務員等の採用引き締め等、中高校卒業生の本土流出要因は高まる一方だと考えられる。

5表　年度別卒業者数と産業別就職者数（高校）

| | 卒業者 | 就職者 | 同率 | 産業別就職者 | | | | | |
|---|---|---|---|---|---|---|---|---|---|
| | | | | 第一次 | 同率 | 第二次 | 同率 | 第三次 | 同率 |
| 1957 | 5,604 | 2,676 | 47.8 | 506 | 18.9 | 238 | 8.9 | 1,400 | 52.3 |
| 1964 | 6,509 | 3,432 (486) | 52.7 (14.2) | 252 (20) | 7.3 (4.1) | 1,084 (305) | 31.6 (62.8) | 1,754 (124) | 51.1 (25.5) |
| 1970 | 16,204 | 7,681 (4,098) | 47.4 (53.4) | 322 (75) | 4.2 (1.8) | 3,075 (2,483) | 40.0 (60.6) | 3,078 (1,249) | 40.1 (30.5) |

（　）書は本土就職者

# 世 持 橋 欄 干 羽 目

## 特 別 重 要 文 化 財

　世持橋というのは、竜潭池の西岸に架せられた石橋のことであるが、これは由来記によると、尚質王時代の順治18年（1661年）に慈恩寺橋を移して構築したことになっている。恩慈寺は首里城の北麓、蓮小堀の近くに造営された第一尚氏時代の国廟だったらしいが、その創建年代についてははっきりしていない。当時の歴史事情からみると、尚泰久時代の創建であることが推測される。この推測に立つと慈恩寺橋は琉球で最も古い石橋の一つでこれに付随する欄干彫刻も最古のものだということが出来る。

　欄干は支柱、羽目ともに微粒砂岩に彫刻を施こしたもので、5本の大支柱は円筒形で、先端に宝珠を刻み、大支柱の間に4本の小支柱を配して各羽目を挾んでいた。この欄干の特徴は一口でいうと、全体が美しい曲線で構成されていたことであろう。とりわけ左右両側の羽目16枚はかぶと型の引き締った形に切り、その両面には高肉彫の魚貝、水禽の図柄を刻み、構成、主題、刀法等琉球の石材彫刻の筆頭を飾るものであった。

　惜しくも去った大戦でその大かたを失い、今ではその残欠の一部を通じて往時を偲ぶだけである。

博物館　主事　大 城 精 徳

---

1971年5月6日　印刷

1971年5月8日　発行

文　教　時　報　　（123号）

発行所　琉球政府文教局総務部　調査計画課
印刷所　サ ン 印 刷 所

## 博物館 名品紹介
## 世持橋欄干羽目

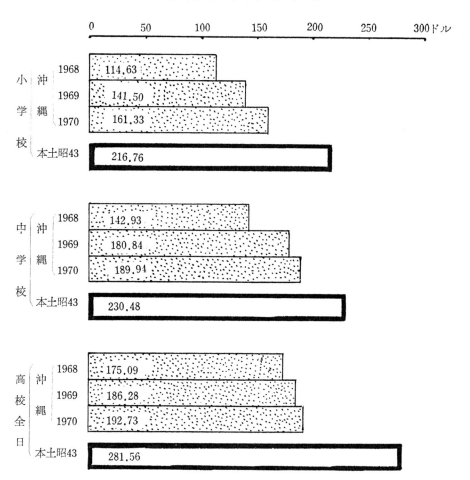

公教育費1人当り額

1970年度財政調査による

# 文教時報

124

第二〇巻（第五号）

124　琉球政府・文教局調査計画課

豊かな沖縄県づくりに備えよう

## 写真日誌

▶全国教育美術展—沖縄展—
開催（4月20〜25日）

　大正11年発足という古い歴史をもつ全国教育美術展の沖縄展が那覇市内三越デパートの展示場で文教局と財団法人教育美術振興会の主催により開催された。
　この美術展には沖縄の小中校生の出品も多く、中には特選に入賞するものもあった。展示期間中は多数の児童生徒の参観があり、盛会であった。

開会式のあと作品鑑賞・中央右森戸会長・左中山局長

▼九州高校野球大会（5月1〜3日）

　　第48回九州高校野球大会は沖縄側3チーム、本土側11チーム計14チームの精鋭を集めて、奥武山とコザの両球場で熱戦を展開した。
　大いにその善戦を期待された地元勢は普天間が1回戦であえなく敗れ、小禄、首里も二回戦で姿を消し不振に終った。
　尚優勝の栄冠は大分の津久見高がかちとった。

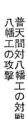

普天間対八幡工の対戦
八幡工の攻撃

▼沖縄盲学校創立50週年記念式典挙行（5月8日）

　沖縄における特殊教育は最近ようやく軌道にのり、社会一般の関心も高まってきた。ところで沖縄の盲教育が組織的、継続的に開始されたのが大正9年という半世紀も前のことであることを知る人は少ないであろう。それは個人の情熱にささえられた私塾的なものからのスタートであったが、文部大臣認可の私立盲学校—県立盲学校—終戦—政府立盲学校と幾多の迂余曲析を経てきたことが記念誌に誌されている。式典は創始者高橋福治先生を迎え、在校生、父兄、同窓生、来賓多数集って盛大に挙行された。

記念事業の経過並に業務報告をする山城宗雄PTA会長

▼第18回社会教育総合研修大会（5月14〜15日）

　各分野の社会教育関係者およそ700人が集って第18回目の社会教育総合研修大会が5月14、15の両日、コザ市琉米親善センターを主会場に開催された。
　今回は特に「青少年を健全に育成するための方途の究明」と「関連する領域上の諸問題の研究討議」をねらいに2日間にわたり熱心な研究大会がもたれた。

開会式と大会委員長あいさつを述べる山文教局長（円内）

▼5・19ゼネスト（5月19日）

「日米共同声明路線による返還協定」は県民不在の返還協定であるとして打ち出された5・19ゼネストで殆どの小中高校が休校した。

与儀公園における県民総決起大会

▼沖縄小中学校校長研究大会（6月2～4日）

「教師の教職観を確立するためにはどうすればよいか」を共通テーマとして第12回沖縄小中学校校長研究大会が那覇連合区教育委員会大ホールを主会場に開催された。

　大会は開会式のあと文教局の施策説明学校長の研究発表があり、つづいて第2日目まで分科会、3日目は全体会で東京学芸大教授渡辺孝三先生の特別講演「現代教育の方向と学校経営」が行なわれた。

全体会と祝辞を述べる屋良主席（円内）

# もくじ

## ＜写真日誌＞
教育美術展　盲学校創立50周年記念式典
九州高校野球　　5・19ゼネスト
第18回社会教育総合研修大会　　小中校長研究会

中教委だより ……………………… 目次裏

## ＜特集＞
第18回社会教育総合研修大会 ………… 1
交通遺児の実態 …………………… 15
教職を去るにあたって
　　　　島　袋　喜　厚
　　　　阿波連　宗　正 ……… 16
　　　　比　嘉　み　ち

小学校教材にあらわれた音楽教育
指導へのアプローチの相違について
　　　　伊志嶺　朝　次 ……… 19
71年度学校基本調査速報 …………… 24

罪と罰　　　　　　中　村　洋　一… 25

## ＜研修報告＞
統計調査の事務系列について
　　　　金　城　克　則… 27

## ＜学校紹介＞
(1) 樹海の中に浮ぶ高江小中学校
(2) 過疎化の中に力強く生きる―楚州小
　　　　中学校― ……………… 32

幼児教育に関する実態調査結果
　　　　調査計画課 ……… 40

学校設備調査結果
　　　―特殊学校―　調査計画課 …… 49

教育財政資料 ……………………… 52

博物館名品紹介 ……………… 裏表紙
年令別、職業別教育委員数

---

# 文 教 時 報

No.124　'71/6

表紙……北部の新緑

# 中教委だより

第220回 定例中央教育委員会

期日　1971年5月18日（火）～5月22日（土）

議題　(1)　1972年度予算について行政主席から意見を求められたことに対する回答について
　　　(2)　文教局組織規則の一部を改正する規則について
　　　(3)　琉球政府立名護青年の家管理規則の一部を改正する規則について
　　　(4)　琉球政府立名護青年の家運営協議会規則の一部を改正する規則について
　　　(5)　就学義務の猶予及び免除の認可について
　　　(6)　教育に関する寄附金募集の認可について
　　　(7)　教育区債の起債許可について
　　　(8)　免許法認定講習等の開設について
　　　(9)　小学校学習指導要領及び中学校学習指導要領の一部改正について
　　　(10)　教科用図書目録編集委員の任命について
　　　(11)　各種学校の設置認可について
　　　(12)　学校廃止認可について
　　　(13)　職員人事について
　　　(14)　学校給食用製麺、ミルク委託工場の指定について
　　　(15)　社会教育主事講習規程について
　　　(16)　琉球政府立名護青年の家運営協議会委員の解任及び任命について
　　　(17)　「市町村交付税法の一部改正について」行政主席から意見を求められたことに対する回答について
　　　(18)　文教局職員定数規程の一部を改正する訓令について

答申
　　公害教育について

協議題　産業教育審議会に対する諮問について
　　　　学校の新設について

報　告
　　本部中学校敷地移転について

# 特集　第18回社会教育総合研修大会

## はじめに

　産業・経済・文化の著しい発達は社会生活を一層複雑多岐なものにし、健全な社会生活を営むには生涯教育が必要とされている。

　このような社会教育に対する期待に応えるためには社会教育関係者は日頃の研さんが必要であることはいうまでもない。かかる趣旨から、毎年社会教育の研修会が催されているが、今年も去る5月14～15日の両日・コザ琉米親善センターを主会場に第18回目の社会教育総合研修大会が文教局主催、中部連合区教育委員会・コザ市後援で開催された。

　今回は特に「青少年を健全に育成する方途の究明」という趣旨の下に四つの分科会に分れて熱心な討論がなされたほか、「地域における社会教育の振興方策」についてのシンポジウム、青年会活動、家庭教育学級、婦人団体活動、公民館活動等についての実践発表が行なわれた。

　大会参加者も教育委員会、学校、社会教育関係団体、同施設関係、同講座関係、市町村、政府関係機関とあらゆる分野から集り、文字通り総合的な社会教育の研修会であった。また大会の最後に社会教育功労者の表彰も行なわれた。以下大会の模様を社会教育課の宮城英次主事に抄録してもらった。

## ＜シンポジウム＞

　　　　　　　　　　　　沖縄大学　　講師　　平良研一氏

討議題「地域における社会教育の振興方策」

1. 社会教育のあり方

　社会教育権の自主の問題の認識への契機は地域の日常的な種々の問題の中にはらまれている。これをいかに学習課程の中にとり入れ多様化し、より大きな認識への視野に発展せしめていくかが重要な問題となろう、社会構造そのものの大きな変動による衝撃を視野に入れることなしには、本質的な変革にせまることができない。

　過疎化現象、地域の都市化の問題が我々の問題に大きくかぶさってきている。事実を先ず押える必要がある、つまり社会教育は住民自治の基盤の上に形成させられ、その上で民主主義社会を成立させる。

2. 社会教育の振興方策

生涯教育を原点としてとらえていく今後の社会教育は、人間の主体性回復の実践運動としてとらえ、国家の基本方針に応じた天下り式のものではなく、日々進展していく社会状況の中で、地域の実状に即した、特に住民の生活課題を通しての要求をいかに学習課題として反映させていくか早急な問題である。

社会教育の施設、設備の充実を図り、中央公民館等を増設し、公民館の目的意義をはっきりさせて、オーガナイザーとしての職員を養成していくことである。

那覇連合区教育次長　赤嶺貞義氏

1. 新しい社会教育の考え方
    (イ) 社会の様相について
        ○ 経済成長
        ○ 技術革新（大量生産大量消費）
        ○ 年寄り人口の増大
        ○ 人口の都市集中（農山村の過疎化現象）
        ○ 国民の学歴水準の向上
    (ロ) よい結果として
        ○ 人々の物質生活の豊かさ
        ○ 情報接触の拡大
        ○ 余暇と金銭
    (ハ) 問題点
        ○ 個性の喪失
        ○ 親子の世代の断絶
        ○ 人間疎外（機械のどれい化）
        ○ 社会連帯意識の減退（都市の中の孤独）
        ○ 教育ママ
        ○ 公害等
    (ニ) 社会教育の変容
        ○ 自己の主体性を高める
        ○ 他人との人間関係を深める
        ○ 経済生活の効率化
        ○ 市民としての責任を全うする
        ○ 豊かで充実した生活
        ○ 物の豊かさより、心の豊かさを
2. 社会教育の施設設備を拡充しよう
    ○ 公民館、図書館、青年の家、体育館等の社会教育施設設備を拡充する
3. 社会教育行政のための職員をそろえよう。
    ○ 社会教育主事（主事補）、事務職員、専門職員（視聴覚技術者）の市町村への完全配置を促進する。
    ○ これら社会教育職員が社会教育の仕事で働くことに誇りと生きがいを感じることのできるよう、職員体制、格付、待遇、研修等身分の安定と処遇をよくする。
4. 社会教育行政の重点

- 社会教育委員の設置促進
- 住民ひとりびとりの広い教育要求を満足するための条件を整える。

5. 社会教育予算の増額確保
   - 社会教育予算の伸率（政府）
     こゝ3年間の伸率は1.0%—1.3% 1.5% とのびているが本土は3%も延びている。
   - 市町村への地方交付税の算定の増額

6. 長期的展望にたった計画体制の確立
   - 住民の教育要求の動向の把握
   - 社会教育の実態把握
   - 地域の開発
   - 社会の課題、個人の生活課題
   - 社会教育の地域の目標、重点施策の精選

（写真はシンポジウム）

諸見小学校　教頭　玉盛俊一氏

1. 社会教育について
   - 家庭教育、学校教育と本質的に大きなちがいがある。
   - 社会教育の分野が広く、しかも漠然として多種多様である。
2. 社会教育関係機関団体について

(1) 青少年教育団体
   - 地域子ども会
   - ボーイスカウト
   - ガールスカウト
   - スポーツ少年団
   - 勤労青少年を対象とした各種講座（青年教室、青年学級等）
   - 市町村青少年健全育成協議会

(2) 成人教育機関及び団体
- 社会学級
- 家庭教育学級高令者学級
- 公民館講座
- 婦人講座
- ＰＴＡ講座
- 教育隣組

これらの社会教育関係機関団体はすべて異質のもので、更に義務でなく自主的な学習の場であり自らの意志によって学習参加するということ、もう一つの時間が不定で土曜日、日曜日、或いは夜間の活動が多いこと。

3. 社会教育の振興方策
(1) 関係機関（政府、市町村、教育区教育委員会）が積極的に予算増額をはかる。
(2) 社会教育の各領域における指導者の養成と、資質の向上をはかる。
(3) 各市町村に社会教育主事を完全配置し、地域の末端にまで社会教育が浸透するような指導体制を確立する。
(4) 学校教育機関との連携を密にし、教職員の社会教育に対する理解を深めるとともに一般行政部門との連絡調整を緊密にしていく。
(5) 社会教育委員を設置し地域における社会教育の総合計画をたてる。
(6) 地域における社会教育施設設備の充実をはかる、特に中央公民館の設置は急を要す。
(7) 社会教育の一貫性をはかる。

＜分科会討議＞

第１分科会

討議題　勤労青少年の教育を振興するには、どのようにすればよいか。

提案理由　義務教育を修了した25才までの勤労青少年は、12万人から13万人位いる中で、関係団体の組織の中に属している者が２万人ないし３万人で、青少年教育が施されていない青少年が10万人余もいる現状下で、このような組織外にある、青少年教育を非行化防止という面からとらえるのではなく、健全に育成するための勤労青少年教育の振興を図るには、どのようにすればよいかを討議していただきたい。

1. 青少年団体の育成について
(1) 戦後荒廃した郷土を復興させるためにいち早く立ち上がり、その

地域において復興の源動力となって活動を進めてきたのが青年団であり、遂次組織の改善強化をするとともに、まがりなりにも今日まで組織活動を続けてきた中で、社会に対して果した役割は多大である。
(2) 過疎化現象により、農村地域から都市地域へ、あるいは毎年7千人から8千人の本土就職により青少年が減り、また広範にわたるため会員の掌握や、連絡提携、活動等に困難をきたし、リーダーや指導者の負担が大きい。
(3) 財政的に乏しく、会をリードしていく役員の時間的、物質的な負担が大きくのしかかり、役員のなり手がいない。青少年団体の財源には限度があり、会員の欲する会活動を進めることができない。「自分たちの力で財源獲得に努力」
2. 組織のとりくみとして
(1) 組織の実態を充分把握し、その上に立って企画運営をする。
(2) 組織の責任者が安心して活動に専念できるために、政府、区教育委員会、各市町村の行政担当者は、育成のための財政的援助をなすべきである。
(3) 青少年団体が気軽に話し合い、学習し、楽しみ合い、研讃のための施設が皆無の状態であるので、青少年のための施設設備の充実を図る。
(4) これからの会活動は青少年が何を考え、何を欲しているかを適確にとらえ、その上に立って進めていき、特にグループやサークルを育成していくよう努力する。
 ○自分自身を高めていく活動であること（自主的課題）
 ○地域課題をとり上げること
 ○青少年の健全育成を図るために、地域に即応した活動を具体化して推進すること。
3. 企業内青少年教育について
(1) 企業内でも青少年を育成する社会的責任があるので積極的に職場青年学級を開設すべきである。
(2) 学習計画は経営者の意図するものよりも、青少年の要望を充分とり入れる。
(3) 講師については、有名人や社会的地位のある方ばかりでなく、身近かな人たちを利用すること。
(4) 共通の目的を見出すための課題

をとり上げる。
　○文教図書株式会社青年学級での調査結果
　○芸能5％
　○体育レク15％
　○職業学習52.5％
　○家庭に関するもの5％

（第三分科会の討議）

第2分科会

討議題　青少年の健全育成をめざす家庭教育を推進するには、どのようにすればよいか。

提案理由　次代のにない手である青少年が、健やかに成長することは誰もが等しく願うところである。はげしい時代の進展のひずみの中で「朱にまじわっても赤くならない」正しい判断力と、自主的な実践力を持つ青少年に育成するために、先ず親自身の姿勢を正すことが急務であると考える。

1. 望ましい環境づくり
　(1) 婦人会、P.T.A等においての参加者は固定しているので、もっと広い層の地域住民の結びつきをはかり、地域におけり問題点について話し合い、その解決にあたる。
　(2) 小さな組織、集団の輪を広げていくことが大切であり、子どもたちには、その地域の実情に即した環境づくりを推進していく。
　(3) 都市地域においては、成人相互の結びつきがうすく、教育隣組の結成諸活動に難しさがある。
　(4) 家庭教育学級を数多く開設し、家庭教育の重要性を個々の家庭に徹底させ、問題を掘り下げて、組織を強化し、問題解決の方法を組織の力で見出していくようにす

る。
(5) 子どもを中心に地域において、花いっぱい運動を展開し、花を育てる心を培い情操教育の一環とする。
(6) スポーツを通して子どもの健全育成をはかるには、先ずスポーツ活動が充分できる施設を充実することである。
(7) 望ましい環境づくりというと勉強室、本、学習用具等を買い与えることだと考えがちで、夫婦間、兄弟間、隣人同志、即ち人間関係における環境づくりを忘れている。
(8) スポーツ少年団、ボーイスカウト等組織団体にあずけておけば健全育成ができると考えてはいないか。
(9) 人間は出産と同時に親子、兄弟間の人間相互の結びつきにおいてすでに教育がなされる。このように無意図的に行なわれる教育の場において、親は悪い要因を与えないよう日常生活における生活態度に十分気をつけるべきである。
(10) 家庭における親子の対話、話し合いのできる雰囲気づくりと、青少年を中心とした遊び場、学習の場の設定策を地域と家庭においてなされなければならない。

2. しつけに対する親の姿勢
(1) しつけの基本的なものとして①食事作法、②排便、③睡眠、④着つけ⑤身だしなみ等のしつけが考えられる。それらは子どもの発達段階に応じたしつけ方があり、時期的なものも考えなければならない、このような家庭におけるしつけが社会的なしつけに結びついていくのである。
(2) 親は子どもを親同志の話し合いの場から遠ざけるのでなく親子ともどもに話し合いの場に参加させることによってしつけをやる必要がある。
(3) 子どものしつけについては親自らが手本を示さなければならない。
(4) 幼児のうちにきびしくしつける必要がある。父親が叱る時は母親は黙り、叱られる理由をさとす、両親そろって叱ることはさけたい。他人と比較して教育するのではなく、のぞ子ども自身を正当に評価してしつけるようにする。

(5) 子どもを理解し、家庭におけるしつけのねらい、方向、方法というものが決ってくる。地域における家庭教育のねらい、方針、基本的なしつけに対し共通理解が必要である。
(6) 幼児教育は一貫性のあるしつけが必要であり、親の姿勢として①前向きの姿勢、②横顔、③後姿の三つが必要である。
(7) 地域社会におけるしつけの必要性、社会情勢の変せん等によって新たに隣組の再編、検討があろう。
(8) 子どもの人間像、教育観を確立して、それに向っての教育方法を考えださねばならない。

第3分科会
討議題　青少年健全育成を図るために公民館活動をどのようにすればよいか。
提案理由　公民館は実際生活に即する教育、学術及び文化に関する各種の事業を行ない、もって住民の教養の向上、健康の増進、情操の純化を図り、生活文化の振興、社会福祉に寄与するという重大な役割を担っておるものである。このような数多くの活動をもっている公民館の中で、特に青少年を育成するためにどんな活動を、どのように進めていったらよいかということを討議していただきたい。

1. 討議のまとめ
　○青少年の健全育成はスポーツを通してこそ可能であり、より効果的だと思う。
　○スポーツのため学力が低下しないよう配慮し、学習面の指導も並行して指導にあたること。
　○公民館活動をとおして、小中学生を対象とした活動内容を研究して地域に即した活動をすること。
　○おとなと子ども、青少年が一諸になって活動するものには、どんなものがあるか研究すること。
　○公民館図書を整備し、読書による青少年の健全育成をはかること。
　○公民館の部活動として、未端組織である教育隣組の育成に力をいれる。
　○各部落連絡協議会を組織し、行事等の連絡調整をはかり、連携を密にして青少年の健全育成の円滑化をはかる。

○ 公民館で行なう行事と末端組織である教育隣組等で行なう行事をはっきりと区別して活動するように努める。

2. 問題点として
○ 青少年健全育成は、地域社会（公民館を中心とした）学校、家庭の連携が必要だと思うが、その手順方法がわからない。
○ 親は家庭教育について、はっきりとした考え方、指導技術がよくわからない。
○ 指導者の養成をどのようにやればよいかわからない。
○ 離島では少年と壮年層が多く青年がいなくリーダー不足をきたして困っている。

3. 今後のあり方
○ 公民館長は、公民館のよき理解者社会教育への協力者を発掘することに努める。
○ 実践家であるジュニアリーダーの発見にもつとめ、各種研修会へ数多く参加させ、資質の向上をはかるように努める。
○ これらリーダーを市町村または教育区で連絡協議会を結成し、お互いに連携しあって青少年健全育成をはかっていく。

第4分科会

討議題　青少年の健全育成を図るために地域の社会教育機関団体は、どのような活動をすればよいか。

提案理由　青少年の健全育成に各機関団体は積極的に取りくんでいると思いますが、各種機関団体が連携を密にして、地域ぐるみの活動を展開して青少年の健全育成を推進していくには、どのようにすればより効果的な育成をはかることができるかを討議していただきたい。

1. 青年団活動として
 (1) 青少年の健全育成を図るために組織の再検討と再編成が必要ではないか。
   ○ 伝統中心主義
   ○ 行事中心主義
 (2) グループサークル活動を活発にし育成強化と連絡調整をはかる。
 (3) 組織に加入していない青少年をどのようにして加入させるか。
 (4) 地域社会の理解と協力により、青少年健全育成のための活動を研

究していくようにする。
2. P.T.A活動として
   (1) これまでのP.T.Aは後援会的P.T.Aで、組織活動が本来の姿でない従って真の父母と教師の会にするには、会則や組織の検討をする必要がある。
   (2) P.T.A.の支部（各部落）の組織強化をはかり、青少年育成のための活動を充実する。
   (3) 児童生徒、父母、教師の懇談会の開催
   (4) 地域子どもの会の育成強化につとめる。
   (5) 地域ぐるみ（校区単位、部落単位）の校外生活指導を強化する。
3. 公民館活動として
   (1) 公民館を中心に子ども会、教育隣組の育成につとめる。
   (2) 各種団体との協力体制を整え、連携を密にして、青少年健全育成につとめる。
   (3) スポーツ少年団育成とその指導者リーダーの育成につとめる。
   (4) 父母と子どもの集いを数多くもって、子どもとのふれあいの機会を多くもつ。
4. 青少協として
   (1) 青少協は真に活動できる人が役員にならなければならない。
   (2) 部落支部の育成、教育隣組、地域子ども会等の末端組織の育成強化をはかる。
   (3) 青少協として、青少年の健全育成のための理論の研究と実践力がなければ意味がない。
5. 討議の中から
   (1) 子どもの立場、考え方をよく理解し、子どもの意見を取りいれ、事業計画を立てていくよう心がけること。
   (2) おとなも勉強しなければ、子どもを指導することができなくなった。
   (3) 市町村が、もっと真剣になって、青少年問題にとりくんで活動してほしい。
   (4) 前年度の反省の上に立って、他団体との連絡調整をはかり、実践しやすいものから計画をし実践すること。
   (5) 小中学校の父母が中心になり、子どもたちの意見をよく聞き、部落ごとに計画を立て、教育隣組活動の浸透をはかる。
   (6) 各地域では、ボランティアの開拓につとめる。

（レク・具志川市婦人会出演の汗水節）

<実践発表>
青年会活動を活発にするための部活動の強化について
　　　玉城村青年連合会　副会長
　　　　　　　　　　当山美知子
(1) 各部の活動
　ア、文化部
　　高度に発達した産業構造や巨大なマスコミ、複雑な社会機構の中で、人間はますます孤立化し、人間性が失われつつある。二度とない青春を有意義に過ごし、会員相互の親睦をはかるために、レクやスポーツ等を通じて青春をより豊かなものにするとともに、民族的な伝統ある文化を守り、青年の力で健康な文化の創造に努めるという基本方針のもとに次の事業を実施した。
　　①、ピクニック　②、盆踊講習会
　　③、盆踊り大会　④、推進懇談会
　　⑤、ダンスパーティー
　　⑥、青年祭　　　⑦、成人式
　イ、産業部
　　産業の近代化を目指し、その技術を高めるために、進んでその習得に努め生活と結びついた、生産活動をとおして、産業の振興を図るという基本方針のもとに次の事業を実施した。
　　①、産業視察　②、菊栽培講習会
　ウ、女子部
　　職業をもつ女性が年々ふえ、多忙のため、ともすると女性らしさを失ってしまう。忙しい仕事の余暇を利

用し、私たち女性の生活を向上させ、そして知識をより高めるため下記のことを行なう。
①、手芸講習会　②、料理講習会
③、女子研修会
④、婦人会との懇談会
エ　体育部
　青年のほとんどがスポーツを好み生活化している青年会においても、体育活動は大きなウェートをしめている。それで全会員が楽しく参加できるように企画運営を考え、スポーツを通して会員相互の友和と親睦を深め、さらに個々の健全な心身の発達をはかるという方針のもとに、次の事業を行なった。
①、排籠球大会　②、駅伝大会
(2)、実態調査とその考察
　玉城村は、18部落からなり、そのうち青年会活動をしている支部は14部落です。残りの4部落は、部落が小さいうえに年々青年が減少し、会活動が困難な状態となっている。村全体でも青年の減少が著しく、会活動に支障をきたしつつある。
　減少の主な原因は、次の点である。
①、本土就職者の激増
②、職業の広域化、多様化。
③、会活動に魅力を失なう。
これらの要因を解決し、会員減少による青年会の停滞からの脱脚をはからなければならない。
　そこで上記①、②の要因は、沖縄全体の社会現象であり、青年だけの力で解決できる問題ではないので、ここでは③の青年会活動に対する魅力の問題について検討することにした。
ア、青年の意識（調査結果）
①、青年会活動への参加状況
　平均参加率が57％程度で、問題である。会員が積極的に参加するに、会活動に魅力をもたせるように努める必要がある。
②、余暇をどのようにすごしているか。
　テレビ、映画、パチンコが37.2％、読書6.6％、スポーツ7.1％、手芸4.1％、盆栽4.1％その他となっているが、テレビ、映画、パチンコの受動的のものが37.2％、能動的な趣味活動が低率になっている。サークル活動による、能動的余暇活用が望まれる。
③、サークル活動をやりたいか、「はい」と答えたのが77.7％もいる。青春を有意義にすごさせるに

は、青年会活動におけるサークル活動の役割は大きいものがある。
④、青年会でやってもらいたい活動
体育レク41.8％、キャンプ16.3％、話し合い15.4％、政治学習5.6％、奉仕活動2.8％、考えたことなし6％、その他となっている。
⑤、学習したい内容（女子）
ダンス40.6％、料理31.9％、洋裁21.7％、生花5.8％
④、⑤の結果から、体育、レク等の平易な慰安的なものを求めている。

婦人会活動について
発表者　北谷村婦人会長
　　　　　　　稲嶺　芳

下部組織における学習活動の推進について

1. 婦人会の現況について
会員数　1,360名　80％の加入率。
桃原1、3区、謝苅1、2、3、4区砂辺区、北前区の8つの下部組織から成る。
75％以上が軍用地で基地経済の中での不安定な生活から教育立村を目標に掲げる村政にタイアップして婦人会も「教養を高めて、婦人の地位を向上しよう」の目標をかかげて諸活動にとりくんでいる。

2. 学習活動について
1970年度中部連合教育区の研究指定を受け、学習活動の充実をめざした。
。家庭生活の合理化と貯蓄推進
。健康安全と食生活
。青少年健全育成と家庭教育
。親睦のためのレク研修等、学習形態も討論形式をとり入れ活発さが出てきた。

3. 実践活動について
(1)、新生活実践活動
冠婚葬祭の合理化、簡素化を重点目標として運動を展開してから9年目で定着している。
(2)、青少年健全育成
。教育隣組とのタイアップによる休み期間中の夜間補導。
。交通事故から子供を守る母の会による毎朝の交通整理をして10年になり、無事故である。
(3)、貯蓄推進運動
貯蓄財源の捻出法は、①家計簿記帳による節約、②値引商品の購入、③1日10仙以上貯金、④共同購入、⑤内職による収入、⑥味噌の共同仕込みによる経費軽減であり、2ヶ年

半の貯金総額は1万1千弗である。
4. 今後の課題
　中年層にかたよりがちな組織でなく、若妻層、高年層にも呼びかけ年令層別グループを組織して、末端の会員までパイプのつながった自主的な会活動を展開することである。

**公民館における部活動について**
　　　　金武村字中川公民館
　　　　　社会厚生部長　我謝憲勇
1. 社会厚生部の活動について
 (1) 家庭の衛生環境改善
　　○便所風呂の改良…各家庭の財力に応じて改善
　　○各家庭の一斉消毒
　　○保健講座の開設　○ガン検診
　　○ツ反、検血、レントゲン検査
　　○血圧測定

※便所と風呂の改善調べ

| 項目<br>年度 | 水洗便所 | 1槽～3槽 | その他 | 風呂 |
|---|---|---|---|---|
| 69年 | 1 | 92 | 33 | 20 |
| 70年 | 1 | 107 | 17 | 40 |

 (2) 花いっぱい運動
　　○木麻黄による庭園づくり
　　○菊の鉢植計画……生改グループと協力
　　○生改グループ員の庭園審査
　　○公民館周辺の美化作業区民総出
※花は人の心をやわらげ目と心を楽しませ、区民が花のような美しい心を持ち、家庭や部落を美化していくことにて、青少年を健全に育てようと花いっぱい運動を推進してきた。現在で

社会教育功労者として表彰された人たち

は各家庭に庭園ができ、部落民も花づくりに関心をもち、小中学校の児童生徒も花づくりにたいへん関心をもって親子が花づくりすることにより、青少年の健全育成に大きく役立っている。
(3) 区民運動会
  ◦ 目的 (1) 運動場への愛着心の培養
       (2) 区民の親睦
       (3) 公民館の啓もう
       (4) 青少年の健全育成
  ◦ 区民運動会実施後の区民の感想
       (1) 区民がてきぱきと、責任をもって役割を果して良かった。
       (2) 区民の親交が深まり、協力心が高まった。
       (3) 公民館活動に対する区民の関心が高まった。
       (4) 今後も毎年続けてもらいたい

## 小中高校における交通遺児の実態

自動車数の増加は近年とみに著しいものがあるが、それに比例して交通事故も関係者の努力をよそにふえる一方のようである。交通事故は被害者本人にとって痛ましいものであるが、自活能力のない子どもの場合、その保護者が交通事故で死亡するようになると、突然に不幸のどん底に放り込まれることになり問題が大きい。そういう交通遺児が全沖縄でどれくらいの数になるか、1971年5月15日現在で文教局保健体育課の調べた資料によると次表のとおりである。

|  |  | 計 | 北部 | 中部 | 那覇 | 南部 | 宮古 | 八重山 |
|---|---|---|---|---|---|---|---|---|
| 総 | 計 | 283 | 20 | 103 | 59 | 27 | 19 | 18 |
| 小学校 | 男 | 81 | 11 | 31 | 16 | 9 | 9 | 5 |
|  | 女 | 74 | 5 | 28 | 20 | 8 | 7 | 6 |
|  | 計 | 155 | 16 | 59 | 36 | 17 | 16 | 11 |
| 中学校 | 男 | 47 | 1 | 23 | 11 | 8 | 1 | 3 |
|  | 女 | 44 | 3 | 21 | 12 | 2 | 2 | 4 |
|  | 計 | 91 | 4 | 44 | 23 | 10 | 3 | 7 |
| 高校 | 男 | 14 |  |  |  |  |  |  |
|  | 女 | 23 |  |  |  |  |  |  |
|  | 計 | 37 |  |  |  |  |  |  |

兄弟の数別遺児数

| 兄弟の数 | 1人 | 2人 | 3人 | 4人 | 5人 |
|---|---|---|---|---|---|
| 遺児の数 | 137人 | 88人 | 45人 | 8人 | 5人 |

## 教職を去るにあたって

# 教職回顧

元今帰仁中学校長　島袋喜厚

　去る三月勧奨退職の恩典に沿し、感謝している者でございます。柄ではありませんが、短い文を綴って、御指命にお答え致します。

　昭和2年から44年間も職にありましたが、何らの業績もなく恥じいっています。然し反面「よく頑張ってきたではないか」と自ら慰める点がないこともありません。先輩、同僚、教え子との温い数々の思い出、軍閥、官僚の下での教職の息苦しさ、青年学校の軍事教育、戦後は廃墟からの建設の一歩一歩、郷土のためやむにやまれぬ政治活動など、憶い出は豊富であり、憶い出話としては楽しいものでございます。

　昭和10年頃までは、おちついた世の中で、教員の生活もあまり悪くありませんでした。その後、支那事変、大東亜戦、米軍による沖縄占領、終戦、戦後と、私の場合、子どもが多いせいもあって、実に苦しい生活が続きました。最近3、4年は食える給料になったと感じます。貯蓄をするにしても、今の1年間は、経てきた年々の10年にも匹敵するのではないでしょうか。歴史的復帰を目前にして、1年でも長くねばる方がよいように思われますが、恩給や年金などもよくなったので、安んずべきだと思います。

　若い現職の方々にとっては、上に年輩の方々がつまっていて、昔のように早く昇進ができずもどかしいのでしょうが、待遇面では大いに希望がもてると思います。教職の重要性から待遇は益々改善されるでしょう。その反面、教職のきびしさは年々加重されるに違いありません。特に復帰に伴って、ここ4・5年はきびしいものとなるのではないでしょうか。なまやさしい研究や努力では対処できないと思います。教育の力こそ沖縄振興の力。沖縄のことは今後とも苦難を覚悟しなければならないでしょうが、現職の方々が益々希望に燃えてまい進されるよう祈ってやみません。

# 40数年の教職を去るに当って

元開南小学校長　阿波連　宗　正

　終戦後の日本教育は6・3・3・4制の教育として発足し、沖縄もこの制度を踏襲し教育することになったが、文字通り灰じんの島と化した沖縄で、制度は本土同様といっても総てが無の状態から出発せざるを得なかった。

　校地は焼土と化した土地はあっても、校舎は米軍から支給されたテントが与えられたばかりで、机腰掛もなく、石ころの地べたにしゃがんだままの授業であった。教科書はガリ版刷りで、黒板は黒ペンキ塗りのベニヤ板、白墨は太い米軍からの支給もの、ノートは印刷物の裏側利用の自家製、鉛筆は後で支給されたもののこの時点では皆無。これだけがやっとで、その他の教具備品は集めようにもその方法がなかった。台風が吹けば一晩のうちにテントは吹きとばされる状態で、こうした繰り返しが数年続き、我々住民の住居もテントから茅葺きに変り、食生活も徐々に変りつつある頃に屋良朝苗先生の本土においての「沖縄の学校校舎復興」の大運動を全国行脚による大絶叫が功を奏しつつある頃に、米軍政府もやっと目覚め校舎復興に力を入れ現在使用されている永久校舎に変り、屋良先生の叫びにより集められた国内寄附金は教具その他教育用具購入費に当てられ沖縄全土の学校に愛の教具として現品が分配されるようになって学校らしい学校になったのであるが、戦禍による消滅はまだまだ復興にまでは程遠いものがあった。

　現場教師の養成、生存教師の生計の不如意等で、教育の人的資源不足も実に探刻なものがあった。

　兎角戦後の沖縄教育界は実に茨の道そのものであった。教える者、教えられるもの、その背景にいる住民も共に戦後の犠牲まで強いられた状況であった。今後の沖縄はみんな共に幸福を摑み取らねばならない。そして今後の沖縄の教育者は他県にまさる立派な教育活動によって、明日をになって立つ児童たちの育成に精出していただきたい事を念願しつつ拙い筆をおきます。

# 足　跡

比　嘉　み　ち

△はじめに

すきで此の道を選び、生来恵まれた健康と多くの方々の善意に支えられて此の道一筋に歩み続けて来た今、さて教え子たちは私の厳しさと愛情の苗床で何を心の糧とし、どう育っていったか心に残るものは何か考えてみた。

△教師としての生きがい

40余年の足跡をわずか二枚の原稿用紙にまとめることは難しい。医学の道に励んでいる教え子からの手紙の一部を借りて記すことにする。「僕が小学校の頃先生におこられたこと親切にされたことを思い出す度に嬉しい楽しい気持ちになります。その事について考えた。そもそも教育という事は家庭の延長に過ぎない。教育が単に知識を教えるのみに終るならば決して一人の人間をも正しく育てる事はできず一人の人間の能力を引き出すこともできない。教育という語を英語では『エデュケイト。』という詞はラテン語で『管から引き出す。』ということだそうです。その点から考えれば自分は人の情というかやさしさというか、そういったものを教えて下さったのは先生であると思っています。その意味に於て自分は大きな教育、人生の大事なものを先生から得たと感謝しています。」つくづく此の道を選んでよかったと感ずる一こまである。

△教師としての心の傷み

軍国主義の波におし流され国のために命を捧げる事を尊い事、美しい事と教え多くの教え子を靖国神社に姫百合塔、健児の塔へと送り多くの妻、母を泣かせた心の傷み

　弾はつき糧またつきて健児等が
　　果し岩かげ蟹ひそやかに
　いとし子よ南の果ての岩かげに
　　潮騒聞きて今宵も眠るか
　夫(つま)よ帰れ吾子よ帰れと呼べども
　　答(いらえ)はなくて　松風わたる

△むすび

教育は創造であるという。後に続く先生方が厳しさと愛情の苗床で平和創造への芽を育て明るく楽しく輝かしい世界平和の花を咲かせていただく事を念じてペンをおく。

# 小学校教材にあらわれた音楽教育、
## 指導へのアプローチの相違について

— 日本とアメリカの場合 —

琉大講師　伊志嶺　朝　次

　本研究の主旨は、わが国とアメリカを対象として、両国で使用されている音楽教材の比較分析を通してそれぞれの相違点を明かにしていく過程で、今後のわが国における音楽教育のなお一層の改善の資料を得たいとの希望によるものである。

　比較の方法としては、直接には二年と五年の教材によることとし、他は必要に応じて参照した。なお、使用した資料は最後にまとめることにした。

1. まず教材の数や範囲についてみた場合、注1ここ2、3年の間に沖縄地区で使用された教科書（新教書も含めて）では、二年を例にとると平均して約50曲ぐらいが一つの教科書に収められている。注2この数は、高学年では学習内容の増加に伴って40曲以内に減っている。この数は指導要領で示されたその

注1.　ここでは鑑賞教材は除く。
注2.　新教書ではその数は減っている。

学年で履修すべき最低曲数の約2.5倍の数にあたる。因みに、新指導要領で示された各学年における最低履修曲数は、それぞれ3曲づつの共通教材を含めて一年で18曲、二年で16曲、三四年で15曲、五六年で11曲となっている。参考までに、一年間の各学年の時間の割り当ては一年が102時間で、二年以上六年までは70時間となっている。わが国の場合、指定された一つの教科書に全面的に依存するという強い傾向があるから、教師は教科書に用意された30曲から50曲ぐらいの教材を手許に音楽の指導を行うことになる。ただしここで考慮すべきことは、わが国に於いては指導要領で示された音楽科の目標に到達するために、各教師がランダムに資料を漁るより、学習効果をあげるのにより精選された教材を用意する、という配慮がなされているということである。

　このようなわが国の実情に対しアメリカの場合、学年による教材数の増減はな

く、5種類の異った教科書でいづれも100曲以上の教材が収められている。更にわが国とちがって、教師は約2、3種類の異った教科書を同時に並行して使用することができるので、年間の教材消費量との関係なく、実に多くの教材源をもつことになる。こうした豊富な資料の中から、教師は自己の信念や学習活動内容に従って教材を自由に選択できる仕組みになっている。

またわが国では、教育の理念とか各教科の目標は国が定めるので教科書の編集方針もそれによって方向づけられるわけだが、アメリカの場合はそういうことがなく、各教科はそれぞれ異ったアプローチをとりうるし従って編集方針がちがいうるので重点のおき方が教科書によって異り、それがそのまま各教科書の特色となっている。例えばある教科書は音楽のしくみの理解を強調し、他の教科書は音楽現象の幅広い経験ということを主体に編集されているといったぐあいにである。その他、領域の区分の仕方も一様ではない。特にわが国の場合とちがう領域をあげると、Responses to Rhythm (身体反応によるリズム指導)、Creative Activity (創作的音楽活動―遊戯) などのほか厳密には領域とはいい難いが Making Your Own Instruments などというのもある。注3

次に、範囲について現行の一年の教科書と This is Music を比較してみよう。まづ児童の生活と関連する経験領域に従って分類してみると、大体次のようになろう。即ち、わが国の場合、国のうた、地方のうた (民謡、わらべうたなど)、外国のうた、まゝごと、遊戯、季節、どれみのうた (読譜準備)、お話 (物語り)、動物、野山・自然、お隣り近所、家庭、祝祭日、童謡・童話、美しい (ととのった) うたの如く分類できそうである。これに対して This is Music の場合、以上のような領域を大体包含した上で、ゆかいなうた、愛玩用動物のうた、ダンス曲、その他ドラマ化のための曲、リズム活動のためのうたや曲などの如く、もう少し広範囲にまたがっている。とくにアメリカの例では、リズム活動や創造活動のために意図された教材が特別に用意されているのが特長である。

その他、わが国では諸外国の音楽については、小学校課程では目標の中に入れられてないが、アメリカでは小学校でも外国の民謡がかなりの範囲でとり入れら

注3. 簡単なリズム楽器を工夫させる程度だが、それでの演奏が大事である。

れている。しかもそのうちのあるものはそれぞれの国の言葉でうたわれるように意図されている。地域的にも西洋諸国を含めて日本、中国、朝鮮、アフリカ等にまたがっている。それに較べて日本の場合は中学においてすら、ほとんど全面的に西洋諸国の音楽にかたより、お隣りの中国、朝鮮、その他の東南アジア諸国の音楽が取り入れられていない。指導要領では地域の指定や制限はないのだから、この点はぜひ改善されるべきである。

　2．次に、わが国における音楽指導では単純なものから難解、複雑なものへという学習理論に忠実すぎるきらいがあるが、アメリカの場合は、一応その過程をたどりつつももう少し柔軟な考え方をしている。この事実は、調子、拍子、音階、鑑賞曲の扱い方によくあらわれている。わが国の例では小学校で取扱われている調子はC、F、Gとその関係短調に限定されているが、注4アメリカの教材ではCFGを主体としつつも、その他の調子も広い範囲で取扱われている。次はその比較の一例である。（注―大文字は長調、小文字は短調、数字はその調でかか

注4．読譜指導を目的としない一、二年の教材では勿論例外はある。

れた教材の数）

教出二年（46年）
　$C_{14}$　$F_{16}$　$G_4$　$D_1$　$B_1$　$h_1$　$c_1$　$g_1$

Exploring Music　二年
　$C_{18}$　$F_{17}$　$G_{18}$　$Es_6$　$E_3$　$Des_2$　$e_2$　$f_2$　$d_2$　$Ges_1$　$g_1$　$fis_1$　$A_1$　$As_1$　その他長短調によらないもの5曲

以上のようになっている。更にわが国ではハ長調、ヘ長調、ト長調の順に学年に従って配列されている。

　拍子についても日本の場合は2/4、3/4、4/4、6/8の4つに制限されているが（六年では3/2を加えてもよいとなった）、アメリカの例では一応重点に取扱われるべき拍子（大体日本の場合と同じ）はあるにはあっても、必ずしもそれにこだわらずにいろんな拍子をとり入れている。

　鑑賞教材については日本の例では、一般に子供らしくてかわいらしいという感じのポピュラリティのある曲が目立ち、より高度な形式や編成による曲は非常に少い。従ってより常識的な難易度に従って配列されている。また、小学校のレベルでは、いわゆる現代的作品はとりあげられていない。他方、アメリカの鑑賞教材では、それ程難解なものでなければ現代作品もとりあげられている。例えばExploring Musicの二年の教科書では、

ジョン・ケージのような前衛作曲家の作品（絃をゴム、木片、金属片で仕かけたピアノで演奏されるダンス曲）やショスタコビッチ、ストラビンスキー等の作品がみられ、五年の教科書ではシェーンベルグの絃楽四重奏曲がとりあげられている。これら、特にシェーンベルグの作品は一般にわれわれの目には難解で、鑑賞指導のより高い段階で取扱われるべきものと考えられるものである。

この項で問題にし得ることは、単純から複雑へという学習理論がどの範囲で実際の学習に適応されるべきかということ以前に、一体われわれは3/4拍子が2/4拍子より難かしく、ハ長調音階はへ長調やト長調音階よりやさしいということが果して立証できるかどうかということであろう。

3.次に両国の教科書でもっとも異る点は共通教材の有無であろう。つまり、わが国で必修教材の指定があり、アメリカの場合はないということである。また拘束性はないが、どの教科書でも重点的に取扱われるべき（あるいは取扱われることがのぞましい）教材というのが示されている。そのような配慮の結果、地域差とか環境差というものをできるだけ少くして、**全国的により平均化された水準を**保つという役割りをも果すことになる。そもそもわが国の義務教育では一つの教育政策により一つの目標を目ざすことにより、学力平均化への努力がある。その点アメリカでは大いに事情を異にしている。すなわち、アメリカの場合は、例えば各教科間のバランスや目標はそれぞれの教育ブロックで別々に定められるため、共通教材的な考え方をもち得ないであろう。例えばある教育ブロックでは、**PTAの要望で科学系の教科が強調され、**そのしわよせが芸術教科にくることがありうるし、逆に、他教科の時間数を調整して音楽に力を入れることもできるわけである。ここでいう強調とは時間数のことで、設備の優遇措置ではない。（一般にはそれも伴うだろうが）この辺のちがいは国の教育行政機構の相違によるのであろう。ついでに、ここでクラス形態のちがいも招介しておくと理解がしやすくなると思う。アメリカの場合、普通の音楽のクラスの他に合唱、バイオリン、ピアノクラス等がそれぞれの学校の事情によって提供されていて、通常の音楽のクラスと並行して行われる。もちろんこれらのクラスは選択である、正規の校時に提供されるのをたてまえとしているが、実際には放課後の時間に組まれることも

ある。この場合は外見上は特活的性格をもつが、一般のそれとちがう点は、ここでは原則として評価が行われている。正規の校時内にそれらのクラスが組まれるときは、他の教科と競合することになり、そういう場合は他教科の授業中に児童をひきぬくことになる。この点はわれわれの場合と事情を大いに異にしている。

4.その他それぞれの教科書でとくに目につく相違点を列挙してみると―
イ、わが国の教科書では♩♪のリズムフィギュアをもつ教材が非常多い。それらは「こいのぼり」「うたのまち」「ゆき」の如く♩♪のうごきがリズムの基をなしていのでるもある。この種類の教材が全体にしめる割合がかなり大きいことは、次の例でただちにわかる。71年度検定教科書を例にとると、音教図版では♩♪のリズムフィギュアをもつ教材が二年で全25曲中5曲、五年では35曲中7曲。音友社版では二年で34曲中7曲、五年36曲中5曲。教出版では二年で38曲中8曲五年で32曲中5曲と、いづれも約20％の数をしめている。それに対してアメリカの例では、Making Music Your Ownでは二年で全109曲中上例のリズムフィギュアを基本とした教材はわづか4曲であり、

Exploring Musicでは部分的に含むのがわづか4曲あるだけである。反面、アメリカの例では、6/8拍子の教材と一拍目以上から始まる教材が目立って多い。
Exploring Music の二年の例では教材の約半数が一拍目以外の拍ではじまるものである。その点、一、二年ではそうした種類の教材をさけ、三、四年で細心の準備のもとに、いわゆる弱起の曲をとり入れている日本の場合とはちがう。そのちがいは必ずしも背景とする音楽伝統の相違だけによるものではなく、リズム指導や先の学習理論についての考え方の相違によるものと考えられる。

ロ、次に、日本の教材ではテンポの指示にかかわりなく速い感じの曲は比較的少いのにくらべ、アメリカの場合は stately, heavily, broadly, slowly, leisurely, の如くおそい速度の指示は少く、そのかわり gaily, jauntly, lightly, brightly, playflly, freely, happily, lively, merrily の如く明るいテンポの指示が目立って多い。わが国の教材には美しい曲が多くアメリカの教材にはうごきのある楽しい曲が多い、ということもいえそうである。このちがいは民族性とか国民気質とかに大いに関係するのだろう。

以上のほかまだ多くの比較が可能であろうが紙面の制限もあってこれ以降のディスカッションは割愛させていただく。ごく大まかな観察だが、われわれにとって多くの示唆を含んでおり、いくらかでも関係者の資料となりうれば幸いである。

　　　　資　　　料
1. 新訂標準音楽　昭44、45年
　　　　　教育出版社
2. 新版標準音楽　昭46年
　　　　　教育出版社
3. 新版小学生の音楽　昭46年
　　　　　音楽之友社
4. 統合版楽しい音楽　昭46年
　　　　　音楽教育図書
5. 改訂学習指導要領（小、中編）
6. This Is Music
　　　　　Allyn and Bacon, Inc., 1967
7. Making Music Your Own
　　　　　Silver Burdett Co.
8. Exploring Music
　　　　　Holt, Rinehart and Winston, Inc., New York
9. Music for Young Americans
　　　　　American Book Co., 2nd Edition
10. American Singers
　　　　　American Book Co., 1950

―――――――――――――――<>―――――――――――――――

# 1971年度学校基本調査速報

　先に実施した1971年度の学校基本調査のうち、小・中学校の児童生徒数がこの程まとまった。これによると小学校の児童数は、前年度に比べて3,835人の減少である。学年別には、1年918人減、2年1人増、3年968人減、4年641人増、5年2,051人減6年555人減となっており、連合区別には、北部が1,065人減中部1,101人減、那覇61人増、南部554人減、宮古684人減、八重山506人減で北部と宮古、八重山の減少率が大きい。

　次に中学校生徒数は前年度に比べて1,069人の減少で、小学校に比べ減少幅が小さい。これは、1970年度の小学校から中学校までの学年別児童生徒数のうち、小学校6年と中学校2・3年がもっとも多人数であったことと、1971年度の小学校1年生が70年度の1年生よりも少ないためである。

　また、学年別、連合区別の対前年度比をみると、1年1,271人増、2年1,593人減、3年747人減。北部366人減、中部153人減、那覇142人増、南部135人減、宮古372人減、八重山221人減となっていて、小学校同様、北部・宮古・八重山の減少率が大きい。なお、学年別、連合区別児童生徒数は26ページの表のとおりである。（26ページへ続く）

# 罪 と 罰

文教局指導課 中村 洋一

　本土研修中のある日曜日、友人と連れ立って買物の途中、昼食に何をたべようかとの話し合いから久し振りに沖縄そばをたべることになった。さっそく、前にアシテビチをたべたことのある沖縄料理店へ足を運び、その小さい畳み座敷の間で細長い食卓に差し向かいですわり、運ばれた沖縄そばを賞味している時であった。

　従業員とみられる中学校を卒業したばかりの女の子が、私たちの座敷へ上ってきて、何かを捜しているらしく、しばらく横で突っ立って壁のたなを見上げていたものの、目を疑いたかったのだが、足を紛れもなく私たちの食卓にかけたかと思うと、その上に立ちあがり背伸びをして、ごそごそ捜し始めたものである。

　一瞬あまりのことに度胆を抜かれて呆然となったが、知らぬ間に箸を握っていた手に力が入り、「こいつめ、女のくせに」と食卓をひっくり返したい衝動にかられた。

　やっとのこと、それをこらえているうちに、同郷の者であるこの女の子の所作が、沖縄を代表したかのように思われてきて知らずうちに恥かしくなり、本能的に周囲を気づかって見廻したら、幸いにもお客は一人だけで、こちらのことに気付いていないらしいことがせ、めてもの救いであった。

　この無知な女の正視に堪えない行動が、コトコトと食卓を動かす渡ごとに憤りと恥で身がちぢむ思いだった。

　ついに捜し出したらしく、食卓をおりて立ち去る女の子に視線を向けると、自分の無作法などどこ吹く風、さも当然の様子。腹立ちまぎれに、そこの経営者を叱りつけようかと思ったが、そうもできなかった。というのは経営者や当の無知な女の子を叱りつける前にその女の子の両親、親せき、社会人および教育者にその非難の矛先は向けられるのではないかと思ったからである。

　なぜ、このような突拍子も無いことが起るのだろうか―程度こそ違え時折教養あると思われている人びとにさえも。

　ここに沖縄の教育の盲点がある。すなわち、こまかく考えるしつけ、日常生活

のしつけ、勉学のしつけ、きびしさを互いに求める風潮の欠如がそれである。

私たちの生活のなかには、ともすれば人道をめざす基本的な生活のあり方がぼかされ、うわすべりの空虚な生活にはまり込んでいて、お互いがうすうすそのことを気付いていながらも立ち直る力を持ちあわせていないようなものがありはしないだろうか。

復帰にともない、人間の価値に迫り込む、すなわち、きびしさを求める大きな奔流が、この沖縄へ入り込んでくることは必定である。他県では沖縄にくらべ、是は是、非は非とする風潮がはるかに強いのである。

おとなは子どもに模範を示しつつ、すべての人がこのことを強く意識し、長い伝統をもつ真の日本文化を正しく反映させて、日常のいろいろな場に応じてふさわしい言動や反応ができるように、さらには、自己を着着と築き上げる旺盛な生活方の養成と自己を信頼し他人をも信頼することのできるたくましい人間形成へ今後は一段と協力して当らねばならない。

(24ページより続く)

学年別、連合区別児童生徒数（1971.5.1）

(人)

| | | 全琉 | 北部 | 中部 | 那覇 | 南部 | 宮古 | 八重山 |
|---|---|---|---|---|---|---|---|---|
| 小学校 | 計 | 133,495 | 15,880 | 40,039 | 42,882 | 17,253 | 10,332 | 6,792 |
| | 1年 | 21,113 | 2,285 | 6,333 | 7,232 | 2,647 | 1,546 | 1,025 |
| | 2 | 21,893 | 2,355 | 6,657 | 7,436 | 2,649 | 1,638 | 1,104 |
| | 3 | 21,821 | 2,500 | 6,620 | 7,033 | 2,868 | 1,633 | 1,124 |
| | 4 | 22,726 | 2,783 | 6,944 | 7,073 | 2,954 | 1,822 | 1,109 |
| | 5 | 21,989 | 2,700 | 6,550 | 6,935 | 2,903 | 1,742 | 1,110 |
| | 6 | 23,953 | 3,257 | 6,985 | 7,173 | 3,232 | 1,951 | 1,320 |
| 中学校 | 計 | 71,882 | 9,749 | 21,499 | 20,055 | 9,771 | 5,974 | 4,088 |
| | 1年 | 24,402 | 3,202 | 7,322 | 6,898 | 3,270 | 2,050 | 1,403 |
| | 2 | 23,030 | 3,129 | 6,832 | 6,439 | 3,115 | 1,961 | 1,341 |
| | 3 | 24,450 | 3,418 | 7,345 | 6,718 | 3,386 | 1,963 | 1,344 |

&lt;研修報告&gt;

# 統計調査の事務系列について

調査計画課 金 城 克 則

　1970年11月10日教育統計調査の研修テーマで1ヶ月間の本土研修にでかけた。研修先は文部省大臣官房調査課、統計課、新潟県教育委員会、新潟市教育委員会、鹿児島県教育委員会、垂水市教育委員会、それに伊集院町教育委員会である。

研修テーマを大別すると、(1)文部省所管の指定統計の中で都道府県知事部局によって所管している調査統計（学校基本調査、教員調査、学校保健統計調査）、(2)その他の指定統計と指定統計以外の調査統計（業務統計）、(3)各都道府県教育委員会の独自の調査によるものゝ三つに区分して、その事務系列および運用の仕方について研修を行なった。

　現在、沖縄においては戦後20有余年本土との行政分離により琉球政府は国として、または県としての行政が運用されている。

参考までに文部省所管の指定統計と沖縄の教育指定統計を列挙すると次のとおりである。

（本　土）

統計法（昭和22年法律第18号）
文部省所管指定統計
　学校教員調査　　　　　指定統計9号
　学校基本調査　　　　　　〃　13号
　学校保健統計調査　　　　〃　15号
　産業教育調査　　　　　　〃　47号
　学校教員需給調査　　　　〃　62号
　学校設備調査　　　　　　〃　74号
　学校給食調査　　　　　　〃　82号
　社会教育調査　　　　　　〃　83号
　上記諸調査は統計法第3条第2項に基づく指定統計である。

（沖　縄）

統計法（1954年立法第43号）教育統計調査規則
　教育財政調査　　教育指定統計第1号
　学校基本調査　　　　　　〃　2号
　学校保健統計調査　　　　〃　3号
　学校教員調査　　　　　　〃　4号
　学校設備調査　　　　　　〃　5号
　学校給食調査　　　　　　〃　6号
　上記諸調査は沖縄の現行統計法に基づく

指定統計ではなく、教育統計調査規則（1958年中教委規則第7号）による教育指定統計である。

従って、本土復帰すると、これらの教育指定統計は何らの特例措置を講じない場合は、本土法の即時適用をうけると思われるが、本土でこの調査統計がどのように事務系列化されているかを概説してみたい。

先ず、前述したように指定統計の中で特に都道府県知事部局で所管しているものとして、学校教員調査、学校基本調査、学校保健統計調査がある。これらはいずれも文部大臣の承認を得て、その事務系列を変更することができるようになっている。（統計法第17条）

新潟県教育委員会と鹿児島県教育委員会は指定統計第13号学校基本調査は知事部局で実施しているが、その調査項目にふくまれない次の7項目については県教委独自で調査している。

1. 教育扶助等をうけている児童、生徒数
2. 通学距離別、児童生徒数
3. 特殊学級の学年別、理由別児童生徒数
4. 前年度間の転入転出の児童生徒数
5. 校長の兼務状況
6. 制度上一部学年が本校に通学する分校の状況
7. 小学校第1学年の児童のうち、幼稚園、保育所等の修了者数

また県教委に対して知事部局で実施している学校調査票は知事部局に集った段階で県教委に1部送付され、学校数児童生徒数、学級数等については知事部局と県教委との間で調整し、かつ集計して文部省の審査をうける際に参考資料として県教委にも送付する仕組となっている。

県教委では上記の調査事項と知事部局における指定統計の調査票をふくめた詳細な項目にわたって調査集計し教育行政資料として活用している。

経費については知事部局は委託料（補助金）と交付税でその財源が保障されているが、県教委は独自の予算を計上しなければならない。

次に学校教員調査（指定統計9号）も同じく知事部局で実施することになっているが、現在は教育需給調査（指定統計62号）の一環として調査されている関係上、知事部局で実施せず、県教委で実施している。

学校保健統計については学校基本調査と同様の事務系列であるが、文部省の場合、サンプル調査を実施しているが、県教委では悉皆調査をしている。

次にこれらの三つの指定統計以外の指定統計は、文部省としては県教委の調査統計課で実施すべきだとの意見であるが、学校給食調査（指定統計第82号）は内容的に特殊な調査になっている関係上、新潟県、鹿児島県教委も保健体育課で実施している点は沖縄も同様である。

これらの調査系列については、県教委—市町村委員会—学校現場となっていることは、ほゞ沖縄においても同様であるが、その個々の系列については資料として別に扱いたい。

更に指定統計以外の調査としていくつかの調査項目を後程述べるとして、毎年実施されるものと、そうでないものがある。地方教育行財政調査は財政調査のみについて沖縄においても1955年から毎年継続実施しているが、文部省の調査項目に準じて調査しているので財源別で文教局補助の欄を国庫補助金と県支出金に区分することになる。特に沖縄の場合、市町村支出金に給食負担金も公費として含めている点は今後検討する必要がある。

父兄支出調査は従来3年毎に1ヶ年間の経費調査を実施していたが、現在では都道府県を三つのグループに分けて、しかも10月の1ヶ月間の調査になっている。

ところで、これらの指定統計以外の調査統計（業務統計）は文部省により実施されるもので各都道府県教育委員会、市町村教育委員会においては独自の予算を計上しなければならない。

これに対して文部省では各都道府県教委の予算編成前に次年度に実施予定の調査統計項目については資料提供することにより、文部省—県教委—市町村委員会の予算編成事務がなされている。これらの業務統計の実施にあたっては若干の委員等旅費と集計事務経費が支出委任の方法で交付されている。参考までに鹿児島県教委の昭和43年〜45年の資料をあげると次のとおりである。

| 調査項目 | 昭和43年 | 44年 | 45年 |
|---|---|---|---|
| ○行財政調査 | 57,100円 | 67,100円 | 71,000円 |
| ○父兄支出調査 | 35,300 | 53,300 | |
| ○職場における学歴構成 | 77,900 | | |
| ○学校環境と学校特性に関する調査 | | 30,000 | |
| ○幼児教育に関する実態調査 | | | 27,600 |
| ○特別教育活動に関する実態調査 | | | 78,000 |

次に都道府県教育委員会の独自の調査項目をあげると次のとおりである。
（鹿児島県教育委員会）
1. 公立高校入試関係調査
   志願登録者数、志願者数、受検者数を調査して学力検査報告書を発行。
2. 教育基本調査
   児童、生徒数等の調査を知事部局統計課実施の学校基本調査の附帯調査として実施し、集計して行政資料第1部を発行
3. 中学校卒業予定者の進路希望状況調査
4. 教員構成、異動調査
   県内公立学校の教職員の職名、性別、年令、勤務年数、免許状の所有者と教科担当状況調査。
5. 高等学校卒業予定者の進路希望状況調査。

（新潟県教育委員会）
1. 学校要覧
   学校基本調査の結果から地区別、市町村別、学校別、児童生徒、教員、学級数等を集計する。
2. 高校入学状況調査
   県内高等学校の男女別入学状況、県内、県外別入学状況を調査する。
3. 大学進学状況調査
   高校卒業者のうち、大学、短大等への進学状況を学部別に調査する。
4. 本務教員構成調査
   公立の幼小中高等学校の本務教員の構成状況（男女別、学歴、免許、教職年数、担任教科等）調査する。

＜集計事務の処理状況＞

本土においては種々の調査が年間を通じて実施されている。それにもかゝわらず調査の提出期限が厳守されていることに感心した。

例えば、鹿児島県教育委員会は私の研修期間中に特別教育活動の調査集計事務をしていたが文部省への提出期限が12月15日で、それに対して県教委の集計事務は12月4日に完了し、12月5日に文部省に出向き審査をうけている。

調査関係は新潟県教育委員会でも同様なことがいえるが、集計事務が速かに行われ、教育行政に活用されている点は、今後沖縄でも大いに研究し、かつその態勢に即応できるような組織の研究が急務な課題と思う。

沖縄の場合、市町村教育委員会は非常に零細委員会であるが、本土においても同一事情にある委員会が多い。これに対

して本土では一部教育事務組合又は共同設置の教育委員会をつくり、事務の能率化を計っている。（沖縄の現行の教育委員会法では教育委員会の事務統合はできない）

　沖縄のように避地性の多いところでは市町村合併もあまり順調ではないし、例え市町村合併をしたとしても、本土の標準規模より遙かに小規模になるので1972年の本土復帰までに一部教育事務組合制度または共同設置の教育委員会制度の設立について検討することが当面の課題と思う。

　　　　（参考資料）調査系統
○　学校基本調査（指定統計13号）学校保健統計調査（指定統計15号）

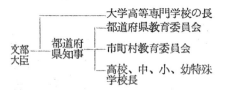

○学校設備状況調査（指定統計74号）

○産業教育調査（指定統計47号）

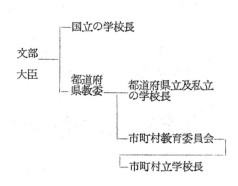

○就学援助に関する調査

○特別教育活動に関する調査

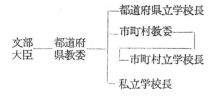

○地方教育費調査

<学校紹介>
# 樹海の中に浮ぶ高江小中学校

調査計画課長　松　田　州　弘

## 樹海の中に

　那覇から車で四時間、東村の福地川を渡ると道はしだいに細く、雑木林の中をぬけるようにだんだら坂が続く。

　やがて、大泊の部落に入ると、海岸づたいに海抜百メートルほどの丘のおねづたいにくねるような道である。このあたりから高江小中校の校区に入る。

　快晴の空をうつして海はあおくひろがり、南東の風にのって砂浜によせる波模様は、まばゆく白い。

　遙かに、伊湯岳、与那覇岳が西北の空になだらかな姿をみせ、それにつづく波浪状の山々は初夏の日をうけて青々として文字どおり樹海のひろがりを感ずる。

　この樹海の中に、観光船でも浮んでいるようなたたずまいが、これが1969年に新校地に移転したばかりの高江小中学校の清楚な姿である。

　明治41年に川田校の分校として創設されてから、60有余年、三年前まで、新校地から700米はなれた新川のおちくぼんだ谷間にあった。川ぞいの急斜面にたった校舎は老朽化して、その上校地は教育の場としての諸条件もわるく教育委員会や、地元父兄の要望があって新校地への移転にふみきったわけである。

　3年しかたたない校庭は、四面の山々のしたたる緑とは対照的に赤土の山肌が白日にさらされて何となく、落付がない感じである。

## 清楚な校舎

　校門をぬけて、一歩表玄関に入るとみがきあげられた濃いみどり色のタイル張りの廊下に目をみはる。全く予想だにしなかったことである。

　すべてが小じんまりとととのえられている上に、各教室の入口に備えられた生花や、宿直室、給食室、図書室、応接室等、すべてが、清潔に管理されている。壁面もタイル張りで、大型の便器のある便所など、政府立の福祉施設を思わせる

ほどである。応接室のソファーに腰をおろして、上江洲校長先生や、職員と話し合っていると、昔、高江新川の山原のイメージは一かけらもない。墨痕たくましく書きあげられた「開拓」という掛軸の大文字は、60余年の歴史を背景にして、今進みつつある校区の息吹と、前校長平敷善徳氏がへき地教育に傾けた熱情がしのばれる。

## 過疎地帯

窓ごしに見える美しい樹海は、寂として静まり、そこには、ひっそりとした人気のない過疎地帯の、底しれない静けさを感じないわけではない。

このあたりは、ほとんどが国有地であり、校区20万アールの総面積のうち村有、1万6千アール、私有地、1万8千アール、字有地4千アールとなっていて、私有地は1割にもみたない。これはこの校区の開拓の要因でもある。

校区内の戸数41戸、人口は186人、児童生徒は小、中計58人である。

校区は通学距離4kmの大泊区、2.2kmの車区が遠く、新川区は800メートル、中道区が300メートルほどでもっとも近い。学級編成は、1年2年3年の複々式1学級10人と同じく複々式の4年5年6年の16人の2学級である。
中学校は、1年2年の複式1学級（15人）と3年7人の単式学級の2学級である。

高江校も過疎地帯の例外ではなく、生徒数も、年々減少し、5年後は小学校で18名位になると推計されている。

しかし乍ら、今後、道路の舗装整備

や、山地産業の開発、観光事業等の産業構造の変化によっては、その推計を裏がえしすることも考えられよう。

主産業は、竹、丸太、薪炭等の山出し最近はパイン畑も開墾され、茶園も五ケ年計画で開発がすすめられているという。また、福地川のダム工事への出稼ぎ労務も現金収入の一つになっている。

すでに電化も進み、テレビ、ラジオ、冷蔵庫、洗濯機、アイロン、扇風機など、各々全世帯の50％〜80％の普及率である。上江洲校長のお話しの中で意外だったことは、この地域にとって大切な送電線が度々盗難にあい純朴な地域の住民を困らせているということであった。まことに慨歎に堪えない話である。

## 地域ぐるみの学校経営

校長他八名の教職員のうち、当校在職4年目の職員が3人、3年目が1人2年目は2人、3人が今年はじめての職員である。

働き盛りの上江洲校長を中心に、教育歴25年、10年、8年、3年等、経験豊かなすばらしいチームワークである。上江洲校長は、「学校は校区41世帯の人々にとって、生活の張りを与え、人々の心と心とをつなぎとめるための重要な役割を背負っています。

例えば、学校行事の実施にあたっても、この地域全体の社会的行事という意味も含めて、いろいろ工夫しています。今後は、もっと各区に学校が積極的に呼びかけて地域ぐるみの学校経営にしていきたい」と語る。

生徒のいない家庭もP.T.A.の会員であり、学校のことについて、いざ鎌倉という時は、我先にと極めて積極的であるという。

「生徒の非行なんていうことは全然ありません、競技もすればみんなが選手ですよ、毎日の学習でも、遊びでも一人一人がたいせつな友達ですからね生徒指導上の問題点として、強いてあげるならば、問題意識が低いということではないでしょうか。」と先生方は語る。うらやましい話である。つくづく児童、生徒の非行は、都市公害、学校マンモス化公害なのだろうかと思う。

「みどりの山脈水清く太平洋の風香る東の空にほのぼのと輝くわれらの高江校」と校歌の一節にあるように、たしかに、新校地から眺める暁の景色は、想像するだに言葉ではつくせないすばらしいものだろう。

同伴して訪問してもらった北部連合区の宮城次長が、当校在任中に植樹された

かいづかいぶきが、丈余ものびている校長住宅を後にして、帰路についたのであるが、校長先生、職員、児童生徒、住民、新校舎、山脈、などが、一つの輪になって、頭の中をぐるぐるまわるように追想される。

校長先生の地域ぐるみの学校経営に共感を覚えるととも、郷土の開拓に、何かをみつめて、進んでいる高江小中学校に拍手をおくる次第である。

## 過疎化の中で力強く生きる

—楚州小中学校訪問記—

調査計画課　広報担当　　豊　島　貞　夫

校長　大城徳次郎先生

与那―安田横断道路に較べ、安田―楚州間は道巾も広く、傾斜もゆるやかで路面の状態もすこぶる良い。陸の孤島という感じは今ではうすく、沖縄本島東海岸を走る13号線に面し、楚州の部落はひっそりと静まりかえっていた。

長い旱ばつで水のほとんどない川に橋脚がやけに高いコンクリートの楚州橋が、何となく周囲の景観と不調和である。部落と川をはさんで南側の丘の上に楚州小中学校は立っているが、13号線から校舎を直接みることはできず道路わきに丸太棒が立って学校所在の案内をしている。

児童生徒1人当り図書冊数1.27冊、校舎面積19.4m²、1学級当り児童生徒数小学校6人、中学校15人、教員1人当り生徒数小学校4人、中学校4人と書いていると、いかにも恵まれているようにみえる。確かにこの点では恵まれているのであるがそれは過疎化からきたものであり、生徒の中には学校の将来について次のような作文を書いている。

### 廃校に思う

中2年　新城　正紀

緑の山、谷間のすんだ水。ようようとした自然に恵まれた私達の学校。そうして今は、木々もみづみづした芽を出して、小鳥も楽しく歌っています。

そのころ3年生は義務教育のかど出を

祝おうとしています。この9か年間郷里の学校で頑張ってやってきた。いや終える日がひましに近づいて来るのであります。そして彼らが卒業していくと、残された生徒は26人になるわけです。このような状態でいくとあとあとは学校が廃止されることは確実でもあります。つまり廃校ということになるわけです。

この学校の伝統であった、バレーボールも来学年からは早くも出場することもできないということなのです。いろいろなものが終り終りで、一年一年と、寂しさをましています。「廃校」を、人生の中でいうと「死」というのと同じようなものですから寂しいというのも悲しいというのも当然のことでしょう。しかし、こういうなかにあっても、私達は頑張っているのですいや頑張らなくてはいけないのです。

そうするからには環境というのが大切です。そしてこれからは、これまで以上に生徒と先生が一体となって家族みたいにしてやって行ったら良いのではないだろうか。せめてあとわずかの年を、そして残される私達でやっていかなくてはいけないのです。そういうことを一人一人が自覚して、一つ一つに責任をもち、協力しながら、この学校の歴史を終わるようにしたいものです。そしてこの若芽のように新しい気持で、小鳥のように楽しくこの校庭いっぱいに歌って踊って楽しい学園にして、そして楽しい学園にするために供に頑張って行こう。

（楚州小中学校文集　こだま　昭和46年3月　より　原文のまゝ）

普通の学校の場合、その学校の将来に

（七〇年度北部地区大会で優勝したバレーチーム）

ついてつきつめて考えるこどもはいないであろう。まして学校がなくなるであろうという前提で自分たちの学校生活のあり方を考えるということはないであろう。この作文を書いた生徒の胸中を思うと余りにもいじらしい。

学校沿革によると楚州小中学校は、明治33年7月安田尋常小学校の分校として発足している。場所は現在共同売店のある位置で、今でも庭に礎石が残っている。当時は1～4年の単級学級だったと記されている。その後次第に発展し、大正8年には独立校になり、学級も3学級に増えたが、大正14年5月には村の財政難がもとでまたもとの分校に逆もどりした。そして再び昭和17年に楚州国民学校として独立し、1946年11月には学校の位置を現在の場所に移している。

このような歴史と現実の中で楚州小中学校の教育活動はどのように営なまれているだろうか。

去年10月に赴任した大城校長先生に一通り学校を案内してもらいながら学校概況をうかがう。学校案内とはいっても一巡するのに5分とかからない。グラウンドの先に小高い松林がある、それをぬけるともうパイン畑がつづく。さんご礁の浅い入江の奥の静かな部落と対照をなして、沖合いはるかさんご礁のはてるところは太平洋の波が規則的な白模様をダイナミックに描いて美しい。

2、3年生の複式授業

赴任して3日目に運動会があったこと、在籍が少ないため児童生徒が5、6回も出場したこと、父兄が少ないこと等心細い感じをもたれたようであるが学校の規模が小さいからといって教育の機能そのものに差があるわけもなく教師にとっては常に全力投球が要球される。そういう努力の結実として楚州中学校は北部連合区内でもっとも小規模校でありながら、バレーやサッカーの地区代表として中央大会でも頑張ってきた。しかもチームは3年生全員でもって編成され、いわゆるえりすぐったメンバーではない。メンバーを揃えるのがやっとこで試合途中選手に事故があったらそれきりというぎりぎりの状況でかちとった伝統である。師弟が一体となって心身をきたえてきた成果というべきであろう。もっとも楚州小中学校の教育は師弟の結びつきだけでなく、学区の人々が一体となって支えている。戸数30戸といってもP.T.A会員はそのまた一部であり、「これではしようがないので、全家庭は子どものいるいないにかかわらず、夫婦ともどもP.T.A総会やその他の学校行事に参加してもらっています」と校長先生は話しておられた。そして更に、「もっと親子の対話を深めるような方向に努力したい。8月には公民館も落成の予定であるので、公民館活動を活発にして、学校、家庭、社会が連けいを密にして教育の成果をあげたい」と夢はつきない。

さすがに、過去10年余文教行政の中で社会教育に打ち込んでこられただけに校長先生の意気ごみは熱気がこもっていた。

学 校 全 景

最近のレジャーブームは、この国頭の辺地にもおしよせ、道路の整備と相まって休日にはキャンパー達も多いようである。これらの人々が部落の平和を乱すことになりはしまいかという気がかりなことの他に先生方の問題として、多教科担任、研修、生活の問題等悩みはつきない。

へき地の教育に、もっと日のあたることを念じつつ校門を去った次第である。

学年別児童生徒数と教員数(1971.5.1)

(人)

| 学校別＼学年 | 1 | 2 | 3 | 4 | 5 | 6 | 計 | 教員 |
|---|---|---|---|---|---|---|---|---|
| 小 | — | 2 | 1 | 3 | 1 | 5 | 12 | 3 |
| 中 | 4 | 8 | 3 | — | — | — | 15 | 4 |

<>

## 1971年度新設校（公立）の横顔

学校規模の適正化は教育効果やその他学校管理運営の面から極めて必要なことで、今年度は浦添教育区で、仲西小と浦添小から浦城小学校（校長西原栄正）がコザ教育区で、中の町小と北谷小（従来依託してあった）から山内小学校（校長稲嶺盛孝）がそれぞれ分離新設された。

両校の児童数、学級数、教員数は次のとおりである。

|  | 浦城小 | | 山内小 | |
|---|---|---|---|---|
|  | 児童数 | 学級数 | 児童数 | 学級数 |
| 1年 | 132人 | 3 | 101人 | 3 |
| 2 | 146 | 4 | 123 | 3 |
| 3 | 139 | 4 | 100 | 3 |
| 4 | 136 | 4 | 107 | 3 |
| 5 | 128 | 3 | 91 | 3 |
| 6 | 137 | 4 | 114 | 3 |
| 計 | 818 | 22 | 636 | 18 |
| 教員数 | 26人 | | 22人 | |

なお、公立小学校の学校数は、70年度と比較して、小学校は変化なく240校（新設2、廃校2……網取、由布）、中学校は2校減って148校である。（網取中廃校、阿波連分校が本校の渡嘉敷中に統合）

# 幼児教育に関する実態調査の結果

調査計画課

### はじめに

調査計画課では去年10月に「幼児教育に関する実態調査」を実施した。本土におけるこの種調査は以前から行なわれているが、沖縄では今回がはじめである。就学年令の引き下げ等がとりざたされている昨今、この調査のもつ意義は大きいと思われるが、予算の関係で統計結果をまとめた報告書の発行ができないので、さしあたり調査の概要と調査結果の解説を掲載し関係者の参考に供する次第である。

### I 調査の概要

1. 調査の目的

　この調査は幼児教育に関する社会的要請、その普及状況および幼稚園の教育条件等の実態を明らかにし、国および地方公共団体における幼児教育の振興に関する諸施策の基礎資料を整備することを目的として実施したものである。

2. 調査の時期

　この調査は昭和45年10月に実施した。

3. 調査の時点

　この調査の調査時点は昭和45年5月1日現在である。

　※本土における調査時期は6月、調査時点は5月1日である。

4. 調査の種類と対象

　この調査は3本建ての調査として実施したが、その種類と対象は次のとおりである。

　A、幼児教育に関する社会的要請の調査……小学校1年生をもつ世帯 205世帯（抽出）

　B、幼稚園および保育所に関する調査　公立幼稚園と公立保育所について、市町村教育委員会が市町村長の協力を得て調査

　C、幼稚園の教育条件に関する調査　公立および私立幼稚園

### II 調査結果の解説

1. 幼稚園、保育所数の状況

　昭和45年5月における幼稚園、保育所の数は幼稚園124（うち公立114、私立10）、保育所81（うち公立41、私立40）である。

　幼児教育施設に占める幼稚園と保育所

の割合およびそれぞれにおける公立、私立の割合を示したのが第一図である。

第1図 幼稚園保育所別、私立別比率

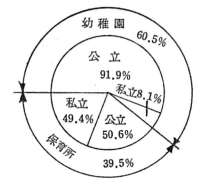

第1図にみるとおり幼稚園数と保育所数の割合は、幼稚園が60.5%を占め保育所を上回っている。また、幼稚園の公私立の比率は公立が91.9%と高い比率を示しているのに対し、保育所の公私立の比率はほとんど同じで差異がない。

2. 市町村の人口規模別にみた幼稚園保育所数の状況

次の第一表は市町村の人口規模別にみた幼稚園、保育所数とそれぞれの百分比を示したものである。

第1表 人口規模別にみた幼稚園保育所の数

a 実数

| 施設<br>人口規模 | 幼稚園 | | | 保育所 | | |
|---|---|---|---|---|---|---|
| | 計 | 公立 | 私立 | 計 | 公立 | 私立 |
| 計 | 124 | 114 | 10 | 81 | 41 | 40 |
| 5千人未満 | 10 | 10 | — | 1 | — | 1 |
| 5千〜1万人未満 | 15 | 15 | — | 5 | 3 | 2 |
| 1〜2万 | 19 | 17 | 2 | 11 | 7 | 4 |
| 2〜5万 | 46 | 42 | 4 | 25 | 16 | 9 |
| 5〜10 | 9 | 8 | 1 | 9 | 3 | 6 |
| 10〜20 | — | — | — | — | — | — |
| 20〜50 | 25 | 22 | 3 | 30 | 12 | 18 |
| 50万人以上 | — | — | — | — | — | — |

b 比　率

|  | 計 |  |  |  |  |  |
|---|---|---|---|---|---|---|
| 計 | 100.0 | 100.0 | 100.0 | 100.0 | 100.0 | 100.0 |
| 5千人未満 | 8.1 | 8.8 | — | 1.2 | — | 2.5 |
| 5千～1万人未満 | 12.1 | 13.2 | — | 6.2 | 7.3 | 5.0 |
| 1 ～ 2万 | 15.3 | 14.9 | 20.0 | 13.6 | 17.1 | 10.0 |
| 2 ～ 5 | 37.1 | 36.8 | 40.0 | 30.9 | 39.0 | 22.5 |
| 5 ～10 | 7.2 | 7.0 | 10.0 | 11.1 | 7.3 | 15.0 |
| 10 ～20 | — | — | — | — | — | — |
| 20 ～50 | 20.2 | 19.3 | 30.0 | 37.0 | 29.3 | 45.0 |
| 50万人以上 | — | — | — | — | — | — |

　前表a・bによると 1,24の公私立幼稚園のうち65％は人口2万人以上の市町村に設置されている。これに対して公私立保育所は2万人以上の市町村において79％を示し、幼稚園に比べて都市に集中している。

3．幼稚園、保育所の収容児数

　幼稚園、保育所の収容児数を公私立別にみると幼稚園では公立**91.3**％、私立**8.7**％の関係にあり、公立幼稚園の幼児数が大多数を占めているのに対し保育所では公立**53.6**％、私立**46.4**％であまり差異がない。

第2表　幼稚園、保育所の年令別収容児数

| 公私立別 | | | 計 | 3才児 | 4才児 | 5才児 |
|---|---|---|---|---|---|---|
| 実数 | 幼稚園 | 合計 | 18,957 | 1,548 | 2,266 | 15,143 |
| | | 計 | 15,779 | 134 | 970 | 14,675 |
| | | 公立 | 14,412 | 1 | 317 | 14,094 |
| | | 私立 | 1,367 | 133 | 653 | 581 |
| | 保育所 | 計 | 3,178 | 1,414 | 1,296 | 468 |
| | | 公立 | 1,703 | 787 | 678 | 238 |
| | | 私立 | 1,475 | 627 | 618 | 230 |
| 比率 | 幼稚園 | 合計 | 100.0 | 8.2 | 11.9 | 79.9 |
| | | 計 | 100.0 | 0.8 | 6.2 | 93.0 |
| | | 公立 | 100.0 | 0.0 | 2.2 | 97.8 |
| | | 私立 | 100.0 | 9.7 | 47.8 | 42.5 |
| | 保育所 | 計 | 100.0 | 44.5 | 40.8 | 14.7 |
| | | 公立 | 100.0 | 46.2 | 39.8 | 14.0 |
| | | 私立 | 100.0 | 42.5 | 41.9 | 15.6 |

次に幼稚園、保育所の収容児数の年令別構成を考察しよう。図表にみるとおり幼稚園では5才児が最も多く、次いで4才児、3才児の順になっているが、保育所では逆に3才児が多く、次いで4才児、5才児の順となっている。ことに幼稚園における2、3才児はきわめて少ない。これに対し保育所における3才児の数は公私立ともに多い。

第2図 幼稚園、保育所の年令別収容幼児数の比率

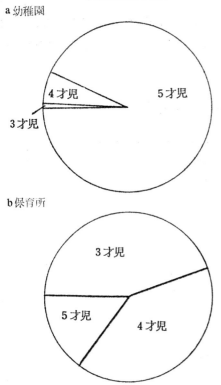

ここで幼稚園、保育所に収容されている5才児の総数が幼稚園、保育所別公立私立別にみて、どのような構成になっているかをみると第3図に示すとおりである。その図でみると、幼児教育を受けている5才児の約97％は幼稚園に就園している。

さらに公私立別にみると、公立幼稚園に就園しているものが最も多く、幼稚園、保育所における5才児総数の93.1％にあたっている。

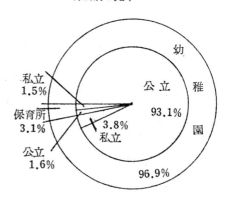

第3図 5才児の公私立幼稚園、保育所別の比率

## 4. 幼稚園、保育所の数別の市町村分布

第3表は全琉59市町村のうち幼稚園保育所のある市町村の数と、ない市町村の数を示したものである。

第3表 幼稚園、保育所の有無別市町村数

| 全琉の市町村数 | 実数 | 比率 |
|---|---|---|
|  | 59 | 100.0 |
| 幼稚園のある市町村の数 | 34 | 57.6 |
| 　公私立ともある市町村 | 8 | 23.5 |
| 　公立のみある市町村 | 26 | 76.5 |
| 　私立のみある市町村 | — | — |
| 幼稚園のない市町村 | 25 | 42.4 |
| 保育所のある市町村の数 | 25 | 42.4 |
| 保育所のない 〃　〃 | 34 | 57.6 |
| 幼稚園、保育所ともにない市町村 | 20 | 33.9 |

左表によれば、幼稚園のない市町村が全体の42%、保育所のない市町村が約58%、幼稚園も保育所もない市町村が34%を占めている。

次にこれを市町村の人口規模別にみたのが第4表である。

人口規模が大きくなると幼稚園、保育所のない市町村の比率は減少している。幼稚園について1万人以下の市町村と、1万人以上の市町村に分けて設置状況をみると、前者では約53%の市町村に幼稚園がない。後者でもまだ幼稚園のない市町村が7あり、これは1万人以上の市町村の28%にあたっている。

第4表 人口規模別にみた幼稚園保育所の有無別市町村数と比率

a 実数

| 区分 ＼ 人口規模 | 5千人未満 | 5千人〜1万人未満 | 1万〜2 | 2〜5 | 5〜10 | 10〜20 | 20〜50 | 50万人以上 |
|---|---|---|---|---|---|---|---|---|
| 全琉の市町村 | 17 | 17 | 14 | 9 | 1 | — | 1 | — |
| 幼稚園のある市町村 | 9 | 7 | 7 | 9 | 1 | — | 1 | — |
| 　公私立ある市町村 | — | — | 2 | 4 | 1 | — | 1 | — |
| 　公立のみある市町村 | 9 | 7 | 5 | 5 | — | — | — | — |
| 　私立のみある市町村 | — | — | — | — | — | — | — | — |
| 幼稚園のない市町村 | 8 | 10 | 7 | — | — | — | — | — |
| 保育所のある市町村 | 1 | 5 | 9 | 8 | 1 | — | 1 | — |
| 保育所のない市町村 | 16 | 12 | 5 | 1 | — | — | — | — |
| 幼稚園・保育所ともない市町村 | 7 | 10 | 3 | — | — | — | — | — |

b 比　率

| | | | | | | | |
|---|---|---|---|---|---|---|---|
| 全琉の市町村 | 100.0 | 100.0 | 100.0 | 100.0 | 100.0 | — | 100.0 |
| 幼稚園のある市町村 | 52.9 | 41.2 | 50.0 | 100.0 | 100.0 | — | 100.0 |
| ⎰ 公私立ある市町村 | — | — | 14.3 | 44.4 | 100.0 | — | 100.0 |
| ⎨ 公立のみある 〃 | 52.9 | 41.2 | 35.7 | 55.6 | — | — | — |
| ⎱ 私立 〃 〃 | — | — | — | — | — | — | — |
| 幼稚園のない市町村 | 47.1 | 58.8 | 50.0 | — | — | — | — |
| 保育所のある市町村 | 5.9 | 29.4 | 64.3 | 88.9 | 100.0 | — | 100.0 |
| 保育所のない市町村 | 94.1 | 70.6 | 35.7 | 11.1 | — | — | — |
| 幼稚園・保育所ともにない市町村 | 41.2 | 58.8 | 21.4 | — | — | — | — |

5. 1施設あたり収容幼児別にみた幼稚園、保育所の数

　第5表は1施設あたりの収容幼児数別にみた幼稚園、保育所の数とその比率を示したものである。

第5表　1施設あたり収容幼児数別にみた幼稚園、保育所の数

| 公私立別 | 収容幼児数別 | 計 | 50人以下 | 51〜100 | 101〜150 | 151〜200 | 201〜250 | 251〜300 | 301〜400 | 401〜500 | 501以上 |
|---|---|---|---|---|---|---|---|---|---|---|---|
| 実数 | 幼稚園計 | 124 | 23 | 37 | 23 | 18 | 9 | 9 | 4 | 1 | — |
| | 公立 | 114 | 23 | 34 | 19 | 15 | 9 | 9 | 4 | 1 | — |
| | 私立 | 10 | — | 3 | 4 | 3 | — | — | — | — | — |
| | 保育所計 | 81 | 62 | 18 | 1 | — | — | — | — | — | — |
| | 公立 | 41 | 32 | 9 | — | — | — | — | — | — | — |
| | 私立 | 40 | 30 | 9 | 1 | — | — | — | — | — | — |
| 比率 | 幼稚園計 | 100.0 | 18.5 | 30.0 | 18.5 | 14.4 | 7.3 | 7.3 | 3.2 | 0.8 | — |
| | 公立 | 100.0 | 20.2 | 30.0 | 16.6 | 13.1 | 7.9 | 7.9 | 3.5 | 0.8 | — |
| | 私立 | 100.0 | — | 30.0 | 40.0 | 30.0 | — | — | — | — | — |
| | 保育所計 | 100.0 | 76.6 | 22.2 | 1.2 | — | — | — | — | — | — |
| | 公立 | 100.0 | 78.0 | 22.0 | — | — | — | — | — | — | — |
| | 私立 | 100.0 | 75.0 | 22.5 | 2.5 | — | — | — | — | — | — |

幼稚園については51～100人の幼児を収容している幼稚園が最も多く、全体の30%の幼稚園がこの段階に入るが、50人以下の段階、100～150人の段階、100～150人の段階にもかなりの数の分布がみられる。

保育所については50人以下の段階に最も多くの保育所が入るが、幼稚園よりその比率が高く約77%の保育所がここに入る。前表から分るように収容幼児数の規模は概して保育所より幼稚園の方が大きい。

1施設あたりの収容幼児数の平均を示すと公立幼稚園126園、私立幼稚園137園、公立保育所42人、私立保育所37人である

## 6. 教育年限別の幼稚園数

教育年限別の幼稚園の数とその比率をみると第6表、第4図のとおりである。

第6表　教育年限別の幼稚園数
a、実数

| 公私立別＼年令別 | 計 | 3・4・5才 | 4・5才 | 5才 |
|---|---|---|---|---|
| 計 | 124 | 5 | 30 | 89 |
| 公　立 | 114 | 1 | 24 | 89 |
| 私　立 | 10 | 4 | 6 | ― |

b、比率

| 公私立別＼年令別 | 計 | 3・4・5才 | 4・5才 | 5才 |
|---|---|---|---|---|
| 計 | 100.0 | 4.0 | 24.2 | 71.8 |
| 公　立 | 100.0 | 0.9 | 21.0 | 78.1 |
| 私　立 | 100.0 | 40.0 | 60.0 | ― |

第4図　教育年限別の幼児数の比率

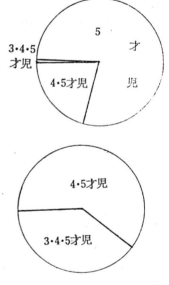

これによると5才児収容の幼稚園が総数の約72%を占めて最も多く、次いで4・5才児収容が24%、3・4・5才児収容が4%の順になっている。

これを公私立別にみると公立では5才児収容が全体の78%を占めて最も多く、次いで、4・5才児収容が21%、3・4

・5才児収容はわずかに 0.9%にすぎない。これに対し私立では 4.5才児収容が60%を占め、3・4・5才児収容は40%になっている。5才児のみ収容の私立幼稚園はない。このように教育年限別の幼稚園数は公私立で対照的な姿を示している。

7. 幼稚園の1学級収容幼児数別学級数

幼稚園について収容幼児数別の学級数分布をみると第7表のとおりである。

第7表 幼稚園の1学級収容幼児数別学級数

| 公私別 段階 | 実数 計 | 実数 公立 | 実数 私立 | 比率 計 | 比率 公立 | 比率 私立 |
|---|---|---|---|---|---|---|
| 計 | 439 | 401 | 38 | 100.0 | 100.0 | 100.0 |
| 1〜20人 | 5 | 3 | 2 | 1.1 | 0.7 | 5.3 |
| 21〜25 | 13 | 10 | 3 | 3.0 | 2.5 | 7.9 |
| 26〜30 | 53 | 51 | 2 | 12.1 | 12.7 | 5.3 |
| 31〜35 | 95 | 87 | 8 | 21.6 | 21.7 | 21.0 |
| 36〜40 | 197 | 179 | 18 | 44.9 | 44.6 | 47.3 |
| 41〜45 | 62 | 60 | 2 | 14.1 | 15.0 | 5.3 |
| 46〜50 | 12 | 9 | 3 | 2.7 | 2.3 | 7.9 |
| 51〜55 | 2 | 2 | — | 0.5 | 0.5 | — |

公私立とも36〜40人の規模の学級数が最も多く、それぞれ44.6%、47.3%を占めている次いで31〜35人の規模の学級数もかなり高い比率を示している。幼稚園設置基準（中教委規則第20号）には「1学級の幼児数は40人を標準とする」ことを定めている。41人以上の規模の学級数は公立で71学級、私立で5学級あり、公私立それぞれの学級数の17.7%、13.2%を占めている。統計表によってこれを人口規模別にみると公私立幼稚園とも人口規模が大きくなるほど規模の大きい学級数の比率が高くなる傾向を示している。

8. 幼児1人あたり入園料、授業料、徴収金

(1) 公立幼稚園

公立幼稚園における幼児1人あたりの入園料、授業料（月額）、その他の徴収金（月額）についてそれぞれの金額段階別幼稚園数の分布をみると次のとおりである。尚その他の徴収金の中には給食費は含まない。

第8表 公立幼稚園の幼児1人あたり入園料、授業料、徴収金の金額段階別分布

| 区分 | | 金額段階 0 | 500円未満 | 500〜1,000 | 1,001〜1,500 |
|---|---|---|---|---|---|
| 入園料 | 園数 | — | 67 | 47 | |
| | 比率 | — | 58.8 | 41.2 | |
| 授業料 | 園数 | — | 75 | 39 | |
| | 比率 | — | 65.8 | 34.2 | |
| 徴収金 | 園数 | 4 | 99 | 10 | 1 |
| | 比率 | 3.5 | 86.8 | 8.8 | 0.9 |

まず入園料をみると500円 (1.39＄) 未満の金額段階にある幼稚園が最も多く、58.8%、500～1,000 (2.78＄) が41%となっている。公立幼稚園の幼児1人あたり入園料の平均額は475円(1.32＄)である。

授業料についてみると月額500円未満の幼稚園が多く65.8%となっている。公立幼稚園の幼児1人あたり授業料の平均額は409円 (1.14＄) である。

徴収金についてみると月額500円未満の幼稚園が多く86.6%となっている。徴収金の幼児1人あたりの平均額は244円 (0.68＄) である。

(2) 私立幼稚園

次に私立幼稚園園児1人当りの入学金、授業料、徴収金について、それぞれの金額段階別幼稚園数の分布をみると第9表に示すとおりである。

まず入園料についてみると 1,001円 (2.78＄) ～6,000円 (16.67＄) に幅広く分布している。その平均額は3,168円 (8.80＄) である。

授業料についてみると500円～3,000円 (8.33＄) の段階に分布している。その平均額は1,710円 (4.75＄) である。

第9表　私立幼稚園の幼児1人あたり入園料、授業料、徴収金の金額段階別分布

| 区分 金額段階 | 入園料 園数 | 比率 | 授業料 園数 | 比率 | 徴収金 園数 | 比率 |
|---|---|---|---|---|---|---|
| 0 | — | — | — | — | 1 | 10.0 |
| 500円未満 | — | — | — | — | 4 | 40.0 |
| 500～1,000 | — | — | 1 | 10.0 | 4 | 40.0 |
| 1,001～1,500 | 1 | 10.0 | 4 | 40.0 | 1 | 10.0 |
| 1,501～2,000 | 3 | 30.0 | 1 | 10.0 | — | — |
| 2,001～3,000 | — | — | 4 | 40.0 | — | — |
| 3,001～4,000 | 4 | 40.0 | — | — | — | — |
| 4,001～5,000 | — | — | — | — | — | — |
| 5,001～6,000 | 2 | 20.0 | — | — | — | — |

徴収金については500円未満の段階と500～1,000円の段階にほとんどの幼稚園が分布している。その平均額は590円 (1.64＄) である。

# 学校設備調査結果—特殊教育諸学校教材・理科備品保有状況—

教　材　　　　　　　価格差指数

| 区分 | 盲　学　校 | | | | 聾　学　校 | | | |
|---|---|---|---|---|---|---|---|---|
| | 基準指数総額 | 保有指数総額 | 超過指数総額 | 不足指数総額 | 基準指数総額 | 保有指数総額 | 超過指数総額 | 不足指数総額 |
| 共　　　通 | 11,613.9 | 4,766.6 | — | 6,847.3 | 18,077.2 | 3,540.0 | — | 14,537.2 |
| 国　　語 | 967.0 | 46.8 | — | 920.2 | 793.2 | 54.2 | — | 739.0 |
| 社　　会 | 1,172.8 | 348.8 | — | 824.0 | 956.2 | 159.0 | 34.8 | 832.0 |
| 算数、数学 | 847.3 | 294.2 | 73.8 | 626.9 | 844.5 | 224.2 | 28.6 | 648.9 |
| 音　　楽 | 3,417.8 | 2,645.6 | 369.0 | 1,141.2 | 6,974.4 | 1,775.2 | 837.0 | 6,036.2 |
| 図画、工作 | 882.4 | 343.4 | 16.6 | 555.6 | 1,335.2 | 275.2 | 64.0 | 1,124.0 |
| 家　　庭 | 355.7 | 177.8 | 3.2 | 181.1 | 539.0 | 679.8 | 452.2 | 311.4 |
| 体育、保健体育 | 1,997.0 | 754.2 | 23.0 | 1,265.8 | 2,193.3 | 916.6 | 157.8 | 1,434.5 |
| 外　国　語 | 854.4 | 53.0 | — | 801.4 | 153.8 | — | — | 153.8 |
| 進路指導 | 9.4 | — | — | 9.4 | 14.2 | — | — | 14.2 |
| 計 | 22,117.7 | 9,430.4 | 485.6 | 13,172.9 | 31,881.0 | 7,624.2 | 1,574.4 | 25,831.2 |

価格差指数

| 区分 | 養護学校(肢体不自由) | | | | 養護学校（精薄） | | | |
|---|---|---|---|---|---|---|---|---|
| | 基準指数総額 | 保有指数総額 | 超過指数総額 | 不足指数総額 | 基準指数総額 | 保有指数総額 | 超過指数総額 | 不足指数総額 |
| 共　　　通 | 13,849.6 | 5,181.6 | 390.0 | 9,058.0 | 6,380.9 | 1,929.4 | 140.0 | 4,591.5 |
| 国　　語 | 3,266.0 | 45.8 | — | 3,220.2 | 530.8 | — | — | 530.8 |
| 社　　会 | 1,717.7 | 324.7 | 29.0 | 1,422.0 | 684.3 | 35.6 | — | 648.7 |
| 算数、数学 | 1,943.3 | 247.8 | 5.2 | 1,700.7 | 591.2 | 9.8 | — | 581.4 |
| 音　　楽 | 8,485.7 | 2,429.6 | 640.4 | 6,696.5 | 4,025.4 | 1,334.2 | 323.0 | 3,014.2 |
| 図画、工作 | 2,402.1 | 386.0 | 68.4 | 2,084.5 | 1,159.9 | 390.0 | 204.8 | 974.7 |
| 家　　庭 | 968.2 | 554.6 | 276.0 | 689.6 | 467.8 | 803.0 | 639.2 | 304.0 |
| 体育、保健体育 | 13,979.2 | 2,530.4 | 203.0 | 11,651.8 | 2,671.0 | 689.2 | — | 1,981.8 |
| 外　国　語 | 1,473.3 | 35.4 | — | 1,437.9 | 133.5 | — | — | 133.5 |
| 進路指導 | — | — | — | — | 12.4 | — | — | 12.4 |
| 生活指導 | — | — | — | — | 513.8 | — | — | 513.8 |
| 計 | 48,085.1 | 11,735.9 | 1,612.0 | 37,961.2 | 17,171.0 | 5,191.2 | 1,307.0 | 13,286.8 |

価格差指数

| 区分 | 養護学校（病弱） | | | |
|---|---|---|---|---|
| | 基準指数総額 | 保有指数総額 | 超過指数総額 | 不足指数総額 |
| 共　　　通 | 3,649.4 | 1,286.0 | — | 2,363.4 |
| 国　　　語 | 61.8 | 8.2 | — | 53.6 |
| 社　　　会 | 483.5 | 11.8 | — | 471.7 |
| 算数、数学 | 419.0 | 48.6 | — | 370.4 |
| 音　　　楽 | 2,380.6 | 390.8 | — | 1,989.8 |
| 図画、工作 | 676.2 | 24.4 | — | 651.8 |
| 家　　　庭 | 272.6 | 96.0 | — | 176.6 |
| 体育、保健体育 | 613.4 | 4.0 | — | 609.4 |
| 外　国　語 | 77.8 | — | — | 77.8 |
| 進路指導 | 7.2 | — | — | 7.2 |
| 計 | 8,641.5 | 1,869.8 | — | 6,771.7 |

教材達成率

(%)

| | |
|---|---|
| 盲学校 | 40.4 |
| ろう学校 | 19.0 |
| 養護学校 | |
| 　肢体不自由 | 21.1 |
| 　精　薄 | 22.6 |
| 　病　弱 | 21.6 |

理科備品

単位　円

| 区分 | 盲学校 | | | | 聾学校 | | | |
|---|---|---|---|---|---|---|---|---|
| | 基準総額 | 保有総額 | 超過総額 | 不足総額 | 基準総額 | 保有総額 | 超過総額 | 不足総額 |
| 計量器 | 780,370 | 93,250 | 7,000 | 694,120 | 451,550 | 77,800 | — | 373,750 |
| 実験機械器具 | 2,067,320 | 478,930 | 35,250 | 1,623,640 | 1,798,980 | 261,940 | 3,220 | 1,540,260 |
| 小計 | 2,847,690 | 572,180 | 42,250 | 2,317,760 | 2,250,530 | 339,740 | 3,220 | 1,914,010 |
| 野外観察調査用具 | 92,950 | 13,500 | 2,400 | 81,850 | 149,340 | 7,400 | — | 141,940 |
| 標本 | 209,800 | 83,000 | — | 126,800 | 199,300 | 43,400 | 11,000 | 166,900 |
| 模型 | 212,700 | 62,000 | — | 150,700 | 294,000 | 71,000 | — | 223,000 |
| 計 | 3,363,140 | 730,680 | 44,650 | 2,677,110 | 2,893,170 | 461,540 | 14,220 | 2,445,850 |

単位 円

| 区　分 | 養護学校(肢体不自由、病弱) | | | | 養護学校(精薄) | | | |
|---|---|---|---|---|---|---|---|---|
| | 基準総額 | 保有総額 | 超過総額 | 不足総額 | 基準総額 | 保有総額 | 超過総額 | 不足総額 |
| 計　量　器 | 965,490 | 118,540 | 5,000 | 851,950 | 1,331,100 | 52,000 | 120 | 1,279,220 |
| 実験機械器具 | 3,816,300 | 537,140 | 6,800 | 3,285,960 | 3,704,710 | 216,220 | 64,960 | 3,553,450 |
| 小　　計 | 4,781,790 | 655,680 | 11,800 | 4,137,910 | 5,035,810 | 268,220 | 65,080 | 4,832,670 |
| 野外観察調査用具 | 369,690 | 26,700 | 1,300 | 344,290 | 282,990 | 45,950 | 16,200 | 253,240 |
| 標　　本 | 476,700 | 53,900 | 300 | 423,100 | 255,300 | 5,000 | — | 249,600 |
| 模　　型 | 431,400 | 201,000 | — | 230,400 | 195,700 | 79,000 | — | 116,700 |
| 計 | 6,059,580 | 937,280 | 13,400 | 5,135,700 | 5,769,800 | 398,870 | 81,280 | 5,452,210 |

理科備品達成率

　　　　　　　　　　　　(%)
盲学校　　　　　　　　　20.4
ろう学校　　　　　　　　15.5
養護学校
　肢体不自由、病弱　　　15.2
　精神薄弱　　　　　　　 5.5

注　○1969年7月1日現在の学校設備調査の結果である。
　　○達成率＝保有(指数)総額－超過(指数)総額÷基準(指数)総額
　　○価格差指数とは
　　　教材基準において教材の単価が明示されていないことに替えて教材基準設定の際に算定した教材品目ごとの教材単価を、全品目共通に一定の数で除して得たものであり、教材品目ごとの価格差のウェイトを表現するものである。
　　　（価格差指数1が＄1.50に相当）

1971年度普通交付

| 教育区 | 市町村総行政費 | | | | 教育費 | |
|---|---|---|---|---|---|---|
| | A 基準財政需要額 | B 基準財政収入額 | C 交付決定額 | 依存率 C/A | D 基準財政需要額 | 比率 D/A |
| 全琉計 | 29,311,253 | 7,481,531 | 21,552,090 | 73.5 | 8,540,707 | 29.1 |
| 国頭 | 371,318 | 16,429 | 351,372 | 94.6 | 137,189 | 36.9 |
| 大宜味 | 247,773 | 10,432 | 234,994 | 94.8 | 75,715 | 30.6 |
| 東 | 157,749 | 4,662 | 151,593 | 96.1 | 54,891 | 34.8 |
| 名護 | 1,697,192 | 285,468 | 1,445,649 | 85.2 | 436,350 | 25.7 |
| 旧羽地 | 369,351 | 24,102 | 341,751 | 92.5 | 86,838 | 23.5 |
| 旧屋我地 | 170,228 | 42,076 | 164,409 | 96.6 | 37,905 | 22.3 |
| 旧屋部 | 229,789 | 66,720 | 160,892 | 70.0 | 52,987 | 23.1 |
| 旧名護 | 652,113 | 128,828 | 517,108 | 79.3 | 166,236 | 25.5 |
| 旧久志 | 275,711 | 11,611 | 261,487 | 94.8 | 92,384 | 33.5 |
| 今帰仁 | 450,012 | 33,833 | 411,917 | 91.5 | 130,342 | 29.0 |
| 上本部 | 215,695 | 6,511 | 207,141 | 96.0 | 54,601 | 25.3 |
| 本部 | 482,774 | 38,720 | 444,481 | 92.1 | 169,333 | 35.1 |
| 宜野座 | 224,057 | 8,589 | 213,346 | 95.2 | 51,570 | 23.0 |
| 金武 | 314,407 | 36,105 | 275,324 | 87.6 | 86,278 | 27.4 |
| 伊江 | 326,186 | 16,862 | 306,234 | 93.9 | 75,912 | 23.3 |
| 伊平屋 | 170,294 | 4,510 | 161,171 | 94.6 | 56,068 | 32.9 |
| 伊是名 | 204,514 | 5,913 | 196,664 | 96.2 | 54,498 | 26.6 |
| 恩納 | 288,847 | 19,264 | 266,847 | 78.5 | 105,778 | 36.6 |
| 石川 | 448,880 | 55,151 | 389,447 | 86.8 | 128,043 | 28.5 |
| 美里 | 614,976 | 99,624 | 509,527 | 82.9 | 184,324 | 30.0 |
| 与那城 | 437,477 | 36,145 | 397,188 | 90.8 | 128,751 | 29.4 |
| 勝連 | 413,654 | 15,108 | 394,628 | 95.4 | 154,199 | 37.3 |
| 具志川 | 961,271 | 172,439 | 776,727 | 81.1 | 298,102 | 31.0 |
| コザ | 1,462,512 | 389,550 | 1,059,109 | 72.4 | 432,855 | 29.6 |
| 読谷 | 541,888 | 68,368 | 468,387 | 86.4 | 180,548 | 33.3 |
| 嘉手納 | 384,249 | 77,411 | 303,198 | 78.9 | 120,899 | 31.5 |
| 北谷 | 323,046 | 52,738 | 267,248 | 82.7 | 96,209 | 29.8 |
| 北中城 | 280,922 | 40,633 | 237,628 | 84.6 | 66,244 | 23.6 |
| 中城 | 334,522 | 33,597 | 297,756 | 89.0 | 95,733 | 28.6 |
| 宜野湾 | 991,660 | 362,210 | 620,057 | 62.5 | 300,812 | 30.3 |
| 西原 | 325,797 | 47,306 | 275,405 | 84.5 | 87,381 | 26.8 |

税 の 算 定 資 料

| 教育区 | 市町村総行政費 | | | | 教育費 | |
|---|---|---|---|---|---|---|
| | A 基準財政需要額 | B 基準財政収入額 | C 交付決定額 | 依存率 $\frac{C}{A}$ | D 基準財政需要額 | 比率 $\frac{D}{A}$ |
| 浦　添 | 1,010,904 | 634,237 | 367,092 | 36.3 | 284,314 | 28.1 |
| 那　覇 | 6,407,450 | 4,071,733 | 2,275,027 | 35.5 | 1,808,628 | 28.2 |
| (久)具志川 | 229,396 | 11,738 | 215,485 | 93.9 | 58,352 | 25.4 |
| 仲　里 | 320,255 | 13,842 | 303,380 | 94.7 | 101,919 | 31.8 |
| 北大東 | 90,027 | 3,304 | 85,870 | 95.4 | 24,586 | 27.3 |
| 南大東 | 147,551 | 10,552 | 135,601 | 91.9 | 36,375 | 24.7 |
| 豊見城 | 384,881 | 53,069 | 328,166 | 85.3 | 104,765 | 27.2 |
| 糸　満 | 932,232 | 111,227 | 812,175 | 87.1 | 286,182 | 30.7 |
| 東風平 | 307,968 | 32,586 | 272,465 | 88.5 | 81,388 | 26.4 |
| 具志頭 | 258,250 | 14,385 | 241,419 | 93.5 | 70,275 | 27.2 |
| 玉　城 | 336,101 | 20,112 | 312,806 | 93.1 | 91,809 | 27.3 |
| 知念 | 226,115 | 12,990 | 210,983 | 93.3 | 67,357 | 29.8 |
| 佐敷 | 273,454 | 25,795 | 245,069 | 89.6 | 69,771 | 25.5 |
| 与那原 | 301,824 | 34,913 | 264,052 | 87.5 | 77,712 | 25.7 |
| 大　里 | 271,003 | 19,761 | 248,675 | 91.8 | 67,522 | 24.9 |
| 南風原 | 329,713 | 44,945 | 281,845 | 85.5 | 84,587 | 25.7 |
| 渡嘉敷 | 95,153 | 1,003 | 93,249 | 98.0 | 32,762 | 34.4 |
| 座間味 | 129,125 | 1,422 | 126,480 | 98.0 | 46,427 | 36.0 |
| 粟　国 | 125,895 | 1,990 | 122,713 | 97.5 | 32,663 | 25.9 |
| 渡名喜 | 97,144 | 1,408 | 94,816 | 97.6 | 25,965 | 26.7 |
| 平　良 | 932,055 | 126,666 | 796,561 | 85.5 | 298,560 | 32.0 |
| 城辺 | 514,998 | 26,799 | 483,321 | 93.8 | 155,494 | 30.2 |
| 下地 | 232,005 | 28,678 | 201,130 | 86.7 | 62,187 | 26.8 |
| 上　野 | 225,201 | 8,310 | 214,758 | 95.4 | 50,615 | 22.5 |
| 伊良部 | 399,650 | 16,062 | 379,803 | 95.0 | 108,103 | 27.0 |
| 多良間 | 190,131 | 4,537 | 183,793 | 96.7 | 45,118 | 23.7 |
| 石　垣 | 1,265,632 | 242,617 | 1,011,027 | 79.9 | 391,520 | 30.9 |
| 竹富 | 378,202 | 15,462 | 359,158 | 95.0 | 156,269 | 41.3 |
| 与那国 | 227,266 | 9,010 | 216,103 | 95.1 | 58,857 | 25.9 |

(注) 総務局の資料より

教育区の財政力指数及

| 教 育 区 | A<br>基準財政収入額 | B<br>基準財政需要額 | $\frac{A}{B} \times 100$<br>財政力指数 | 区 分 |
|---|---|---|---|---|
| 全　琉　　計 | 7,481,531 | 29,311,253 | 25.5 | |
| 国頭 | 16,429 | 371,318 | 4.4 | 1 |
| 大宜味 | 10,432 | 247,773 | 4.2 | 1 |
| 東　　護 | 4,662 | 157,749 | 3.0 | 1 |
| 名　護 | 285,468 | 1,697,192 | 16.8 | 3 |
| 旧羽地 | 24,102 | 369,351 | 6.5 | 2 |
| 旧屋我地 | 4,207 | 170,228 | 2.5 | 1 |
| 旧屋部 | 66,720 | 229,789 | 29.0 | 4 |
| 旧名護 | 128,828 | 652,113 | 19.8 | 3 |
| 旧久志 | 11,611 | 275,711 | 4.2 | 1 |
| 今帰仁 | 33,833 | 450,012 | 7.5 | 2 |
| 上本部 | 6,511 | 215,695 | 3.0 | 1 |
| 本部 | 38,720 | 482,774 | 8.0 | 2 |
| 宜野座 | 8,589 | 224,057 | 3.8 | 1 |
| 金武 | 36,105 | 314,407 | 11.5 | 3 |
| 伊江 | 16,862 | 326,186 | 5.2 | 2 |
| 伊平屋 | 4,510 | 170,294 | 2.6 | 1 |
| 伊是名 | 5,913 | 204,514 | 2.9 | 1 |
| 恩納 | 19,264 | 288,847 | 6.7 | 2 |
| 石川 | 55,151 | 448,880 | 12.3 | 3 |
| 美里 | 99,624 | 614,976 | 16.2 | 3 |
| 与那城 | 36,145 | 437,477 | 8.3 | 2 |
| 勝連 | 15,108 | 413,654 | 3.7 | 1 |
| 具志川 | 172,439 | 961,271 | 17.9 | 3 |
| コザ | 389,550 | 1,462,512 | 26.6 | 4 |
| 読谷 | 68,368 | 541,888 | 12.6 | 3 |
| 嘉手納 | 77,411 | 384,249 | 20.1 | 4 |
| 北谷 | 52,738 | 323,046 | 16.3 | 3 |
| 北中城 | 40,633 | 280,922 | 14.5 | 3 |
| 中城 | 33,597 | 334,522 | 10.0 | 3 |
| 宜野湾 | 362,210 | 991,660 | 36.5 | 4 |
| 西原 | 47,306 | 325,797 | 14.5 | 3 |

び 段 階 区 分 (1971年度)

| 教育区 | A<br>基準財政収入額 | B<br>基準財政需要額 | $\frac{A}{B} \times 100$<br>財政力指数 | 区分 |
|---|---|---|---|---|
| 浦添 | 634,237 | 1,010,904 | 62.7 | 5 |
| 那覇 | 4,071,733 | 6,407,450 | 63.5 | 5 |
| (久)具志川 | 11,738 | 229,396 | 5.1 | 2 |
| 仲里 | 13,842 | 320,255 | 4.3 | 1 |
| 北大東 | 3,304 | 90,027 | 3.7 | 1 |
| 南大東 | 10,552 | 147,551 | 7.2 | 2 |
| 豊見城 | 53,069 | 384,881 | 13.8 | 3 |
| 糸満 | 111,227 | 932,232 | 11.9 | 3 |
| 東風平 | 32,586 | 307,968 | 10.6 | 3 |
| 具志頭 | 14,385 | 258,250 | 5.6 | 2 |
| 玉城 | 20,112 | 336,101 | 6.0 | 2 |
| 知念 | 12,990 | 226,115 | 5.7 | 2 |
| 佐敷 | 25,795 | 273,484 | 9.4 | 2 |
| 与那原 | 34,913 | 301,824 | 11.6 | 3 |
| 大里 | 19,761 | 271,003 | 7.3 | 2 |
| 南風原 | 44,945 | 329,713 | 13.6 | 3 |
| 渡嘉敷 | 1,003 | 95,153 | 1.1 | 1 |
| 座間味 | 1,422 | 129,125 | 1.1 | 1 |
| 粟国 | 1,990 | 125,895 | 1.6 | 1 |
| 渡名喜 | 1,408 | 97,144 | 1.4 | 1 |
| 平良 | 126,666 | 932,055 | 13.6 | 3 |
| 城辺 | 26,799 | 514,998 | 5.2 | 2 |
| 下地 | 28,678 | 232,005 | 12.4 | 3 |
| 上野 | 8,310 | 225,201 | 3.7 | 1 |
| 伊良部 | 16,062 | 399,650 | 4.0 | 1 |
| 多良間 | 4,537 | 190,131 | 2.4 | 1 |
| 石垣 | 242,617 | 1,265,632 | 19.2 | 3 |
| 竹富 | 15,462 | 378,202 | 4.1 | 1 |
| 与那国 | 9,010 | 227,266 | 4.0 | 1 |

区分欄の数字の1は財政力指数5未満
　　　　　2は5以上10未満
　　　　　3は10以上20未満
　　　　　4は20以上50未満
　　　　　5は50以上の教育区を示す

各段階ごとの補正係数は1が2.00
　　　　　　　　　　2は1.50
　　　　　　　　　　3は1.00
　　　　　　　　　　4は0.75
　　　　　　　　　　5は0.50となっている。

博物館　名品紹介

## 鄭　嘉　訓　の　書

　鄭嘉訓古波蔵親方（1767〜1832）は、19世紀琉球随一の書家で、若いころ支那留学をし、のち島津斉興公の招きを受け、薩摩藩の漢字の師匠になったといわれ、西郷南洲も間接的にその書風の影響を受けた一人であると伝えられる。久米村の出身で、曾祖父は「琉球国旧記」や「球陽」の編纂にあたった有名な歴史家鄭秉哲である。さらに時代を溯れば、一族これまたに有名な謝名親方鄭迵がいる。鄭迵の弟の鄭週も書家として知られており、彼の手になる「龍王殿」の扁額は今も残っている。

　沖縄の書法は、中国風なものと日本の御家流の流れを酌むものとに大別できると思うが、中国風な書法を広めたのは久米村の人たち、とりわけ支那留学生に負うところが少なくなかったであろう。鄭嘉訓もその一人だったわけで、彼の数多く残された書を見てもそれがうかがえる。地方でも時々彼の書に接することがあるほどで、「ティー・カー・チン」の呼び名は、地方の風流人の間にもよく親しまれた名前らしい。数ある彼の書の中で、写真の書は最も力量あふれるすぐれた作品といえよう。

＜よみ方＞　「春は画堂に入りて喜色流る。花は玉座に飛びて清香有り」

（博物館主事　上江洲　均）

---

1971年6月27日　印　刷
1971年6月30日　発　行

文　教　時　報　　（124号）

発行所　琉球政府文教局総務部　調査計画課
印刷所　サン印刷所

博物館 名品紹介

鄭(てい)嘉(か)訓(くん)の書

地方教育区教育委員の年令別職業別構成
(**1970.7.1**地方教育行政調査より）

(1) 年令別構成

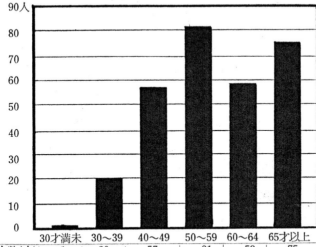

| | 30才未満 | 30〜39 | 40〜49 | 50〜59 | 60〜64 | 65才以上 |
|---|---|---|---|---|---|---|
| 人数(人) | 1 | 20 | 57 | 81 | 59 | 75 |
| 比率(%) | 0.3 | 6.8 | 19.5 | 27.7 | 20.1 | 25.6 |

(2) 職業別構成

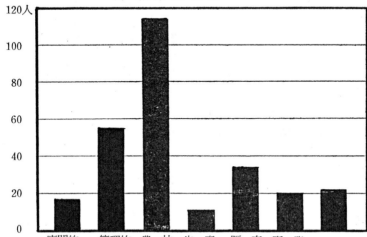

| | 専門的技術的職業 | 管理的職業 | 農林漁業 | 生産従事者(第二次) | 販売サービス | 事務従事者 | 無職 |
|---|---|---|---|---|---|---|---|
| 人員(人) | 17 | 55 | 114 | 11 | 34 | 20 | 42 |
| 比率(%) | 5.8 | 18.8 | 38.9 | 3.8 | 11.6 | 6.8 | 14.3 |

# 文教時報

125

第三十一巻(第一号)

125 琉球政府・文教局調査計画課

豊かな沖縄県づくりに備えよう

# 写真日誌

夏の高校野球▶
（6月20日〜7月25日）

（第一次予戦決勝で普天間高勝利の瞬間）

高校球児の夢、甲子園出場をかけた第53回全国高校野球選手権大会第一次沖縄地方予選は、第二次の予選大会が地元沖縄で開かれることもあって、史上最高の37チームが出場、長期干ばつの炎天下に熱戦をくりひろげた。
当初の予想通り、春の選抜大会で健斗した普天間高が第二次予選に駒を進め、宮崎県代表の都城農高と対戦したが、善戦むなしく1対0で甲子園出場は実現しなかった。

◀教育センター二期工事竣工
（6月25日）

去る1月23日に着工した教育センターの増設工事（4、5階と塔屋）は半年の工事期間を経て6月25日に完工した。
総工費149,444ドル（うち49,814ドルは日援）で4階は研修室、5階は42人収容できる宿泊施設と食堂等からなり、研修センターとしての機能が一増充実された。

# 第3回九州沖縄芸術祭（8月8、9日）

白鳥みなみバレエ団によるドラマチックバレエ「ヤマトタケル」が8月の8、9両日那覇市民会館で上演された。
「ヤマトタケル」は昭和44年度文化庁主催第24回芸術祭に参加し、大へん好評を得たもので、華麗なその舞台は沖縄のバレエファンを魅了した。

主催　九州沖縄文化協会、琉球政府
　　　他4団体

写真は新室楽（ニイムロウタゲ）の祝宴の場（上下とも）

## 九州地区、沖縄学校図書館研究大会（8月3〜5日）

（あいさつを述べる譜久山朝直運営委員長）

「教育課程の展開に寄与し、児童生徒の健全な教養を育成する学校図書館はどうあるべきか」を研究主題に第16回九州地区学校図書館研究大会が第7回沖縄学校図書館研究大会とあわせて、8月3日から3日間那覇市民会館を全体会場に開催された。

尚大会最終日には大城立裕氏を講師に「沖縄の歴史と文化」と題する記念講演が行なわれた。

## 全日本教員バレー大会（8月12〜15日）

昭和46年度全日本バレーボール教員男子女子選手権大会がはじめて沖縄で開催された。

参加チームは全国（7県を除く）から57チーム約800人の精鋭が集り、熱戦を展開した。

地元沖縄勢は女子チームがねばり強い守備で準決勝まで進出善戦したが、結局男子は和歌山チーム、女子は兵庫チームにがいかがあがった。

（沖縄対兵庫の女子準決勝戦）

# も く じ

**〈写真日誌〉**
- 夏の高校野球
- 研修センター二期工事落成
- 九州、沖縄学校図書館研究大会
- 第三回九州、沖縄芸術祭
- 全日本教員バレー大会

中教委だより

巻頭言　生徒指導について考えよう
　　　　文教局長　中山　興真 …………1

教室環境に関する調査の結果
　　　　　　施設課……………………3

沖縄におけるへき地教育の現況(1)
　　　　　　新垣　盛俊……………10

教育研修センター二期工事の竣工によせて
　　　　　　知念　繁………………18

変声期についての実態調査報告
　　　　　　伊志嶺朝次……………21

**〈学校紹介〉**
与那国小学校
　　　　　　本成　善康……………30

**〈視察報告〉**
本土の高等学校を視察して
　　　　　　新垣　博　他…………33

昭和47年度国庫支出金等の要請内容 ……37

博物館名品紹介
社会教育主事配置状況 ……………裏表紙

# 文 教 時 報

No.125　'71/10

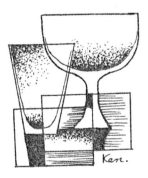

表紙……久部良海岸　（与那国）

## 中教委だより

第221回　臨時中央教育委員会
期日　1971年6月15日
議題　(1)　行政機関職員定数法の改正について……（主席への回答）
　　　(2)　女子教員の出産休暇及びその補充教員に関する規則について
　　　(3)　公立幼稚園の設置認可について
　　　(4)　1972年度暫定予算について
　　　(5)　学校設置認可について

第222回　臨時中央教育委員会
期日　1971年6月28日
議題　(1)　学校給食用物資製造委託工場の選定委員の任命について
　　　(2)　文教局組織規則の一部を改正する規則について

第224回　定例中央教育委員会
期日　1971年7月23日
議題　(1)　1972年度使用教科書目録の設定について
　　　(2)　政府立学校等の教育職員の結核性疾患による休職及び出産休暇に関する特別措置法施行規則の一部を改正する規則について
　　　(3)　1972年度公立小中学校校舎等建築追加割当について
　　　(4)　1972年度政府立学校校舎等建築追加割当について
　　　(5)　各種学校の設置認可について（諮問）
　　　(6)　旧商業実務専門学校の施設の利用について

# 児童生徒の指導について考えよう

文教局長　中　山　興　真

　現代の子どもたちは、視野が広く、明かるく、伸びのびとし、交友関係や活動の範囲も戦前の子どもたちより広がりがあるように察せられる。しかしその反面自己本位的な意識が強く、考え方や感じ方も自己中心的になり、そこから起る行動も必然的に自制を失ないがちになっているようである。

　今日いろいろな形で各所に生じつつある問題や事件はそんなところに因するもののように考えられないだろうか。そうであるとすれば、戦後の特色とする、子どもらの明るさとか、のびのびとした信条などとは、その考え方や感じ方や行動というものとは、矛盾したものといわざるを得ないと考える。

　調和のとれた人格とか、また統一性のある人間性の立場から見るならば、現代の子どもたちには二つの面をもち、その両面がそれぞれ相反発しあい、彼ら自身でどうしていいかに迷い、苦しんでいるのではないだろうか。

　そうなる過程や要因には、外的なものや、内的なものが強く、共通するものとして存在しているとと思うが、それに処するための教育活動において反省しなければならないことはないだろうか。

　高度の学問的な立場からの検討を望むことは困難かも知らないが、教育実践者としての日々の体験の中で問題や事件を解明する努力は必要であろう。

　そういう意味で、次にあげる二、三の項目を学校、学級経営、あわせて児童生徒指導の視点として提起したい。

　一、指導の拠点
　1. 観察の具体化と要因の的確な洞察、判断
　2. それにもとづく指導の具体化
　3. 明るく楽しい校風の樹立
　　(1) 相互信頼感の生ずる場の造成
　　(2) 能力をのばす指導や人間性を生かす取り扱いの深化
　　(3) 差別をなくする
　　(4) 幸福感―成功や向上に対する向上のよろこびのみなぎる環境づくり

二、教師の権威
　△年令ではない
　△知識でもない
　△上下でもない
　△教師として、人間としての重さ、深さ、豊かさであり、愛情のこまやかさや、信頼感の発露ではなかろうか。

三、校風をささえるもの
　△人間集団の生きる世界
　△安全感
　△安定感
　△平等感―不平等を許さない
　△不合理な競争のない世界
　△全力をつくすことの可能な世界
　△欠点を追及しない―寛容感のみなぎる世界
　△おごるものがない
　△人間の尊厳性をたいせつにしあう世界

四、共通理解
　△問題をとりあげる
　△指導者としての校長、教頭に徹する
　△偏見にとらわれない
　△定期的に、計画的に、適切な問題をとらえる
　△論理的解明と実情に即した解明の両面から検討
　△責任の所在を確立すると共に、責任の回避を排し、理解、寛容、協力、協調の実をもってする。

五、主体性の確立
　△惰性におぼれない
　△自己の信念で判明―正邪善悪の的確な見きわめ
　△雷同し、追随し、また強制されたりすることのない自己の確立
　△そのために、知性と意志に支えられたゆたかな人間性

以上の提案事項について、各学校で充分検討し、共通理解を深め、児童生徒の指導に資するよう希望したい。

# 教室環境に関する調査の結果

施 設 課

　この調査は教室環境を阻害している実態を調査し、今後の学校建築の改善をするための設計資料とするのが目的である。調査の範囲を、採光、騒音（音源の校内外別）及び通風とした。

　調査の対象は、鉄筋コンクリート造の普通教室、理科、音楽、図工、美術、家庭の特別教室に限定した。学校数は、小、中高校、特殊学校合わせて、360校中335校が回答し、93.1％の回答率を示している。教室数にして約6,400室を対象にした。

　〔採光状態〕
1. 状態の区別
　　非常によい＝電灯をつけたことがない。
　　普通である＝大雨降りの場合にのみ電灯をつける。
　　やゝ悪い＝曇天の場合はいつも電灯をつける
　　非常に悪い＝いつでも電灯をつける
2. 採光状態の結果
　　全体の統計からみると「非常に悪い」という状態が9.3％である。これは千葉県の7.2％、静岡県の8.1％と比較して極端に悪い状態ではない。

　また普通教室の方が特別教室のそれより悪くなっている。これは、普通教室の方が早く建設され、条件が悪いためであろう。

採光の状態

　また、小、高校が中学校のそれより悪いのは、小、高校の校舎が中学より早く整備されたものが多いためであろう。

　地域別には宮古地区がよく、他はほとんど似た状態であり、学校規模別にみると、30学級前後の学校が悪くなっている。

## 3. 電灯のある教室

電灯のない教室が約⅓もあるのは、雨天時の授業に支障がないか心配される。また、改善要望にも電灯設備をするようにとのことが相当強いところから、たとえ夜間は使用しない小、中校も電灯を設備する必要があり、現在（1970年度より）学校の種別を問わず電灯を設備するよう設計してある。

電灯の有無

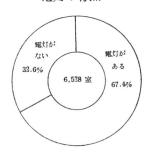

## 4. 採光の悪い原因

最も多いのが、窓際等開口部に樹木へい等が塞がっているもので約36％も占めていることは、植樹を行なうときにもっと採光を考慮して窓より十分離すべきである。階高が低いのは、1950年代の前期に建築されたものが現在の建築基準法で示されている天井高3mぎりぎりのものが多く、これが原因であろう。

採光の悪い原因

また隣棟間隔、校舎の向きについても、初期の建築物で配置に対し十分な配慮が足りなかったものがあり、これは校地の狭さが原因していると思われる。

## 5. 結語

採光状態については一応結果としては他府県並ではあるが、今後、隣棟間隔、階高等を十分考慮する必要があるとともに、樹木や隣地のへい等にも気を配って設計を進めるべきである。また、「非常に悪い」とある教室について、各学校毎に区委員会と一緒になって、具体的調査を行ない、早急に改善の対策をたてる必要がある。

〔騒　音〕

## 1. 状態の区別

騒音は感じない＝ウルサイと感じたことがない。

騒音はあるがたいしたことはない ＝授業を中断したことがない。

| 騒音がありや、困っている | 授業を中断するのが1時間に1回以上4回まであるか、児童生徒より騒音について訴えがある。 |
|---|---|
| 騒音があり非常に困っている | 授業を中断するのが1時間に5回以上ある。 |

2. 音源が学校内の場合の結果

　全般的には良好と言える。しかし、「非常に困っている」という状態が4341室の回答数中、その1.2%にあたる53室ある。これは隣室の授業によるもの、室内の残響時間の長いものによると思われる。

　なお、北海道、千葉県と比較すると良い結果がでている。

3. 音源が学校外の場合の結果

　調査は、航空機、車輌等によってどの程度あるかを知りたかったわけであるが、大略的には「困っている」状態が約20%もあることは、これから公害騒音の対策にもっと配慮すべきであることを示していると思われる。すなわち、「やゝ困っている」「非常に困っている」という教室数を合計すると、862室もあり、設計等による緩和がどの程度できるか、これから具体的に調査をして、その対策を検討しなければならない。

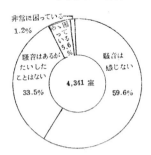

音源が学校内の場合

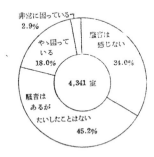

音源が学校外の場合

　天井高を低くした場合、採光、通風との矛盾点を調整して設計に留意しなければならない。また、これらの学校についても、個々の室の調査をし、対策をたてる必要がある。

4. 「困っている」場合の原因調査

　訴えのある43校中、航空機によるものが一番多く、嘉手納及び宜野湾飛行場によるものが大部分を占めている。

　次に交通騒音は航空機とほとんど同数

騒音で困っている場合の原因

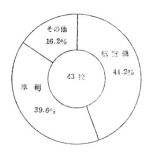

の17校あることは、沖縄においても車輛等による騒音に対し、早急に具体的な調査を行ない、これを緩和すべく設計に配慮する必要がある。

〔夏における通風の状態〕

1. 状態の区分

非常によい＝時々建具を締めるほどである。

普通である＝特に措置する必要ない

やゝ悪い＝扇風機等機械換気が必要である。

非常に悪い＝対策をしても効果ない。

2. 通風の状態

「わるい」と訴えたのが全教室の約⅓もあることは沖縄の夏の暑さに対して設備的な配慮を検討すべきことを示していると思われる。

「非常に悪い」という状態の教室数が508もあることはこれらの設計に具体的な調査をして対策をほどこすべきであろう。また、建築的に改善の余地のないものについては、設備等の考慮もしなければならない。

3. 非常に悪い場合の原因

87校の回答中、約57％にあたる47校が校舎の向きの悪いのを指摘しておりこれと隣棟間隔の22％を合わせると実に約80％を占めるので、校舎の配置に今更ながら十分に配慮しなければならないことを物語っている。

通風が非常に悪い場合の原因

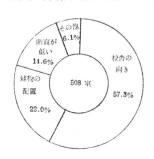

〔学校建築の設計で改善した方がよいと思われる点〕

　設計に対し、改善を要望する件数は39種類あるが、ある一種類に対して、要望が集中していないのが特徴である。これは、校舎の欠点が学校環境によっていろいろ異なった原因になっていることであり、設計に際しては、当該学校の状況を十分にはあくしなければならないことを示していると同時に全体的にみれば欠点もあるが、これまでの設計に致命的な欠陥がないことを示しているものと解することができる。

　しかし、使用する立場にある職員及び児童、生徒が校舎の質の向上を強く望んでいることは、確実であり、その代表的な要望事項について列記して考察してみる。

① アルミシャッシを使用して、窓面を大きくし、教室を明るくすると同時に、材料の蟻害をなくし、雨戸を除去しようとしている。

② 廊下を内廊下及び渡廊下にして雨天時の移動を便利にし、児童生徒の学校生活での安定を望んでいる。

③ 夏季における暑さに対し、天井高校舎の向き、扇風機等で解決するようにと要望している。

④ 螢光灯による人工照明の設備を要望している。

⑤ 床面の仕上げ、（タイル張り、板張り）を望んでいる。

⑥ 手洗器、便所等、設備関係の充実を望んでいる。

　以上が調査の結果であるが、今後校舎の設計にあたっては、抽象的な調査ではあったが、これらの結果を基礎にして対策を講じられるよう必要とあれば、機器等を用いてより客観的データー（例えば照度、騒音、室温）をつかみ、よりよい教室環境をつくり出すよう努力しなければならない。

　この調査によって、困っている数や程度が分ったことは、即存の教室の改善も合わせて考える手がかりが得られ非常に成功だったといえる。

# 教室環境に関する調査票　　文教局　施設課

　この調査は教室環境を阻害している実態を調査し、今後の学校建築を改善するための設計資料とするのが目的です。なおこの調査の範囲は、採光、騒音（音源の校内外別）通風（換気）についての調査を主とする。記入については、記入要領を参照して下さい。

## I　自然光線による採光について

1. 教室の採光について、次のA～Dの状態ごとに普通教室、特別教室に教室数を書いて下さい。

| | A 採光状態は非常に良 | | B 採光状態は普通である | | C 採光状態はやゝ悪 | | D 採光状態は非常に悪 | | A+B+C+Dの教室数 |
|---|---|---|---|---|---|---|---|---|---|
| | 教室数 | 比率 | 教室数 | 比率 | 教室数 | 比率 | 教室数 | 比率 | |
| 普通教室 | | % | | % | | % | | % | |
| 特別教室 | | % | | % | | % | | % | |

2. 1－1 C・D の状態にある教室で電灯がありますか。次の□□□の内に教室数を書いて下さい。

電灯のある普通教室数 □　　電灯のある特別教室数 □

電灯のない普通教室数 □　　電灯のない特別教室数 □

3. 1－1のDの状態である場合、何がその原因であると思いますか具体的に書いて下さい。

〔原因〕

## II　騒音

1. 教室内で感じる騒音について、次のA～Dの状態ごとに普通教室特別教室別に教室数を書いて下さい。

| 騒音状態 / 教室別 | | A 騒音は感じない | | B 騒音はあるがたいしたことはない | | C 騒音がありやゝ困っている | | D 騒音があり非常に困っている | | A+B+C+Dの教室数 |
|---|---|---|---|---|---|---|---|---|---|---|
| | | 教室数 | 比率 | 教室数 | 比率 | 教室数 | 比率 | 教室数 | 比率 | |
| 音源が学校内の場合 | 普通教室 | | % | | % | | % | | % | |
| | 特別教室 | | % | | % | | % | | % | |
| 音源が学校外の場合 | 普通教室 | | % | | % | | % | | % | |
| | 特別教室 | | % | | % | | % | | % | |

2. 騒音がII－1のDの状態である場合何がその原因であると思いますか

〔原因〕

## III　夏季の通風について

1. 教室内の通風について、次のA～Dの状態ごとに普通教室特別教室別に教室数を書いて下さい。

| | A 通風は非常に良 | | B 通風は普通である | | C 通風はやゝ悪 | | D 通風は非常に悪い | | A+B+C+Dの教室数 |
|---|---|---|---|---|---|---|---|---|---|
| | 教室数 | 比率 | 教室数 | 比率 | 教室数 | 比率 | 教室数 | 比率 | |
| 普通教室 | | % | | % | | % | | % | |
| 特別教室 | | % | | % | | % | | % | |

2. 通風がⅢ—1のC・Dの状態である場合、どのような措置をとっていますか。又何がその原因であると思いますか。　〔措置〕

〔結果〕

〔原因〕

Ⅳ 学校建築の設計で、改善した方がよいと思われることについて書いて下さい。　〔改善要望事項〕

Ⅴ 次の事項について書き入れて下さい。　（1971年3月1日現在）

| 学校名 | | 児童生徒数 | 人 | 学級数 | 学級 |
|---|---|---|---|---|---|

## 社会教育主事講習実施さる

　社会教育主事の職務を遂行するのに必要な専門的知識，技能を修得させ，社会教育主事となりうる資格を附与する目的で，沖縄ではじめての社会教育主事講習が中央教育委員会の主催で7月27日から9月11日まで行なわれた。

　この講習は，中教委の委嘱によって琉球大学が実施機関となり，文部省派遣講師7人，琉大側から6人の講師によって，社会教育概論や青少年教育等7科目10単位の講習内容であった。

　受講者は，現在社会教育主事補の職にある者や大学卒で将来社会教育主事を目指す者等で54人が旱天続きで酷暑の中を熱心に受講した。

（糸満青年の家における受講風景）

# 沖縄におけるへき地教育の現況（1）

義務教育課　新　垣　盛　俊

一、はじめに

　教育の機会均等の立場から自然的経済的、文化的ハンディキャップのはなはだしい地域社会における教育、すなわちへき地教育の振興は当面する重要な課題の一つであり、沖縄においても「へき地教育振興法」が制定されて以来すでに13年を経過し、その間教育現場と教育行政の両面からへき地性の解消に大きな努力が払われ施設設備の充実、教職員の待遇改善学習指導法の研究などに多くの成果をあげてきたが、なお都市地区における経済成長、文化向上においつけずその格差はますますひらくばかりである。

　本土復帰を目前にして、沖縄のへき地教育は今大きな転換期を迎えようとしている。すなわちへき地指定基準改正に伴うへき地指定校の拡大と級地のひき上げ（本土基準を適用）、へき地の教職員、児童生徒の福利の向上、施設、設備、備品に対する国の補助項目の拡大、補助率のアップ等復帰前後に解決すべき課題が山積みされている。

そういう時期に際し沖縄のへき地教育の現況について簡単に述べてみたいと思います。

二、へき地学校の概念

　現在国の文教施策において「へき地学校」という場合には一般には「へき地教育振興法（昭和29年6月1日法律第143号）」の第2条に定められている定義に従っている。それには「この法律において『へき地学校』とは、交通条件及び自然的、経済的、文化的諸条件に恵まれない山間地、離島その他の地域に所在する公立の小学校及び中学校をいう。」と規定されており、沖縄においても「へき地教育振興法（1958年9月26日立法第63号）」の第2条で同様に規定されている。すなわちこの規定においては、幼稚園や高等学校その他の諸学校は含まれず公立小中学校だけに限定されている。

三、へき地学校の指定について

　本土においては現在県条例によって公

立の小学校や中学校の中からへき地学校を指定しており、その級別指定の基準は文部省令で定められ各県は同省令（「へき地教育振興法施行規則」）に準拠してへき地学校の級別指定を行なわなければならないとされているので各県の条例で個々に指定していても、だいたい同じ条件の学校が指定されることになり著しくアンバランスが生ずることはない。

沖縄においては中央教育委員会で定めた「公立小中学校へき地指定基準」に基づき「へき地教育振興法施行規則（1959年2月13日中央教育委員会規則第4号）」第2条でへき地学校の級別指定がなされている。

本土と沖縄のへき地指定基準の大きな相違点は、沖縄本島、宮古本島、八重山本島を北海道、本州、四国、九州（本土の定義）なみに本土扱いにしている点であり、そのため宮古、八重山の本島内はほとんどへき地学校に指定されておらず本土における類似島（奄美大島の名瀬市内が2級地）に比べて不利な条件におかれている。仮に宮古、八重山を離島とし、沖縄本島からの不便度を計算すると平良市、石垣市内の学校が3級地に該当することになる。上記相違点の他、地理的にみて沖縄に該当しない自然的条件（風土病地帯、湿潤地帯、極寒地帯、多雪地帯等）に対する付加点数が沖縄の基準から除外されている他はほとんど本土の基準に準拠しており、次にその概略について述べてみよう。

まず、へき地学校の級別の指定は、当該学校の所在地のへき地条件の程度の軽重によって基準点数を算定し、更に特別の条件について点数補正をしたり、基準点数の算定方法によっては補そくし難い特別のへき地条件を測定するための付加点数を計算してそれらの合計点が40点以上の学校について40点をきざみに1級から5級までの級別指定がなされることになっている。

なおへき地学校を級別に指定する場合に当該学校が本土内に所在する場合と、本土以外の島に所在する場合では基準点数の算定方法を異にしている（前者は陸地用基準点数表、後者は島用基準点数表を適用する）。

基準点数の条件としては次のものが考慮されている。㋑駅又は停留所までの距離、㋺医療機関までの距離、㋩高等学校までの距離、㊁郵便局までの距離、㋭市町村教育委員会までの距離、特に離島（島用）についてはその他に㋑本土からの月間の定期航行の回数、㋺本土からの海

上距離、㈧船着場までの距離と３つの特殊条件が考慮されている。以上の交通条件についてはそれぞれ交通機関のある部分と交通機関のない部分の距離に細分され個々について算定することになっている。次に付加点数として交通条件としての㈤はしけ、渡舟等利用の場合、㊁児童生徒が遠距離通学の場合、㈥当該学校から教科用図書、学用品等の購入地までが遠距離の場合、㊂分校の場合は本校との距離に対する加点、自然的、経済的、文化的諸条件としては㈠電気が供給されていない場合、㊁電話が設置されていない場合、㈥飲料水を主として天水又は川水等から求めている場合、㊂不健康地の場合の加点が考慮されている。又学校自体の条件としては㈠教育扶助に係る要保護者が児童又は生徒の総数の100分の３以上を占める場合、㊁当該学校に勤務する教員が１人又は２人の場合、㈥教員住宅が不足のため当該教員の半数以上が借家（借間）している場合（沖縄の基準にはない）等に加点されることになっている。

四、へき地の学校

1. へき地学校数

現在へき地学校に指定されている小学校と中学校の数は昭和46年５月１日現在の学校基本調査によると（表１ａ）のとおりである。すなわち公立小学校の４分の１強、公立中学校の３分の１がへき地学校であるということになり、これを本土各県における昭和44年５月１日現在学校基本調査におけるへき地学校の占める割合と比較してみると、小学校においては北海道（54.2％）、高知（48.9％）、和歌山（43.4％）、長崎（40.6％）、大分（38.7％）………宮崎（33.7％）、鹿児島（31.9％）に次いで15番目（全国平均22.4％）、中学校においては北海道（51.1％）、高知（43.1％）、長崎（42.4％）、和歌山（38.5％）、青森（38.4％）、鹿児島（36.7％）に次いで７番目（全国平均18.8％）にランクされ、へき地校の多い県に属する。（表１ａ）における学校数は小中学校とも本校、分校をそれぞれ１校とし併置校は２校とみなして計上したものであるが、これを本校、分校併置校別々にみるとへき地学校の特色をいっそう明らかにはあくすることができる。全琉では1971年４月現在11の小学校分校（中学校の分校はない）があるがその中５校（45％）がへき地校であり、（表１ｂ）からして全琉の併置校の半分以上がへき地校で占められていることがわかる。

表1　　　a　併置校を2校とした時の学校数

| 級別＼小中別 | 小学校 | 中学校 | 計 | 全へき地校に占める割合(%) |
|---|---|---|---|---|
| 1級地 | 16 | 11 | 27 | 23.3 |
| 2級地 | 17 | 14 | 31 | 26.7 |
| 3級地 | 12 | 10 | 22 | 19.0 |
| 4級地 | 14 | 11 | 25 | 21.6 |
| 5級地 | 7 | 4 | 11 | 9.4 |
| 計 | 66 | 50 | 116 | 100 |
| 全琉計(公立) | 240 | 148 | 388 | |
| へき地校の占める割合(%) | (27.5) | (33.8) | (29.9) | |

b　併置校を1校とした時の学校数

| 級別＼小・中・併別 | 小学校 | 併置校 | 中学校 | 計 | 全へき地校に占める割合(%) |
|---|---|---|---|---|---|
| 1級地 | 9 | 7 | 4 | 20 | 25.3 |
| 2級地 | 7 | 10 | 4 | 21 | 26.6 |
| 3級地 | 4 | 8 | 2 | 14 | 17.7 |
| 4級地 | 6 | 8 | 3 | 17 | 21.5 |
| 5級地 | 3 | 4 | 0 | 7 | 8.9 |
| 計 | 29 | 37 | 13 | 79 | 100.00 |
| 全琉計(公立) | 173 | 67 | 81 | 321 | |
| へき地校の占める割合(%) | (16.8%) | (55.2%) | (16%) | (24.6%) | |

次にへき地学校の分布を調べてみると（表2）に示すとおりへき地学校の占める割合は八重山が非常に高く宮古、南部、那覇、北部がこれに次いでおり中部が一番低い率となっている。八重山は小学校、中学校共にへき地学校が学校数の3分の2以上を占めており、離島に所在するへき地学校は本島のそれに比べて級地の高い学校となっている。宮古は本島内にへき地学校は所在せず、伊良部、来間、大神、池間、多良間、水納の各離島だけがへき地校に指定されている。南部のへき地校もすべて離島であり、那覇が4番目にランクされているのは久米島（小学校7中学校4）をかかえているためであり、北部が予想外に率が低くなっているのは、奥小中、北国小中、天仁屋小中、有銘小中等多くのへき地に準ずる学校がまだへき地校に指定されていないためであり、次期へき地指定改正の際は当然へき地指定の問題がおこってくるだろうと思われる。

中部は与勝の離島の11校だけである。

表2　連合区別へき地学校とその割合　（1971.5.1）

| 区分 | | 連合区 | 北部 | 中部 | 那覇 | 南部 | 宮古 | 八重山 | 計 |
|---|---|---|---|---|---|---|---|---|---|
| 小学校 | 学　校　数 | | 62 | 57 | 37 | 30 | 21 | 33 | 240 |
| | へき地校数 | | 14 | 6 | 9 | 8 | 7 | 22 | 66 |
| | 割　合(%) | | 22.6 | 10.5 | 24.3 | 26.7 | 33.3 | 66.7 | 27.5 |
| 中学校 | 学　校　数 | | 42 | 29 | 19 | 20 | 17 | 21 | 148 |
| | へき地校数 | | 11 | 5 | 6 | 7 | 6 | 15 | 50 |
| | 割　合(%) | | 26.2 | 17.2 | 31.6 | 35.0 | 35.3 | 71.4 | 33.8 |
| 計 | 学　校　数 | | 104 | 86 | 56 | 50 | 38 | 54 | 388 |
| | へき地校数 | | 25 | 11 | 15 | 15 | 13 | 37 | 116 |
| | 割　合(%) | | 24.0 | 12.8 | 26.8 | 30.0 | 34.2 | 68.5 | 29.9 |

## 2. へき地の学校規模

へき地学校は一般に小規模が多いといわれているが、まず児童生徒数による学校規模を調べてみると（表3）に示すとおり、へき地学校1校当たりの児童生徒数は小中学校とも全琉平均の3分の1弱であり、へき地以外の学校平均と比較してみると小学校は4分の1強、中学校は4.5分の1ということになる。又、へき地以外の学校には比較的大規模の学校が多いが、へき地校では300人以上の在籍をもつ学校は小学校で11校（16.7％）、中学校で6校（12％）であるのに対し、50人以下の小規模校は小学校で18校（27.3％）中学校で19校（38％）あり、100人以下の規模では実に小学校67％中学校54％という高い比率を占めている（表4）、次に学級数を基準にした学校規模を示したのが（表5）である。すなわち、へき地校の1校平均学級数は小学校において公立小学校平均の2分の1弱へき地以外校の3分の1弱、中学校では公立中学校平均の3分の1、へき地以外校の4分の1という小規模になる。

学校教育法施行規則（昭和22年5月23日文部省令第11号）によると「小中学校の学級数は12学級以上、18学級以下を標準とする」と規定されており、中央教育委員会でもその趣旨に添って、学校分離、統合による学校規模の適正化を推進しているが、（表6）で示すようにへき地学校では3学級以下の小規模校が小学校にあってはその3分の1（22校）、中学校にあってはおよそ3分の1（30校）も占めている。

このような小規模校においては①教職員の研修の機会がとりにくいこと、⑩教科担任制がとられている中学校においては1人の教員で、専門以外の多教科の担当を余儀なくされるのでその負担過重はもとより、教育効果もあげにくいこと、ⓒとかく閉鎖的になりがちな児童生徒の社会性の養成等、適正規模校に比べ、さまざまなハンディキャップを背負わされている上に、更に近年における著しい過疎現象は児童生徒数の減少にますます拍車をかけついに廃校になった所もでてきている。

このことは関係当局とも相提携して早急に対処しなければならない大きな問題である。

表3　1学校当り平均児童生徒数

| | | 児童生徒数 | 学校数 | 1校平均児童生数 |
|---|---|---|---|---|
| 小学校 | へき地学校 | 11,730人 | 66 | 178人 |
| | 全琉公立小学校 | 133,228 | 240 | 555 |
| | へき地以外校 | 121,498 | 174 | 698 |
| 中学校 | へき地学校 | 7,245 | 50 | 145 |
| | 全琉公立中学校 | 71,136 | 148 | 481 |
| | へき地以外校 | 63,891 | 98 | 652 |

表4　児童生徒数別へき地校数

| | 小学校 | 中学校 | 計 |
|---|---|---|---|
| 50人以下 | 18 | 19 | 37 |
| 51～100 | 16 | 8 | 24 |
| 101～150 | 6 | 6 | 12 |
| 151～200 | 6 | 3 | 9 |
| 201～250 | 1 | 7 | 8 |
| 251～300 | 8 | 1 | 9 |
| 301～400 | 3 | 0 | 3 |
| 401～500 | 4 | 4 | 8 |
| 501人以上 | 4 | 2 | 6 |
| 計 | 66 | 50 | 116 |

表5　1学校当り平均学級数

| | | 学級数 | 学校数 | 1校当平均学級数 |
|---|---|---|---|---|
| 小学校 | へき地学校 | 447 | 66 | 6.77 |
| | 全琉公立小学校 | 3796 | 240 | 15.82 |
| | へき地以外校 | 3349 | 174 | 19.25 |
| 中学校 | へき地学校 | 234 | 50 | 4.68 |
| | 全琉公立中学校 | 1,866 | 148 | 12.61 |
| | へき地以外校 | 1,632 | 98 | 16.65 |

表6　学級数別へき地校学校（1971.5.1）

| 区分 | | 学級数 | 1 | 2 | 3 | 4 | 5 | 6 | 7 | 8 | 9 | 10 | 11 | 12 | 13 | 14 | 15 | 16 | 17 | 18 | 19 | 20 | 21 | 22 | 23 | 24 | 25 | 26 | 計 |
|---|---|---|---|---|---|---|---|---|---|---|---|---|---|---|---|---|---|---|---|---|---|---|---|---|---|---|---|---|---|
| 小学校 | 北部 | | 4 | 2 | 1 | 1 | 1 | 1 | | 1 | | | | | | 1 | | | 1 | 1 | | | | | | | | | 14 |
| | 中部 | | | | | | | 3 | | | 1 | 1 | 1 | 2 | | | | | | | | | | | | | | | 6 |
| | 那覇 | | 1 | | | | | 2 | | | | 1 | | 1 | 2 | | | | | | | | | | | | | | 9 |
| | 南部 | | 1 | 1 | | 2 | 2 | 1 | 1 | | | | | | | | | | | | | | | | | | | | 8 |
| | 宮古 | | 1 | 1 | 1 | | | | | | | 1 | | | | | 1 | | | | | | | | 1 | | 1 | | 7 |
| | 八重山 | | | 3 | 8 | 1 | 2 | 7 | | | | | | | 1 | | | | | | | | | | | | | | 22 |
| | 計 | | 10 | 12 | 3 | 5 | 15 | 2 | 2 | 2 | 3 | 2 | 1 | 3 | 1 | 1 | | 1 | 1 | | | | | | 1 | | 1 | | 66 |
| 中学校 | 北部 | | 2 | 3 | 2 | 1 | | 1 | | | | | 1 | | | | | | 1 | | | | | | | | | | 11 |
| | 中部 | | | | 2 | | | 2 | 1 | | | | | | | | | | | | | | | | | | | | 5 |
| | 那覇 | | | | 2 | | | 2 | | | | | | 1 | 1 | | | | | | | | | | | | | | 6 |
| | 南部 | | | 1 | 5 | | | 1 | | | | | | | | | | | | | | | | | | | | | 7 |
| | 宮古 | | 1 | 1 | | | | 2 | | | | | | | | | | | | | | | | | | | | | 6 |
| | 八重山 | | 2 | 4 | 5 | 1 | 1 | | | 1 | 1 | | | | 1 | 1 | | | | | | | | | | | | | 15 |
| | 計 | | 5 | 9 | 16 | 2 | 1 | 8 | 1 | 1 | 1 | | 1 | 3 | 1 | | | | 1 | | | | | | | | | | 50 |

（以下次号）

## 教育センター第二期工事の竣工に寄せて

沖縄教育研修センター

所長　知念　繁

　科学技術革新のはげしいこの情報化時代においては、学校教育で得た知識は5年の耐用年数しかないといわれる。さらに極言すれば、今日の教材は明日はもう使えなくなるとまでいわれるくらい価値観も急速に変動する時代である。このような時代に成立していく児童生徒を指導する現代の教師たちに、過去の、いつの時代にもまして、高度の専門性と指導力が強く要求される時代はかってなかったといえる。

　教師自体の成長なくしては児童生徒の成長を助けることはできない。それ故に、この夏休み期間中といえども、自己研修はもとより、各種の研修会、講習会に多くの教師が参加して、積極的に自らの成長に努めている。

　当教育センターにおいては、6月に宿泊施設を含む4、5階の第二期の工事が竣工したので、7月以降はこれをフルに活用しての計画研修（当センターの計画による研修）や、申請研修（申し込みによる自主的研修）がもたれ先生たちが真剣に研修に取りくんだ。その意欲と熱意には限りない心強さを感ずる。

　現職教育の施設として、1969年1月に開設以来、去る4月までの2年4ヶ月の間に、教職員がこの施設を使用した回数は延2,153回、人員にして延39,648人となっている。この数は、第二期工事竣工以前の集計によるものであり、施設の整備によって学校または、教育研究団体の自主的な申請研修が数多くもたれることが、当然予想されるので施設の使用度は今後ますます高まるものと思われる。

　今回できた施設に、まず4階が研修室3室、視聴覚室、食堂、5階が全部宿泊施設であり、屋上の塔屋は将来計画の天体ドームの機械室を含む基礎施設からなっている。これで、地下1階、地上5階の建物が一応できあがったことになる。

　ところで、これまで食堂がなくて不便

をかこっていたが、今後はこれが解消され、特に宿泊研修には大きな利便を提供することができる。5階の宿泊施設は、1室2人ずつ泊る和室21と、座談会などに利用できる20畳敷の小会議室（和室）があり、昼間のつかれを浴室で流すことができる。また食後のひとときを、ロビーでテレビをみながら談笑のうちに楽しくすごすこともできる。このように起居を共にすることによってお互いに親密の度を深め、好ましい人間関係をつくるのに恰好な場所である。

研修のうちで、宿泊研修が最も効率的であることは、企業関係でも早くから立証されているが、教育関係は、これらの施設や財政的な面から立ちおくれの状態にあった。さいわい、この施設ができたので今後、この種の研修が多くもたれるものと期待される。

特に、離島へき地の多い沖縄では、この宿泊施設は、必要不可欠な施設でこれを利用することによってへき地の先生たちに研修の機会と便宜が提供され、延いてはへき地教育の振興に大きく裨益するものと信じている。

この施設の今後の問題としては、天体ドーム、エレベーター、冷房装置、それに備品の充実が残されている。

これらを早急に整備充実して、真に研修の場にふさわしい施設たらしむべくいっそうの努力を払いたいと思っている。関係各位のご支援とご協力を願ってやみません。

第二期工事で増設した部分

4階

5階

## 教育研修センター研修計画
71年10月～12月に行なわれる研修事業（9月以前に開講されたものは除く）

| 研修事業名 | 対象 | 人員 | 期日 | 会場 | 備考 |
|---|---|---|---|---|---|
| 小中学校長研修会（新任） | 新任校長 | 40人 | 10.19(火)～10.20(水) | センター | |
| 高等学校教頭研修会 | 全員 | 44 | 11.8(月)～11.9(火) | 〃 | |
| 学年、学級経営長期研修 | 中学校主任級 | 3 | 71.10～72.3(6カ月) | 〃 | |
| 小学校国語定期研修 | 中、南部の主任級 | 25 | 10.5～72.1.11(10回) | 〃 | 中部9人 那覇8人 南部7人 計25人 |
| 中学校社会科長期研修 | 指導者級 | 1 | 10～72.3(6カ月) | 〃 | |
| 小学校算数長期研修 | 〃 | 1 | 〃 | 〃 | |
| 中学校数学研修会 | 北部の担当教諭 | 40 | 10.20(水)～10.22(金) | 北部 | |
| 〃 | 宮古の担当教諭 | 15 | 11.10(水)～11.12(金) | 宮古 | 中部16人 那覇16人 南部8人 計40人 |
| 〃 | 中南部の担当教諭 | 40 | 12.1(水)～12.3(金) | センター | |
| 中学校地学野外研修会 | 南部の担当教諭 | 40 | 10.21(木) | 南部 | |
| 〃 | 北部の担当教諭 | 〃 | 10.29(金) | 北部 | |
| 〃 | 中部の担当教諭 | 〃 | 11.4(木) | 中部 | |
| 〃 | 宮古の担当教諭 | 〃 | 11.9(火) | 宮古 | |
| 〃 | 八重山の担当教諭 | 〃 | 11.11(木) | 八重山 | |
| 〃 | 那覇の担当教諭 | 〃 | 11.16(火) | 那覇 | 中部15人 那覇15人 南部10人 計40人 |
| 小学校特活定期研修 | 中南部の主任級 | 40 | 11.24～72.2.24(10回) | センター | |
| 小学校特活長期研修 | 主任級 | 1 | 1～72.3(6カ月) | センター | |
| 中学校特活長期研修 | 〃 | 1 | 〃 | 〃 | |
| 中学校生徒指導研修会 | 八重山の主任級 | 30 | 10.14(木)～10.15(金) | 八重山 | |
| 中学校生徒指導長期研修 | 主任級 | 1 | 10～72.3(6カ月) | センター | |
| 小学校教育相談長期研修 | 〃 | 1 | 〃 | 〃 | |
| 小学校特殊教育長期研修 | 〃 | 1 | 〃 | 〃 | |

# 変声期についての実態調査報告

## －小学校6年及び中学校全学年について－

琉球大学講師　伊志嶺　朝　次

「変声期や変声についての実態把握が音楽の指導上欠くことのできない要件であることは、音楽の指導者の間で充分認識されておりながら、沖縄においてはこれらについての調査がこれまでなされておらず、われわれ音楽教育に携はるものにとって、その調査は急を要する責務といわねばならない。最近ではとくに、栄養、生活様式、その他変声に作用すると思われる種々の要因のため、小学校高学年における変声の事例が少からずきかれるようになった。そこで、変声はこれまでのように中学校教師のみの関心事ではなくなったわけで、その実態把握の必要性がいよいよ痛感されるわけである」

以上のような理由で、此度の調査が企画されたわけですが、より科学的な資料を得るためにはもっと広範囲な協力態勢を得て、しかも長期に亘る調査が必要であるが、今回はとりあえず予備調査として、那覇地区のいくつかの小中学校の男生徒のみを対象とし、大まかな統計資料と今後の調査における方法上の問題点その他を考える基礎資料を得ることが主なねらいである。

調査方法及び調査内容について

イ、方法としては、変声の兆候を列記して調査人にくばり、前もって児童生徒に自己診断の方法を周知徹底して自己診断を行はしめ、その他にクラス全体の観察及び、教師の観察によって変声を決定した。声域の決定については、ピアノの一点ハから漸次上下に一音づつ移行して、上限下限をチェックする方法をとった。

変声の兆候

1. 高い声が出にくくなり、無理に出そうとすると、のどがつまったり声がひっくり返ったりする。
2. 風邪を引いたり、大声でさわいだりしたおぼえがないのに、声がかすれたようになって出にくい。
3. これまでとちがって、うたうとすぐつかれる。

4. 友だちみんながきいて、声が低くまたは太くなったと思われる生徒
5. 教師の観察―外面的には、顔面の脂肪やひげのこゆさの目立つ児童や生徒に注意する。

ロ、内容としては、調査人員、変声者数、声域、変声時期（自己診断による）、生年月日、成績（I.Q.の資料が得られないため）、健康状態（上中下の三段階）、性格（心理的背景を考量を考慮して、性格の特に明るい暗いと断定できるもののみ）、地域（住所）、保護者職業（生活様式との関連で）、生活水準（上中下の三段階）、趣味（生活の態様との関連で）等で、それらの要因のうち、いずれかが統計的に意味をもちうるか否かを調べるためである。

小学校について

　学校の選定に当当っては、6月下旬から7月にかけての多忙な時期に調査を実施したため、特に意図せず、調査を引受けてくれるところということで、結局、小禄小、城岳小、城西小、識名小の4校が対象となった。

　調査を実施する前は、4年5年にも変声児がいるらしいということで、念のためこれらの学年についても調べることにしたが、識名小の5年児で4人が変声しているという報告があるだけで、他にはなかった。そこでこの報告では5年以下は一応除外して、もっぱら6年だけを対象としていることをおことわりしておきます。なお、各項目ごとに番号に従って説明を試みてみることにする。

| | 学校名 | 識名小 | 城岳小 | 小禄小 | 城西小 | 合計 |
|---|---|---|---|---|---|---|
| 1 | 調査人員 | 156人 | 189人 | 234人 | 212人 | 791人 |
| 2 | 変声児数 | 10人 | 7人 | 15人 | 8人 | 40人 |
| 3 | 声域 | 延声域 C~C' 平均声域 a~g' | 延声域 G~a' 平均声域 C~d' | 延声域 A~a' 平均声域 C~e' | 延声域 f~a' 平均声域 g~g' | 延声域 G~C' 平均声域 C~d' |
| 4 | 変声の時期 | 5年1学期 2人 2〃 1人 3〃 1人 6年 6人 | 5年1学期 0 2〃 1人 3〃 1人 6年 1〃 | 5年1学期 1人 2〃 0 3〃 5人 6年 8人 4年 1人 | 5年1学期 0 2〃 1人 3〃 1人 6年 5人 | 5年1学期 3人 2〃 8人 3〃 8人 6年 20人 4年 1人 |

変声期についての実態調査報告　23

| | | | | | | |
|---|---|---|---|---|---|---|
| 5 | 生年月日 | 1月～4月 2人<br>5月～8月 6人<br>9月～12月 1人<br>1月～3月 1人 | 1月～4月 3人<br>5月～8月 2人<br>9月～12月 1人<br>1月～3月 1人 | 1月～4月 4人<br>5月～8月 8人<br>9月～12月 2人<br>1月～3月 1人 | 1月～4月 1人<br>5月～8月 4人<br>9月～12月 2人<br>1月～3月 1人 | 1月～4月 10人<br>5月～8月 20人<br>9月～12月 6人<br>1月～3月 4人 |
| 6 | 地域 | 識名、真地<br>繁多川 | 楚辺、壷川<br>二中前、古波蔵 | 小禄<br>田原、宇栄原 | 汀良、久場川<br>当之蔵、儀保<br>山川 | |
| 7 | 成績 | A＝3人<br>B＝2人<br>C＝4人<br>DE＝1人 | A＝0<br>B＝3人<br>C＝2人<br>DE＝2人 | A＝1人<br>B＝6人<br>C＝8人<br>DE＝1人 | A＝1人<br>B＝1人<br>C＝4人<br>DE＝2人 | A＝5人<br>B＝12人<br>C＝18人<br>DE＝6人 |
| 8 | 健康状態 | 上＝7人<br>中＝3人<br>下＝0 | 上＝3人<br>中＝3人<br>下＝1人 | 上＝14人<br>中＝1人 | 上＝2人<br>中＝6人<br>下＝0 | 上＝26人<br>中＝13人<br>下＝1人 |
| 9 | 趣味 | スポーツ 7人<br>収集 2人<br>音楽 1人 | スポーツ 3人 | スポーツ 3人<br>芸術 1人 | スポーツ 4人<br>収集 2人<br>採集 1人<br>細工 1人 | スポーツ 17人<br>他 8人 |
| 10 | 性格 | 陽 9人<br>陰 1人 | 陽 6人<br>陰 1人 | 陽 13人<br>陰 2人 | 陽 4人<br>陰 1人 | 陽 32人<br>陰 5人 |
| 11 | 保護者職業 | 商1、農1<br>教員2、無1<br>軍2、公務1<br>ジャーナリスト1<br>ドライバー1 | 技術 4<br>セールス 1<br>会社 1<br>公務員 1 | 公務2、商1<br>会社1、技術2<br>セールス2<br>ドライバー4<br>労務1 | 商業2、経営1<br>ジャーナル2<br>ドライバー1<br>会社員 2 | 農、労、無<br>計 3人 |
| 12 | 生活水準 | 上＝0<br>中＝9人<br>下＝1人 | 上＝2人<br>中＝5人<br>下＝0 | 上＝0<br>中＝13人<br>下＝2人 | 上＝2人<br>中＝6人<br>下＝0 | 上＝4人<br>中＝33人<br>下＝3人 |
| 13 | 家族構成 | 第一子 4人<br>末子 3人<br>中間 1人<br>一人っ子 2人 | 第一子 4人<br>末子 1人<br>中間 2人 | 第一子 4人<br>末子 1人<br>中間 4人 | 第一子 5人<br>末子 1人<br>中間 2人 | 第一子 17人<br>末子 6人<br>中間 9人<br>一人っ子2人 |

　1と2、まず調査の対象となった児童の総数は791人。その中、変声児が40人で、全体の5パーセントにあたる。かりに1クラスの生徒数を45人～50人とすれば、1クラスに2～3人の変声児がいることになる。この数は、調査前の大まかな観察から得た予想とそれ程かけはなれたものではない。二学期以後の調査だと、この数はもっと大きくなるであろうが、今回の調査が6月旬から7月の学期末までの時期に行なわれたことを考慮すれば、大体常識的なものと考えていいんじゃなかろうか。変声の比率が城岳と城西、小禄と識名という風に対になっているのは、勿輪、偶然でしょうが、それぞれが対をなす同様な条件があるかどうかを調べてみることは興味ある課題にちがいない。こちらで用意された表でみる限り差異は見当らないので、それら以外の要因、例えば地域性などについてもっと

3. 声域の決め方については、基準を示さずに測定したので信頼度については多少疑問があるが、得られた通りの結果から判断すれば、変声の時期を5段階に分けて考えると、(注)識名小の例では変声の第2段階にあり、城岳は最終段階、小禄の例は第4から第5段階、城西は第2から第3段階にあると考えられる。

4. 変声時期の定め方、すべて自己診断によるもので、再び信頼度の問題があるが、一応そのまま観察すると、その50パーセントが6年に変声したと報告しており、残の50パーセントが5年に変声したとなっている。（但し、その中1人は4年の終りごろから変声したと報告している）ここで気づくことは、現6年のうち50パーセント（19人＋1人）が5年（又は4年）に変声したと報告されているのに、現5年では、前にことわった通り、識名小から4人の変声児の報告があるだけで、残り三校はゼロとなっていることである。もっとも、現6年でも、5年の1学期の中に変声したといっているものは全体で3人だけで、識名小の4人より少ないわけだが、パーセンテージの問題ではなく、分散の問題である。この辺も、今後の調査でくわしく調べてみたいところだある。調査方法などがもっと整備されれば、問題点がはっきりしてくるかも知れない。

5. 生年月日については念のため、表にみる通り4つの時期に分けて観ることにしたが、35年1月～3月というのはさすがに少なく、34年の5月から8月というのが最も多い。これは、35年生は平均的なクラスの生徒より年令が若いというのが原因だろうか。

6. 変声児数の比率の低い城西小と城岳小のケースは他の2校にくらべて地域的に特種な背景をもっているか、あるいは他に何か異る要因があるかどうか、本格調査の段階で明らかにしてみたい。表面的にみれば、いわゆる首里―那覇というのは地域的には対照的だし、城岳校区（二中前から壺川にかけた区域）には、スラムに近い部分が含まれていることから、地域差というがありそうな気がする。

7. 各学校にI.Q.の記録がないためここでは学業成績で代替した。C段階を普通の能力をもったものとすば、もともと

注1. 第1段階―高声を失う時期、第2段階―低声がはっきりあらわれる時期、第3段階―低声が安定する時期 第4段階―失はれた高声をある程度回復する時期 第5段階―域が最終的に確定する時期

パーセンテージが小さいにしても、普通以下のDEの段階は15パーセントという低い値である。普通の学校での成績の分布図と一致するようなbell shapeの曲線ができてしまう。これも、「知能のよいもの程早く変声する傾向がある」というこれまでの多くのデータを裏切らない結果だと考えて差支えなさそうである。

8. この項は、もっとも常識的な「健康で正常な発育をしているものの方が、不健康で正常な発育をはばまれている者より早く変声する」という予測を裏付けるものと考えてよいだろう。ここでも、健康度の基準を示さず、学績簿によって判断された。40人中1人だけ、健康状態が下と報告されたものがいるが、他との比較で特別な差異は認められず、その状態が調査時点での一時的なものなのか、もう少し永続的なものなのかは不明である。本格調査でなおそういったケースがでてくれば、詳細に調べてみる必要があるだろう。

9. ごく普通に観察しても、例えばスポーツが生活の中心を占めている児童の場合は成熟が早く、従って比較的早い時期に変声するだろうという予測は立つ。そこで、そうした傾向の有無を実際に確めるために趣味の項を設けた。残念ながらこの項については、40人のうち25人しか答えていないが、スポーツと答えたのが25人中17人（68パーセント）で予測をはっきりと裏付けている。その他については、数が少いので何とも言えないが、スポーツについて収集（切手、その他）となっている。その項については、本格調査でもっと多くのケースを得て、入念に調べてみたい。

10. ここでは性格の明暗がほっきりしている場合は、児童の生活環境を反映した心理的背景がつかめるかも知れないと考え、後の追跡調査の資料にするために加えておいた。調査用紙には、性格がはっきりと明るいとか暗いとか断定できるものだと記入し、中間的なものは記入しないようにと指示したが、結局、全体に反応があって資料としては得ようと思うものが得られなかった。それはともかくとして、報告されたままで観てみると、38人中陰と報告されたものは5人だけで、残り33人は陽となっている。もともと陰気な児童というのは数が少いだろうが、児童が正常に発育、発達するためには、身体的に健康であると同時に精神的にも健全で明るいということが条件となることの一般的なあかしと考えられない

だろうか。

11．12．保護者の職業は当然、社会的階層や児童の生活様式の目安になるだろう。但し、調査目的に適ったClassificationがなされなければならないことはいうまでもない。ここでのClassificationは、全く任意にやられているので細目については省くことにしたい。1つだけ目につくことは、農業、労務、無職といった類の一般には低いレベルの生活をしているクラスのものが40人中3家族だけとなっていることである。但しこの点も、農村（特に零細農家の多い）やスラム地域等と商業地域や高級住宅域等の、もっと広い範囲での地域間の比較を通して裏づけられなければ意味がないだろう。しかしながら、ここでのデイスカッションに関する限り、どこの校区でも貧困家庭を含んでいる筈で、特に12項目を考慮に入れた場合、「上級の生活をしているものは、下級の生活をしているものよりも変声が早い」という一般的な傾向を裏づけるものと考えてよかろう。生活水準のClassificationを三段階に分けたが、中間層をやゝ幅広くとった場合、下級生活者の方が上級生活者より多いと思われるので、このデータは或る程度信頼できるものと思う。

13．最後に、この項目は、追跡調査の必要のある場合を考えて設けられたものだが、指示が徹底しなかったためか、これも詳細な資料が得られなかった。しかし家族の中での本人の位置づけ（第一子、末子、中間、一人っ子等）については、40人中34人について報告が得られた。実は、これは私のhunchだが、第一子は早く成長するよう心理圧力がかかるだろうし、末子の場合はその逆つまり、いつまでも子供扱いにされるという逆の作用がある筈である。即ち、気候、風土、栄養などの外的要因とともに、変声の早いおそいに関しては、心理的要因もまた何らかの形で作用しているだろうと予測してみたのである。そして表にみられる通り、34人中17人（50パーセント）が第一子で、残りの50パーセントが末子、中間、または一人っ子という結果がでたことは予測が間違ってなかったことを物語っていると考えてよいのだと思う。この点も、いづれ後々の調査ではっきりする筈であるが、これを裏づける資料として、中学三年の変声未験者を調べたうち（1校だけの資料だが）、19人中8人（42パーセント）が末子となっており、逆に第一子は19人中1人となっている。これは前の説明の逆の現象と考えら

れる。

　さて、小学校については大体、以上が今回の調査結果で、変声児の比率は予測したほどは高くなった。今回の調査は先にも述べた通り、地域としては那覇に限定されたので、分散の状態について知り得ないので、それについては今後の本格調査で実状をキャッチしておく必要があるだろう。

　指導に関連しては、今のところ教材編集の段階で考慮しなければならない程、小学校での変声児は多くはないと思はれるが、比率は低くとも、6年児では現に変声期に入った児童がいることを教師は絶えず念頭におき、そうした少数の児童が音楽の学習で不利益を蒙ることのないように考慮を払う必要があろう。中学においては、多くのものが変声しているし、また指導の上でも充分な考慮がはらわれているはずであるが、小学校においては変声児が少数だけ、不利な扱いを受ける傾向がないとはいえないので、そういった意味から、教師は中学における以上に小学での変声児を保護してやらなければならないであろう。そのためには、小学校で高学年の音楽を指導する教師は、児童の声の変化について細心の観察を怠らないようにすべきてあり、他方、変声児の音楽時間中の取扱いについても、充分考慮をはらう必要があろう。

中学について

　今回は、特に中学の場合は、調査時期が悪くて充分な協力が得られず、従って、資料としては表にみる如く全く不完全なものになってしまった。その点を承知の上で、説明を試みてみたいと思う。松島については、依頼者の調査指示が不徹底だったためか、欲しい資料が得られず、また、真和志の場合は学校側の都合でやはり不充分になったが、本格調査の際にはもう少し徹底した調査が行はれるようにしたい。学校側には充分に協力する意志があったにも拘らず、実施の時期が悪かったことを反省している。

　はじめに、真和志中と松島中を除けば、1年で変声中及び変声を終了しているものの全体の比率は24パーセント（7月現在）で4分の1程度になる。変声中だけのものについては、真和志中を含めると19.1パーセント、変声終了者だけについては、松島を含めて6.8パーセントとなる。かりにこの2つの比率の和を4校の変声中及び変声終了者についての比率とみれば、25.9パーセントとなって、

表 2

| 学年 | 学校名＼調査人員及変声の態様 | 真和志中 | 松島中 | 上山中 | 小禄中 | 全体比率 |
|---|---|---|---|---|---|---|
| 一年 | 調査人員 | 48人 | 50人 | 286人 | 103人 | 487人 |
| | 変声中 | 13人 | / | 44人 | 26人 | 合計比率 113/487 23.2% |
| | 変声終了 | / | 7人 | 7人 | 16人 | |
| 二年 | 調査人員 | / | / | 248人 | 118人 | 366人 |
| | 変声中 | / | / | 33人 | 39人 | 322/366 |
| | 変声終了 | / | / | 172人 | 78人 | 88% |
| 三年 | 調査人員 | / | / | / | 117人 | 16.2% |
| | 変声未経験者 | / | / | / | 19人 | |

2校だけのにくらべて2パーセント程多くなる。これは、真和志中、松島中ともに、単独の比率が大きいためだろう。上山中が、例えば小禄中と比較して、1、2年ともに比率が低いのは、上山中の資料が4月～5月頃の調査資料だからだろう。この2つの中学の比率の差だけ6月、7月という2ヶ月の間に変声期に入るということだろうか。ここでもう一つ指摘したいのは、小禄中の場合、90パーセントの生徒が2年で変声を終了している。つまり、10パーセントだけが変声の未経験者であるのにくらべ、3年の変声未験者の16パーセントという値が大きすぎることである。もし、調査上の不備を除去する工夫をして再調査を行った上で、なおかつ同様な結果ができれば、あらためて原因調査を調べてみることも必要だろう。

最後に、小学校の13項目の家族構成のところですでに指摘したことだが、小禄中のケースで、3年の変声未経験者のう

ち42パーセント（19人中8人）までが末子であり、長男が19人中1人という小さい比率にくらべてはっきりしたちがいを示していることである。このちがいは、小学校での変声児の50パーセントまで第一子であったのと全く対をなす現象である。この現象を私は、児童・生徒の変声（総合的成長過程の1現象としての）に作用する心理的要因が極めて大きいことのあらわれと解釈している。この点はいずれもっと広範囲な調査で徹底してしらべてみたいと思っている。いずれにしても、中学についてはこれだけの資料で物を言うことは危険があるので、いずれ充分な資料を得てあらためて論じたい。

以上で調査報告を終ることにするが、今回の予備調査で学び得た今後の調査における指針としては次の通りである。

1. 第1に、変声の定義や上中下、ＡＢＣ等の段階を示す尺度を前もって明確にし、同一条件、同一基準に従って測定ができるようにする。
2. 調査の時期は少くとも年に2回は必要である。それによって、変声の進み具合等も観察が可能になる筈である。
3. 地域の定め方、例えば、ある地域がどういう特色をもっている（その構成メンバーが）あるいは都会性または地方性をもつかということなどについても、社会学的見地から厳密に決めておく必要があるだろう。
4. 調査のポイントを目的別、つまり統計資料用、指導資料用の如く整理して、それに従って調査した方がより明確なデータが得られるのではないか。
5. 本格調査では、できれば専門医などの協力も得て、変声の態様についても調査する必要があろう。同時に、男性徒のみならず女性徒についても当然調査されなければならない。

最後に、学期末の多忙な時期にも拘らず協力をして下さった次の先生方に心から感謝申しあげます。

（敬称略）

小禄小学校　外間　永律
城岳小学校　安谷屋長也
城西小学校　宮田　邦郎
識名小学校　浜田　盛幸
松島中学校　高江洲良吉
上山中学校　新木　恵一
小禄中学校　石垣陽一郎
真和志中学校　屋比久勲

<学校紹介>

# 波にポッカリ浮く与那国の
# 与那国小学校

校長 本 成 善 康

　さる6月25日2校時の休み時間のできごとである。職員室にお茶をのんでいた先生方がとたんにざわめきだした。それは「台湾が見える」ということである。気の早い女の先生は男の先生を促してバイクに相のりして、飛行場付近まで台湾の島影を見に行ってしまった。私も本校に就任して1年6カ月になるがまだそれを見たことがない。見に行きたいがバイクもなく時間の余裕もない。気は浮き浮きしながらも、無理に沈着な態度をつくろっていなければならない。「校長見に行こう」という先生もあらわれる始末、早い者勝ちで3校時の始業までに台湾を見て帰って来たのである。私は8月14日正午にそれを見た。西方彼方の水平線上にぼんやりとあらわれ、肉眼で確認できたのである。傍にいた島の人は「ことしはよく台湾がみえる。ところが台風はなかなか見えない」と異常旱魃を皮肉に表現しておられた。

　さて台湾の見える与那国島は那覇の西方520kmの位置にあって、日本領土の最西端で国境の島、絶海の孤島波にポッカリ浮く与那国である。

　与那国島に与那国小、与那国中、久部良小中、比川小四つの小中学校がある。本校の校区は与那国町字祖納（東部落、西部落、島中部落）で世帯数433戸、人口は1889名の農村部落である。

　本校の正面前方に標高231mの宇良部岳がそびえ右手前方には名勝で名高いテンダバナの岩がそそり立ち本校の美観を一層すばらしいものにしてくれている。

　本校は明治18年6月10日創立され今年で86周年を迎える歴史の古い学校である。

　本校の創立当初は与那国島64番地長若方を間借り（3カ月間）その後祖納目差結所（現町役所）に移転したが、児童数の増加と教育の近代化による進展にともない昭和9年には現校地に校舎5教室を

建て、歴史的移転完了に至る昭和29年6月までの約20年間は二カ所に授業が営なまれていたことになる。

本校は346名の児童と18名の教職員をようし、各学年、各2学級と特殊1学級の13学級に編成され、1学級平均28名となっており、小じんまりとしたとても気持のよいてごろな規模である。

施設は校舎5棟が三列に東西に並列し、きちんととととのっている。普通教室が14室で特別教室、管理室はまだできていない。去る2月に436.25㎡の小型な体育館ができあがり本学年度中には理科室と音楽室がつくられることになっているので、真に学校らしい形が整うのもこれからということになる。校長室、事務室、保健室、備品室、特殊学級などは間仕切り教室でがまんしている。図書室にあてる余裕がないので学校の図書は各学級に分配して管理をなし利用しているが図書館本来の活動をすることができない。学校教室環境の基本的な施設もまだ不備の面が多く不利不便の教育活動を余儀なくさせられている。

きのう三年二組の女の子が三名のおともだちを伴って私のところにはいてきた。その子は去る6月の末に九州大学付属病院で心臓の手術を受け全快して帰った子どもである。その子はにこにことうれしそうな笑をうかべ私のところに寄ってきたが、なにしにきたかうまく言えない。思うに、手術予定の日に、激励と無事を祈る電報を打ったのでその「おかげさまで元気になって帰ってきました」という表敬のあいさつをしにきたことは容易に察することはできる。そこで私から話しかけ、しばらく向かい合っていろいろ話しをした。いよいよ話しが彼女の心随にふれたのだろう。こんどは脱衣をして切開をした患部を私にみせてくれた。胸部、腹部の中央を上下に約30cmと両股の上内部にそれぞれ5cm程の手術した痕跡がなまなましくみとめられた。実に無邪気な子どもである。ほんと

うに素朴で純真で底ぬけに明るい。多少のちがいはあってもだいたい本校の子どもたちはこのようにかざりがない。

　こどもらしく、すこやかに伸びていることをうれしく思っている。

　教育活動の面から本校の職員構成の一面にＸ線をあててみる。

　男の先生5名（28％）女の先生13名（72％）は女子職員が多すぎる。職員の男女の比はさして問題にしたくないが実際問題として教育活動のどこかに、また、だれかにしわ寄せがあることは事実である。本校の先生方はそれを認認してお互に助け合いみがきあい相補いあって大きな力を発揮していることも事実である。しわよせがあることと、なんとかやっているということは別である。特色の一つをみると20代の女子職員が45％（8名）

教職経験5年未満の女の先生が45％（8名）の若い力とエネルギーをもつことであり、そのエネルギーの活用である。2カ年、3カ年と経験を積み自信をもつようになる。仕事をまかせることができるようになった頃は、石垣市内の規模の大きい学校に転勤する。教員の養成所だと皮肉をいう人もいるが、それは現実のありのままのすがたである。このことは自他ともに認めているし、これではよくない、なんとかしなければならないというが、いっこうに改善されない。へき地校の共通な問題だと思うが、本年度の本校の場合はとくにひどいと思っている。

　本校は本学年度、連合区指定の研究校に内定されていたが、とうとうそれも返上しなければならない事態になってしまったが、全く残念でならない。

教員村？ 与那国小中学校教員住宅

# 本土の高等学校を視察して (1)

首里高等学校　教頭　新　垣　　　博
本部高等学校　〃　　村　田　実　保
北山高等学校　〃　　古　城　源　徳

　全沖縄高等学校教頭会では、沖縄の高等学校教育の発展に資するため、毎年2週間ほどの日程で本土の高等学校の実情を視察させるべく2～3人の代表を派遣している。今年度は去る5月中旬～下旬にかけて、上記の方がたが視察を行って帰任した。以下はその帰任報告を簡略にまとめたものである。

　なお、一行の視察した学校は次のとおり。

　　鶴見高校（神奈川）
　　上野高校（東京）
　　長野西高校（長野）
　　本巣高校（岐阜）
　　京都教育大付属高校（京都）
　　松江南高校（島根）
　　福岡中央高校（福岡）
　　熊本第二高校（熊本）

〔1〕　**教育課程について**
1. 現行教育課程
　(1) 教育委員会の定める基準
　　　類型例等は至って弾力的で、中にはこれを定めない県教委もある。
　(2) 編制
　　　学習指導要領および県教委の定める基準によって学校長が編制する場合と、単に学習指導要領だけを基準として学校長が編制する場合とがある。
　(3) 教育委員会への手続き
　　ア）承認をうけさせる……長野、岐阜、島根（教科、科目、特活の時間配当）
　　イ）届出または報告させる……東京（教育目標、指導の重点、学年別教科、科目、特活の時間配当、年間行事計画）神奈川、熊本
　(4) 類型と選択制
　　ア）1年または1、2年共通必修
　　イ）コース制　長野西、本巣（岐阜）、福岡中央、熊本第二の各高校
　　ウ）選択制　鶴見、京都教育大付属高、京都市内の高校、上野（自主

ゼミ）
　　エ）類型の中に選択を入れてある。
　　　　松江南高校
(5)　3カ年の総単位数と卒業認定単位数
　　ア）週34単位時間、長野西、本巣、
　　　　京都府、福岡中央の各高校
　　イ）週34単位時間以下（生徒個人に
　　　　よって異る）鶴見、上野
　　ウ）週34単位時間を超える　松江
　　　　南、熊本第二高校
2.　改訂教育課程
　(1)　必修科目と卒業認定
　　　　必修科目は必ず履修しなければな
　　　らないが、修得しなければならない
　　　とはいっていない。卒業認定は従来
　　　と同じ……（文部省）
　(2)　クラブ活動を必修とするにあたっ
　　　ての条件整備のための予算措置
　　　設置者負担をたてまえとする。（文
　　　部省）
　(3)　クラブ活動と部活動の相違点
　　　クラブ活動は
　　ア）卒業認定の条件となる
　　イ）学校が編制する単位時間の中で
　　　　年間35単位時間必修
　　ウ）教師の指導計画に基づいて指導
　　　　する（文部省）
〔2〕　学力向上対策について

1.　教科、科目の35週確保の現状
　　　年間計画の上では確保されている
　　が、実際には困難という学校は多い。
　　しかし確保のために力を入れている
　　県、学校も多い。
2.　欠授業の補充についての例
　○各教科で補充の責任を負う（長野西）
　○事前に交換授業の計画をつくる（熊
　　本）
　○休講はめったにない（松江南、京都
　　府）
3.　進学、就職のための特別指導
　(1)　東京、神奈川……受験対策として
　　　の特別指導はやっていない
　(2)　その他の府県
　　ア）休業期間を除いて課外講座は廃
　　　　止の傾向にある
　　イ）反面、模試（校内、旺文社、県
　　　　統一）……3年、実力テスト……
　　　　1・2年
　　ウ）始業前の課外をやっている学校
　　　　もある……福岡県
4.　その他
　(1)　学年はじめに、全教科科目の年間
　　　学習計画表を全生徒に配布して、指
　　　導内容進度についてあらかじめ知ら
　　　せる（島根）
　(2)　府県で「学習のしおり」を発行

し、1年生に配って中学校からのつまづきをとり除くようにしている（京都）
(3) 進路決定に伴ない、進路別にコース編成をする（福岡中央）
(4) 根気よく、課題、テストを実施することで学習ムードを高めている（本巣高）
(5) 教Ⅲを1学期で終る学校が相当ある。2年で終るところもある。
(6) L、Hを7校時においたところがある（岡山）

〔3〕 休業について
1. 県立高等学校管理運営規則または県立高等学校学則に次の項がある。
「前各号に定めるもののほか、校長が特に休業を必要と認め、教育委員会の承認を得た日」
「農繁期、その他の休業日……校長において必要と認めた場合、1年を通じ○日以内の期間……」
2. 高校入試の時期とその期間のとり扱い
(1) 2月の実施東京、神奈川、島根、京都府
(2) 3月実施
　ア）終業式前（埼玉、愛知、岐阜、京都、岡山、熊本）
　イ）終業式後（長野）
　ア）の場合、入試と発表当日（3日間）休業日とする学校が多い
3. 3年生の学年末テスト後の取り扱い
(1) 自宅学習、あるいは自由登校等の名称をつかっている。
(2) 休業日でないので、授業日数に入れている県が多い。
(3) 中には休業日として取り扱い、授業日数から除いている県もある。

〔4〕 単位保留者の実情とその取り扱い
1. 全履習科目の修得を義務づけた学校の原級留置は一般に厳しい。追試の時期は本県と似ているが、卒業延期の場合の追試は3月末までに実施している。
2. 85単位を卒業条件とする学校の原級留置者、卒業延期者は極めて少ない。
3. 岡山大安寺では、卒業単位は90単位、但し必修科目の場合1科目で原級留置にする。
4. 東京○○高校における評定の基準
評定　5―10〜20％　4―20〜30％
　　　3―70〜30％（5・4・2・1の残り）　2・1―0〜20％

〔5〕 給与制度
給与に関しては、給与法を参考にし

て、各府県条例で定めている。
1. 初任給
　一般に国家公務員（教育職）より1号俸高い（長野、京都、島根、福岡）高校教諭の場合、教育職給料表（二）の二等級5号俸（昭和44年1月1日現在44,300円÷123ドル国家公務員2の4で42,200円）を適用している。
2. 定期昇給
　ある年限において昇給期間の短縮措置がとられている。（京都、福岡は12月区切りを9カ月で昇給させている）
3. 特別昇給
　島根県……職員数の15％を予定
　岐阜県……校長、事務職のみ実施（教諭は組合反対）
4. 勧奨退職時の特別昇給
　ほとんどの県が2号俸以上昇給させている。
　京都、福岡の例
　○ 経験年数20年以上2号俸、25年以上3号俸昇給
　○ 4月1日付で定期昇給する予定の者が、3月31日付で勧奨退職する場合は、更に1号俸昇給
　島根の例
　○ 経験年数の多寡によらず、2号俸昇給
　○ 女子職員で47才（生計主体者54才）で勧奨退職するときは5号俸昇給
5. 諸手当の例（山梨）
 (1) 初任給調整手当（3年間支給）
　大学を卒業し、4年以内に教諭で採用され、一普免許状を取得している者、1年次(1,000円)、2年次(700円)、3年次(400円)
 (2) 扶養手当
　配偶者(1,700円)、寡婦(夫)の第一子(1,200円)、第一子(600円) その他（400円）
 (3) 管理職手当　校長(12％)教頭(10％)
 (4) 通勤手当
　○ 2,800円まで全額、2,800円を超える分については、2,800円をこえる額の$\frac{1}{2}$を加算、最高限度は5,200円
　○ 自家用自動車
　　2K〜7K未満……1,400円、1K増すごとに200円加算2,800円をこえる場合は前に準ずる。
　○ 自転車
　　2K〜10K未満……900円、10K以上……1,400円
 (5) 住居手当
　昭和45年5月から新設された。借家、間借等により月額家賃等を3,000円以上支払っている場合、

3,000円をこえる額の½を支給、最高限度3,000円。

次の場合は対象としない
　(ア)　県公舎利用者、
　(イ)　家賃を払っていても現に居住していないもの
　(ウ)　父母の家に同居している者（現に家賃に等しいものを支払っていても）
　(エ)　借家等の契約者でないもの
(6)　特殊勤務手当
　(ア)　複式学級従事者
　　　　１週12時間以上担当するもの
　　　　複式　１日75円
　　　　複々式　１日90円
　　　　単級　120円
　(イ)　寄宿舎舎監手当
　　　　１回につき1,000円、　勤務５時間未満500円
(7)　宿日直勤務手当
　　　宿日直　１回620円、　土曜日直から引続く宿直9300円（620＋310）
　　　勤務５時間未満の場合310円
(8)　期末、勤勉手当
　　　給料（調整を含む）＋扶養手当×支給率

| 基準日 | 支給日 | 期末支給率 | 勤勉支給率 |
|---|---|---|---|
| 3月1日 | 3月15日 | 0.5 | — |
| 6月1日 | 6月15日 | 1.0 | 0.6 |
| 12月1日 | 12月5日 | 2.0 | 0.6 |

(9)　給料の減額
　(ア)　欠勤１時間単位で減額する
　(イ)　90日をこえる普通傷病休暇、１年をこえる結核休½
　(ウ)　普通休職１年間　0.8　結核休職３年間全額

# 昭和47年度国庫支出金等の要請内容

　昭和47年度国庫支出金等の要請事務が７月中旬より開始された。さっそく、積算書、添付資料の作成にとりかかり、９月上旬には文教局案がまとまり、琉球政府企画局を通して本土政府に正式要請された。

要請総額は231億1264万円であり、そのうち、
国政事業　31億6473万円　　　県政事業　133億7185万円
防衛庁関係　8億6888万円　　　市町村政事業　57億718万円　となっている。
　なお、その内訳を概観すると次のとおりである。

| 事　　項 | 要求額 | 内　　　　訳 |
|---|---|---|
| 総　　　額 | 千円<br>23,112,638 | (64,201,772＄) |
| 国 政 事 業 合 計 | 3,164,729 | (8,790,914＄) |
| 　義務教育教科書無償給与 | 245,214 | 47年度後期用、同年度転学用、48年度前期用 |
| 　国 費 沖 縄 学 生 招 致 | 188,709 | 学部学生853人、大学院学生50人、事務費 |
| 　特 別 育 英 奨 学 資 金 | 85,692 | 高校特奨生750人、大学特奨生658人 |
| 　私 立 学 校 助 成 | 1,482,012 | 高校産業教育設備、振興会出資金<br>経常費、統合経費、幼稚園施設、小中高理科設備 |
| 　学 校 給 食 基 本 物 資 購 入 | 160,007 | 脱脂粉乳、小麦粉 |
| 　復 帰 記 念 育 英 奨 学 基 金 | 1,000,000 | |
| 　教 育 統 計 調 査 | 3,095 | 学校保健統計、スポーツテスト調査<br>学校基本調査、地方教育行財政調査 |
| 防 衛 庁 関 係 合 計 | 868,877 | (2,413,547＄) |
| 　基 地 周 辺 整 備 | 868,877 | 基地公害の9校改造防音工事<br>読谷、中部工業高校の校舎防音工事の設計 |
| 県 政 事 業 合 計 | 13,371,854 | (37,144,039＄) |
| 　教 職 員 の 研 修 等 | 54,473 | 現職教員再教育、教育専門家招へい。研究教員、高校教職員研修、教職員海外派遣、教育研究団体補助 |
| 　義 務 教 育 費 国 庫 負 担 | 8,039,003 | 給料、諸手当、旅費、災害補償、共済組合費、教材<br>（小、中、盲、ろう、養護学校） |
| 　高校定時制及び通信教育の振興 | 53,796 | 専用管理関係諸室、一般教科設備、通信教育運営費<br>教科書、学習書給与、教育手当、 |
| 　理 科 教 育 等 の 振 興 | 20,666 | 高校（全日制、定時制）、特殊学校 |
| 　特 殊 教 育 等 の 振 興 | 207,587 | 特殊学校の施設、設備、特殊教育学校就学奨励 |
| 　教 員 健 康 診 断 補 助 | 604 | 教職員の結核検診 |
| 　高 校 産 業 教 育 の 振 興 | 383,312 | 産業教育設備、衛生看護科、普通科等家庭科 |
| 　社 会 教 育 指 導 者 養 成 | 4,183 | 主事等研修、主事海外派遣、ＰＴＡ指導者研究集会<br>通信教育振興 |
| 　青 少 年 教 育 の 振 興 | 3,901 | 青少年団体育成、青少年教育振興、青少年国内研修<br>団体指導者研修、未就職者研修 |
| 　婦 人 家 庭 教 育 の 振 興 等 | 6,272 | 婦人家庭教育調査研究指導、都道府県補助、 |
| 　社 会 教 育 施 設 備 置 | 147,343 | 史料編集所資料館建設、図書購入、視聴覚教育整備<br>視聴ライブラリー設備、青年の家施設設備、 |
| 　地 方 ス ポ ー ツ 振 興 | 1,000 | 体育指導委員講習会、野外活動指導者講習会 |
| 　定時制屋外運動場照明施設 | 22,000 | 定時制課程　5校 |
| 　体 育 団 体 関 係 補 助 | 43,246 | 全国スポーツ大会参加、県民体力づくり、沖体協会館建設 |

| | | |
|---|---:|---|
| 学校給食施設設備 | 5,758 | 定時制高校 |
| 高等学校危険建物等改築 | 39,797 | 木造等危険建物の解消 |
| 高等学校施設設備の整備 | 2,305,100 | 一般産振校舎、新設校校舎、屋体、プール、給食室数学教育設備 |
| 私立高校産業教育施設 | 48,391 | 産振校舎 |
| 学校給食用物資の低温流通化 | 64,937 | 学校給食総合センター（施設、設備）、コールドチェーン |
| 県立学校用地購入 | 708,035 | 新設高校(2)、新設養護学校(1) |
| 復帰記念沖縄特別国民体育大会 | 819,372 | |
| 博物館二階陳列場の増築 | 92,626 | 施設費、測量設計費 |
| 文化財の保存整備 | 72,195 | 円覚寺、首里城復原、玉陵修理、文化財管理設備、遺跡分布調査 |
| 史跡等の保存 | 153,568 | 中城城跡、埋蔵文化財、民家の買い上げ |
| 無形文化財の保護 | 3,654 | 芸能公開、伝統工芸公開 |
| 地方文化の振興 | 31,026 | 新劇、文楽の公演、青少年芸術普及、古美術展 |
| 育英会大阪寮の建設 | 40,009 | |
| 市町村政相当事業合計 | 5,707,178 | (15,853,272＄) |
| 幼稚園教育の振興（園具等） | 394,559 | 施設、園具等整備 |
| 教育委員会の統合助成 | 800 | 教育委員会設備等（自動車1台） |
| 公立小中学校管理設備 | 5,760 | 防犯灯、耐火書庫、火災警報器、 |
| 要保護準要保護児童生徒援助 | 226,692 | 要保護準要保護児童生徒、特殊学級児童生徒就学奨励 |
| へき地教育の振興 | 33,556 | 校医、歯科医、薬剤師の派遣、スクールバス、ジープ、映写機、シート等、遠距離通学費補助 |
| 産業教育の振興 | 26,426 | 中学校産業教育設備 |
| 青少年教育の振興 | 15,168 | 青少年教育振興、婦人家庭教育 |
| 社会教育施設設備 | 275,999 | 公民館、公立図書館 |
| 地方スポーツ振興 | 1,100 | 指定市町村補助、スポーツ教室開設 |
| 体育施設の整備 | 368,633 | コザ市総合運動場、社会体育施設補助 |
| 学校施設設備の整備 | 83,209 | 給食設備、給食室等増築 |
| 学校栄養職員設置 | 12,715 | 学校栄養士 25人 |
| 公立学校の施設設備備品整備 | 4,095,114 | 小中学校施設、算数数学特別設備、教材、理科、特殊学級設備 |
| 幼稚園教育の振興（給与） | 145,457 | |
| 過疎過密地域教育対策 | 2,465 | 小規模校統合補助（金武中、羽地中） |
| 風疹障害児対策 | 19,525 | 設備、スクールバス購入費、就学奨励費 |

## 殷 元 良 筆「花鳥図」

　殷元良（仲松庸昌）は、琉球が生んだ最も傑出した画家の一人である。彼は、1718年首里に生まれ、幼少の頃より非凡の画才を発揮したといわれる。そして12才の頃には国王尚敬の目にとまり、王府にめしかかえられて絵筆をふるい、その画才はますます磨きがかけられていった。
　彼が得意としたのは、花鳥画であったが、山水画にも彼の才能は遺憾なく発揮されている。彼の作品は、去る大戦まで諸家に可成り分蔵されていたようであるが、現在では僅かに5幅だけしか知られていない。そのうち3幅は政府立博物館に、1幅は石垣市の吉田家に、他の一幅は久米島の某家の所蔵になっていたがいまはハワイにいっているとのことである。この5幅の中で最も円熟した伎倆を発揮しているのが博物館蔵のこの花鳥図であろう。これは殷元良の代表作とはいえないかも知れないが、非常に高い気品に充ち、おそらくますます画境が深くなった晩年の作であろう。彼の若い頃の作品、例えば、戦前首里の尚順男爵家に所蔵されていた「山水図」は庚午の年、つまり彼33才の作で、写真でもその気宇の高さといい、雄渾さといい、他の追随を許さぬものがある。これは伝殷元良筆の「神猫図」と共に彼の代表作ともいうべきものだが、共に戦災で失なわれたことはかえすがえすも残念なことである。
　右に揚げた「花鳥図」は前述の「山水図」や「神猫図」に比し、雄渾さにおいて劣るとはいえ、その気宇において優るとも劣らぬ高さをもった作品である。

政府立博物館主事　　大　城　精　徳

1971年10月28日　印刷
1971年10月30日　発行

文　教　時　報　　（125号）

発行所　　琉球政府文教局総務部　調査計画課
印刷所　　サ　ン　印　刷　所

## 博物館名品紹介

## 殷元良筆「花鳥図」

# 昭和46年社会教育調査結果

教育区の人口規模別社教主事設置状況

| 区分 | | 教育委員会数 | 社教主事を設置している委員会数 | 社教主事数 | 社教主事補を設置している委員会数 | 社教主事補数 |
|---|---|---|---|---|---|---|
| 都道府県 | | 1 | 1 | 8 | | |
| 市 | 6万未満 | 8 | 3 | 3 | 6 | 7 |
| | 6万以上10万未満 | | | | | |
| | 10～15 | | | | | |
| | 15万以上 | 1 | 1 | 1 | | |
| | 計 | 9 | 4 | 4 | 6 | 7 |
| 町村 | 5千未満 | 15 | 4 | 4 | 2 | 2 |
| | 5千以上、1万未満 | 18 | 8 | 8 | 3 | 3 |
| | 1～1.5 | 10 | 3 | 3 | 5 | 5 |
| | 1.5～2.0 | | | | | |
| | 2.0～2.5 | 2 | 2 | 2 | | |
| | 2.5～3.0 | | | | | |
| | 3万人以上 | 1 | | | 1 | 1 |
| | 計 | 46 | 17 | 17 | 11 | 11 |
| 組合（連合区） | | 6 | 6 | 6 | | |
| 計 | | 62 | 28 | 35 | 17 | 18 |

1972年度

# 教育関係予算の解説

号外 19

文 教 局

１９７２年度

# 教育関係予算の解説

文 教 局

文教時報号外(第19号)

## はじめに

　この冊子は、１９７２会計年度の教育関係予算について解説したものであります。
　本土復帰を来年にひかえ、１９７２年度の予算は、琉球政府としての最後の予算ということになります。
　したがって文教局の予算編成も「復帰体制づくり」を目標に、中央教育委員会で策定された「１９７２年度文教主要施策」に基づいて進められました。
　本冊子が効率的な予算執行に役立つことを念じて、皆様方のお手もとにお届けするものであります。
　１９７１年９月

　　　　　　文教局長　中　山　興　真

## も　く　じ

第1章　1972年度教育関係予算の概要 …………… 1
　1．教育予算の総額 ……………………………… 1
　2．予算編成の方針と経過 ……………………… 6

第2章　教育施設及び設備備品の充実整備 ……… 9
　1．1972年度の校舎等の建築 ………………… 9
　2．教育施設用地の買い上げ …………………… 16
　3．設備、備品充足率の引き上げ ……………… 16

第3章　教職員の定数改善と資質並びに福祉の向上 … 20
　1．義務教育諸学校の教職員定数改善 ………… 20
　2．教職員給与の改善 …………………………… 21
　3．教職員の福祉増進 …………………………… 23
　4．研修事業の拡充 ……………………………… 27
　5．教育研究団体の補助育成 …………………… 32

第4章　地方教育区の行財政の充実と指導の強化 … 34
　1．1972年度の政府補助金と交付税教育費 … 34
　2．連合教育区への補助 ………………………… 44
　3．文教施策の浸透と行政事務研修の充実 …… 46

第5章　教育の機会均等の推進 …………………… 48
　1．義務教育諸学校教科書無償給与 …………… 48
　2．幼稚園の育成強化 …………………………… 49

―も く じ―

　　3. へき地教育の振興……………………………　50
　　4. 特殊教育の振興………………………………　53
　　5. 風疹障害児の教育……………………………　55
　　6. 就学奨励の拡充………………………………　56
　　7. 定・通制教育の振興…………………………　57

第6章　後期中等教育の整備充実……………………　59
　　1. 後期中等教育の拡充…………………………　59
　　2. 政府立高等学校教職員定数の確保…………　59
　　3. 産業教育の振興………………………………　60

第7章　教育指導の近代化……………………………　61
　　1. 教育指導者の養成と指導力の強化…………　61
　　2. 理科教育の振興………………………………　65
　　3. 道徳教育と生徒指導の強化…………………　67
　　4. 教育調査研究…………………………………　69
　　5. 視聴覚教育の推進……………………………　70
　　6. 学校図書館教育の振興………………………　73

第8章　保健体育の振興………………………………　75
　　1. 学校体育指導の拡充強化……………………　75
　　2. 学校保健の強化………………………………　76
　　3. 学校安全の強化………………………………　77
　　4. 学校給食の拡充………………………………　77
　　5. 学校体育諸団体の育成………………………　79
　　6. 社会体育………………………………………　80

― も く じ ―

第9章　社会教育の振興……………………………　82
　1.　青少年教育……………………………………　82
　2.　成人教育………………………………………　84
　3.　社会教育施設の整備充実……………………　85
　4.　視聴覚教育……………………………………　87
　5.　レクリエーションの普及……………………　88
　6.　新生活運動の推進……………………………　88
　7.　社会教育指導者の養成………………………　89
　8.　社会教育関係団体の助成……………………　90

第10章　育英事業……………………………………　91
　1.　奨学費…………………………………………　91
　2.　学生寮費………………………………………　92
　3.　国費自費学生選抜費…………………………　93

第11章　文化財保護事業……………………………　94

第12章　沖繩県史の発行……………………………　97

第13章　私立学校教育の振興………………………　99

第14章　復帰記念沖繩特別国体の開催準備………　100

第15章　国立移管に備えての琉球大学の充実……　103

参　考　資　料
　1.　1972年度教育関係歳出予算の款項別一覧表
　　　　　　　　　　　　　　　　　　………　109

— も く じ —

2. １９７２年度文教局予算中の政府立学校費及び地方教育区への各種補助金、直接支出金………… 111
3. １９７２年度教育区歳入、歳出予算…………… 126
4. １９７２年度交付税教育費単位費用積算基礎… 134
5. 教育関係本土政府援助一覧………………… 157

# 第1章 1972年度教育関係予算の概要

 1972年度の琉球政府予算は2か月の暫定予算を経て8月24日の立法院本会議で可決され、8月28日に立法第93号として署名公布された。

## 1 教育予算の総額

### (1) 予算総額

 1972年度の琉球政府は一般会計歳入歳出予算総額は263,633,584ドルで、このうち教育関係予算額は79,609,183ドルを占め政府総予算に対しては30.2％の比率となっている。

 この教育予算を前年度との比較でみると、

ア、前年度の当初予算57,897,580ドルに対しては、実額で21,711,603ドルの増、伸長率は37.5％である。政府予算の伸長率は31.3％であるから、本年度は教育予算の伸びが特に著しいといえる。

イ、前年度の補正後の予算66,443,948ドルに対しては13,165,235ドルの増、伸長率は19.8％である。
（政府予算は25.7％）

 次に教育予算を事項別に分け、その構成比ならびに政府総予算に対する比率を示すと下表のとおりである。

| 事 項 | 予 算 額 | 構成比 | 政府予算に対する比率 |
|---|---|---|---|
| 総　　　　額 | 79,609,183ドル | 100.0％ | 30.19％ |
| 文　教　局 | 70,924,594 | 89.1 | 26.90 |
| 文化財保護関係 | 118,737 | 0.1 | 0.04 |
| 琉　球　大　学 | 8,565,852 | 10.8 | 3.24 |

## (2) 支出項目別内訳と前年度比較

　琉球大学予算と文化財保護関係予算を除いた文教局歳出予算額は70,924,594ドルである。これを支出項目別に前年度の当初及び補正後予算と比較すれば次表のとおりである。

### 支出項目別内訳

| 事　項 | 1972年度 予算額 | 1971年度 当初予算 | 1971年度 最終予算 | 比較増△減 対当初 | 比較増△減 対最終 |
|---|---|---|---|---|---|
|  | ドル | ドル | ドル | ドル | ドル |
| 総　　額 | 70,924,594 | 54,292,269 | 58,854,287 | 16,632,325 | 12,070,307 |
| A　消費的支出 | 56,210,895 | 44,894,653 | 46,279,136 | 11,316,242 | 9,931,759 |
| (1)　教職員給与 | 50,497,604 | 40,328,886 | 41,246,511 | 10,168,718 | 9,251,093 |
| (2)　その他 | 5,713,291 | 4,565,767 | 5,032,625 | 1,147,524 | 680,666 |
| B　資本的支出 | 14,713,699 | 9,397,616 | 12,575,151 | 5,316,083 | 2,138,548 |
| (1)　学校建設費 | 11,003,087 | 7,257,609 | 6,673,414 | 3,745,478 | 4,329,673 |
| (2)　その他 | 3,710,612 | 2,140,007 | 5,901,737 | 1,570,605 | △2,191,125 |

　ところで1971年度予算の成立後の異動についてここで簡単にみると、政府一般会計の才入で約440万ドルの追加、約380万ドルの減少があり差し引き補正額は歳入歳出とも約66万ドルの増となった。

　歳入増の主なものは本土援助受け入れ約109万ドル、前年度剰余金約45万ドル、租税収入約280万ドル等であり、歳入減の主なものは所得税約180万ドル（全軍労の大量解雇によるといわれる）、自動車税約20万ドル（外人自動車税の徴収不能）、石油税約180万ドル等である。

　なお、文教関係では復帰記念特別国体の開催にそなえ

て準備費が追加計上され（417万ドル）その他の補正もあって当初予算54,360,173ドルが最終的には58,922,191ドルの予算規模となった。

さきにみた支出項目別内訳の構成費を図に示すと右のとおりである。

すなわち、文化財保護関係、琉球大学関係を除いた教育関係予算額70,924,594ドルの71.2％が学校教職員の給与で、これ

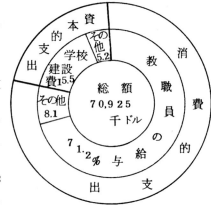

に学校建設費の15.5％を加えた86.7％がいわゆる義務経費に支出されていることになり文教局予算の一つの特色となっている。

### (3) 教育分野別内訳

前項同様、文化財保関係と琉大関係を除いた教育予算を教育分野別にみると次表のとおりである。

| 分野別 | 予算額 | 構成比 |
|---|---|---|
| 総額 | 70,924,594ドル | 100.0％ |
| 学校教育費 | 64,870,787 | 91.5 |
| 幼稚園 | 499,886 | 0.7 |
| 小学校 | 29,259,446 | 41.2 |

4 　—第1章　1972年度教育関係予算の概要—

| 　 | 　 | 　 |
|---|---:|---:|
| 中　学　校 | 18,489,478 | 26.1 |
| 特　殊　学　校 | 1,878,533 | 2.8 |
| 高　等　学　校 | 14,743,444 | 20.7 |
| 社 会 教 育 費 | 1,236,112 | 1.7 |
| 教 育 行 政 費 | 4,346,119 | 6.1 |
| 育 英 事 業 費 | 471,576 | 0.7 |

### (4) 財源別内訳と前年度比較

　最後の琉球政府予算として編成された本年度の予算は、本土政府の復帰対策費が大巾に増え、地方債もはじめて認められるなど、歳入面で従来より条件はよくなったが、復帰を控えての財政需要の増大、清算事務の推進等のため、極度の財政硬直におち入り、編成作業は難渋した。

　教育関係についてみると、米政援助は前年度からゼロとなり、本土政府の復帰対策費は対前年比で41％も伸びたがそれでも旺盛な財政需要を充たすには不充分で借入や地方債で補なうことになった。

　教育関係予算を財源別に前年度と比較すると次表のとおりである。

| 区分 | 財源 | 1972年度 | | 1971年度 | | 比較増△減 |
|---|---|---:|---:|---:|---:|---:|
| | | 金額ドル | 構成比％ | 金額ドル | 構成比％ | |
| 全 | 計 | 79,609,183 | 100.0 | 57,897,580 | 100.0 | 21,711,603 |
| 教 | 琉政 | 43,128,630 | 54.2 | 38,407,942 | 66.3 | 4,720,688 |
| 育 | 復対費 | 29,278,531 | 36.8 | 19,489,638 | 33.7 | 9,788,893 |
| 予 | 借入 | 3,473,094 | 4.3 | — | — | 3,473,094 |
| 算 | 地方債 | 3,728,928 | 4.7 | — | — | 3,728,928 |

| | | | | | | | |
|---|---|---|---|---|---|---|---|
| 文化教財局（含文）予算 | 小計 | 71,043,331 | 100.0 | 54,360,173 | 100.0 | 16,683,158 | |
| | 琉政 | 37,218,725 | 52.4 | 35,145,649 | 64.7 | 2,073,076 | |
| | 復対費 | 27,023,572 | 38.0 | 19,214,524 | 35.3 | 7,809,048 | |
| | 借入 | 3,072,106 | 4.3 | — | — | 3,072,106 | |
| | 地方債 | 3,728,928 | 5.3 | — | — | 3,728,928 | |
| 琉大予算 | 小計 | 8,565,852 | 100.0 | 3,537,407 | 100.0 | 5,028,445 | |
| | 琉政 | 5,909,905 | 69.0 | 3,262,293 | 92.2 | 2,647,612 | |
| | 復対費 | 2,254,959 | 26.3 | 275,114 | 7.8 | 1,979,845 | |
| | 借入 | 400,988 | 4.7 | — | — | 400,988 | |
| 参考 | | | | | | | |
| 琉球政府予算 | 総額 | 263,633,584 | 100.0 | 200,780,511 | 100.0 | 62,853,073 | |
| | 琉政 | 119,467,572 | 45.3 | 119,282,504 | 59.4 | 185,068 | |
| | 復対費 | 116,380,782 | 44.1 | 68,263,007 | 34.0 | 48,117,775 | |
| | 米政 | 8,850,000 | 3.4 | 13,235,000 | 6.6 | △4,385,000 | |
| | 借入 | 8,333,333 | 3.2 | — | — | 8,333,333 | |
| | 地方債 | 10,601,898 | 4.0 | — | — | 10,601,898 | |

　復帰対策費の事業内容の詳細については、各章で解説されているが、琉球政府予算に繰り入れられない分については巻末の参考資料(5)にまとめて表示してある。

(5) **他局計上分を含めた教育予算**

　以上解説してきた教育関係予算は、他局で計上されているものは除かれているが、政府全体として総務局に一括計上されているものに、庁用消耗品費、同備品費、印刷製本費、被服費等のいわゆる用度費があり、本年度の教育関係は97,769ドルが計上されている。

　さらに市町村交付税をとおして、教育区の予算に実質的に繰り入れられる教育財源があり、本年度の政府一般会計から市町村交付税特別会計への繰り入れ額は約3093

万ドルで、このうち市町村の「教育費負担金」として教育区に支出される額を基準財政需要額の割合から単純推計するとおよそ1037万ドルとなる。

　他局計上分を含めた教育関係の予算規模は結局、次表のとおりである。

| | | |
|---|---|---|
| 文教局（含文化財） | | 71,043,331ドル |
| 琉　球　大　学 | | 8,565,852 |
| 他局計上 | ○ 用　度　費 | 97,769 |
| | ○ 市町村交付税 | 10,364,571 |
| | 教育費負担分 | |
| 合　　計 | | 90,071,523 |

## 2　予算編成の方針と経過

　本土復帰を来年にひかえ、復帰体制づくりと、清算事務の両面から本年度の予算編成作業が進められたが、文教局としても六つの教育主要施策を樹立し、これにもとづいて予算編成の作業を進めた。

　中央教育委員会で策定された教育主要施策は次のとおりである。

## １９７２年度文教局主要施策

| 重点事項 | 具体的事項 |
|---|---|
| 1. 長期計画にもとずく文教施設設備の充実整備と地方財政の強化 | ① 長期計画による校舎等学校建物の整備拡充<br>② 体育施設の拡充<br>③ 文教施設用地の確保<br>④ 学校設備備品の充実<br>⑤ 水産実習船代船の建造<br>⑥ 基準財政需要額の大巾増額 |
| 2. 教育機会均等の推進 | ① へき地教育施設の拡充<br>② 特殊学校の新設<br>③ 風しん児教育の充実<br>④ 学校統合の推進<br>⑤ 定時制教育施設の整備<br>⑥ 私学助成の強化<br>⑦ 育英奨学の拡充 |
| 3. 教職員の資質の向上と待遇改善ならびに福祉の向上 | ① 教育研修センターの拡充整備と活用<br>② 指導者養成と指導技術の向上<br>③ 高令者教職員の勧奨退職の推進<br>④ 給料の不均衡是正 |

| 重点事項 | 具体的事項 |
|---|---|
| 4. 生徒指導の強化と青少年健全育成 | ① 生徒指導の強化<br>② 教育相談活用の促進<br>③ 家庭教育・青少年教育の強化<br>④ 安全教育の強化 |
| 5. 社会教育の振興 | ① 社会教育指導者の養成<br>② 社会教育施設の拡充<br>③ 勤労青少年教育の推進 |
| 6. 復帰記念国民体育大会に備えてのスポーツの振興 | ① スポーツ施設の整備拡充<br>② 各種競技運営の強化と競技力の向上 |

　この主要施策に基づく教育費をおよそ10,623万ドルと見込み、予算当局に概算要求したが、硬直した財政事情を反映してかなりきびしい査定がなされた。

　こうして政府参考案として立法院に送付された文教関係の予算額は70,969,582ドルであったが委員会で幾分手直しされ、71,043,331ドルの予算が成立した。この額は、概算要求額に対しては66.9％に相当する。

　新年度予算の具体的内容については第2章以下で概説されている。

# 第2章 教育施設及び設備・備品の充実

## 1 1972年度の校舎等建築

　琉球政府としての最後の学校建設費であって、明年（昭和47年度）から始まる新しく策定された5年計画へのつなぎの意味をもつ今年度予算の特色は、「①総額がはじめて1千万ドル台にのぼったこと。」「②運営費の大部分が日政援助金によって確保され、前年度の約3倍に伸びたこと。」の2点にしぼることができる。

　しかし、1千万ドルを上廻ったといっても、実質的には991万ドルで、前年度の政府債務負担行為済額の今年度負担分が118万ドル上積みされている。

　それでも前年度額728万ドルに比較して263万ドル増額しているのは、格差是正が急務である校舎等建設にとって一歩前進であるといえようが、学校種別にみると高校に要する予算が依然として伸びなやみの状態にあるのは遺憾である。

　運営費については、従来の粋では必要経費の4割程度しかないため非常に窮屈な、動きのにぶい執行体勢であったが、本土政府のテコ入れで一躍3倍に増加したことは、今後の執行に一層の充実がみられるものと期待される。

　以下、順をおって学校建設費の内容をみよう。

10 －第2章 教育施設及び設備備品の充実整備－

(第 1 表　学　校

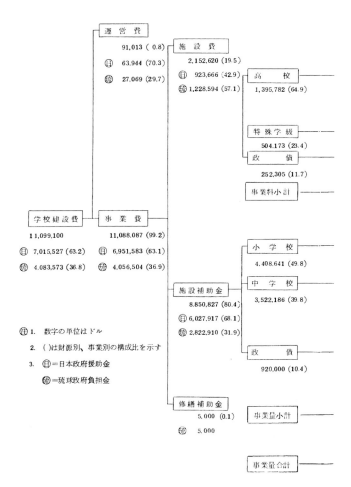

—第2章 教育施設及び設備備品の充実整備— 11

建 設 費 一 覧）

| | 事　業　量 | | | | | | | | | 備　考 |
|---|---|---|---|---|---|---|---|---|---|---|
| 校舎㎡（室数） | | | | 校舎以外 | | | | | | |
| 面積 | 教室数 | | 改築 | 産振その他 | 屋体(棟) | プール(基) | 教住(戸) | 給食室(棟) | 寄宿舎 | 屋外照明(校) | |
| | 普通 | 特別 | | | | | | | | | |
| 2,530 | (29) | (0) | 320 | (32)<br>9,282 | | | | (1)<br>64 | 160 | (10) | |
| 3,920 | (15) | (19) | | | | | | | | 420 | 新設校1校を計画 |
| 6,450 | (44) | (19) | 320 | (32)<br>9,282 | | | | (1)<br>64 | 580 | (10) | |
| 25,991 | (54) | (72) | 500 | 風疹児<br>(50)<br>4,500<br>防音<br>3,500 | (15)<br>10,000 | (2) | (10)<br>500 | | | | 新設校1校を計画 |
| 24,647 | (48) | (80) | 500 | 防音<br>3,000 | (12)<br>7,000 | (2) | (10)<br>500 | | | | 新設校1校、統合新設1校を計画 |
| | | | | | | | | | | | |
| 50,638 | (102) | (152) | 1,000 | 風疹児<br>(50)<br>4,500<br>防音<br>6,500 | (27)<br>17,000 | (4) | (20)<br>1,000 | | | | |
| 57,088 | (146) | (171) | 1,320 | (62)<br>20,282 | 27<br>17,000 | (4) | (20)<br>1,000 | (1)<br>64 | 580 | (10) | |

**(1) 事業費の概要**

　今年度の学校建設費1,109万9,100ドルのうち、運営費分9万1,013ドルを差し引いた金額1,100万8,087ドルが事業費の総額である。

　しかし、この中には前年度の政府債務負担行為済額118万3,865ドルが含まれているので、実質的には991万5,235ドルとなる。

　前年度に比較して262万8,060ドルの増となり、36.1％の伸び率を示している。

○政府立学校に要する実質予算額は189万9,955ドルで事業費の18％を占め、前年度に比較して37万1,487ドルの増、24.3％の伸びである。

○公立学校に要する実質予算額は793万827ドルで事業費の72％を占め、前年度に比較して220万1,686ドルの増、38.4％の伸びである。

○財源別内訳を実質予算額でみると、日本政府援助が算額の70.8％を占め、前年度に比較して234万8,062ドルの増となり、50.3％の伸びを示している。一方琉球政府の対応費等は予算額の29.2％で前年度に比較して27万9,998ドルの増、10.7％の伸びとなっている。

**(2) 事業の内容**

　ア　高等学校

　　○普通教室29室を14校に琉政資金26万1,855ドルで建築する。

　　○産振教室32室を17校に96万686ドル（うち日政資金 $\frac{1}{10}$ ）で建築する。

o 危険校舎の改築として1校を予定。
 o 寄宿舎を北山高校、宜野座高校に増築する。
 o 給食室を那覇工業高校定時制に建築する。
 o 定時制の屋外照明施設に要する予算が4万467ドル（うち日政1万6,666ドル）日政援助としてはこれがはじめて。
 o その他変電所2校分、校地造成、塀工事、土留擁壁工事、排水溝工事、保安灯設置及び給水施設工事などが予定されている。

イ　特殊学校
 o 中部地区に精薄児収容の養護学校を新設する。（日政援助 $\frac{3}{4}$ ）
 o 既設の特殊学校6校に普通教室7、特別教室13、管理室4を増築する。（日政援助 $\frac{3}{4}$ ）
 o 盲学校の寄宿舎の増築が予定されている。

ウ　小中学校
 o 校舎を75校に増築する。普通教室57、特別教室152、管理室21校、図書室8校、便所19校
 o 新設校として、小学校を那覇（宇栄原小）に、中学校を浦添（神森中）に予定。
 o 統合新設校として久志中、分離新設校として与勝第二中を予定。
 o 風疹児学級のための教室として、50学級分を12校に増築及び改装によって設置する。
 o 屋内運動場（屋体）を小学校15校、中学校12校を予定。これが完成すればどの教育区も1棟以上の屋体を保有することになる。

- ○水泳プール４基
- ○へき地教員住宅２０戸

以上の事業は日政が$\frac{3}{4}$をもち、$\frac{1}{4}$を琉政が負担する。
屋体、水泳プールには地元の負担がある。

- ○防音工事費として、嘉手納３校の既設の防音教室を全面的に改造する予算４０万１７２ドルが全額日政援助で計上されている。
- ○琉政単独の工事としては、教室の改装費２万7,000ドルが計上されている。

### (3) 執行の基本方針

ア　１９７２年本土復帰の際に予算の繰越しがないように、事業費の完全消化（竣工）を１９７２年６月末を目標とする。

イ　校舎等学校建物の各教育委員会ごとの保有率が平均化するよう割り当てに努力する。

ウ　予算執行の能率化と業務が計画的に遂行できるように、年間事業量を一括して割当てる。

エ　１９７５学年度の学級数を考慮に入れ、当該校の施設の配置計画に基づいて建築を行なう。

オ　予算の効率化、予算執行の迅速化及び建築の合理化を図るため、重点的配分方式を原則とする。

カ　新設、移転及び統合等に伴なう校舎は、既定の年次計画にしたがって建築する。

―第2章 教育施設及び設備備品の充実整備― 15

(第 2 表) 科 目 別 内 訳

| | 1972年度 予算額Ⓐ | 構成比 | 1971年度改債 (72年度負担分)Ⓑ | A-B 実質予算額Ⓒ | 構成比 | 前年度 予算額Ⓓ | 構成比 | C-D 増減額Ⓔ | Ⓔ/Ⓓ×100 伸び率 |
|---|---|---|---|---|---|---|---|---|---|
| 学校建設費 | 11,099,100 | 100% | 1,183,865 | 9,915,235 | 100% | 7,287,175 | 100% | 2,628,060 | 36.1 |
| 内 施設補助費 | 2,152,260 | 19.4 | 252,305 | 1,899,955 | 19.1 | 1,528,468 | 21 | 381,487 | 24.3 |
| 　 施設継補助費 | 8,850,827 | 79.7 | 920,000 | 7,930,827 | 80 | 5,729,141 | 78.5 | 2,201,686 | 38.4 |
| 　 修繕費 | 5,000 | 0.1 | 0 | 5,000 | 0.1 | 3,000 | 0.1 | 2,000 | 66.7 |
| 訳 運営費 | 91,013 | 0.8 | 11,560 | 79,453 | 0.8 | 26,566 | 0.4 | 52,887 | 199.1 |

(第 3 表) 財 減 別 内 訳

| | 1972年度 予算額Ⓐ | 構成比 | 1971年度改債 (72年度負担分)Ⓑ | A-B 実質予算額Ⓒ | 構成比 | 前年度 予算額Ⓓ | 構成比 | C-D 増減額Ⓔ | Ⓔ/Ⓓ×100 伸び率 |
|---|---|---|---|---|---|---|---|---|---|
| 学校建設費 | 11,099,100 | 100% | 1,183,865 | 9,915,235 | 100% | 7,287,175 | 100% | 2,628,060 | 36.1 |
| 内 日政援助 | 7,015,527 | 63.2 | 0 | 7,015,527 | 70.8 | 4,667,465 | 64.1 | 2,348,062 | 50.3 |
| 訳 琉政負担 | 4,083,573 | 36.8 | 1,183,865 | 2,899,708 | 29.2 | 2,619,710 | 35.9 | 279,998 | 10.7 |

## 2 教育施設用地の買い上げ

　政府立学校の現有面積中、その約２５％が市町村や教育区の無償借地と有償の私有地となっている。
　これらの借地買い上げには約５００万ドルを要するが、７２年度予算は４７５千ドルとなっているので、差し当り本年度は高校生急増対策のため１９６３年以降設置した学校用地の購入費に２９５千ドル、７２年４月開校予定の２校に６万ドル、その他既設校の用地拡張に１２万ドルを計画している。

## 3 設備・備品充足率の引き上げ

### (1) 教材（高校においては一般教科備品）

　ア　教材費の補助の対象範囲は１９６８年１２月３日の公報登載の「教材基準」に掲げる品目及び数量を標準としてなされている。従って理科、図書、産業教育の各振興法に基づく設備、備品はこの対象とはならない。
　イ　各学校は教材の整備年次計画を立て、その計画に従って、使用頻度及び保有の状況等を考慮して教材基準の中から自主的に選択購入することができる。
　ウ　高校の「教科備品基準」は１９６２年設定基準が現行のものとなっている。
　エ　学校種別の計上予算額は次表のとおりである。

| 区　　　分 | 予算額 | 日政援助率 | 備　　考 |
|---|---|---|---|
| 教材　公立小学校 | 362,338ドル | 3/4 | 1971年度充足率(48%)→55%まで上げる。 |
| 〃　中　〃 | 274,685 | 〃 | 1971年度充足率(49%)→59%まで上げる。 |
| 〃特殊学校 | 上記に計上 | 〃 | |
| 政府立特殊学校 | 7,256 | 〃 | |
| 一般教科　高校　視聴覚備品 | 6,042 | 1/3 | VTR4台、テレビ10台、録音機5台、8ミリ映写機2台、8ミリ撮影機2台 |
| その他 | 23,876 | 琉政 | |

(2) 理科備品

ア　理科教育のための設備備品の予算額は次のとおりでである。

| 区　　　分 | 予算額 | 日政援助率 | 備　　考 |
|---|---|---|---|
| 公立小学校 | ドル7,272 | 3/4 | 1971年度充足率(49%)→50%まで上げる。 |
| 〃　中　〃 | 62,170 | 〃 | 1971年度充足率(42%)→48%まで上げる。 |
| 政府立特殊学校 | 1,386 | 〃 | |
| 政府立高等学校 | 50,694 | 〃 | |

(3) 算数、数学特別設備

ア、数学教育のための基礎的な設備については、教材

費で購入できるよう補助がなされているが、時代の進展及び教育過程の改訂に伴って新たに必要とされる設備、備品を散材とは別個に（例えば、小学校では各種のグラフ指導板や分類説明器など、中学校にあっては、統計黒板、負の数モデル学習器、手動計算機など、高校では電子卓上及びデジタル型の各計算機を）１０年計画で国が実施することとなり、沖縄は本土の２年次に当る今年度から実施することとなっている。この設備のための計上予算額は次表のとおりである。

| 区 | 分 | 予算額 | 日政援助率 | 備 考 |
|---|---|---|---|---|
| 政府立 | 高 校 | 31,713 | 3/4 | 7％が充足される。 |
| | 特殊学校 | 452 | 〃 | 〃 |
| | 小中校 | 100 | 琉政 | 〃 |
| 公立 | 小学校 | 9,752 | 3/4 | 〃 |
| | 中学校 | 15,097 | 〃 | 〃 |

(4) 校用設備

　高校の新設による机、いす等の新規需要については２１,１００ドルを予算計上している。

(5) 学校図書館図書

　ア　図書購入に充実すべき経費は、小学校67,609ドル、中学校54,709ドル、政府立中学校957ドル特殊学校3,594ドル、高等学校2,414ドル合計129,278ドルが計上されている。

この額は総額においては前年度と全く同額である。この経費の財源は義務教育諸学校$\frac{3}{4}$、高校$\frac{2}{3}$が日本政府援助額によりしめられている。

(6) 学校管理設備

ア、この設備は公立の小中学校の教職員による宿直を廃止するに際し、学校施設を保安管理するための防犯灯、耐火書庫等を整備するための6連合区管下の学校のうち1校づつをモデル的に整備しようとするものである。

6校分の予算額は2,664ドルであるが、1校当りの必要額は大体1,000ドル程度とされている。

(7) 特殊学級設備

ア、この経費は公立の中学校の精薄学級用の設備費であり、その予算額は16,667ドルが計上されている。

# 第3章 教職員の定数改善と資質並びに福祉の向上

## 1 義務教育諸学校の教職員定数改善

現行の「**義務教育諸学校の学級編制及び教職員定数の基準に関する立法**」は1970年3月31日付で、前々年度改正改善された本土の標準法に準じて改正された。この改正法によると、1971学年度は本土標準法と同様3年次に相当する措置がなされている。

1971学年度の教職員定数は児童生徒の減少により本来ならば減員となるべきであるが、校長、教諭等についてみると、学級編制基準の改善や養護教諭の増配により実質的には小中学校で2人の減にとどめられている。補充教員については結核休職者が減少したことによる25人減、産休延長に伴なう増員(30人)琉球管内外研修補充が40人減員(米留及び英語センター研修の廃止のため)となったことなどによる。

| 区分 | | 小学校 | | | 中学校 | | |
|---|---|---|---|---|---|---|---|
| | | 1970学年 | 1971学年 | 比較 | 1970学年 | 1971学年 | 比較 |
| 児童,生徒数 | | 137,077 | 133,228 | △3,849 | 72,241 | 71,136 | △1,105 |
| 五実九学月七一級年日数 | 普通学級数 | 3,689 | 3,646 | △43 | 1,816 | 1,788 | △28 |
| | 特殊学級数 | 146 | 153 | 7 | 60 | 79 | 19 |
| | 計 | 3,835 | 3,799 | △36 | 1,876 | 1,867 | △9 |
| 教職員定数 | 校長、教諭(養護を含む)等 | 4,728 (89) | 4,729 (118) | 1 | 3,185 (43) | 3,182 (58) | △3 |
| | その他教員 (充主事を含む) | 75 | 75 | 0 | 121 | 121 | 0 |
| | 補充教員 | 138 | 144 | 6 | 129 | 88 | △41 |
| | 事務職員 | 134 | 148 | 14 | 113 | 112 | △1 |
| | 計 | 5,075 | 5,096 | 21 | 3,548 | 3,503 | △45 |

校長、教諭等の欄の中の( )は養護教諭の数で内数である。

## 2 教職員給与の改善

### (1) 1972年度の教職員の給与費

| 区分 | 公立 小学校 | 公立 中学校 | 政 高校 | 府 特殊学校 | 立 中学校 |
|---|---|---|---|---|---|
| 給料 | 13,288,779 | 8,267,755 | 7,154,209 | 784,996 | 88,503 |
| 期末手当 | 5,275,067 | 3,268,784 | 2,878,837 | 286,733 | 34,819 |
| 管理職手当 | 140,566 | 76,022 | 24,460 | 2,352 | 425 |
| へき地手当 | 202,860 | 157,014 | 7,644 | — | — |
| 複式手当 | 2,064 | 1,080 | — | — | — |
| 定時制通信教育手当 | — | — | 71,979 | — | — |
| 産業教育手当 | — | — | 74,521 | — | — |
| 超過勤務手当 | 11,261 | 9,940 | 85,193 | 5,212 | 1,630 |
| 宿日直手当 | 61,376 | 74,025 | 28,034 | 16,252 | 958 |
| 通勤手当 | 140,680 | 103,589 | 104,440 | 13,218 | 660 |
| 扶養手当 | 67,668 | 54,210 | 54,138 | 3,408 | — |
| 特殊勤務手当 | — | — | 29,671 | — | — |

― 第3章 教職員の定数改善と資質並びに福祉の向上 ―

— 第3章 教職員の定数改善と資質並びに福祉の向上 —

## (2) 1972年度改正された点

### ㋐ 給 料

給与法の改正により平均8.8％アップされ、1971年1月1日にそ及して実施された。

前年度との平均給の比較　　　　　　　　　　　　　（1971年7月1日現在）

| 校種 | 職名 | 校　長 | 教　頭 | 教　員 | 事務職員 | その他職員 | 全　体 |
|---|---|---|---|---|---|---|---|
| 公立 | 小学校 | 328.91 (301.52) | 280.58 (250.98) | 207.38 (185.15) | 136.03 (121.95) | — | 213.59 (190.71) |
|  | 中学校 | 336.12 (304.59) | 278.95 (249.81) | 184.85 (165.70) | 137.88 (125.60) | — | 190.30 (171.39) |
| 政 | 高校 | 360.57 (320.20) | 294.94 (264.30) | 187.17 (164.70) | 140.57 (120.00) | 110.00 (104.20) | 172.02 (160.20) |
| 府 | 特殊学校 | 347.99 (317.60) | 289.47 (262.15) | 185.20 (166.97) | 142.08 (126.96) | 111.60 (107.26) | 170.07 (156.75) |
| 立 | 中学校 | 366.70 (337.90) | 284.90 (295.10) | 220.68 (196.65) | 113.05 (119.85) | 84.92 (79.13) | 205.02 (188.81) |

注　（　）内の数字は、1970年7月1日現在平均給　公立小、中学校は71年4月1日現在

(イ) 期末手当

期末手当の支給率は従来通り$\frac{475}{100}$であるが、給料月額及び扶養手当の月額の合計額に対する支給率に改められた。

(ウ) 通勤手当

自転車等（原動機付も含む）を使用する場合の支給額1.60ドルが2.50ドルに改められた。

(エ) 扶養手当

扶養手当は1971年4月1日から支給されるようになつた。1971年7月からは支給額も配偶者の1.50ドルが4.70ドルに、その他の扶養親族の1人につき50セントが1.10ドルに、満18才未満の子のうち1人に対する1ドルが1.60ドルに改善された。

(オ) 特殊勤務手当

政府立学校等の守衛に対して5％の特殊勤務手当が支給されることになつた。

(カ) 調整給

政府立特殊学校の調整給が5％（調整数2）から7.5％（調整数3）になつた。

## 3 教職員の福祉増進

教職員の福祉に関しては、政府の行なう事業と共済組合が行なう事業がある。本年度のそれぞれの事業は下記のとおりである。

**(1) 政府の行なう福祉事業**

近代社会は、社会的、経済的に一層複雑化してきている。それにともない教職員の福祉向上を図らなければな

らないことはいうまでもない。そのための経費としては退職給与補助金、保険料補助金、公務災害補償補助金等があるが今年度のそのおのおのの予算額は、次のとおりである。

| 項　　目 | 予算額 | 備　　考 |
|---|---|---|
| 退職給与補助金 | 4,560,389ドル | 勧奨退職300万ドル、198人分を含む。 |
| 保険料補助金 | 1,960,526ドル | 退職年金、医療保険を含む。 |
| 公務災害補償補助金 | 5,865ドル | |

　本年度は日政援助による**義務教育諸学校教職員給与費**の中に、特に、198名分の勧奨退職に要する経費の計上かなされたことは特筆される。

**(2) 共済事業**

　教職員及びその遺族の生活の安定と福祉の向上を目的として、相互救済を趣旨とする公立学校職員共済組合を設け次の事業を行なわしめている。

　ア　短期給付　育児手当金、傷病手当金、出産手当金休業手当金、弔慰金、家族弔遺金及び災害見舞金の7種があるが、今年度から附加給付として従来から実施してきた育児手当金附加金に、新たに次表のとおりの附加金が実施され、その事業に４３,７３５ドルを予定している。

附加給付の名称及び給付額

| 附加金の種類 | 給付額 |
|---|---|
| 出産費附加金 | 30ドル |
| 配偶者出産費附加金 | 20ドル |
| 育児手当金附加金 | 7ドル |
| 埋葬料附加金 | 20ドル |
| 家族埋葬料附加金 | 15ドル |
| 災害見舞金附加金 | 災害見舞金 × $\frac{40}{100}$ |
| 結婚手当金 | 20ドル |

イ 長期給付　組合員の退職後又は、死亡後における本人又はその遺族に対する保険給付である。

ウ 福祉事業　貸付、保健等の事業がある。

　(ア) 貸付事業については、前年度と同じく次のとおり実施される。

　　a　一般貸付け
　　　○生活資金（限度額600ドル）
　　　○大学入学資金（限度額800ドル）
　　b　住宅貸付け
　　　○第一種（限度額1,400ドル）
　　　○第二種（限度額5,000ドル）
　　c　災害貸付け（限度額1,400ドル）

　今年度は200万ドルの貸付けを予定し、次表のとおりの貸付けを見込んでいる。

## 貸付件数及び貸付額

| 種　　類 | 件　　数 | 金　　額 |
|---|---|---|
| 一　般　貸　付 | 1,206 | 690,800 |
| 住　宅　一　種 | 137 | 191,800 |
| 住　宅　二　種 | 253 | 1,113,200 |
| 災　害　貸　付 | 3 | 4,200 |
| 計 | 1,599 | 2,000,000 |

(イ) 保健事業は、組合員の健康管理の一助として、へき地組合員を対象に医薬品の配布を前年度と同じく実施する。その事業に3,030ドルを予定している。

エ　政府負担金　　１９７２年度政府負担金は、下記のとおりである。

　　　　公立学校共済事業費　　669,856ドル
　　　　事業費負担金　　　　　 92,881
　　　　政府負担金　　　　　　576,975

**(3) 私立学校共済事業**

私立学校教職員共済組合法が、１９７１年8月に立法され、私立学校に勤務する教職員を対象として、相互扶助事業を行ない、その福利厚生を図り、私立学校教育の振興に寄与することを目的とし、事業の内容については、公立共済の事業と同様である。しかし、当分の間、長期給付以外は行わない。財源は、組合員および学校法人の掛け金および政府補助金等からなる。

長期給付の財源率は、$\frac{76}{1,000}$（このうち$\frac{68}{1,000}$は組合員および学校法人等の折半、$\frac{8}{1,000}$は政府補助）

組合の事務に要する費用として１９７２年度政府補助額が１３３,８１１ドル計上されている。

## 4 研修事業の拡充

　１９７２年度は、復帰対策に全県をあげて取りくみ、他都道府県との間にあるといわれている較差の是正に全力を傾注しなければならない年である。

　諸制度の移行準備も着々と進み、教育の物的条件の整備もまた、本土政府の援助のもとに、その具体策が進められつつある。ところが、教育の効果を上げ、教育内容の較差を是正するには、沖縄教育の直接のにない手である沖縄の教職員自身でなければなし得ないことである。

　このような観点から、文教局は「教職員の資質の向上」を重点施策の一つに取り上げ、これを強力に推進するために次のような事業を計画している。

—第3章 教職員の定数改善と資質並びに福祉の向上—

〔表 1〕
1971学年度 管外研修派遣予定研修会等一覧表

| 番号 | 研修会名 | 時期 | 会期 | 対象 | 会場 | 主催 | 予定人員 |
|---|---|---|---|---|---|---|---|
| 1 | 教育機器利用に関する講習会 | 11月 | 10日 | 教諭 | 東京 | 文部省 | 2 |
| 2 | 産業,教育指導者養成講座(技家 男子向) | 7.23〜24 | 6 | 〃 | 〃 | 〃 | 1 |
| 3 | (技家 女子向) | 〃 | 6 | 〃 | 〃 | 〃 | 1 |
| 4 | 特殊教育講座(精薄) | 7.28〜8.2 | 8 | 〃 | 福岡 | 〃 | 2 |
| 5 | 学校給食研究集会 | 11.17〜19 | 3 | 校長.教諭 | 宮崎 | 〃 | 1 |
| 6 | 全国学校体育研究大会 | 11月 | 2 | 教諭 | 埼玉 | 〃 | 2 |
| 7 | 学校保健講習会(学校環境衛生) | 9.20〜21 | 2 | 校長.教諭 | 宮崎 | 〃 | 1 |
| 8 | 資質向上(保健)中央講習会 | 10.4〜6 | 3 | 教諭 | 埼玉 | 〃 | 1 |
| 9 | 公立学校事務職員研修会 | 10.20〜22 | 3 | 事務職員 | 東京 | 〃 | 1 |
| 10 | 進路指導研究大会 | 10. | 4 | 教諭 | 〃 | 職業指導協会 | 1 |
| 11 | 全国小学校道徳教育研究大会 | 11.18〜19 | 2 | 校長 教諭 | 〃 | 全国小学校.道徳教育研究会 | 2 |
| 12 | 全国中学校道徳教育研究大会 | 7.7〜8 | 2 | 〃 | 神奈川 | 全国中学校.道徳教育研究会 | 1 |
| 13 | 全国特別活動研究大会 | 8.5〜6 | 2 | 〃 | 〃 | 全国特別活動研究会 | 3 |
| 14 | 第25回九州数学教育会 | 7.27〜28 | 2 | 教諭 | 佐賀 | 九州数学教育会 | 2 |
| 15 | 第53回全国数学教育研究大会 | 8.5〜7 | 3 | 〃 | 東京 | 日本数学教育会 | 1 |
| 16 | 全国英語教育研究大会 | 10. | 2 | 〃 | 〃 | 全国英語教育研究会 | 1 |
| 17 | 九州地区英語教育研究大会 | 10.22〜23 | 2 | 〃 | 宮崎 | 九州地区英語教育研究会 | 1 |
| 18 | 第9回全国小学校,社会科研究協議会 | 10.27〜28 | 2 | 〃 | 広島 | 全国小学校.社会科研究会 | 2 |
| 19 | 第4回全国中学校,社会科研究協議会 | 8.3〜4 | 2 | 〃 | 福井 | 全国中学校.社会科研究会 | 1 |
| 20 | 全国小学校家庭科研究会 | 10.29〜30 | 2 | 〃 | 宮城 | 全国小学校家庭科研究会 | 1 |
| 21 | 九州地区中学校技術家庭科研究大会 | 10.29〜30 | 2 | 〃 | 鹿児島 | 九州地区中学校技術家庭科研究会 | 1 |
| 22 | 第24回全国造形教育研究大会 | 10 | | 〃 | 静岡 | 全国造形教育研究会 | 3 |
| 23 | 全国視聴覚教育合同大会 | 11.18〜20 | 3 | 〃 | 山口 | 全日本視聴覚連盟 | 1 |
| 24 | 放送教育研究会全国大会 | 10.22〜23 | 2 | 〃 | 石川(金沢) | 全国放送教育研究連盟 | 1 |
| 25 | 全国国語教育研究会 | 8.2〜3 | 2 | 〃 | 神奈川 | 全国国語教育研究会 | 1 |

—第3章 教職員の定数改善と資質並びに福祉の向上— 29

| 番号 | 研修会名 | 時期 | 会期 | 対象 | 会場 | 主催 | 予定人員 |
|---|---|---|---|---|---|---|---|
| 26 | 西日本国語教育研究大会 | 11.1～3 | 3 | 教諭 | 香川 | 西日本国語教育研究会 | 1 |
| 27 | 全国書写．書道研究大会 | 8.5～7 | 3 | 〃 | 奈良 | 全国書道教育研究会 | 1 |
| 28 | 九州理科研究大会 | 8.19～21 | 3 | 〃 | 佐賀 | 九州理科研究会 | 2 |
| 29 | 全国理科教育研究大会（小学校） | 8 | 2 | 〃 | 鹿児島 | 全国理科教育研究会 | 1 |
| 30 | 全日本小学校音楽教育研究大会 | 11.1～2 | 2 | 〃 | 大阪 | 全日本音楽教育研究会 | 2 |
| 31 | 全日本中学校音楽教育研究大会 | 11.1～2 | 2 | 〃 | 〃 | 〃 | 1 |
| 32 | 幼稚園教育指導者講座 | 10.26～28 | 3 | 園長　教諭 | 鹿児島 | 文部省 | 2 |
| 33 | 幼稚園教育課程研究発表大会 | 12.7～8 | 2 | 〃 | 東京 | 〃 | 2 |
| 34 | 小学校教育課程研究発表大会 | 1972年2.2～4 | 2 | 校長　教諭 | 〃 | 〃 | 30 |
| 35 | 学校図書館研究協議会 | 12.2～3 | 2 | 教諭 | 〃 | 〃 | 1 |
| 36 | 生徒指導主事講座 | 7.20～8.14 | 4週間 | 〃 | 〃 | 〃 | 3 |
| 37 | 中学校カウンセラー養成講座 | 8.9～28 | 3 〃 | 〃 | 〃 | 〃 | 3 |
| 38 | 進路指導講座 | 8 | 6 | 〃 | 滋賀大 | 〃 | 1 |
| 39 | カウンセリングセミナー及び本土就職事後指導 | 8.25～30及び6日 | 12 | 〃 | 東京 | 日本職業指導協会 | 3 |
| 40 | 進路研究協議会 | 11.8～10 | 3 | 〃 | 〃 | 文部省 | 1 |
| 41 | 全国連合小学校長全国大会 | 10.5～7 | 3 | 校長 | 秋田 | 全国連合小学校長会 | 2 |
| 42 | 全日本中学校長全国大会 | 11.3～5 | 3 | 〃 | 岡山 | 全日本中学校長会 | 2 |
| 43 | 九州地区小学校長大会 | 8.23～25 | 3 | 〃 | 宮崎 | 九州地区小学校長会 | 1 |
|  | 九州地区中学校長大会 | 8 | 3 |  | 福岡 | 九州地区中学校長会 | 1 |
| 44 | 全国公立学校教頭大会 | 8.8～10 | 3 | 教頭 | 滋賀 | 全国公立学校教頭会 | 2 |
| 45 | 九州地区教頭大会 | 9.7～9 | 3 | 〃 | 長崎鹿児島 | 九州地区教頭会 | 3 |
| 46 | 特殊教育学習指導要領趣旨徹底講習会 | 10.11～13 | 3 | 校長　教諭 | 宮崎 | 文部省 | 4 |
| 47 | へき地教育指導者講座 | 9.28～30 | 3 | 〃 | 島根 | 〃 | 2 |
| 48 | 全国へき地教育研究大会 | 10.12～14 | 3 | 〃 | 新潟 | 〃 | 1 |
| 49 | 第17回九州地区へき地教育研究大会 | 10 | 3 | 〃 | 福岡 | 九州へき地連盟 | 1 |
| 50 | 高校産業教育実技講習 | 8月 | 6 | 高等学校工業科担当教員 | 東京 | 文部省 | 2 |

-30- －第3章 教職員の定数改善と資質並びに福祉の向上－

〔表2〕

教職員の資質向上のための研修会予定一覧表（管内研修）

| | 研修会の名称 | 時期 | 期間 | 範囲 | 参加者 | 参加人員 | 会場 |
|---|---|---|---|---|---|---|---|
| 学校経営 | 学校経営研究大会（小中校長） | 72年6月 | 3日 | 全沖縄県 | 全沖縄の小中学校長及び関係者 | 430人 | 那覇 |
| | 学校経営研究大会（小中教頭） | 71年10.27〜29 | 〃 | 〃 | 全沖縄の小中教頭及び関係者 | 430 | 〃 |
| 青少年健全育成 | 訪問教師研修会 | 毎学期1回 | 1日 | 連合区単位 | 訪問教師及び関係者 | 延200 | 各連合区 |
| | 生徒指導主任研修会 | 〃 | 〃 | 〃 | 各学校の主任及び関係者 | 〃 350 | 〃 |
| | カウンセラー研修会 | 〃 | 〃 | 〃 | 各学校カウンセラー | 〃 350 | 〃 |
| | 進路指導研修会 | 〃 | 〃 | 〃 | 各学校主任 | 〃 150 | 〃 |
| | 特別活動主任研修会 | 〃 | 〃 | 〃 | | 350 | 〃 |
| | 道徳主任研修会 | 〃 | 〃 | 〃 | | 350 | 〃 |
| 教科指導技術 | 教育区単位授業研究会 | 71年7月〜72年6月 | 各2日 | 教育区別 | 小中校の校長及び教員 | 500 | 南大東中校他 |
| | 中高校合同訪問指導 | 〃 | 各1日 | 全沖縄の学校単位 | 中高校の校長及び教員 | 600 | 石川高校他 |
| | 校内授業研究会指導 | 〃 | 〃 | 〃 | 幼・小・中・高校の校長及び教員 | 〃 8,000 | 上山中校他 |
| 教育課程 | 小学校教育課程講習 | 71年9月〜72年6月 | 〃 | ブロック別 | 校長・教員 | 〃 1,200 | 辺土名・他 |
| | 中学校教育課程講習 | 〃 | 〃 | 〃 | 〃 | 〃 1,000 | 〃 |
| | 高校教育課程講習 | 72年4月〜6月 | 〃 | 〃 | 〃 | 〃 1,200 | 〃 |
| その他 | 高校新任教員研修 | 71年7月〜11月 | 2日〜1日 | ブロック別 | 高校の新任教員 | 114 | 名護高校他 |
| | 夏季講習 | 71年7月31日〜8月26日 | 27日 | 全沖縄 | 認定講習（特殊講座）実力養成（現代化講座） | 2,735 | 各連合区の中央校 |
| | 全沖縄政府立学校事務職員研修会 | 8月 | 3日 | 全沖縄 | 高校・政府立諸学校の事務職員 | 100 | 教育研修センター |
| | 中校技・家（女子）技術講習 | 7月 | 〃 | 〃 | 中校技術家庭科担当教師（女子） | 36 | 各連合区 |

| 研修会の名称 | | 時期 | 期間 | 範囲 | 参加者 | 参加人員 | 会場 |
|---|---|---|---|---|---|---|---|
| 技術職業関係 | 中校技・家(男子)技術講習 | 7月 | 3日 | 全沖縄 | 中校技術家庭科担当教師(男子) | 110人 | 各連合区 |
| | 高校家庭科講習会 | 〃 | 6日 | 〃 | 高校家庭科担当教師 | 40 | 旧商専校 |
| | 高校工業科実技講習会 | 〃 | 6日 | 〃 | 高校工業科担当教師 | 15 | 沖縄工業高校 |
| | 高校農業科講習会 | 〃 | 〃 | 〃 | 高校農業科担当教師 | 25 | 琉大 |

表3　教育研修センターの研修事業

o 経営管理に関する研修
　　　小中学校長研修会（新任）
　　　他7講座
o 教科領域に関する研修
　　　小学校国語学習指導研修会
　　　他34講座
o 生徒指導に関する研修会
　　　中学校生徒指導研修会
　　　他4講座
o 特殊教育に関する研修
　　　小学校特殊教育研修会
　　　他2講座
o その他
　　　小中学校へき地教育研修会
o 理科研修課主管研修
　　　小学校理科研修会
　　　他15講座

## 5 教育研究団体の補助育成

　この助成金は、広範囲にわたる任意教育研究団体の育成と、その他の教育分野の振興を図る目的で支出されるものである。これまで大きな成果をおさめ、関係者から高く評価されている。本年度の対象団体名と補助金額29,230ドルの内訳は次頁のとおりである。

| | | | |
|---|---:|---|---:|
| 実験研究校 | $2,980 | 商業実務競技大会 | 175 |
| 造形教育研究会 | 560 | 教育研究大会 | 5,000 |
| 高校理科教育研究協議会 | 1,000 | 中体連 | 1,041 |
| 小中理科教育研究会 | 150 | 高体連 | 3,841 |
| 算数 数学教育研究会 | 150 | 高野連 | 1,500 |
| 高校数学教育研究会 | 150 | 女体連 | 330 |
| 国語教育研究会 | 440 | 小学校体育研究会 | 100 |
| 学校図書館協議会 | 1,000 | 中学校体育研究会 | 100 |
| 書道教育研究会 | 200 | 高校体育研究会 | 100 |
| 高校弁論研究会 | 370 | 学校保健大会 | 170 |
| 社会科研究会 | 200 | 健康優良校・生徒の表彰 | 160 |
| 生徒指導研究協会 | 340 | 特殊教育協会 | 300 |
| カウセリング研究協議会 | 200 | 幼稚園協会 | 200 |
| 特別活動研究会 | 100 | 農業クラブ | 800 |
| 道徳教育研究会 | 100 | 家庭クラブ | 600 |
| 進路指導研究会 | 100 | 各種産業教育研究会 | 360 |
| 中校生徒指導研究会 | 100 | 職業および科学技術研究会 | 320 |
| 高校英語研究会 | 100 | 教育長協会 | 450 |
| 放送教育研究会 | 100 | 小中学校長協会 | 1,100 |
| 教育音楽コンクール | 250 | 高校長協会 | 450 |
| 高松宮杯英語弁論大会 | 240 | 小中教頭協会 | 460 |
| 童話・お話中央大会 | 50 | 高校教頭協会 | 381 |
| 定通制生活体験発表会 | 100 | 定時制主事協会 | 500 |
| 定通制球技大会 | 120 | 小中校事務職員協会 | 280 |
| 定通制陸上競技大会 | 130 | 政府立学校事務職員協会 | 1,282 |

# 第4章 地方教育区の行財政の充実と指導の強化

## 1 1972年度の政府補助金と交付税教育費

　地方教育区の主なる財源は、政府補助金と交付税教育費を主幹とする市町村教育費負担金から成つている。当該年度の地方教育区への政府補助金並びに交付税教育費は、「長期計画に基づく文教施設、設備の充実整備と地方財政の強化」という文教主要施策に則つて大幅に増額された。

**(1) 政府補助金（含直接支出金）**

　現年度の地方教育区への政府補助金並びに政府直接支出金（教科書購入費等）の総額は5,038万ドルで前年度に対し1,275万ドルの増である。

―第4章 地方教育区の行財政の充実と指導の強化― 35

表1. 地方教育区への政府補助金及び直接支出金の教育分野別分類

(単位 ドル)

| 区　分 | | 小　学　校 | 中　学　校 | 幼　稚　園 | 社会教育 | 教育行政 | 計 |
|---|---|---|---|---|---|---|---|
| 補助金 | 現年度 | 29,351,619 | 18,364,013 | 546,219 | 763,882 | 563,594 | 49,589,327 |
| | 前年度 | (21,879,685) | (14,698,093) | (481,414) | (226,028) | (418,433) | (37,015,759) |
| | 伸率 | 1.34 | 1.25 | 1.13 | 3.38 | 1.35 | 1.34 |
| 直接支出金 | 現年度 | 350,467 | 433,574 | ― | ― | 2,970 | 787,011 |
| | 前年度 | (317,233) | (285,981) | ( ― ) | ( ― ) | (3,180) | (606,394) |
| | 伸率 | 1.10 | 1.52 | | | 0.93 | 1.30 |
| 計 | 現年度 | 29,702,086 | 18,797,587 | 546,219 | 763,882 | 566,564 | 50,376,338 |
| | 前年度 | (22,196,918) | (14,984,074) | (481,414) | (226,028) | (421,613) | (37,622,153) |
| | 伸率 | 1.34 | 1.25 | 1.13 | 3.38 | 1.34 | 1.34 |

( )内は前年度

## (2) 交付税教育費

### ア 交付税教育費の総額

　　交付税教育費の基準財政需要額は、市町村交付税総基準財政需要額3,602万ドルのうち1,036万ドルで前年度に対し186万ドルの増、22％の伸びである。なお現年度は政府6税からの交付税への操入率が前年度の30.98％から31.57％に引きあげられ、また市町村財政充実費としての交付税関係日政援助費も前年度の28億から40億に大幅増額されて、消防、土木、厚生労働、産業経済、行政、教育等の関係経費に充当され、教育費を含む地方財政は大きく好転した。

表2　1972年度市町村交付税及び対前年度比較

（単位　ドル）

| | | 区　　　分 | 1972年度 | 1971年度 | 伸び |
|---|---|---|---|---|---|
| A | | 基準財政需要額 | 36,018,000 | 29,362,000 | 22.7 |
| B | | 市町村分 | 25,654,000 | 20,857,000 | 22.9 |
| C | | 教育分 | 10,364,000 | 8,505,000 | 21.9 |
| D | | 基準財政収入額 | 8,168,000 | 7,792,000 | 4.8 |
| E | | 財源不足額 | 27,850,000 | 21,570,000 | — |
| F | | 調整額 | 116,548 | 17,910 | — |
| G | | 普通交付税 | 27,733,452 | 21,552,090 | 28.7 |
| H | | 特別交付税 | 3,081,495 | 2,394,677 | 28.7 |
| I | | 交付税総額 | 30,814,947 | 23,946,767 | 28.7 |
| J | | 政府六税 | 62,151,700 | 52,205,500 | 19.1 |
| K | | 操入率 | 31.57/100 | 30.98/100 | — |
| L | J×K | 操入額 | 19,621,292 | 16,168,989 | 21.4 |
| M | | 既往年度調整額 | 82,544 | — | — |
| N | L+M | 琉政財源合計 | 19,703,836 | 16,168,989 | 21.9 |
| O | | 市町村財政充実費 | 11,111,111 | 7,777,778 | 42.9 |
| | | 予算計上額 | 30,814,947 | 23,946,767 | 28.7 |

表1の図解

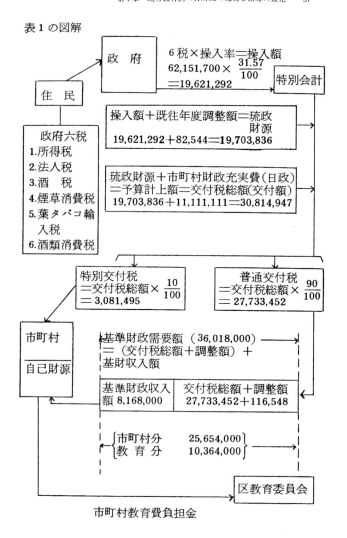

## 1 教育費単位費用算定の概略
### (ア) 標準施設の規模

| 施設区分 | 測定単位 児生数 | 学級数 | 学校数 | 人口 | 職員 給食婦 | 事務補 | 給仕 | 会計 | 書記 | 書記補 | 主任級 | 教員数 | 学校医 | 薬剤師 | 教育委員 | 公民館 | 建物面積 | 監査 | 審議委員 |
|---|---|---|---|---|---|---|---|---|---|---|---|---|---|---|---|---|---|---|---|
| 小学校 | 810 | 18 | 1 | — | 4 | 1 | 1 | — | — | — | — | 24 | 2 | 1 | — | — | 2,640㎡ | — | — |
| 中学校 | 675 | 15 | 1 | — | 1.5 | 1 | 1 | — | 2 | — | — | 25 | 2 | 1 | — | — | 2,986 | — | — |
| 教委 | — | — | — | 3万 | — | — | — | 1 | — | 1 | 1 | — | — | — | 5 | — | — | 2 | — |
| 幼稚園 | 240 | 6 | 2 | 3万 | — | — | — | — | — | — | — | 6 | 1 | — | — | — | — | — | — |
| 社教・図書館 | — | — | — | 3万 | — | 1 | — | — | — | — | 1 | — | — | — | — | 20 | — | — | 5 |
| 保健体育 | — | — | — | 3万 | — | — | — | — | — | — | — | — | — | — | — | — | — | — | — |

― 第4章 地方教育区の行財政の充実と指導の強化 ―

(1) 標準施設における経費項目

| 区分 | 人件費 | 事業費及び運営費 |
|---|---|---|
| 小学校 | 各団体毎の標準施設に配置された職員（ブ表）の給料、諸手当、負担金、報酬等 | ○経常経費　消耗品、燃料、印刷製本、光熱水、修繕、食糧、医薬材料、教材用図書備品、教師用教科書、学習指導要領、通信運搬、建物運動場修理、設備（放送、理科、体育、衛生、給食、その他）、要保護準要保護関係経費（学用品、通学用品、通学、校外活動、給食、治療、修学旅行）、学校安全会、職員旅費<br>○投資的経費　屋内運動場及びプール |
| 中学校 | | |
| 教育委員会 | | ○経常経費　人当庁費、人夫賃、旅費、報償費、消耗品費、印刷製本、光熱水費、修繕費、食糧費、通信運搬、賃借料、事務局用備品費、分担金 |
| 幼稚園 | | ○経常経費　消耗品、印刷製本、光熱水、医薬材料、通信運搬、図書及び備品<br>○投資的経費　園舎等建設費 |

40 ―第4章 地方教育区の行財政の充実と指導の強化―

| 区分 | 人件費 | 事業費及び運営費 |
|---|---|---|
| 社会教育及び図書館 | 人当庁費、人夫賃、報償、職員及び講師旅費、消耗品費、光熱水費、燃料費、印刷製本、修繕費、食糧費、通信運搬費、使用料、負担金補助金、公民館運営費 | |
| 保健 | 体育指導員手当、賃賜金、旅費、消耗品費、印刷製本費、救急医薬品費、健診費、(ツ反、レントゲン、入学児童)、備品 | |
| 体育 | | |

(各項目の経費積算については別表「1972年度交付税教育費単位費用積算基礎」参照)

― 第4章 地方教育区の行財政の充実と指導の強化 ― 41

(ウ) 標準施設における配置職員の給与及び負担金

| 区　分 | 給料（月又は年） | 期末手当 | 通勤手当 | 扶養手当 | 長期 | 短期 | 医療 | 退職手当 |
|---|---|---|---|---|---|---|---|---|
| 事務職員補助員 | 80.60 ドル (月) | $\frac{475}{100}$ | 1.6 ドル | 5.57 ドル | $\frac{63.1}{1,000}$ | $\frac{1}{1,000}$ | $\frac{15}{1,000}$ | $\frac{100}{1,000}$ |
| 給食従事員 | 76.40 (月) | 〃 | 〃 | 〃 | 〃 | 〃 | 〃 | 〃 |
| 給　　仕 | 76.40 (月) | 〃 | 〃 | 〃 | 〃 | 〃 | 〃 | 〃 |
| 会　　計 | 194.90 (月) | 〃 | 〃 | 〃 | 〃 | 〃 | 〃 | 〃 |
| 書　　記 | 121.50 (月) | 〃 | 〃 | 〃 | 〃 | 〃 | 〃 | 〃 |
| 書記補 | 76.40 (月) | 〃 | 〃 | 〃 | 〃 | 〃 | 〃 | 〃 |
| 主　　任 | 150.30 (月) | 〃 | 〃 | 〃 | 〃 | 〃 | 〃 | 〃 |
| 教　　級　員 | 141.19 (月) | 〃 | 〃 | 〃 | 〃 | 〃 | 〃 | 〃 |
| 幼　　教　員 | 72.00 (月) | $\frac{340}{100}$ | ― | ― | ― | ― | ― | ― |
| 教育委員長 | 67.00 (月) | $\frac{340}{100}$ | ― | ― | ― | ― | ― | ― |
| 教育委員 | 90.00 (年) | ― | ― | ― | ― | ― | ― | ― |
| 学校医 | 45.00 (年) | ― | ― | ― | ― | ― | ― | ― |
| 薬剤師 | 75.00 (年) | ― | ― | ― | ― | ― | ― | ― |
| 監　　査 | | | | | | | | |

— 第4章 地方教育区の行財政の充実と指導の強化 —

(ニ) 単位費用及び基準財政需要額

(単位 ドル)

| 経費区分 | | 経常投資 | 1970年 | 1971年 | 1972年 | | | 
|---|---|---|---|---|---|---|---|
| | | | | | 単位費用 | 測定単位数値 | 基準財政需要額 |
| 小学校 | 児童 | 経 | 8.20 | 10.14 | 14.79 | 138,700 | 2,051,373 |
| | 学級 | 経 | 318.33 | 352.89 | 353.83 | 3,930 | 1,390,552 |
| | 学校 | 投 | 40.50 | 135.00 | 175.83 | 4,160 | 731,453 |
| | | 経 | 2,837.00 | 3,170.00 | 3,502.00 | 248 | 868,496 |
| 中学校 | 生徒 | 経 | 7.95 | 9.13 | 12.50 | 72,600 | 907,500 |
| | 学級 | 経 | 349.80 | 385.80 | 410.60 | 1,900 | 780,140 |
| | 学校 | 投 | 51.50 | 171.67 | 213.60 | 2,080 | 444,288 |
| | | 経 | 3,142.00 | 3,508.00 | 3,739.00 | 154 | 575,806 |
| その他の教育 | | 経 | 1.47 | 1.63 | 1.89 | 1,155,000 | 2,182,950 |
| | | 投 | 0.09 | 0.14 | 0.30 | 1,440,044 | 432,013 |
| 基準財政需要額 | | | 698万ドル | 850万ドル | ― | ― | 10,364,571 |

(オ) 補正の適用

　地方教育区の特殊条件によつて生ずる経費差を基準財政要額に反映させ全琉同一の教育財政水準が保持できるようにするために補正が適用される。この補正の種類は、地域的条件による経費差を是正する「態容補正」、児童生徒、人口等の増加による経費増を緩和する「人口急増補正」、人口、学校数、学級数等の測定単位の数値が急減した地域の基準財政需要額を緩和する「数値急減補正」、人口の増減によつててい減、てい増する経費差を是正する「人口段階補正」、人口に対する公立幼稚園の割合によつて需要額を補正する「幼稚園密度補正」等である。

ウ. 本年度の交付税教育費の主な改善点

1. 政府六税からの操入率前年度の $\frac{30.98}{100}$ を $\frac{31.57}{100}$ に引き上げ、交付税の琉政財源の規模を拡充したこと。
2. 市町村財政充実費として日政援助を大幅に増額したこと。（28億 ⟶ 40億）
3. 人口急増補正を小中学校、その他の教育の投資的経費に適用して、児童生徒、人口等の増加に伴つて生ずる財政需要を緩和し、教育施設が整備できるようにしたこと。（過密対策）
4. 数値急減補正を小中学校、その他の教育に適用して、過疎現象によつて測定単位の数値が急減し、そのため基準財政需要額が激減する教育区に対し財政運営に支障を来たさないようこれを防止したこと。（過疎対策）
5. 幼稚園密度補正係数を幼稚園運営の実態に則す

るように是正したこと。
6. 小学校給食従事員に要する経費を全額児童数で算定し大規模学校の学校給食の運営を緩和したこと。
7. 小中学校の投資経費としての屋体、プール建設費にかゝる単位費用を大幅に増額したこと。
（小学校1学級当り135.00ドル→175.00ドル　中学校1学級当り171.00ドル→213.60ドル）
8. 幼稚園園舎建設費の単位費用を大幅に増額したこと。（人口1人当り0.14ドル→0.30ドル）
9. その他幼稚園教員、教委負担教員の給与の増、備品費、要保護準要保護関係経費の増、指導要領購入費及び公民館運営審議会等を新設したこと。

## 2 連合教育区への補助

政府は教育委員会法第136条の2の規定に基づき連合教育区に対し、行政補助金として連合区事務局定数職員（88人）の給与費の全額と運営費の一部を補助している。本年度の予算額は次のとおりである。

| 目 | 予算額 | 内　　　　容 | |
|---|---|---|---|
| 行政補助金 | 493,866 | 1 | 給　　与<br>教育長　　6人　次　長10人<br>管理主事　　9人　指導主事19人<br>社会教育　　　巡回教師12人<br>　主事　　6人<br>事務職員　26人<br>　　　　　　　計　88人 |
| | | 2 | 共済組合費　　　23,836.60 |
| | | 3 | 公務災害補償　　　　83.84 |
| | | 4 | 旅　費<br>○ 教育長　　　　　305.16<br>○ 管理主事　　　　564.00<br>○ 風疹障害児連合<br>　区内指導旅費　　604.34<br>○ 風疹障害児指導<br>　巡回教師講習会　1,463.28<br>　旅費<br>○ 風疹障害児指導<br>　員本土研修旅費　1,255.92 |
| | | 5 | 環境衛生器具購入<br>費　　　　　　　1,982.00 |

## 3 文教施策の浸透と行政事務研修の充実

### (1) 地方教育区行財政職員等の研修の充実

　今日の教育の進歩は、教育需要の拡大を招き、教育行政の内容をますます複雑多様にする傾向にある。また、本土復帰に伴なつて事務処理の点でも色々と変つたことがでてくることが予想される。したがつて、事務の能率化合理化のための研修にたえず努める必要があり、また一方、地方教育費の大部分が政府支出金でまかなわれているところから地方教育区における予算の効率的で適正な執行のためにも当該職員の研修は欠かせない。

　このような研修のため本年度は次の通り予算計上してある。

| | |
|---|---|
| 教育長研修 | １６８ドル |
| 教育委員研修 | ４４０ |
| 会計及び事務職員研修 | ２３０ |
| 教育法令研修 | １５０ |
| 小中の事務職員研修 | １００ |
| 予算決算事務研修 | １５０ |

### (2) 教育現場との連絡提携

　沖縄教育の現状がどうなつているか、どのような施策で文教行政がすゝめられているか、また学校現場や教育関係者が何を文教行政に期待しているか等を知らしめ、知ることは民主的で効率的な行政執行上必要であり、そのための広報活動や広聴会が従来も行なわれてきた。

　本年度発行予定の広報誌等の種類と発行部数、発行回数及び予算額は次のとおりであるが、これら広報誌が教育関係者の間で広く利用されることを念願するものである。

―第4章 地方教育区の行財政の充実と指導の強化― 47

| 文教時報 | 1,200部の6回 | 予算額 |
| --- | --- | --- |
| 〃 号外 | 1,500部の4回 | 4,794ドル |
| 教育年報 | 800部の1回 | (4,352) |
| リーフレット | 1,600部の1回 | ※( )は内数で |
| 沖縄教育の概観 | 1,000部の1回 | 印刷製本費。総 |
| 学校一覧表 | 1,000部の1回 | 務局用度課に計上。 |

　一方、教育現場とひざつき合わせて話し合う教育懇談会は1965年以降継続して行なわれ多大の成果を収めている。
　教育懇談会に要する今年度の予算は599ドルで、小学校7校、中学校3校、小中併置校3校を対象に実施予定である。

# 第5章 教育の機会均等の推進

## 1 義務教育諸学校教科書無償給与

　義務教育諸学校の教科書については、憲法に掲げる義務教育無償の理想をより広く実現する施策として、沖縄においても全額日本政府の財政援助による教科書無償給与が1963年度から実施され、1972年度も前年同様義務教育諸学校の全児童生徒の教科書購入費が計上されている。
　教科書無償給与の方法は、政府が経費の全額を負担して必要な教科書を一括購入し、各学校長を通じて児童生徒に給与することになっている。

(1) 対　　象

　　政府立、公立、私立の義務教育諸学校の全児童生徒が無償給与の対象になる。
　※　在籍者全員が対象で、長欠児に対しても自宅学習のために給与することができる。
　※　在籍者は国籍のいかんを問わず給与の対象としてさしつかえない。
　※　教師用教科書は給与の対象にならない。

(2) 給　　与

　　学校長は児童生徒に給与の際、学年別に給与名薄を作成し、給与した教科書名を記入して、教育委員会に1部学校に1部保管しておく。（この場合、5月1日現在の学校基本調査の在籍と比較して説明ができるように記録

しておく。
### (3) 予　算
　義務教育教科書無償給与の1972年度予算は、659,547ドルである。これは前年度に比べて116,611ドルの増額であるが、そのおもな理由は教科書の価格改訂によるものである。

第1表　年次別教科書購入予算表

| 会計年度 | 1968 | 1969 | 1970 | 1971 | 1972 |
|---|---|---|---|---|---|
| 予算額 | 551,415 | 528906 | 559,521 | 542,936 | 659,547 |

第2表　1972年度教科書購入予算内訳表

| 区　　　分 | 予　算　額 |
|---|---|
| 1971学年度　後期用 | 111,492 |
| 1972学年度　前期用 | 548,055 |
| 合　　計 | 659,547 |

## 2　幼稚園の育成強化

　幼児期における教育が人間形成の基盤を培うものとして、きわめて重要な意義をもつものであることは広く一般の認識となっているところである。かかる認識の上に立って、近年とみに幼稚園教育への関心と要求が高まり、1967年の幼稚園教育振興法立法以来急速に普及してきた。
　1971年度の学校基本調査では、全琉の公立幼稚は

１３２園、私立２１園、合計１５３園となっている。

１９７２年度は公立１５園、私立３園、合計１８園を新設する予定である。

幼稚園に対する政府補助は公立幼稚園教員給料の$\frac{1}{2}$、園舎建築費の$\frac{1}{2}$を補助することになっているが、とくに給料補助については、教諭の待遇を改善し、義務教育諸学校教諭との格差を縮めるため、一律一号昇給の実現を図りたい。

園舎建築については今年度予算で、日政援助によるモデル幼稚園を南部（与那原幼稚園）に、琉政による園舎７教室を新築する予定である。

|  |  |
|---|---|
| 予算額 | ４９９,８８６ドル |
| 給料補助金 | ３９２,６２７ドル |
| 公立幼稚園施設補助 | ５１,２５９ドル |
| 政　　債 | ５６,０００ドル |

## ３　へき地教育の振興

１９５８年に「へき地教育振興法」が制定されて以来、教育現場と教育行政の両面から積極的なへき地教育振興対策がとられてきたが、１９７２年度の予算においては従来から実施してきた各種の施策について事業量の拡大を図るとともに新たに「へき地学校保健管理費」の補助を行なうこととした。

1972年度のへき地教育関係予算額は次のとおりである。

|  | 小 学 校 | 中 学 校 | 計 |
|---|---|---|---|
| へき地手当補助金 | 202,860ドル | 157,014ドル | 359,874ドル |
| へき地住宅料補助金 | 14,580ドル | 16,380ドル | 30,960ドル |
| へき地教育環境整備備品補助金 | 28,265ドル | 24,534ドル | 52,799ドル |
| へき地学校保健管理費 | 3,335ドル | 3,066ドル | 6,401ドル |
| へき地教員養成費 | 1,200ドル | 1,200ドル | 2,400ドル |
| 学校統合補助金 | 830ドル | 23,359ドル | 24,189ドル |
| 計 | 251,070ドル | 225,553ドル | 476,623ドル |

(1) **へき地手当補助金**

　へき地教育振興法第6条の2の規定に基づき、へき地教育振興法施行現則（1959年中教委現則第4号）第2条でへき地学校に指定された公立小中学校に勤務する教職員に対して、同施行現則第12条により、1級地（給料月額の$\frac{8}{100}$）、2級地（給料月額の$\frac{12}{100}$）、3級地（給料月額の$\frac{16}{100}$）、4級地（給料月額の$\frac{20}{100}$）、5級地（給料月額の$\frac{25}{100}$）のへき地手当を支給している。

　1972年度の級地別学校数とへき地手当予算額は次のとおりである。

| 級地 | 学校数 | | 小学校 | 中学校 |
|---|---|---|---|---|
| | 小学校 | 中学校 | | |
| 1 | 16 | 11 | 47,601ドル | 37,044ドル |
| 2 | 17 | 14 | 55,572ドル | 38,287ドル |
| 3 | 12 | 10 | 31,287ドル | 27,054ドル |
| 4 | 14 | 11 | 47,823ドル | 35,901ドル |
| 5 | 7 | 4 | 20,577ドル | 18,728ドル |
| 計 | 66 | 50 | 202,860ドル | 157,014ドル |

※ 学校数は併置校を小学校1、中学校1とし、分校も1校としての数である。

(2) へき地住宅料補助金

へき地教育振興法施行規則第8条の規定により、へき地学校に勤務する教職員が住宅不足のため借家（借間、下宿等を含む。）をしている場合には住宅料として1人当月額5ドル以内（教職員2人以上が同一世帯に属する場合は1人当月額3ドル50セント以内）を支給している。

(3) へき地教育環境整備備品補助金

へき地教育振興法施行規則第3条により、文化的諸条件に恵まれない地域にある公立小中学校に教育環境整備備品を補助することによりへき地性の解消を図ろうとするものである。1972年度はスクールバス2台、学校用ボート2隻、ジープ2台、ピクアップ、発電機、VT

R、草刈機、オートバイ、映写機、テレビ等を補助する予定である。

(4) **へき地教員養成費**

へき地教員養成については、教員志望学生奨学規程（１９５３年１１月１６日告示第１３９号）によりへき地学校に勤務すべき教員の養成のため琉球大学在学生より募集し、月額２０ドルの奨学金を支給し、へき地教員の養成に努めている。

(5) **へき地学校保健管理費**

１９７２年度から新たに予算計上されたもので、へき地小中学校のうち医療機関に恵まれない学校の児童生徒に対して健康診断、及び健康相談を実施し、又学校環境衛生検査を行うため医師、歯科医師、薬剤師を派遣するための補助金である。

(6) **学校統合補助金**

学校規模の適正化による教育効果の向上と学校経営の合理化をはかるため、小規模小中学校の学校統合が進められてきたが、学校統合の促進は、児童生徒の通学距離を延長させ、その結果バス利用者が増加し、更に通学困難になった者に対しては寄宿舎を設置し、通学条件の改善を図っているが、寄宿舎居住費として１人当月額８ドル、用人給与として１人当月額７６ドル、下宿者には下宿料として１人当月額１０ドル、バス通学者にはその実費を補助している。

## 4 特殊教育の振興

心身に障害を有する者に対する特殊教育は年々拡充して

きているが、盲・聾・養護学校および小、中学校の特殊学校に就学している者は約3,000人で、その障害の状況等に応じた適切な教育を受けている者の率はまだ低いのが実情である。そこで、今後とも不足している特殊学級の増設や施設設備の充実をはかり教育の内容、方法の改善、教職員定数の確保に努力をしたい。特に特殊学級に在学する児童生徒の就学の奨励をはかるため、1972年度予算で「就学奨励費」として、4,342ドルが計上された。

1968年度以降の政府立特殊学校運営費および特殊学級への備品補助金を予算の上からみると下表のとおりである。

| 年度<br>区分 | 1968 | 1969 | 1970 | 1971 | 1972 |
|---|---|---|---|---|---|
| 政府立特殊学校費 | 441,922 | 614,191 | 738,729 | 970,700 | 1,355,139 |
| 特殊教育補助金 | 19,900 | 13,900 | 10,022 | 10,022 | 31,595 |

（特殊学校教育補助金は、学校図書館充実費及び学校備品充実費の中の事業用備品費として補助される。1972年度の予算額は、16,894ドル計上されている。）

o 特殊学級の推移

| 学年度<br>区分 | 1958 | 1959 | 1960 | 1961 | 1962 | 1963 | 1964 |
|---|---|---|---|---|---|---|---|
| 小学校 | 1 | 1 | 1 | 7 | 16 | 16 | 28 |
| 中学校 |  |  |  |  | 1 | 1 | 1 |

| 区分\学年度 | 1965 | 1966 | 1967 | 1968 | 1969 | 1970 | 1971 |
|---|---|---|---|---|---|---|---|
| 小学校 | 85 | 111 | 131 | 146 | 146 | 146 | 157 |
| 中学校 | 2 | 9 | 18 | 26 | 37 | 60 | 81 |

## 5 風疹障害児の教育

　風疹障害児対策は、1972年度も重要施策の一つとして推進していく計画をすすめている。

　1969年4月から母子教育を主体として始められた風疹障害児の聴能訓練等の教育は、1971年4月から正規の幼稚園教育を施すべく、公立の幼稚園の特別学級として49学級を設置した。また、今年度から父兄の経済的負担を軽減するため、就学奨励費（交通費）が8,000ドル計上された。なお、設備費として、38,333ドルを計上し、その他1972年4月から使用する目標で49教室の建設が出来るようになつた。

○風疹障害児数，学級担任者数しらべ

| 区分\連合区 | 北部 | 中部 | 那覇 | 南部 | 宮古 | 八重山 | 計 |
|---|---|---|---|---|---|---|---|
| 風疹障害児 | 35 | 89 | 92 | 29 | 67 | 26 | 338 |
| 学級担任 | 4 | 11 | 17 | 4 | 10 | 3 | 49 |
| 巡回教師 | 2 | 2 | 2 | 2 | 2 | 2 | 12 |

　㊟　上表の障害児数には沖縄ろう学校幼稚部の園児と各連合区に於て、通園していないものは含まない。

## 6 就学奨励の拡充

　経済的理由により就学困難な児童及び生徒に対して学用品等を給与する教育区に対し政府が必要な援助を与える立法が１９７０年４月から施行された。

　この援助は要保護、準要保護家庭の児童及び生徒を補助の対象としてその保護者に与えられることになっているが特筆すべきことは本年度から、特殊学級児童生徒に対する就学奨励補助金が計上されたことである。

　１９７２年度の計上予算額は次の積算から成っている。

　　予算総額　　　　　　　　　　１３５,９７３ドル
　　　1.　要保護、準要保護児童生徒　　１３３,１９１ドル
　　　2.　特殊学級児童生徒　　　　　　　２,７８２ドル
　　　（積算内訳）

　　　1.　要保護　準要保護児童生徒

| 区　分 | 小　学　校 | | 中　学　校 | |
|---|---|---|---|---|
| | 予算定員 | 単　価 | 予算定員 | 単　価 |
| 1 学用品費 | 9,596人 | 7.89ドル | 5,105人 | 17.80ドル |
| 2 通学用品費 | 9,596人 | 1.69ドル | 5,105人 | 1.69ドル |
| 3 通　学　費 | 165人 | 13.44ドル | 89人 | 26.44ドル |
| 4 修学旅行費 | 2,285人 | 6.67ドル | 2,432人 | 19.44ドル |
| 5 校外活動費 | 9,596人 | 0.50ドル | 5,105人 | 0.58ドル |

2. 特殊学級児童生徒

| 区　分 | 小　学　校 | | 中　学　校 | |
|---|---|---|---|---|
| | 予算定員 | 単　価 | 予算定員 | 単　価 |
| 1 学校給食費 | 86人 | 24.81ドル | 42人 | 31.33ドル |
| 2 学用品費 | 86人 | 7.89ドル | 42人 | 17.80ドル |
| 3 通学用品費 | 86人 | 1.69ドル | 42人 | 1.69ドル |
| 4 通　学　費 | 1人 | 13.44ドル | 1人 | 26.44ドル |
| 5 修学旅行費 | 15人 | 6.67ドル | 13人 | 19.44ドル |
| 6 校外活動費 | 86人 | 0.50ドル | 42人 | 0.58ドル |

## 7 定通制教育の振興

　高等学校定時制・通信制の課程は、教育の機会均等の理念にのっとり、向学の志に燃える勤労青少年に広く進学の機会を与える目的で、設置されたものである。

　沖縄における定・通制教育は、1952年発足してからその増設及び通信制課程の新設をみて、現在政府立定時制課程19校・生徒数6,741人、政府立通信制課程1校・生徒数577人に発展充実してきた。

　今後の定・通制教育は、その量的拡大から質的・内容的充実をはかることが大きな課題であり、待望の日政援助を加え施設設備の充実強化が大きくすすめられるようになった。

　1972年度琉球政府予算では、第1に定時制教育の生

命線とも言われる夜間照明関係施設の整備に重点をおき、屋外照明施設費２７,７８０ドル（うち日政援助１６,６６６ドル）・１０校分、変電所施設費２３,５８０ドル・２校分保安灯施設費1,９８０ドル・１２校分、計５３,３４０ドルが計上され、前年度１１,６８４ドルに対し、４１,６６０ドルの増加を示していることである。

　第２に、通信制教育の根幹をなすレポート報告用紙等の印刷製本費に2,９２７ドルを計上し、前年度1,７２５ドルを大きく上まわり通信教育の充実に力をそそいだことである。

　その他、各種奨励費８５０ドル、定時制給食準備室施設費７,４２４ドル、定時制給食用備品費7,２００ドル、通信制備品費３００ドル等のほか、定・通制課程の教職員に支給される定・通制教育手当の費用が計上されている。

# 第6章 後期中等教育の拡充

## 1 後期中等教育の拡充

　1971年4月南部商業高等学校が開校されこれで政府立高等学校の数は39校になった。高等学校への進学率は前年度67.5％から68％へと僅かながら上昇している。

　これら39校の運営に要する経費として、11,581,066ドルが計上されている。これは前会計年度に比較して、約240万ドル（26％）の増加である。その他に新設高等学校用地購入費とし39,000ドルが計上されている。

　政府立商業実務専門学校は、志願者の極端な減少と本土復帰後の学校の取扱等の問題があり、このため1971年3月31日付で閉校することになった。これで6校あった政府立各種学校はすべて形をかえることになる。

## 2 政府立高等学校教職員定数の確保

　政府立高等学校の教職員については、1971学年度は校長、教諭等、養護教諭、実習助手、事務職員は「政府立高等学校の適正配置及び教職員定数の標準等に関する立法」によっ算出された定員を確保したが、養護教諭については有資格者少なくまた未配置の学校があるが、配置するよう努めている。

　その他の職員（司書、給仕、炊婦、農夫、守衛、船員等。）については、112名の増員を要求している。

　また、1972学年度においては標準法による定数は確

保できる見通しであり、標準法外の職員についても本土並み定数の確保に努力したい。

## 3 産業教育の振興

　最近の科学技術のめざましい進歩と産業構造および就業構造の著しい変ぼうに伴って、産業に従事する中堅産業人の量的拡充と質的問題は今後の産業教育にとって重要な課題である。このことについて中央教育委員会は産業教育総合計画樹立のために産業教育振興法に基づいて産業教育審議会に「産業教育振興方策について」を諮問、1969年11月11日には答申を受け振興計画の策定を進めて居り、更に産業教育審議会に「高等学校における産業教育に関する学科等の整備充実について」を諮問し、1971年9月下旬には答申がある。

　本年度の産業教育振興費は全体的にみて大巾に増額された。産業教育設備費は1971年度94,350ドル、充実率20％で1972年度は608,000ドル（日政援助364,800ドル）計上され充実率は29.3％となる。

　また各学科における実験実習を充実するための実技研修旅費、実習消耗品費、油脂燃料費等が重点的に計上されている。なお現職教育については講習会を開催し、又は文部省主催の講習、産業技術研究教員10名、農業近代化研修教員20名を本土に派遣して研修させる予定である。

## 第7章 教育指導の近代化

　本年度の教育主要施策の一つに「教職員の資質の向上………」があげられているが、つまるところは「教育内容の改善充実と生徒指導の強化」が、学校現場に具体化されることであり、そのためには、学校現場の教育活動の推進力となる指導者養成し、指導力を強化することが、我が国教育の動向に沿つた現代化の方策と共に強く望まれるところである。

### I 教育指導者の養成と指導力の強化

**(1) 指導課主管の研修事業**

　　１０年ぶりに迎えた教育課程の改定により小学校は１９７１学年度から全面実施、中学校は１９７２学年度から発足することになり、さらに１９７３学年度からは高等学校が学年進行で新教育課程が実施されることになる。

　　この時に当り、復帰ショックを克服しつつ遅滞なく教育を進めるには指導者層の指導力を高めることが指導行政上最も急を要することである。

　　その具体的施策として次のような研修会を予定している。

　　ア　学校経営者のための研修
　　　　(ア)　全沖縄小学校校長研究大会 ｝ ６３２ドル
　　　　(イ)　全沖縄小学校教頭研究大会
　　　　(ウ)　全国校長研究会、教頭研究会への派遣　校長６人、教頭５人
　　　　(エ)　校長、教頭の本土実務研修　１６人の２か月

イ 本土派遣研究教員制度による研修　８５,２３１ドル
　(ｱ) 一般の研究教員　７０人の６か月
　(ｲ) 大学留学　　　　１０人の１か月
　(ｳ) 校長教頭本土実務研修（上記アの(エ)と重復）
　(ｴ) 指導主事研修　　１０人の６か月
ウ その他
　(ｱ) 全国規模の研究大会、講習、研修会への派遣
　　約１２０人
　(ｲ) 指導主事の研修（２００ドル）定期研修年間３回

**(2) 沖縄教育研修センター主管の研修事業**

　教育研修センターは、研修事業の重点として、時代の進展に応ずる教育を推進するために、新しい経営学の導入による学校経営の現代化や学習指導の現代化をめざして、指導者の養成をとりあげ、各地域や各学校における指導的役割を果たす教職員の資質を指導力の向上をはかるために、つぎの事業を実施する。

ア 経営管理に関する研修（９５８ドル）
　○ 小中校長研修会　　　○ 高等定通制主事研修会
　○ 高等教頭研修会　　　○ 小校中堅女教師研修会
　○ 小中教頭研修会　　　○ 学年・学級経営長期研修
　○ 小中教務主任研修会　○ 幼稚園経営研修会
イ 教科・領域等に関する研修（１６３５ドル）
　　　　　　　　　　（道徳・生徒指導関係は別項）
　(ｱ) 短期研修（２日～７日間、集中的に研修する）
　　○ 小校国語研修会　　○ 中校数学研修会
　　○ 中校国語研修会　　○ 小校特活研修会
　　○ 高校国語研修会　　○ 小中図書館研修会
　　○ 小校社会科研修会　○ 教育評価研修会

○中校社会科研修会　　　○小校特殊教育研修会
　　　○小校算数研修会　　　　○中校特殊教育研修会
　　　○小中へき地教育研修会　○幼稚園教諭研修会
　(イ) 定期研修（３ケ月～１年にわたり、テーマをもって教壇実践をしながら定期的に教育センターに集まって研修する）
　　　○小校国語定期研修　　　○中校数学定期研修
　　　○中校国語定期研修　　　○高校数学定期研修
　　　○中校社会(公民)定期研修　○小校特活定期研修
　　　○中校社会(歴史)定期研修　○中校特活定期研修
　　　○小校算数定期研修　　　○幼稚園定期研修
　(ウ) 長期研修（６ケ月間教育センターに入社し、研究テーマを設定して研修する。）
　　　○小校国語長期研修　　　○中校数学長期研修
　　　○中校国語長期研修　　　○小校特活長期研修
　　　○小校社会科長期研修　　○小校図書館長期研修
　　　○中校社会科長期研修　　○教育評価長期研修
　　　○小校算数長期研修　　　○特殊教育長期研修
　ウ　文部省派遣教育指導員による研修（２９０１ドル）
　　日政援助によって派遣される教育指導員による指導で、今年は１２年次にあたる継続事業である。
　　教職員の指導力を高め、教育水準の向上をはかるため、教育センター、政府立学校、各連合区に配置して指導にあたる。小中高校とも各教科領域ごとに推進校を設け、その学校を集中的に指導することによって、地域の指導者を養成する。教育指導員を効果的に運用するために、つぎのように班を編成して実施する。

64 —第7章 教育指導の近代化—

| 班名 | 配置先 | 指導科目 | 人員 | 期間 |
|---|---|---|---|---|
| A班 | 教育センター<br>高等学校<br>養護学校 | 高校理科（物理）<br>特殊教育（肢体不自由児） | 1<br>1 | 8.19〜10.15<br>（58日間） |
| B班 | 連合区 | 北部一特活（小）<br>中部一社会科（中）理科（中）<br>那覇一数学（中）保健体育（男）<br>南部一社会科（小）技・家（女）<br>宮古一図工（小）英語（中）<br>八重山一算数（小）理科（中） | 11　13 | 10.12〜12.10<br>（60日間） |
| | 教育センター | 幼稚園教育 | 1 | 10.12〜11.2<br>（22日間） |
| C班 | 各連合区 | 特殊教育（風しん児指導） | 1 | 9.10〜10.7<br>（59日間） |
| | | 計 | 15 | |

## 2 理科教育の振興

（指導課主管）

**(1) 設備の充実**

理科教育の振興のためには、理科教育に従事する教員または指導者の資質を向上するとともに、理科教育に関する施設設備を充実することが急務である。

理科教育振興法（1960年7月15日立法第62号）が立法されて11年になり、この間に公立小中校、政府立高校の理科備品も次第に充実してきた。ところが1966年11月に理科教育のための設備基準も改定になり（実施は68年度から）、基準総額が約2倍になつたため、達成率は半減し、71年未現在で約52.3％である。

1968年11月20日、教育振興総合計画の一環として、理科教育振興総合計画を策定して、その実現に努力している。本年度の備品費も前年度同様、日政・琉政負担により、備品の基準総額の約6％に相当する121,522ドルが計上され、その内訳は次のとおり。

公立小中学校備品補助金69,441ドル、政府立学校用備品費52,080ドルである。

**(2) 理科教育地区モデル校の指定**（1,571ドル）

(ア) 理科教育の振興をはかる目的をもつて、連合区内に理科教育地区モデル校を指定し、理科教育に必要な施設、設備を充実させ、理科の各種研修の中核として学習指導の充実改善をはかり、当該地区における理科教育のモデルとなるよう育成する。

(イ) 指定校数

|  | 北部 | 中部 | 那覇 | 南部 | 宮古 | 八重山 | 計 |
|---|---|---|---|---|---|---|---|
| 小学校 | 2 | 3 | 2 | 1 | 1 | 1 | 10 |
| 中学校 | 2 | 2 | 2 | 2 | 1 | 1 | 10 |
| 計 | 4 | 5 | 4 | 3 | 2 | 2 | 20 |

(ウ) 指定期間3ヶ年

(エ) 本年度の研究テーマ

共通テーマ

効果的に理科の学習指導を進めるには、どのようにすればよいか

小学校テーマ

力や運動についての理解を深めるには、どのようにすればよいか。

題材　小学校2年　水車と風車（またはやじろべえ）

中学校テーマ

探究の過程を重視した理科学習指導

題材　第1分野「力とエネルギー」

**(3) 研究学校の指定**

小学校2校　併置校1校

（教育研修センター主管）

　科学技術の急速な進展にともない、いまや世界の国々は教育の新しい方向を求めて巨大な努力をはらっている。沖縄においても、その方向へのいわゆる現代化のために、理科教育にたずさわる教師の現職教育も重要かつ急を要する事業である。

　本年度、理科研修課において科学教育振興のために計上された経費は、総額5,846ドルであつて、そのうち実験用備品費3,169ドル、また理科関係研修を実施す

るための旅費1,413ドル、その他事業推進のための消耗品費、雑費等を合わせて1,264ドルである。

そこで、施設、設備、備品の高度利用をはかり、理科教育振興のために、予算を有効適切に活用したい。

なお、本年度教育研修センター理科研修課で計画している研修事業は大要次のとおりである。

| 研修事業名 | 実施概要 |
| --- | --- |
| ○小学校理科長期研修講座 | 入所6ヶ月8名 |
| ○中学校理科長期研修講座 | 入所6ヶ月8名 |
| ○小学校理科主任研修会 | 入所2週間30名 |
| ○中学校理科主任研修会 | 入所2週間60名 |
| ○小学校女教師理科研修会(下学年) | 入所2週間30名 |
| ○小学校女教師理科研修会(上学年) | 入所2週間30名 |
| ○小学校理科研修会（下学年） | 20会場2日宛約500名 |
| ○小学校理科研修会（上学年） | 20会場2日宛約500名 |
| ○中学校理科研修会 | 6会場2日宛約200名 |
| ○高等学校化学実験研修会 | 5会場1日宛約70名 |
| ○高等学校物理実験研修会 | 入所1週間27名 |
| ○小中学校辺地理科研修会 | 2校4日宛約40名 |
| ○小学校生物野外研修会 | 12会場1日宛約240名 |
| ○中学校地学野外研修会 | 6会場1日宛約120名 |
| ○高等学校物理授業研修会 | 4会場2日宛約70名 |
| ○小学校理科研修会講師連絡会 | 入所3日間51名 |
| ○理科指導主事研修会 | 毎月1回延15日・230名 |

## 3 道徳教育と生徒指導の強化

（指導課主管）

道徳教育、生徒指導は人間尊重の精神を身につけた、し

かも、この人間尊重の精神を具体的な生活のそれぞれの場面に応じて、具体的な行動に移すことのできる人間の育成がねらいとされている。

その育成のねらいを達成させるためには、その指導の担当者である全教師の資質のより一層の向上が必要とされる。そのため次の事業を実施する。

(1) **研修会**
　　o 道徳教育研修会（毎学期1回）
　　o 特別活動研修会（　〃　）
　　o 進路指導研修会（　〃　）
　　o 生徒指導研修会（　〃　）
　　o カウンセリング研修会（　〃　）
　　o 訪問教師研修会（　〃　）

(2) **研究協議会**
　　o 道徳指導者研究協議会（年2回）
　　o 特別活動指導者研究協議会（　〃　）
　　o 生徒指導推進校研究協議会（　〃　）

(3) **推進校及び研究校**
　　道徳に関する研究校は1校、特別活動に関する研究校は2校、生徒指導推進校は各連合区に1校あて設置している。

　　なお、以上の事業に要する経費は青少年健全育成に関する分（(1)研修会と(2)研究協議会）989ドルであり、生徒指導推進校の予算額は3,770ドルである。

　　（教育センター主管）（440ドル）

(1) **研修会**
　　o 小学校道徳研修会　　o 中学生徒指導研修会
　　o 小学校道徳定期研修　o 小学校生徒指導定期研修

○小学校道徳長期研修　　○小中生徒指導長期研修
　　○中学校道徳長期研修　　○小学校教育相談長期研修
　　○中学校生徒指導担当教諭長期研修

**(2) 臨床教育相談**

　教育センター教育相談室において、幼児、児童生徒、学生および一般に対し臨床教育相談を実施する。
　一事例に対し、相談員3人（子どもとの面接、遊戯治療担当1人、親との面接担当1人、心理測定・学校との連絡調整・遊戯療法の観察1人、）のチームを編成し専門的立場から治療する。

## 4 教育調査研究

　教育界の現状をあらゆる角度から正しくとらえ、長期的な教育計画の樹立や教育近代化のための基礎的で合理的な資料を提供するための本年度の調査関係予算は次のとおりである。

　①教育課程構成　　　　　　3,872ドル
　②高校入学者選抜　　　　　2,598
　③学校基本調査　　　　　　1,528
　④教育行財政調査　　　　　　196
　⑤学校保体給食調査　　　　　739
　⑥学校教員調査　　　　　　1,112
　⑦学校経営の実態　　　　　　129
　⑧授業過程の研究　　　　　　348
　⑨学力診断　　　　　　　　　349
　⑩道徳性の発達と指導法　　　189
　⑪特殊学級における指導事例　 75

⑫ 定時制生徒の実態調査　　　　　１８０
⑬ へき地教育に関する研究　　　　　１４１
⑭ 幼稚園教育課程の研究　　　　　　　３１
⑮ 地学・生物に関する郷土資料調査　１９１

## 5 視聴覚教育の推進

### (1) 視聴覚教育の整備充実

　１９６８年１１月１９日に、中教委で制定した公立小、中学校教材基準の中で、共通教材基準として、小・中校別、学校規模別に品目と基準数量を示し、各校の視聴覚教材整備充実の目標としている。

　１９６５年以降、ＵＳＣＡＲ・日政・琉政資金および学校の自乙財源等によつて、視聴覚教材の整備が、小校から高校にかけて全琉的に推進され、その達成度もかなり高い状態にある。

　現品配布方式から、学校がその事情に応じて選択整備できる補助金方式にかえたため、学校間のむらを是正するのに大いに役立つた。

　７２年度として、学校の努力をおねがいしたいことは次のとおりである。

　　ア　共通教材基準に即して学校の目標達成状況を把握する。
　　イ　整備した共通教材の集中管理の徹底をはかる。
　　ウ　学習指導の年間計画の位置づけと活用につとめる。

### (2) 学校教育放送

　テレビ学校放送は、沖縄放送協会のテレビ局から放送され、日曜日と長期休暇・公休日を除く毎日、授業用視

聴覚教材として、午前9：50〜12：00、NHK教育テレビの同時中継放送（先島地域では1週間おくれ）によって提供され、受信設備として、小校では全学級数のほぼ50％、中校では1校平均3〜5台、高校では1校3〜5台のテレビ受信機とVTR（ビデオ・テープレコーダー：テレビ番組をテープに収録する機械）によって放送教材の利用が急速に高まりつつある。
　テレビの受信利用困難な学校ー南北大東小中校および北部の安波小中校ーに対してビデオ・テープに収録して放送教材の提供を継続実施している。
　今学年度のラジオ学校教育放送は次のとおりである。

― 第7章 教育指導の近代化 ―

1971年度　文教局提供・NHK制作　1971年
ラジオ学校放送番組改訂時刻表　4月以降

| 放送時刻 | 放送局 | 月 | 火 | 水 | 木 | 金 | 土 | 対象 |
|---|---|---|---|---|---|---|---|---|
| 9:15〜9:30 | ROK | 日本のあゆみ（6年社会） | みんなのくらし（3年社会） | ラジオ図書館（高学年・国） | みんなの図書室（中学生・国） | お話たまてばこ（低学年・国） | 行こうみんなで（3・4年道徳） | 小学校（社・国・道） |
| 9:30〜9:45 | ROK | 名作をたずねて（国語） | 世界名曲めぐり（音楽） | わたしたちは考える（3年・道徳） | 学級の話題（特活） | 青空班ノート（1年道徳） | 昭夫の日記（2年道徳） | 中学校 |
| 9:45〜10:00 | RBC | 国語研究 | わたしの人生 | 青年期の探究 | 人間とはなにか | 名曲ライブラリー | 古典研究 | 高校 |
| 10:45〜11:00 | RBC | 国語教室 6年生 | 音楽教室 6年生 | 音楽教室 5年生 | 音楽教室 4年生 | 国語教室 4年生 | 国語教室 5年生 | 小学校（国・音） |
| 11:45〜12:00 | RBC | 国語教室 3年生 | 音楽教室 2年生 | 音楽教室 3年生 | 音楽教室 1年生 | 国語教室 1年生 | 国語教室 2年生 | 小学校（国・音） |

## 6 学校図書館教育の振興

　学校教育の近代化に伴い、学校図書館の学校教育に果す役割がクローズアップされ、1914年4月学校図書館法が立法された。それによつて学校図書館の設置義務、司書教諭の配置、図書及び内部備品等に対する政府補助の道が開けた。1965年度以降は日政援助（図書）の実現と相まつて学校図書館の整備充実が急速に進み、1968年11月に同法に基づく学校図書館振興総合計画が策定され、現在に至つている。

(1) **本年度の施設設備及び図書の整備充実は次のとおり**
　ア　施設
　　　小、中、高校及び特殊学校と校舎建築の一環として計画実施する。本年度図書室建築計画は、小学校5、中学校3を予定している。
　イ　図書
　　　公立小学校　　　67,609（45,073冊）
　　　公立中学校　　　54,704（36,469冊）
　　　高　　校　　　　2,414（1,212冊）
　　　特殊学校　　　　3,594（1,797冊）
　　　政府立小・中学校　　957（638冊）

(2) **司書教諭及び事務職員の配置状況**
　ア　司書教諭
　　　小学校　15校　　中学校　10校
　イ　図書館事務職員
　　　小学校　18校　　中学校　18校　　高校18校
　　　小学校の場合は41学級以上の学校、中学校は32学

級以上に配置する。

**(3) 学校図書館モデル校**

　資料センターとしての学校図書館づくりを目標に全琉に２５校のモデル校を指定し研究をすすめてきた。期間は３か年で本年度はその最終学年に当つている。これらの学校には特に司書教諭を配置し、図書補助金もその年度の予算の範囲内で特別補助金を支給する予定である。

# 第8章 保健体育の振興

## 1 学校体育指導の拡充強化

　学校体育の指導は、その特質から実践を通しての理解や指導法の研究改善が必要である。
　小学校ではことしから新学習指導要領の実施となり、中学校も実施を来年に控え移行2年目にはいっている。今回の学習指導要領の改訂にあたつては、総則3に「体育」の項が新たに設けられたことは特筆にあたいする。その趣旨を十分ふまえて下記のとおり児童・生徒の体力づくりを強力に推進したい。

　(ア)　学校の教育活動全体を通して適切に行うようにする。特に体育科の時間はもちろん、特別活動においてもじゆうぶん指導するよう配慮する。
　(イ)　スポーツテスト等の奨励によつて、児童・生徒の体力を十分把握し、指導に生かすようにする。
　(ウ)　学校体育日および業間運動の時間を特設して、積極的に体育の整励をはかる。

　　改訂された教科内容の理解を深め指導技術の向上をはかるため、本年度は小・中学校教師を対象にボール運動と体操の実技研修会をおこなうとともに、主任研修会をもつて資質の向上につとめる。
　　保健、安全については、児童・生徒の保健安全管理に重点をおいて、各連合区単位で学校の要請によつて研修会を実施する。

1972年度の保健体育の研修に関する予算は1,082ドルである。

## 2 学校保健の強化

### (1) 教員健康診断の強化

　教職員の健康診断は学校保健法に基づいて毎年実施されている。教職員の健康を一層強化するために本年度予算に小学校1,549ドル　中学校1,104ドルを補助するように計上してある。

### (2) へき地学校保健管理費

　医療機関に恵まれない無医村へき地の学校へ医師、歯科医師、薬剤師を派遣して健康診断、健康相談、学校環境衛生検査等を実施し、へき地学校の児童生徒の健康管理並びに学校保健全般の向上を図るための経費として、6,401ドルを本年度、はじめて計上された。（第5章3参照）

### (3) 養護教諭の増員と資質の向上

　本年度、養護教諭は小学校116、中学校59、高等学校24、特殊学校5名で教員定数基準に対する配置率は小中校で78.1％、高校57.1％となつている。
　連合区別の配置率は北部89.6％、中部72.7％、那覇61.4％、南部96.5％、宮古94.4％、八重山108.3％で昨年より32名増員されたが今後も増員する予定である。養護教諭研修費として98ドル計上してある。

### (4) 第8回沖縄学校保健大会の開催

　児童生徒の健康の保持増進をはかり学校職員の資質を向上させ、地域社会の住民の学校保健に対する理解と関心を高めるために沖縄学校保健大会を南部で開催する。

この大会に奨励補助金として１７０ドル計上してある。

**(5) 健康優良学校並びに健康優良児童の表彰**

　心身ともに健やかな児童を育てるために健康優良学校並びに健康優良児童の表彰を行ない、教職員、児童、父兄、地域社会の健康に対する関心を高め、学校保健の推進をはかる。計上予算１６０ドル。

**(6) 要保護および準要保護児童生徒医療費補助**

　義務教育諸学校の児童生徒が、伝染性または学習に支障を生ずるおそれのある一定の疾病にかかり、治療の指示を受けたが、その保護者が医療費を支出することが困難な場合その医療費を補助するもので5,993ドル（日政）計上してある。

**(7) 学校環境衛生検査器具の整備**

　学校薬剤師の配置にともない学校環境衛生の維持改善を図るため、各連合区に環境衛生検査器具を整備する。第三年次計画として1,982ドル計上してある。

## 3 学校安全の強化

　特殊法人沖縄学校安全の運営補助として17,417ドルを計上した。また、学校安全の普及充実について、安全管理及び安全指導に関する初心者の水上安全研修会（女教師対象）、水上安全管理者講習会、交通安全管理者講習会等を開催するとともに本土研修会への派遣も行なっている。

## 4 学校給食の拡充

　本年度における学校給食の拡充を図るための事業は次のとおりである。

**(1) 学校給食設備整備費補助　57,083ドル**

対象　共同調理場10カ所　11,416ドルの1/2補助
- (2) 準要保護児童生徒の給食費補助　92,438ドル
  - ア　パン加工賃　13,547ドル
    - 対象率　全児童生徒の7％　補助率1.09セントの1/2
    - 小学校　8,072人
    - 中学校　4,359人
  - イ　おかず費補助　78,891ドル
    - 対象率　完全給食実施校児童生徒数の7％
    - 補助率　小学校7.21セントの1/2
    - 　　　　中学校8.93セントの1/2
    - (ア) 一般校　72,055ドル
      - 小学校　　6,698人
      - 中学校　　2,661人
    - (イ) へき地校　6,836ドル補助率　8/10
      - 小学校　　　340人
      - 中学校　　　204人
- (3) 学校栄養職員設置費補助　12,645ドル
  - 対象　15人　補助率　年額　1,686ドルの1/2
- (4) 学校給食関係職員の研修費　506ドル
  - 学校長、給食主任、栄養士、調理者を対象に指導および運営のための研修費および給食大会費
- (5) 学校給食指定工場選定委員会　189ドル
  - 製パン、製めん、委託乳工場の選定、製品および衛生管理の向上をはかる。
- (6) 琉球学校給食会補助　100,879ドル
  - 物資経理　73,023ドル
  - 業務経理　27,856ドル

## 5 学校体育諸団体の育成

学校体育の振興をはかるため、沖縄県高体連、沖縄県高野連、沖縄県高校定時・通信制主事会、沖縄中体連、沖縄女子体育連盟、沖縄小体研、沖縄中体研、沖縄県高体研の自主的団体ならびに体育研究団体では、各種スポーツ大会、各種研究会を開催し、また本土における全国大会等にも多数の代表選手を派遣または招へいして青少年の心身の健全育成とスポーツの振興をはかつている。次にこれらの学校体育団体の主なる事業と補助額は次の通りである。

(1) 高 体 連（3,841ドル）

夏季体育大会、各種選手権大会、陸上競技選手権大会、全国高校総合体育大会派遣、秋季体育大会、冬季体育大会、日琉親善競技大会、（全国高校総合体育大会には日政援助として2,245ドルの補助がある。）

(2) 高 野 連（1,500ドル）

第49回九州高校野球大会派遣、第53回全国高校野球選手権大会第2次地方予選（南九州大会）、第50回九州高校野球大会派遣

(3) 定 通 制（250ドル）

定時制・通信制球技大会、定時制陸上競技大会

(4) 中 体 連（1,041ドル）

夏季体育大会、全日本中学校放送陸上競技大会、水泳大会、全国中学生選抜水泳競技大会、秋季体育大会、冬季体育大会、各種講習会

(5) 女 体 連（330ドル）

夏季休暇学校ダンス実技研修会、学校ダンス発表会、

第5回全国女子体育研究会派遣
- (6) 小 体 研（100ドル）
  授業研究会
- (7) 中 体 研（100ドル）
  授業研究会
- (8) 高 体 研（100ドル）
  授業研究会

## 6 社会体育

　県民の健康を増進し、体力の増強をはかるために、すぐれた指導者を養成し、施設の整備、スポーツ組織の強化をはかることは、最も重要なことである。

　なお、1973年5月に開催される沖縄復帰記念国民体育大会にそなえて、社会体育関係経費として、社会体育振興費に118,819ドル、体育施設管理費65,135ドル、復記記念国体準備に3,140,867ドル、計3,324,741ドルが予算化してある。

- (1) 体力つくりとスポーツ行事　41,011ドル
  - ア　沖縄体育大会と沖縄青年体育大会　665ドル
  - イ　県民体力つくり　400ドル
  - ウ　国民体育大会、全国青年大会、ならびに、九州一周駅伝に参加する経費　36,456ドル
  - エ　九州ブロックまたは全国的大会の開催費
    9,400ドル
    
    全国教職員バレーボール大会　　　4,000ドル
    全国アマチュアボクシング大会　　2,000ドル
    九州サッカー大会　　　　　　　　2,000ドル
    九州バスケットボール大会　　　　1,400ドル

(2) **競技力の向上** 113,000ドル

沖縄復帰記念国体にそなえて、競技力の向上をはかるために、国体準備費に113,000ドルを計上してある。

(3) **体育施設の充実** 3,070,406ドル

 ア　奥武山総合競技場（繰越事業）1,806,589ドル
   国体準備費　　　　　　　　1,764,050ドル
   社会体育振興費　　　　　　　　42,539ドル
 イ　コザ市総合競技場（繰越事業）1,263,817ドル

(4) **指導者の強強育成** 5,556ドル（300ドル）

本年度から日政援助2,778ドルを得て、次の講習会を実施する。

 ア　体育指導委員講習会　　イ　野外活動指導者講習会
 ウ　スポーツ活動指導者講習会　　エ　体育施設管理者講習会　　オ　スポーツ巡回指導者講習会

(5) **青少年の健全育成** 779ドル

 ア　スポーツ少年団育成費　411ドル
 イ　野外活動振興費　　　　368ドル

(6) **体育施設管理** 65,135ドル

奥武山総合競技場と羽地青少年野外活動センターの管理運営に要する経費である。

(7) **スポーツ団体育成費** 20,000ドル

本年度から、沖縄体育協会の運営を容易なりしめるために20,000ドルを予算化してある。

## 第9章 社会教育の振興

　社会教育予算は、1.地方の社会教育振興のための各種補助金及び研究奨励費の交付、2.社会教育指導者の養成を図るための各種研修会費、3.社会教育施設の整備充実とその運営費に大別することができる。

　1.については、成人教育の振興を図るための社会学級運営補助金及び勤労青少年の教育の場である青年学級（青年教室を含む）運営補助金と、本土派遣研修旅費補助、研究指定のための研究奨励金等が計上されている。2.については、青年、婦人、ＰＴＡ、レク、視聴覚、社会教育主事、司書、社会学級、職業技術、新生活運動、公民館、青年学級等各領域の指導者の資質向上のための研修会費及び高等学校を開放しての職業技術講習会費等が計上されている。

　3.については、中央公民館の施設補助金及び視聴覚ライブラリー整備費、博物館費、図書館費、青年の家運営費、青年の家建設費、博物館施設充実費、図書館施設充実費等が計上されている。

## 1 青少年教育

### (1) 青少年団体

　青少年団体活動の健全な発展を図るための、指導者養成と青年会活動についての研究指定に必要な経費を次のとおり計上してある。

　青年国内研修の研究奨励費（１０人分）　1,042ドル
　研究指定本土派遣研修のための研究奨励費　283ドル

青年幹部研修会費（中央1回、連合区別6回）、油脂及燃料費、食糧費、役務費、雑費、諸謝金等、604ドル
(2) **青年学級・（青年教室）**
　本講座は勤労青年に対し、実生活に必要な職業又は家事に関する知識及び技能を習得させ、並びにその一般的教養を向上させることを目的として開設するもので、地方教育区が一定の教育計画のもとに、1会計年度において、開設時間が100時間以上（50時間以上）、参加人員20人以上（10人以上）、の諸条件を具備するものに対して運営補助金を交付する。
　本年度は15学級（1学級当り109ドル50セント）と20教室（1教室当り54ドル75セント）の運営補助金として、3,285ドル計上してある。研究指定学級に対し研究奨励費（補助金）125ドル、学級指導、指導者研修のために294ドル計上した。
(3) **職業技術講習**
　本講座は職業高校に依頼して、その施設設備を開放して開かれるもので、主として勤労青年を対象に行われる講習である。
　本年度は10講座開講する予定で、予算は次のとおりである。
　　諸謝金　3,785ドル、事業用消耗品　100ドル、油脂燃料費　157ドル、役務費　72ドル、修繕費　60ドル
(4) **青少年健全育成モデル地区**
　モデル地区は青少年の健全育成をはかるため学校、家庭及び社会が一体となって、いわゆる総合的な地域ぐる

の運動を推進するために設定された事業である。そのために前年度に引き続き720ドルの予算で全沖縄に4ヶ所を設定し、その育成強化をはかっていきたい。また事業の内容としては、1．組織の強化、2、家庭教育の振興、3、環境の浄化、4、健全レクリエーションの奨励、5、青少年団体の育成、6、非行や事故からの防止等があげられる。

## 2 成人教育

### (1) 婦人団体

地域婦人団体の健全な発展を促進するためにつぎの事業を実施する。
①中央婦人幹部研修会　②連合区別婦人幹部研修会
③婦人団体幹部の本土研修（日政10人　琉政2人）
④婦人団体の研究指定　1か所
予算は次のとおり。
　　食糧費　　339ドル　研究奨励費　279ドル
雑費　　　　45ドル　諸謝金　　　 91ドル
婦人国内研修　1,517ドル　（日政）

### (2) PTA

新しいPTAのねらいに基づいて、学習するPTA、活動するPTAへと各単位PTAの健全育成を図るために、①各連合区単位にPTA指導者研修会を開催する。②1単位PTAを研究指定する。③本土研修へ1名研修する。
　　予算は次のとおりである。
研究奨励費204ドル

　　　　(本土研修補助７９ドル。研究指定１２５ドル)
　指導者研修会　　７６ドル
　　　　(雑費　３０ドル　諸謝金　４６ドル)
(3)　**社会学級**
　　社会学級は一般成人を対象として行われる社会教育講座であり、主として各小中学校に開設されている。本年度は１５１学級を補助対象としているが、その中１２学級を特に高令者を対象とした高令者学級とした。学級の運営補助金として１学級あたりが３６ドルを計上してある。なお、指導者養成として本土研修に１名の派遣と、学級運営の諸問題を究明するために１学級を研究指定する予定である。予算は次のとおり。
　　研究奨励費　　２０４ドル　運営補助金　5,436ドル
　　諸謝金　　　　１２５ドル　雑費　　　　　６０ドル
(4)　**家庭教育学級**
　　家庭教育は、学校教育、社会教育とともに教育の三本柱として重視されている。青少年健全育成の基盤をなす家庭教育を振興するために家庭教育学級４０学級を設置する計画をすすめている。また全国家庭教育研究集会へ１名派遣と、学級運営の諸問題を究明するために、１学級を研究指定する予定である。　予算は次のとおり。
　　研究奨励費　　１８０ドル　運営補助金　1,440ドル

## 3　社会教育施設の整備充実

(1)　**公民館**
　　公民館活動の充実と運営の強化をはかるために、公民館の研究指定、職員の資質の向上をはかるための本土研

修派費329ドル、各連合別の公民館職員研修のための諸謝金125ドル、雑費46ドル、公民館施設の充実をはかっていくための施設補助金544,186ドルで2館分（1館は基地周辺施設、嘉手納村に50万ドル定額補助）計上してある。

### (2) 図書館

2.3階増築の完成に伴ない、沖縄における中央図書館としての機能を果すべく施設、備品、図書館資料の整備充実をはかるために、年次計画を策定して、地域住民の読書水準の向上を市町村読書施設の充実強化をはかりたい。本年度は運営費に59,718ドル、施設充実費に9,732ドルが計上されている。特に今年度は新聞、雑誌等の購入費として、初めて事業消耗品費が認められ、本土中央紙など15紙、雑誌が55種の購入が計画され、その整備充実がなされる。

### (3) 博物館

博物館資料の蒐集に重点をおき、その保存、修理、調査、研究、展示等の博物館活動を通して運営を強化し、県民の文化の高揚に資するため、運営費として46,333ドルを計上、また、内容の充実に見合う環境整備も急務とされるため、造園費として2,310ドルを計上してある。

### (4) 青年の家

ア 名護青年の家

青年の家とは、青年や青少年の指導にあたる人々が、共同宿泊生活をしながら施設、施備を活用していろいろな研修活動（体育・レクリエーションを含む）を行

なうことによって友愛・規律・協力・自主・奉仕の精神を養い、地域や職域の中にあって自からの人間性を高め、よりよき社会人となることを期待する社会教育施設である。1970年1月1日より12月31日までに5858人が利用している。職員定員7人（所長1.指導職3. 事務職1人 作業職1. 運転職1）によって運営の充実を図ることになっている。運営費総額58,874ドル（糸満青年の家も含む）

イ 糸満青年の家

糸満青年の家は1971年2月16日に本館（1,072.50㎡）を落成し、1971年4月9日に開所して以来利用者が多い。職員は定員4人、（所長1人、指導職2人、事務職1人で運営の充実をはかることになっている。運営費総額58,202ドル（名護青年の家も含む）なお1972年度は施設設備の充実をはかるために建設費102,667ドル計上されている。

## 4 視聴覚教育

視聴覚教育の振興をはかるため、施設設備の充実と指導者養成につとめる。

施設設備の面で、新設の地域ライブラリーに対して、備品補助金として、1館当り6,666ドルの2館分と局ライブラリーの備品補助金として2,058ドル計上してある。

指導者の技術研修会を中央で、1回、連合区別に各1会場もつために107ドルの予算がある。

## 5 レクリエーションの普及

　健全なレクリエーションの生活化とその普及をめざして次のような事業を計画している。
① 　職域、青少年指導者研修会（年1回）② 　婦人対象レク指導者研修会（年1回）　③ 　本土派遣1人
　予算は次のとおり計上されている。
①諸謝金、23ドル、② 　本土派遣費109ドル
③雑費　20ドル、④ 　事業用消耗品費　101ドル

## 6 新 生 活 運 動

　社会の進展にともない、県民ひとりびとりの自発的な実践をとおして、地域社会の連帯感を高め、生活者としての主体性を確立し、幸福で明るく豊かな家庭、住みよい社会の建設をめざして、全県民的運動の推進をはかる。
　実践項目として
　○美しい村、町づくり運動。○時間励行。
　○冠婚葬祭の簡素化及び諸行事の合理化運動。
　○新正月実施運動。○家計簿の記帳奨励と貯蓄奨励。
　○生活学校の設置奨励。
　事業内容
　○連合区別指導者研修会。○モデル地区研究指定
　○各種月間運動の実施。
　予算
　委員手当　136ドル。事業用消耗品費　100ドル
　借料及び損料　36ドル。役務費　12ドル。

雑費　24ドル。研究奨励費　103ドル。諸謝金　83ドル

## 7 社会教育指導者の養成

### (1) 社会教育主事等設置補助

　社会教育法に基づき、区教育委員会に社会教育主事が置かれ、その設置補助として185,645ドルが計上されている。

　本年度の設置補助を受ける教育区は、次のとおりである。

北部　国頭(1)　大宜味(1)　東(1)　今帰仁(1)　本部(1)
　　　名護(3)　金武(1)　伊平屋(1)　伊是名(1)　伊江(1)
　　　　　　　　　　　　　　　　　計　12名
中部　石川(1)　美里(1)　与那城(1)　具志川(1)　コザ(1)
　　　読谷(1)　嘉手納(1)　中城(1)　宜野湾(1)　西原(1)
　　　　　　　　　　　　　　　　　計　10名
那覇　浦添(1)　那覇(3)　(内)具志川(1)　仲里(1)　計　6名
南部　豊見城(1)　糸満(1)　東風平(1)　南風原(1)　玉城(1)
　　　佐敷(1)　与那原(1)　大里(1)　　　計　8名
宮古　平良(1)　城辺(1)　下地(1)　伊良部(1)計　4名
八重山　石垣(1)　竹富(1)　与那国(1)　　計　3名

　( )内の数字は社会教育主事設置数　　総計　43名

### (2) 社会教育主事等研修

　各教育区の社会教育主事並びに同主事補の資質を向上するために行なわれる社会教育主事等研修に必要な経費として、諸謝金23ドル、雑費5ドルを計上した。

### (3) 社会教育主事講習

　社会教育主事講習規程に基づき、社会教育主事となる

べき者に、その職務を遂行するに必要な専門的知識技能を修得させ、社会教育主事となりうる資格を付与することを目的とし、中央教育委員会が琉球大学に委嘱して実施させるもので、その必要経費として、事業用消耗品費18ドル、雑費445ドル、諸謝金137ドルが計上されている。

**(4) 社会教育委員会議**

社会教育委員は、社会教育行政に民間の意見を反映させるために、社会教育法に基づいて、政府及び地方教育区の教育委員会におかれる非常勤の委員であり、文教局にも15人の社会教育委員が設置され、その必要経費として、委員手当168ドル、委員等旅費42ドル、雑費7ドル、諸謝金30ドル、計247ドルが計上されている。

## 8 社会教育関係団体の助成

| | | | |
|---|---|---|---|
| 沖青協 | 1,600ドル | 沖縄PTA連合会 | 2,000ドル |
| 沖婦連 | 200ドル | 沖縄新生活運動協議会 | 230ドル |
| 宮婦連 | 100ドル | 沖縄県公民館連絡協議会 | 100ドル |
| 八重婦連 | 100ドル | | |
| 健青協 | 200ドル | ユネスコ協会 | 1,226ドル |
| 少年会館運営補助金 | 5,000ドル | | |
| 沖縄青少年浜松会館 | 2,185ドル | | |

# 第10章 育 英 事 業

　琉球育英会法による育英事業に必要な経費は、1972年度予算において総額499,045ドルであって、その資金内訳は日本政府援助金235,533ドル、琉球政府補助金206,152ドル、琉球政府出資金29,891ドル、その他27,469ドルである。

　本年度予算では大学特別貸与奨学生の新規採用に対する貸与月額の増による日本政府援助金の増額10,533ドル国費学生給与費の学生数の増並びに勤奨退職の実施等による琉球政府補助金の増額15,837ドル、琉球育英会基金の法定額完済による政府出資金の増額29,891ドル、貸与奨学金の返還金積立の増額3,153ドルがあり、総額において60,619ドルの増額になっている。

　予算に計上された事業の内容は次のとおりである。

## 1 奨 学 費

### (1) 国費学生奨学費

　大学院学生49人（9ヶ月）50人（3ヶ月）、学部学生846人（9ヶ月）853人（3ヶ月）に対して、琉球育英会給費支給規程により一人当り月額平均前者は3ドル後者は7.47ドル、年額合計77,765ドルを給費する。

### (2) 自費学生奨学費

　自費学生補導費1人当り年額7.23ドルの476人分をそれぞれの大学に納付する。その合計額は2,740ド

ルとなっている。

**(3) 特別貸与奨学費**

　日本政府援助によるもので、年額２３５,５３３ドルが琉球育英会奨学規程により次のとおり、大学、高校の特別貸与奨学生に貸与される。

　(ア)　大学特別貸与奨学費

　　　自宅通学生一人当り月額１３,８８ドル人員１４４人　１６,６６ドル４８人。

　　　自宅外通学生一人当り月額２２.２２ドル人員３３６人　２７.７７ドル１１２人。

　(イ)　高校特別貸与奨学費

　　　自宅通学生一人当りは月額８.３３ドル人員７５０人

**(4) 貸費学生奨学費**

　本土並びに沖縄内の大学に在学する奨学生に対して貸与するものであって、上記1.2.3.の奨学制度を補充するものとして予算化している育英事業であって、琉球育英会資金等によるものである。その貸与月額は一人当り8.33ドル人員２０人となっている。

**(5) 県費奨学生費**

　国費自費学生制度から県費奨学制度への移行措置として設けられている。自力で国公立大学に合格した学生を対象に貸与させるもので、一人当り月額４０ドルの８人（９ヶ月）５人（３ヶ月）計上している。

## 2 学生寮費

　沖英寮（東京）南灯寮（東京）沖縄学生会館（千葉）大阪寮、福岡寮、熊本寮、宮崎寮、鹿児島寮、の８寮の管理

並びに運営補助と営繕のため19.513ドルが計上されていて本土内沖縄学生に、低廉でよりよい学習環境を与えるに、必要である。

## 3 国費自費学生選抜費

国費自費学生選抜試験問題の作成に必要な経費で諸謝金、会議費、印刷製本費、通信運搬費等合計6,554ドルである。

# 第11章 文化財保護事業

　1972年度における文化財保護事業は、指定文化財の管理の強化促進、修理復旧の早期完成、組踊の伝承者養成および公開、記録作成等の諸事業を重点的に推進する方針である。

　1972年度文化財保護行政関係の予算は、文化財保護委員会費（運営費）47,844ドル、文化財保護費（事業費）70,599ドル、計118,443ドルとなっており、前年度にくらべると運営費が4,809ドル増、事業費が45,730ドルの増となり、総額で50,539ドル増加している。

　事業費の主なものはつぎのとおりである。

## 1 有形文化財補助　41,251ドル

　特別史跡「末吉宮本殿」の復旧工事に対する補助21,951ドル（日政援助17,561ドル、琉政4,390ドル）と特別重要文化財権現堂神殿修理工事補助19,300ドル（日政15,439ドル、琉政3,861ドル）によって、日政技術援助による専門技術者の指導と文化財保護委員会の監督のもとに、監理者が工事を施行する。

## 2 無形文化財補助　1,753ドル

　重要無形文化財（組踊）の伝統的な芸能を保存するために必要な伝承者の養成と公開、記録作成および民俗芸能の公開の事業に対する補助金である。重要無形文化財の公開

は、文化財保護委員会の指導のもとに組踊の技能保持者によって行なわれる。

## 3 文化財管理補助　1,320ドル

指定文化財の管理は、その所有者または管理団体が行なうことになっており、その管理のために要する経費の補助金である。今年度も前年度に引続きつぎの事業を行なう。

**(1) 害虫防除措置**

建造物の白蟻や、植物の松食虫、赤木虫白蟻等の防除

**(2) 環境整備**

建造物、史跡名勝天然記念物の指定地域内の除草清掃

**(3) 保存施設**

指定文化財の標識の取替えや新設および説明板等の設置

## 4 文化財調査　613ドル

**(1) 文化財管理状況調査**

文化財の管理は、常にそれを良好な状態に保つことであるが、保存措置を講じて未然に文化財のき損衰亡を防止するためには、その所有者および管理団体との連絡を密にし、文化財の実態を把握する必要がある。そのための調査費用である。

**(2) 民俗資料調査**

民俗資料緊急調査は、1968年度に32調査区を設定して実施し、69年度に報告書第1集として刑行した。今年度は24調査区を設定し、調査を実施する計画である。そのための調査費用である。

### (3) 民家調査

年々歳々古い民家は少なくなる傾向にあるので、取りこわされる前に調査をして記録として残す、そのための調査である。

## 第12章 沖縄県史の発行

　琉球政府立沖縄史料編集所は、沖縄県史及び沖縄「歴史の編集発行、資料の調査収集研究保管をする機関として、1967年10月に文教局の附属機関として設置され、現在までに「沖縄県史」15冊を発刊した。

　沖縄史料編集所は「沖縄県史編集11ケ年計画」(全24巻)に基づいて、沖縄県史の編集発行をおこなっている。また、同時に、資料の調査収集及び研究に多くのエネルギーを注いでいる。

　本年度は編集所の運営費(沖縄史料編集所費)として、26,532ドル(おもに人件費)が計上されている。

　なお、本年度の事業計画およびそれに要する費用は次のとおりである。

　本年度は、「沖縄県史」の「経済」・「民俗1」の2冊と蔵書目録を発行する。そのための予算として、16,029ドルが総務局の用度課に計上されている(印刷製本費)。

　また、来年発行予定の「民俗2」の執筆と、74年度発行予定の「沖縄戦記録2」の一部(原稿3000枚中700枚)の執筆を依頼し、原稿を揃えることにしている。「沖縄戦記録2」編集のため、本島中北部、本島周辺の離島、先島において、地域住民から沖縄戦についての体験を広く収集する予定である。

　その他に、本年度も今後の編集事業を推進するため、県内外において資料の調査収集を継続しておこなう。

　以上のような事業を遂行するための予算(事業費＝琉球

歴史資料編集費）１３,３０２ドルの内訳は次のとおりである。
イ　旅　　費　　　１,４６１ドル
　　資料調査のための職員旅費と委員等旅費である。
　　　内２９７ドルは職員の管外旅費、４６４ドルは委員等旅費であり、７００ドルは職員の管内旅費である。
ロ　備 品 費　　　１,０１９ドル
　　図書（古書）購入費　３７０、マイクロフィルム、キャビネット　１６０ドル、テープコーダー　１３０ドル、ナンバーリング　９ドル、それに書架購入費　３５０ドル。
ハ　役 務 費　　　２,３６８ドル
　　資料を撮影（複写）するための費用である。
ニ　諸 謝 金　　　７,２３４ドル
　　おもに原稿料である。本年度は2,530枚の原稿を依頼するので、原稿料として、6,325ドル計上されている。その他、審議会出席謝礼金、執筆者会議出席者および資料収集の際の協力者への謝礼金。
ホ　委員手当　　　６２４ドル
ヘ　そ の 他　　　５９６ドル
　　１９７２年度　沖繩史料編集所予算
　　　沖繩史料編集所費　　　２６,５３２ドル（運営費）
　　　琉球歴史資料編集費　　１３,３０２ドル（事業費）
　　　　　　印刷製本費　　　１６,０２９ドル（用度課に計上）

# 第13章 私立学校教育の振興

　私立学校（高校以上）は5法人によって大学2短大4高校4が設置されており、学生生徒数は大学が3,537人短大が2,232人高校が5,127人である。私学の経営は人件費等の上昇により学生生徒の納付金だけでは足りないので借入金その他の方法でやりくりしている現状であり、財政状況は頗る困窮している。

　設置基準に対する達成率は、大学が校地43％校舎51％専任教員39％図書43％であり、高校も非常に低い。高校理科備品の達成率は37％で高校産振設備の達成率は17％である。

　これら教育条件の整備拡充を図ることは切実な問題であり、公共性をもつ私学経営の安定は教育の機会均等をはかるためにも重要なことであり、政府の助成が強く望まれている。

## 1 私立学校補助金

　　私立大学短大に対する経常費補助　　39,917ドル
　　高校理科教育備品購入費補助　　　　 2,778ドル

## 2 私立学校振興会出資金　70,000ドル

　政府の出資総額は550,000ドルとなり、私学の助成に大きな役割を果たしつつある。

# 第14章 復帰記念沖縄特別国民体育大会(仮称)の開催準備

　沖縄の本土復帰を祝うための国家的行事として開催される復帰記念沖縄特別国民体育大会（仮称）の準備は、現在、総務局に付置されている特別国体事務局を中心にすすめられているが、大会開催を1年6ケ月後に控え、本年度は政府、市町村、各種団体の緊密な連けいのもとに県民総参加の態勢をつくり、県民ひとりひとりの積極的な参加のもとに、この大会を成功に導く努力をしなければならない年である。

## 1 経過概要

(1)　1970年9月27日から、9月30日までの4日間の日程で行なわれた総理府、文部省及び財団法人日本体育協会関係者からなる調査の結果に基づき、同年10月上旬関係者間で1973年の適当な時期に沖縄の本土復帰を記念して、特別国体を開催する旨の内定がなされた。

(2)　この内定に基づき、本土政府は第2回、第3回の調査団を派遣する一方、琉球政府における大会諸準備に協力させるなど具体的な準備作業に着手し、更に、昭和45年度予算のなかから、1971年3月には、復帰記念準備費として、市町村特別交付税交付額の総額15億円（4,166,665）ドルの支出を決定した。

(3)　琉球政府においては復帰記念国民体育大会準備委員会を設置し、更に総務局に特別国体準備室を設置し、具体的な準備業務を推進してきた。

(4) 1972年度は、現行の準備委員会を廃止し、実行委員会を設置するなど準備業務の推進体制を確立し、大会の成功を期することとしている。

## 2 準備費関係予算

復帰記念沖縄特別国民体育大会(仮称)準備費関係予算は次のとおりとなっているが、1972年度は、前年度から競技施設整備工事をすすめる一方、沖縄選手団の強化をはかるなど、大会準備業務を一段とすすめることとしている。

| 事　項 | 1971年度予算額 | 1972年度予算額 | 計 | 備考 |
|---|---|---|---|---|
| 奥武山競技場整備費 | (ドル)1,764,056 | (ドル)30,817 | (ドル)1,794,867 | |
| コザ競技場整備費 | 1,263,817 | 0 | 1,263,817 | |
| 各種競技施設整備費 | 927,344 | 78,183 | 1,005,527 | |
| 各種競技用器具整備費 | 78,183 | | 78,183 | |
| 選手等強化費 | 130,538 | 113,000 | 243,538 | |
| 大会準備業務費 | 2,733 | 62,658 | 65,391 | |
| 関連道路整備費 | | 7,358,878 | 7,358,878 | 建設局計上分 |
| 計 | 4,166,665 | 7,643,536 | 11,810,201 | |

## 3 復帰記念国民体育大会(仮称)実施計画

- (1) 大会期日　　　　1973年5月3日〜6日(4日間)
- (2) 主　催　　　　　日本政府、財団法人、日本体協、琉球政府
- (3) 開閉会式会場　　那覇市奥武山競技場
- (4) 競技数　　　　　21種目、46種別
- (5) 参加チーム　　　385(本土側2,771人、沖縄側355人　計3,126人)
- (6) その他、国民体育大会開催に必要な事項については、国民体育大会開催基準要項に準じ、別に定めるが、各都道府県対抗とはしない。

# 第15章 国立移管に備えての琉球大学の充実

## 1 予算編成の基本方針及び重点施策

 1972年度予算は復帰予算として重要な意義をもつ最終予算である。従って復帰と同時に国立大学に移行することを基本として、復帰以前に国立移行への諸整備の基盤をつくり、国立大学並の整備を図ることを基本方針とし、これを達成するために次の重点施設の推進を図ることを主眼として予算編成をおこなった。

大　　学
 (1)　大学の移転に必要な新敷地購入整備の完結
 (2)　設備々品の整備充実
 (3)　臨海実験所、熱帯農業科学研究所の設置調査
 (4)　教員研究活動の充実強化

附属病院
 (1)　病院の開院準備
 (2)　施設設備々品の整備

## 2 1972年度琉球大学の予算

(1)　総　　括

　　1972年度琉球大学予算総額は8,565,852ドルであって前年度予算に比較すると992,688ドル増加し約12％の増となっている。
　　これを大学、附属病院に区分し前年度予算に比較すると次のとおりである。

|  | 前年度 | 現年度 | 比較増減 |
|---|---|---|---|
| 大　学 | 3,651,493 | 5,919,882 | 2,268,389 |
| 附属病院 | 3,921,671 | 2,645,970 | △1,275,701 |

　大学において2,268,389ドル増加した重な経費は、新敷地へ移転整備に必要な経費1,312,524ドルの増設備経費　　　　　　　　675,249ドルの増
　附属病院において1,275,701ドルの減少したことは、病院建設及設備々品が前年度で予算措置がされおおむね整備されたことによるものである。
　1972年度予算の内容は次のとおりである。
(ア) 目的別区分

| 大　学 | 5,919,882 |
|---|---|
| 　人件費 | 2,899,832 |
| 　運営費 | 601,203 |
| 　施設整備費 | 2,418,847 |
| 附属病院 | 2,645,970 |
| 　人件費 | 96,296 |
| 　運営費 | 223,620 |
| 　病院整備費 | 2,326,054 |

(イ) 資金別区分

|  | 琉球政府 | 日本政府 |
|---|---|---|
| 大　学 | 5,005,048 | 914,834 |
| 附属病院 | 1,305,845 | 1,340,125 |
| 　計 | 6,310,893 | 2,254,959 |

(ウ)日本政府資金による経費
  大　学
    研究助成費　　　１０１,６８９
    教官研修費　　　　１０,５３４
    設備々品　　　　８０２,６１１
  附属病院
    設備々品　　　１,０１２,１９７
    施設費　　　　　３２７,９２８

## (2) 重点施策の予算措置

(ア) 大学の移転に必要な新敷地購入整備の完結

　琉球大学の現在の敷地では狭隘でありこれ以上の施設は不可能である。従って１９６７年度から西原村、中城両村に約４４０,０００坪の土地購入を年次計画により推進し現在約１３０,０００坪の私有地が購入済となっている。国立大学移行前に敷地の確保が急務をされることから１９７２年度を最終年次として、土地購入費（村有地２６３,９４５坪、私有地５５,１５８坪）６５０,０５１ドルの予算措置を図り、新敷地の購入業務を完結する計画である。

　尚土地購入に伴って、３６世帯の物件補償費２９５,９２０ドル、農場地造成３６０,０００ドル、その他測量費等２４,０２９ドル、合計１,３３０,０００ドルの多額の予算措置を図ることができた。

(イ) 設備備品の整備充実

　学生の実験実習用及び教員の研究用設備備品については、文部省で定められた設備標準又は本土国立大学に比

べ本学の場合は全般的に相当の較差があるが、特に農学系、理工学系の較差が大きく、又保健学部においては開設間もないため整備途上にあるので、それらの整備を図るため１９７２年度予算においては、教育研究用設備備品に８０１，６７８ドル、図書に２０８，８８９ドル、合計１，０１０，５６７ドル予算が計上され前年度予算に比べ大巾に増額した。

(ウ) 臨海実験所、熱帯農業科学研究所の設置調査

臨海実験所は、生物学の研究教育の他に水産学、海洋学等の諸分野における研究と教育実習を目的として、本部町瀬底島に設定し１９７２年度を初年度としてその調査費及び基本施設費４，７７５ドルを予算計上した。

沖縄は日本の最南端に位置し亜熱帯としての特殊な自然条件を備えているがこの立地条件を活用し熱帯農業を科学的に研究を進めるために熱帯農業科学研究所が設置された。西表島は亜熱帯の典型的な自然条件を備えており同研究所を西表島船浦に設定し、その測量及び調査費２，１７２ドルを初年度予算として計上した。

(エ) 教員の研究活動の充実強化

教員の資質の向上を計り研究活動の充実強化を図る必要から１９７２年度において、研究助成費１２７，１１１ドル、事業用消耗品５６，０７７ドル、学会出席２１，２０８ドル、職員研修費１９，２７１ドル、計２２３，６６７ドルの予算を計上し前年度に比べ約５５，０００ドルを増加した。

(オ) 病院の開院

１９６９年度から継続建設中の新那覇病院が１９７１

年10月に竣工予定であるが、行政組織法の改正に伴って琉球大学の附属病院として1970年10月琉球大学に引継がれた。附属病院は保健学部の教育病院として、又地域医療の中心機関の病院として1972年4月には開院予定である。1972年度予算においては、開院準備費及び開院後の管理運営、教育研究費、食糧費等経費319,292ドル計上した。

(カ) 施設、設備備品の整備

附属病院は400床の総合病院となるが1972年度において、病院建設費（最終年次計画分）194,677ドル、設備備品1,585,246ドル、焼却炉設置138,458ドル、高圧酸素治療室設置に22,131ドルを計上した。尚医師の住宅を整備する必要があるので1972年度においては20世帯の医官住宅を建設するため、321,314ドルの予算を計上した。

# 参考資料

Ⅰ 1972年度教育関係歳出予算の款項別一覧表

| 部　　款　　項 | 1972年度予算額(ドル) | 1971年度(最終)予算額(ドル) | 比　　較増△減(ドル) |
|---|---|---|---|
| (文教局) | 71,043,331 | 58,922,191 | 12,121,140 |
| 文教局費 | 2,759,675 | 2,142,061 | 617,614 |
| 　文　教　本　局　費 | 674,258 | 644,959 | 29,299 |
| 　学　校　給　食　費 | 263,448 | 147,184 | 116,264 |
| 　教　員　養　成　費 | 2,400 | 4,860 | △ 2,460 |
| 　施　設　修　繕　費 | 91,321 | 74,740 | 16,581 |
| 　実　験　学　校　指　導　費 | 1,480 | 1,513 | △ 33 |
| 　各　種　奨　励　費 | 29,390 | 30,000 | △ 610 |
| 　学　校　安　全　会　補　助 | 17,417 | 14,813 | 2,604 |
| 　教員候補者選考試験費 | 1,489 | 1,462 | 27 |
| 　学　校　教　育　放　送　費 | 22,966 | 23,688 | △ 722 |
| 　学　校　図　書　館　充　実　費 | 129,278 | 134,606 | △ 5,328 |
| 　学　校　備　品　充　実　費 | 873,594 | 563,883 | 309,711 |
| 　教　育　施　設　用　地　費 | 475,817 | 195,637 | 280,180 |
| 　教　育　研　修　セ　ン　タ　ー　費 | 132,094 | 101,719 | 30,375 |
| 　教育研修センター事業費 | 15,574 | 15,491 | 83 |
| 　教育研修センター建設費 | 2,617 | 164,237 | △ 161,620 |
| 　沖　縄　史　科　編　集　所　費 | 26,532 | 23,269 | 3,263 |
| 中央教育委員会費 | 63,337 | 61,015 | 2,322 |
| 　中　央　教　育　委　員　会　費 | 63,337 | 61,015 | 2,322 |
| 教育調査研究費 | 23,347 | 23,054 | 293 |
| 　教　育　調　査　研　究　費 | 10,045 | 8,976 | 1,069 |
| 　琉　球　歴　史　資　料　編　集　費 | 13,302 | 14,078 | △ 776 |
| 教育関係職員等研修費 | 117,072 | 106,114 | 10,958 |
| 　教　育　関　係　職　員　等　研　修　費 | 117,072 | 106,114 | 10,958 |
| 政府立学校費 | 13,097,379 | 10,856,986 | 2,240,393 |
| 　政　府　立　高　等　学　校　費 | 11,581,066 | 9,439,374 | 2,141,692 |
| 　政　府　立　特　殊　学　校　費 | 1,355,139 | 970,700 | 384,439 |
| 　政　府　立　中　学　校　費 | 161,174 | 132,938 | 28,236 |
| 　政　府　立　各　種　学　校　費 | 0 | 313,974 | △ 313,974 |
| 産業教育振興費 | 979,726 | 365,027 | 614,699 |
| 　産　業　教　育　振　興　費 | 979,726 | 365,027 | 614,699 |
| 実習船建造費 | 395,806 | 261,520 | 134,286 |
| 　実　習　船　建　造　費 | 395,806 | 261,520 | 134,286 |
| 社会教育費 | 1,232,114 | 761,187 | 470,927 |
| 　社　会　教　育　振　興　費 | 594,765 | 49,519 | 545,246 |
| 　博　　物　　館　　費 | 46,533 | 43,624 | 2,909 |
| 　図　　書　　館　　費 | 59,718 | 55,345 | 4,373 |

110　参考資料

| 部　款　項 | 1972年度予算額(ドル) | 1971年度(最終)予算額(ドル) | 比　較　増△減(ドル) |
|---|---:|---:|---:|
| 社会体育振興費 | 118,819 | 229,619 | △ 110,800 |
| 体育施設等管理費 | 45,866 | 42,313 | 3,553 |
| 青年の家建設費 | 102,667 | 106,408 | △ 3,741 |
| 少年会館運営補助 | 5,000 | 7,000 | △ 2,000 |
| 青年の家運営費 | 58,874 | 31,171 | 27,703 |
| 青少年浜松会館管理費 | 2,185 | 2,185 | 0 |
| 図書館施設充実費 | 9,732 | 12,041 | △ 2,309 |
| 博物館施設充実費 | 2,310 | 6,210 | △ 3,900 |
| 社会教育主事設置補助 | 185,645 | 175,752 | 9,893 |
| 学校建設費 | 11,099,100 | 6,704,944 | 4,394,156 |
| 　学校建設費 | 11,099,100 | 6,704,944 | 4,394,156 |
| 学校教育補助 | 38,435,979 | 31,347,244 | 7,088,735 |
| 　学校教育補助 | 38,435,979 | 31,347,244 | 7,088,735 |
| 教育行政補助 | 493,866 | 410,362 | 83,504 |
| 　教育行政補助 | 493,866 | 410,362 | 83,504 |
| 教科書無償給与費 | 659,547 | 613,650 | 45,897 |
| 　教科書無償給予費 | 659,547 | 613,650 | 45,897 |
| 育英事業費 | 471,576 | 415,315 | 56,261 |
| 　育英事業費 | 471,576 | 415,315 | 56,261 |
| 私大委員会費 | 6,361 | 6,485 | △ 124 |
| 　私大委員会費 | 6,361 | 6,485 | △ 124 |
| 私立学校助成費 | 112,695 | 136,227 | △ 23,532 |
| 　私立学校助成費 | 112,695 | 136,227 | △ 23,532 |
| 公立学校共済事業費 | 669,856 | 476,431 | 193,425 |
| 　公立学校共済事業費 | 669,856 | 476,431 | 193,425 |
| 私立学校教職員共済組合補助 | 22,500 | 0 | 22,500 |
| 　私立学校教職員共済組合補助 | 22,500 | 0 | 22,500 |
| 文化財保護費 | 118,737 | 67,904 | 50,833 |
| 　文化財保護委員会費 | 48,138 | 43,035 | 5,103 |
| 　文化財保護費 | 70,599 | 24,869 | 45,730 |
| 復帰記念沖縄特別国民体育大会準備費 | 284,658 | 4,166,665 | △3,882,007 |
| 　復帰記念沖縄特別国民体育大会準備費 | 284,658 | 4,166,665 | △3,882,077 |
| (琉球大学) | | | |
| 琉球大学費 | 8,565,852 | 7,521,757 | 1,044,095 |
| 　琉球大学費 | 3,501,035 | 2,938,525 | 562,510 |
| 　施設整備費 | 2,418,847 | 661,561 | 1,757,286 |
| 　附属病院費 | 319,916 | 0 | 319,916 |
| 　病院整備費 | 2,326,054 | 3,921,671 | △1,595,617 |
| 総　計 | 79,609,183 | 66,443,948 | 13,165,235 |

※附属病院関係予算は71年度途中から厚生局より琉大に移った。

2 1972年度文教局予算中の政府立学校費及び
　地方教育区への各種補助金・直接支出金

## A 政府立学校

1. 高等学校

総額 15,083,238ドル　　生徒1人当り政府支出金(推計) 303.61ドル
(前年度 231.91ドル)

| 予算項目 | 科目 | 1972年度予算額 | 1971年度予算額 | 比較増△減 | 備考 |
|---|---|---|---|---|---|
| 施設修繕費 | 修繕費 | 83,777ドル | 59,022ドル | 24,755 | |
| 実験学校指導費 | 事業用消耗品費 | 560 | 560 | 0 | |
| 各種奨励費 | 研究奨励費 | 4,928 | 5,375 | △ 447 | |
| 学校図書館充実費 | 事業用備品費 | 2,414 | 7,500 | △ 5,086 | |
| 学校備品充実費 | 事業用備品費 | 109,549 | 86,609 | 22,940 | |
| 教育施設用地費 | 不動産購入費 | 340,672 | 183,597 | 157,075 | |
| 教育関係職員等研修費 | 管外旅費 | 21,115 | 19,884 | 1,231 | 研究教員 |
| 政府立高等学校費 | 職員俸給 | 7,154,209 | 5,694,253 | 1,458,956 | |
| | 非常勤職員給与 | 113,961 | 108,662 | 5,299 | |

| 予算項目 | 科目 | 1972年度予算額 | 1971年度予算額 | 比較増△減 | 備考 |
|---|---|---|---|---|---|
| 産業教育振興費 | 期末手当 | 2,878,837 | 2,308,377 | 570,460 | |
| | その他の手当 | 483,924 | 301,627 | 182,297 | |
| | 管内旅費 | 23,440 | 21,780 | 1,660 | |
| | 事業用備品費 | 61,445 | 42,700 | 18,745 | |
| | 保険料 | 625,043 | 502,263 | 122,780 | |
| | その他の需要費 | 240,207 | 210,080 | 30,127 | |
| | 旅費(管内・外) | 4,066 | 3,869 | 197 | |
| | 旅行手当 | 26,625 | 26,205 | 420 | |
| | 事業用消耗品費 | 87,083 | 70,418 | 16,665 | |
| | 事業用備品費 | 608,500 | 98,924 | 509,576 | |
| | その他の需要費 | 174,796 | 153,576 | 21,220 | |
| 実習船建造費 | 船舶建造費 | 390,000 | 250,000 | 140,000 | 水産高校実習船 |
| 学校建設費 | 施設 | 1,648,087 | 1,260,423 | 387,664 | |
| 合計 | | 15,083,238 | 11,415,704 | 3,667,534 | |

※ 政府立高等学校生徒数　1971年5月現在 49,358人、1972年5月現在(推計) 50,647人

参考資料　113

2. 中学校
総額 170,820ドル　生徒1人当り政府支出金(推計) 240.76ドル (前年度 201.95ドル)

| 予算項目 | 科目 | 1972年度予算額 | 1971年度予算額 | 比較増△減 | 備考 |
|---|---|---|---|---|---|
| 施設費 | 修繕費 | 957 | 1,198 | △241 | |
| 学校図書館充実費 | 事業用備品費 | 4,306 | 600 | 3,706 | |
| 学校備品充実費 | 事業用備品費 | 1,127 | 1,123 | 4 | |
| 政府立中学校費 | 職員俸給 | 88,503 | 77,906 | 10,597 | |
| | 非常勤職員給与 | 6,945 | 1,400 | 5,545 | |
| | 期末の手当 | 34,819 | 30,569 | 4,250 | |
| | その他の手当 | 3,673 | 2,800 | 873 | |
| | 管内外旅費 | 780 | 413 | 367 | |
| | 事業用備品費 | 9,300 | 5,400 | 3,900 | |
| | 保険料 | 7,501 | 6,651 | 850 | |
| | その他の需要費 | 8,254 | 7,143 | 1,111 | |
| | 就学奨励費 | 1,399 | 656 | 743 | |
| 教科書無償給与費 | 教科書購入費 | 3,256 | 2,274 | 982 | |
| 合計 | | 170,820 | 138,132 | 32,687 | |

※ 政府立中学校生徒数 1971年5月現在 711人, 1972年現在(推計) 705人

3. 特殊教育諸学校

総額 1,959,057ドル　生徒1人当り政府支出金（推計）2,018.61ドル
（前年度 1,331.58ドル）

| 予算項目 | 科目 | 1972年度予算額 | 1971年度予算額 | 比較増△減 | 備考 |
|---|---|---|---|---|---|
| 施設費 | 修繕費 | 2,167 | 2,187 | △20 | |
| 学校図書館実充費 | 事業用備品費 | 3,594 | 3,594 | 0 | |
| 学校備品充実費 | 事業用備品費 | 9,094 | 7,393 | 1,700 | |
| 教育用施設費 | 不動産購入費 | 80,700 | 32,700 | 48,000 | |
| 教育関係職員等研修費 | 管外旅費 | 2,841 | 2,033 | 808 | |
| 政府立特殊学校費 | 職員俸給 | 784,996 | 556,505 | 228,491 | |
| | 非常勤職員給与 | 14,530 | 8,279 | 6,251 | |
| | 期末手当 | 286,733 | 217,931 | 68,802 | |
| | その他の手当 | 40,442 | 27,643 | 12,799 | |
| | 管内旅費 | 5,564 | 3,762 | 1,802 | |

| | | | |
|---|---:|---:|---:|
| 事業用備品費 | 37,494 | 16,000 | 21,494 |
| 保険料 | 67,454 | 43,300 | 24,154 |
| 就学奨励費 | 76,994 | 73,341 | 3,653 |
| その他の需要費 | 40,756 | 23,939 | 16,817 |
| 学校建設費 | 504,173 | 253,316 | 250,857 |
| 教科書無償給与費 教科書購入費 | 1,525 | 1,072 | 453 |
| 合計 | 1,959,057 | 1,272,995 | 686,062 |

※ 政府立特殊学校(含む、澄井、稲沖)生徒数
1971年5月現在 948人　1972年5月現在(推計)1,038人

## B 地方教育費

### 1. 学校教育費

総額　　　　　　　50,376,338ドル

内訳 { 補助金　49,589,327
　　　直接支出金　787,011

a 公立小中学校

総額　　　　　　　48,499,673

内訳 { 補助金 { 小学校　29,351,619
　　　　　　　　中学校　18,364,013
　　　　　　　　計　　　47,715,632
　　　直接支出金 { 小学校　350,467
　　　　　　　　　中学校　433,574
　　　　　　　　　計　　　784,041

生徒1人当り政府支出金(推計)
小学校 224.76ドル(前年度 162.78ドル)中学校 264.91ドル(前年度 207.93ドル)

(1) 補助金の明細

| 予算項目 | 科目 | 1972年度予算額($) | 1971年度予算額($) | 比較増△減 | 1972年度補助内訳 小学校 | 1972年度補助内訳 中学校 | 備考 |
|---|---|---|---|---|---|---|---|
| 学校給食費 | 学校給食補助金 | 92,438 | 47,525 | 44,913 | 61,010 | 31,428 | $\frac{1}{2}$ |
| 各種奨励費 | 研究奨励補助金 | 2,980 | 2,980 | 0 | 1,840 | 1,140 | 全額 |
| 学校図書館充実費 | 備品補助 | 122,313 | 122,313 | 0 | 67,609 | 54,704 | 実験、研究奨励学校 小学校 45,073冊 中学校 36,469冊 $\frac{3}{4}$ |

## 学校備品費

| 学校備品実充 | 備品補助 | | | | |
|---|---|---|---|---|---|
| | 750,645 | 456,593 | 294,052 | 407,045 | 343,600 |

小学校
一般 普通学級 352,491
　　 特別学級 9,847
教材 全額
理科 普通補助 28,580
科 特別補助 5,043
算数、数学
特別設備 9,752
学校管理設備 1,332
中学校
一般 普通学級 269,604
　　 特別学級 5,080
教材 理科 3/4

| 予算項目 | 科　　目 | 1972年度予算額($) | 1971年度予算額($) | 比　較 増△減 | 1972年度校種別内訳 小学校 | 1972年度校種別内訳 中学校 | 備　　考 |
|---|---|---|---|---|---|---|---|
| 教育関係職員等研修費 | 研究奨励励金補　助 | 1,669 | 1,669 | 0 | 400 | 1,269 | |
| 学校建設費 | 施設補助金修繕補助金 | 8,850,827 5,000 | 5,762,051 3,000 | 3,088,776 2,000 | 4,908,641 3,000 | 3,942,186 2,000 | |
| 学校教育補助 | 給料補助金 | 21,556,534 | 20,451,703 | 1,104,831 | 13,288,779 | 8,267,755 | 理科 普通補助 30,446 特別補助 5,373 特別学級設備 16,667 算数、数学特別設備 15,097 学校管理設備 1,332 |

参考資料 119

| | | | | | |
|---|---|---|---|---|---|
| 期末手当補助 | 8,543,851 | 6,330,329 | 2,213,522 | 5,275,067 | 3,268,784 |
| 管理職手当補助 | 216,588 | 169,681 | 46,907 | 140,566 | 76,022 |
| 超過勤務手当補助 | 21,201 | 8,868 | 12,333 | 11,261 | 9,940 |
| 復式手当補助 | 3,144 | 3,552 | △408 | 2,064 | 1,080 |
| 宿日直手当補助 | 135,401 | 167,492 | △32,091 | 61,376 | 74,025 |
| 退職給与補助 | 4,560,389 | 691,970 | 3,868,419 | 3,455,168 | 1,105,221 |
| 公務災害補償 | 5,865 | 4,296 | 1,569 | 3,606 | 2,259 |
| 学校運営補助 | 28,646 | 25,340 | 3,306 | 19,713 | 8,933 |
| へき地教育振興補助 | 90,160 | 65,070 | 25,090 | 46,180 | 43,980 |
| 保険料補助 | 1,743,938 | 1,669,137 | 74,801 | 1,067,290 | 676,648 |
| へき地手当補助 | 359,874 | 255,800 | 104,074 | 202,860 | 157,014 |

参考資料

| 予算項目 | 科　目 | 1972年度予算額($) | 1971年度予算額($) | 比　較増△減 | 1972年度学校種別内訳 | | 備　　考 |
|---|---|---|---|---|---|---|---|
| | | | | | 小学校 | 中学校 | |
| | 旅費補助金 | 90,860 | 84,457 | 6,403 | 53,300 | 37,560 | ①要保護準要保護児童中学校生徒 小学校 45,449[1] 中学校 37,852[2] 学用品 通学用品 4,325[1] 8,131[2] 通学費 1,110[1] 1,177[2] 修学旅行費 7,617[1] 23,645[2] 野外活動費 2,399[1] 1,489[2] ②特殊学級児童生徒 |
| | 学校統合補助 | 24,189 | 23,576 | 613 | 830 | 23,359 | |
| | 通勤手当補助 | 251,269 | 116,184 | 135,085 | 147,680 | 103,589 | |
| | 扶養手当補助 | 121,878 | 0 | 121,878 | 67,668 | 54,210 | |
| | 就学奨励補助 | 135,973 | 114,192 | 21,781 | 58,666 | 77,307 | |

参 考 資 料　121

| 計 | | | | | | 1,559 | 1,223 |
|---|---|---|---|---|---|---|---|
| | 47,715,632 | 36,577,778 | 11,137,854 | 29,351,619 | 18,364,013 | | |

(2) 文教局直接支出金

| 予算項目 | 科　目 | 1972年度予算額($) | 1971年度予算額($) | 比　較増△減 | 1972年度校種別内訳 | | 備　考 |
|---|---|---|---|---|---|---|---|
| | | | | | 小学校 | 中学校 | |
| 学校備品費充実 | 事業用備品費 | 0 | 12,688 | △12,688 | — | — | |
| 教育関係職員等研修費 | 管外旅費 | 52,280 | 43,662 | 8,618 | 22,410 | 29,870 | 内地派遣研究教員 |
| 産業教育振興費 | 事業用備品費 | 78,656 | 5,000 | 73,656 | 0 | 78,656 | |
| 教科書給与無償 | 教科書購入費 | 653,105 | 541,864 | 111,241 | 238,057 | 325,048 | |
| 計 | | 784,041 | 603,214 | 180,827 | 350,467 | 433,574 | |

(注) 公立小中学校児童生徒数

| | 小学校 | 中学校 | 計 |
|---|---|---|---|
| １９７１年５月 | 133,228 | 71,136 | 204,364人 |
| １９７２年５月(推計) | 128,907 | 70,423 | 199,330人 |

122　参　考　資　料

b　公立幼稚園

総　額　546,219ドル

園児1人当り政府支出金　36,04ドル(前年度 33,05ドル)

補助金の明細

| 予算項目 | 科　　目 | 1972年度予算額($) | 1971年度予算額($) | 比　較増△減 | 備　　　考 |
|---|---|---|---|---|---|
| 学校教育補助 | 幼稚園振興補助 | 499,886 | 481,414 | 18,472 | 給料($\frac{1}{2}$) 施設($\frac{2}{3}\cdot\frac{1}{2}$) 備品($\frac{2}{3}$)<br>(　)内は補助率 |
|  | 風疹学級運営補助 | 46,333 | 0 | 46,333 |  |
|  | 計 | 546,219 | 481,414 | 64,805 |  |

(注)　公立幼稚園児数　1971年5月　14,930　1972年5月　15,688(推計)

2　社会教育費

総　額　763,882ドル　人口1人当り政府支出金(推計) 80.8セント(前年度 24.2セント)

補助金の明細

| 予算項目 | 科目 | 1972年度予算額($) | 1971年度予算額($) | 比較増△減 | 備考 |
|---|---|---|---|---|---|
| 社会教育費振興 | 研究奨励費 | 10,557 | 5,140 | 5,417 | 研修指定、本土派遣研修、青年婦人国内研修 |
| | 運営補助 | 10,161 | 10,161 | 0 | 社会学級、家庭教育学級、青年学級 |
| | 施設補助 | 544,186 | 0 | 544,186 | 公民館 |
| | 備品補助 | 13,333 | 13,333 | 0 | 視聴覚教育 |
| 社教主事設置補助 | 社教主事設置補助 | 185,645 | 197,394 | △11,749 | |
| 計 | | 763,882 | 226,028 | 537,854 | |

（注）人口１９７０年１０月１日現在　９４５，１１１人

3. 教育行政費

総額 563,594ドル

人口1人当り政府支出金(推計) 59.6セント (前年度 44.6セント)

(1) 補助金の明細

| 予算項目 | 科目 | 1972年度<br>予算額($) | 1971年度<br>予算額($) | 比較<br>増△減 | 備考 |
|---|---|---|---|---|---|
| 学校給食 | 学校給食補助 | 69,728 | 8,071 | 61,657 | 栄養士給料補助 $\frac{1}{2}$ 補助 |
| 教育行政費 | 行政補助 | 493,866 | 410,362 | 83,504 | |
| 計 | | 563,594 | 418,433 | 145,161 | |

(注) 人口 1970年10月1日現在 945,111人

(2) 文教局直接支出金

| 予算項目 | 科目 | 1972年度予算額($) | 1971年度予算額($) | 比較増△減 | 備考 |
|---|---|---|---|---|---|
| 教育関係職員等研修費 | 管外旅費 | 2,970 | 3,180 | △ 210 | 指導主事 6ヶ月×2人、3ヶ月×3人 |
| 計 | | 2,970 | 3,180 | △ 210 | |

地方教育区への文教局支出金合計

| 区分 | 1972年度 | 1971年度 | 比較増△減 | 備考 |
|---|---|---|---|---|
| 補助金 | 49,589,327 | 37,015,759 | 12,573,568 | |
| 直接支出金 | 787,011 | 606,394 | 180,617 | |
| 計 | 50,376,338 | 37,622,153 | 12,754,185 | |

126 参考資料

## 3 1972年度教育区歳入歳出予算(当初)

### (1) 歳 入

(単位ドル)

| 教育区 | 歳入総額 | 第1款 市町村負担金 | 第2款 分担金及負担金 | 第3款 政府支出金 | 第4款 使用料及手数料 | 第5款 諸収入 | 第6款 繰越金 | 第7款 教育区債 |
|---|---|---|---|---|---|---|---|---|
| 全 琉 計 | 61,079,246 | 11,920,453 | 757,183 | 45,249,981 | 269,278 | 132,411 | 286,261 | 2,463,679 |
| 国 頭 | 809,627 | 178,894 | 6,001 | 617,653 | — | 6,579 | 500 | — |
| 大 宜 味 | 399,215 | 84,591 | 18,993 | 293,321 | 3 | 306 | 2,000 | 1 |
| 東 | 378,805 | 63,573 | 2,235 | 262,504 | 517 | 1,027 | 11,949 | 37,000 |
| 羽 地 |  |  |  |  |  |  |  |  |
| 屋 我 地 |  |  |  |  |  |  |  |  |
| 今 帰 仁 | 840,977 | 147,236 | 127 | 681,199 | 913 | 11,501 | 1 | — |
| 上 本 部 | 370,005 | 64,758 | 2,747 | 252,508 | 181 | 9,810 | 20,001 | 20,000 |
| 本 部 | 961,491 | 198,041 | 10,637 | 745,995 | 40 | 6,776 | 1 | 1 |
| 名 護 |  |  |  |  |  |  |  |  |
| 屋 部 | 3,288,101 | 631,329 | 1,443 | 2,433,651 | 18,470 | 807 | 1 | 202,400 |
| 久 志 |  |  |  |  |  |  |  |  |
| 宜 野 座 | 468,254 | 73,580 | 14,831 | 335,876 | 523 | 183 | 43,260 | 1 |
| 金 武 | 654,732 | 122,417 | 34,419 | 442,114 | 2,850 | 1,414 | 31,018 | 20,500 |

| | | | | | | | | |
|---|---|---|---|---|---|---|---|---|
| 伊江 | 659,000 | 114,405 | 30,132 | 415,073 | 2,382 | 18,904 | 604 | 77,500 |
| 伊平屋 | 249,979 | 61,974 | 1,489 | 186,384 | — | 32 | 100 | — |
| 伊是名 | 434,467 | 105,952 | 3,258 | 295,170 | 522 | 64 | 1 | 29,500 |
| 計 | 9,514,653 | 1,846,750 | 126,312 | 6,961,448 | 26,401 | 57,403 | 109,436 | 386,903 |
| 恩納 | 620,223 | 120,000 | 5,907 | 438,864 | 1,250 | 2 | 1,700 | 52,500 |
| 石川 | 867,121 | 190,115 | 9,981 | 636,816 | 3,542 | 50 | 26,617 | — |
| 美里 | 1,342,710 | 321,178 | 15,012 | 964,420 | 8,619 | 1,480 | 1 | 32,000 |
| 与那城 | 659,075 | 185,667 | 8,231 | 463,488 | — | 1,687 | 1 | 1 |
| 勝連 | 795,767 | 196,591 | 17,258 | 577,500 | 3,682 | 733 | 2 | 1 |
| 具志川 | 2,049,226 | 410,001 | 24,586 | 1,601,695 | 9,840 | 603 | 2,500 | 1 |
| コザ | 3,294,745 | 597,384 | 12,799 | 2,481,661 | 14,619 | 8 | 27,324 | 211,000 |
| 読谷 | 1,110,786 | 232,010 | 15,927 | 854,633 | 6,545 | 1,005 | 665 | 1 |
| 嘉手納 | 2,265,930 | 182,100 | 14,763 | 1,910,684 | 3,945 | 300 | 9,138 | 145,000 |
| 北谷 | 749,516 | 140,895 | 7,231 | 459,285 | 1,501 | 604 | 9,000 | 136,000 |
| 北中城 | 573,438 | 133,514 | 5,087 | 370,974 | 1,995 | 156 | 2,712 | 59,000 |
| 中城 | 797,069 | 113,822 | 6,682 | 627,761 | 1,400 | 304 | 3,100 | 44,000 |
| 宜野湾 | 1,853,947 | 378,525 | 25,268 | 1,852,583 | 9,769 | 7,801 | 1 | 80,000 |
| 西原 | 594,582 | 118,000 | 6,652 | 433,053 | 1,537 | 338 | 1 | 35,001 |
| 計 | 17,574,135 | 3,319,752 | 175,384 | 13,123,417 | 68,244 | 15,071 | 82,762 | 789,505 |

128 参考資料

| 教育区 | 歳入総額 | 第1款 市町村負担金 | 第2款 分担金及負担金 | 第3款 政府支出金 | 第4款 使用料及手数料 | 第5款 諸収入 | 第6款 繰越金 | 第7款 教育区債 |
|---|---|---|---|---|---|---|---|---|
| 浦添 | 2,533,269 | 500,000 | 26,600 | 1,433,007 | 10,215 | 446 | 1 | 563,000 |
| 那覇 | 12,814,805 | 2,932,002 | 2,642 | 9,437,392 | 114,460 | 1,854 | 20,000 | 306,455 |
| (以具志川) | 397,545 | 68,824 | 3,346 | 288,944 | 1,131 | 300 | — | 35,000 |
| 仲里 | 639,732 | 118,158 | 6,187 | 514,854 | 182 | 350 | 1 | — |
| 北大東 | 169,262 | 21,000 | 853 | 108,216 | 197 | 8 | 1 | 22,800 |
| 南大東 | 229,308 | 40,001 | 2,416 | 186,356 | — | 533 | 1 | 1 |
| 計 | 16,783,921 | 3,679,985 | 42,044 | 11,968,769 | 126,185 | 3,491 | 36,191 | 927,256 |
| 豊見城 | 951,741 | 191,161 | 80,027 | 675,458 | 961 | 1,132 | 3,000 | 2 |
| 糸満 | 1,755,766 | 357,001 | 23,192 | 1,353,432 | 7,022 | 2,464 | 12,654 | 1 |
| 東風平 | 777,761 | 115,386 | 44,677 | 532,718 | 3 | 24,180 | 795 | 60,002 |
| 具志頭 | 671,048 | 109,752 | 87,987 | 469,901 | 2 | 406 | 3,000 | 50,000 |
| 玉城 | 776,444 | 142,219 | 35,355 | 516,293 | — | 17,076 | 1 | 50,000 |
| 知念 | 519,932 | 84,650 | 4,198 | 429,972 | 2 | 108 | 1,000 | 65,500 |
| 佐敷 | 473,353 | 93,064 | 5,578 | 372,880 | 1,722 | 107 | 1 | 2 |
| 与那原 | 694,123 | 124,310 | 81,385 | 478,391 | 2,459 | 654 | 6,924 | 1 |
| 大里 | 590,395 | 106,809 | 35,954 | 405,776 | 2,477 | 563 | 22,816 | 50,000 |
| | | | | | | | | 16,000 |

参考資料　129

| | | | | | | | | |
|---|---|---|---|---|---|---|---|---|
| 南風原 | 503,647 | 128,647 | 7,639 | 362,350 | 2 | 4,657 | 350 | 2 |
| 渡嘉敷 | 139,565 | 36,501 | 1,122 | 101,896 | 2 | 42 | 1 | 1 |
| 座間味 | 212,594 | 52,001 | 681 | 157,137 | 3 | 9 | 2,762 | 1 |
| 粟国 | 146,165 | 34,725 | 1,896 | 109,482 | 2 | 58 | 1 | 1 |
| 渡名喜 | 137,820 | 31,000 | 1,440 | 95,229 | 150 | — | 1 | 10,000 |
| 計 | 8,350,354 | 607,226 | 311,131 | 6,060,915 | 14,807 | 51,456 | 53,306 | 251,513 |
| 平良 | 2,162,124 | 358,500 | 23,391 | 1,733,278 | 7,254 | 700 | 1 | 39,000 |
| 城辺 | 1,160,929 | 169,500 | 11,095 | 968,227 | 4,031 | 2,200 | 876 | 5,000 |
| 下地 | 352,116 | 74,000 | 3,819 | 272,194 | 947 | 156 | 1,500 | — |
| 上野 | 365,725 | 57,000 | 3,402 | 304,143 | 1,064 | 70 | 46 | — |
| 伊良部 | 739,184 | 136,011 | 8,940 | 567,071 | 4,000 | 200 | 962 | 22,000 |
| 多良間 | 271,239 | 50,000 | 2,024 | 218,412 | 702 | 71 | 30 | — |
| 計 | 5,051,317 | 845,011 | 52,171 | 4,063,825 | 17,998 | 3,397 | 3,415 | 66,000 |
| 石垣 | 2,502,034 | 387,000 | 25,824 | 2,073,336 | 14,431 | 1,440 | 1 | 2 |
| 竹富 | 901,614 | 163,001 | 4,142 | 694,964 | 1 | 5 | 1 | 39,500 |
| 与那国 | 401,218 | 71,728 | 20,175 | 303,807 | 1,211 | 148 | 1,149 | 3,000 |
| 計 | 3,804,866 | 621,729 | 50,141 | 3,072,107 | 15,643 | 1,593 | 1,151 | 42,502 |

(2) 歳　出

| 教育区 | 歳出総額 | 第1款 教育総務費 | 第2款 学校教育費 | 小学校 | 中学校 | 幼稚園 | 第3款 社会教育費 | 第4款 諸支出金 | 第5款 予備費 |
|---|---|---|---|---|---|---|---|---|---|
| 全琉計 | 61,079,246 | 1,767,436 | 56,913,876 | 33,530,118 | 21,571,901 | 1,811,857 | 945,187 | 1,372,059 | 80,688 |
| 国頭 | 809,627 | 21,949 | 772,332 | 440,678 | 323,324 | 8,330 | 10,460 | 4,085 | 801 |
| 大宜味 | 399,215 | 19,392 | 362,753 | 195,367 | 167,384 | 2 | 8,945 | 7,241 | 884 |
| 東 | 378,805 | 14,202 | 352,427 | 134,175 | 214,051 | 4,201 | 6,763 | 5,131 | 282 |
| 今帰仁 | 840,977 | 21,142 | 804,863 | 472,130 | 328,278 | 4,455 | 8,887 | 5,261 | 824 |
| 上本部 | 370,005 | 18,106 | 344,674 | 151,611 | 190,840 | 2,223 | 897 | 5,957 | 371 |
| 本部 | 961,491 | 28,151 | 894,572 | 488,923 | 405,649 | — | 11,893 | 23,585 | 3,290 |
| 名護 | 3,288,101 | 81,948 | 3,022,583 | 1,756,531 | 1,208,718 | 57,334 | 33,707 | 143,198 | 6,665 |
| 宜野座 | 468,254 | 16,733 | 441,667 | 268,545 | 164,644 | 8,478 | 1,877 | 7,790 | 187 |
| 金武 | 654,732 | 18,144 | 615,449 | 388,946 | 204,834 | 21,669 | 10,227 | 10,008 | 904 |
| 伊江 | 659,000 | 17,198 | 619,684 | 249,175 | 359,645 | 10,864 | 6,307 | 14,574 | 1,237 |
| 伊平屋 | 249,979 | 15,670 | 221,056 | 138,669 | 82,187 | 200 | 7,980 | 5,171 | 102 |
| 伊是名 | 434,467 | 15,162 | 410,267 | 158,427 | 246,999 | 4,841 | 5,459 | 3,323 | 256 |
| 計 | 9,514,653 | 287,797 | 8,862,327 | 4,843,177 | 3,896,553 | 122,597 | 113,402 | 235,324 | 15,803 |
| 恩納 | 620,223 | 26,361 | 584,396 | 362,883 | 210,365 | 11,148 | 6,521 | 2,341 | 604 |

参考資料 131

| | | | | | | | | |
|---|---|---|---|---|---|---|---|---|
| 石川 | 867,121 | 28,161 | 821,346 | 519,875 | 245,029 | 56,442 | 8,976 | 8,355 | 283 |
| 美里 | 1,342,710 | 31,282 | 1,243,618 | 726,057 | 468,365 | 49,196 | 13,153 | 52,157 | 2,500 |
| 与那城 | 659,075 | 29,191 | 593,975 | 451,821 | 142,154 | — | 6,563 | 28,451 | 895 |
| 勝連 | 795,767 | 25,295 | 742,767 | 377,379 | 348,260 | 17,128 | 3,863 | 13,430 | 10,412 |
| 具志川 | 2,049,226 | 41,492 | 1,965,389 | 1,143,879 | 747,753 | 73,757 | 17,143 | 24,830 | 372 |
| コザ | 3,294,745 | 185,857 | 3,043,280 | 1,994,752 | 907,548 | 140,980 | 11,813 | 52,735 | 1,060 |
| 読谷 | 1,110,786 | 29,097 | 1,046,956 | 641,142 | 359,090 | 46,724 | 25,611 | 8,622 | 500 |
| 嘉手納 | 2,265,930 | 22,933 | 1,710,082 | 1,015,461 | 663,518 | 31,103 | 508,650 | 18,765 | 500 |
| 北谷 | 749,516 | 22,171 | 706,887 | 356,712 | 328,199 | 21,976 | 5,816 | 14,042 | 600 |
| 北中城 | 573,438 | 21,217 | 532,919 | 350,476 | 168,948 | 13,495 | 6,241 | 12,911 | 150 |
| 中城 | 797,069 | 24,663 | 755,648 | 506,726 | 244,387 | 4,535 | 8,869 | 7,429 | 460 |
| 宜野湾 | 1,853,947 | 38,763 | 1,775,716 | 1,012,020 | 676,236 | 67,460 | 15,391 | 19,683 | 4,394 |
| 西原 | 594,582 | 19,957 | 544,936 | 331,121 | 158,674 | 55,141 | 8,055 | 21,071 | 561 |
| 計 | 17,574,135 | 551,440 | 16,067,915 | 9,790,304 | 5,688,526 | 589,085 | 646,667 | 284,822 | 23,291 |
| 浦添 | 2,533,269 | 52,428 | 2,362,104 | 1,545,376 | 779,403 | 37,325 | 13,875 | 101,139 | 3,723 |
| 那覇 | 12,814,805 | 291,238 | 12,315,600 | 7,603,906 | 4,003,665 | 708,029 | 38,371 | 163,596 | 6,000 |
| (久)具志川 | 397,545 | 15,199 | 866,998 | 158,547 | 202,189 | 6,262 | 5,130 | 9,918 | 300 |
| 仲里 | 639,732 | 18,543 | 609,278 | 373,814 | 232,491 | 2,973 | 3,707 | 7,640 | 564 |
| 北大東 | 169,262 | 10,112 | 155,790 | 113,951 | 84,385 | 7,454 | 386 | 2,960 | 14 |

参考資料

| 教育区 | 歳出総額 | 第1款 教育総務費 | 学校教育費 | 第2款 小学校 | 中学校 | 幼稚園 | 第3款 社会教育費 | 第4款 諸支出金 | 第5款 予備費 |
|---|---|---|---|---|---|---|---|---|---|
| 南大東 | 229,308 | 12,433 | 212,026 | 165,502 | 46,524 | — | 1,381 | 2,886 | 582 |
| 計 | 16,783,921 | 399,953 | 16,021,796 | 9,961,096 | 5,298,657 | 762,043 | 62,850 | 288,139 | 11,183 |
| 豊見城 | 951,741 | 27,436 | 778,706 | 470,444 | 286,543 | 21,719 | 5,346 | 139,486 | 767 |
| 糸満 | 1,755,766 | 44,735 | 1,668,223 | 1,063,270 | 577,062 | 27,891 | 8,936 | 31,454 | 2,418 |
| 東風平 | 777,761 | 22,544 | 666,684 | 337,871 | 328,813 | — | 3,791 | 84,242 | 500 |
| 具志頭 | 671,048 | 16,092 | 627,206 | 258,430 | 368,776 | — | 4,524 | 22,726 | 500 |
| 玉城 | 776,444 | 22,555 | 672,936 | 381,211 | 291,725 | — | 4,602 | 74,862 | 1,489 |
| 知念 | 519,932 | 18,654 | 496,243 | 248,936 | 247,307 | — | 939 | 3,746 | 350 |
| 佐敷 | 473,358 | 20,309 | 443,147 | 264,455 | 165,559 | 13,133 | 4,889 | 4,558 | 500 |
| 与那原 | 694,123 | 22,890 | 643,217 | 382,254 | 172,601 | 68,362 | 3,948 | 23,587 | 481 |
| 大里 | 590,395 | 24,546 | 502,139 | 197,598 | 293,603 | 10,938 | 3,650 | 59,560 | 500 |
| 南風原 | 503,647 | 26,411 | 461,055 | 284,355 | 176,700 | — | 4,348 | 11,350 | 483 |
| 渡嘉敷 | 139,565 | 11,200 | 122,468 | 56,932 | 65,536 | — | 624 | 5,173 | 100 |
| 座間味 | 212,594 | 10,582 | 198,693 | 101,493 | 97,200 | — | 1,155 | 2,064 | 100 |
| 栗国 | 146,165 | 9,377 | 132,747 | 65,448 | 67,299 | — | 1,236 | 2,659 | 146 |
| 渡名喜 | 137,820 | 11,309 | 124,524 | 39,171 | 85,423 | — | 489 | 1,298 | 200 |
| 計 | 8,350,354 | 288,640 | 7,537,988 | 4,151,798 | 3,244,147 | 142,043 | 48,427 | 466,765 | 8,534 |

参考資料　133

| | | | | | | | | | |
|---|---:|---:|---:|---:|---:|---:|---:|---:|---:|
| 平良 | 2,162,124 | 52,659 | 2,074,339 | 1,278,915 | 741,947 | 53,447 | 11,640 | 21,018 | 2,468 |
| 城辺 | 1,160,929 | 20,904 | 1,114,691 | 571,459 | 524,113 | 19,119 | 9,874 | 13,460 | 2,000 |
| 下地 | 352,116 | 17,945 | 318,873 | 169,252 | 144,872 | 4,249 | 8,486 | 6,717 | 595 |
| 上野 | 365,725 | 15,277 | 338,452 | 175,986 | 156,903 | 5,563 | 1,592 | 9,682 | 722 |
| 伊良部 | 739,184 | 22,835 | 694,660 | 426,577 | 250,997 | 17,086 | 6,557 | 14,188 | 944 |
| 多良間 | 271,239 | 12,626 | 252,824 | 138,916 | 108,136 | 5,772 | 2,157 | 3,045 | 587 |
| 計 | 5,051,317 | 142,246 | 4,793,339 | 2,761,105 | 1,926,968 | 105,266 | 40,306 | 68,110 | 7,316 |
| 石垣 | 2,502,084 | 49,388 | 2,408,801 | 1,350,555 | 975,864 | 82,382 | 14,991 | 18,965 | 9,889 |
| 竹富 | 901,614 | 30,777 | 852,911 | 456,898 | 396,013 | — | 9,739 | 4,396 | 3,791 |
| 与那国 | 401,218 | 17,195 | 368,799 | 215,185 | 145,173 | 8,441 | 8,805 | 5,538 | 881 |
| 計 | 3,804,866 | 97,360 | 3,630,511 | 2,022,638 | 1,517,050 | 90,823 | 33,535 | 28,899 | 14,561 |

## 4 1972年度支付税教育費単位費用積算基礎

### ○ 小中学校標準規模

#### 1 小学校

| 細目 | 細節 | 経常経費 総額 | 特定財源 政府支出金 | 特定財源 諸収入 | 特定財源 計 | 差引 一般財源 |
|---|---|---|---|---|---|---|
| 小学校費標準施設経費 | (1) 児童経費 | 12,965 | 1,199 | 38 | 1,237 | 11,728 |
| | (2) 追加財政需要額 | 250 | | | | 250 |
| | 計 | 13,215 | 1,199 | 38 | 1,237 | 11,978 |
| | (1) 学級経費 | 6,542 | 240 | | 240 | 6,302 |
| | (2) 追加財政需要額 | 67 | | | | 67 |
| | 計 | 6,609 | 240 | | 240 | 6,369 |
| | (1) 学校経費 | 3,729 | 290 | | 290 | 3,439 |
| | (2) 追加財政需要額 | 63 | | | | 63 |
| | 計 | 3,792 | 290 | | 290 | 3,502 |

| 単位 | 児童数 | 学級数 | 学校数 |
|---|---|---|---|
|  | 810 | 18 | 1 |
| 費用 | 14.79 | 353.83 | 3,502 |

標準施設における測定単位の数値

第二 投資的経費

| 細目 | 細節 | 総額 | 特定財源 | 差引一般財源 |
|---|---|---|---|---|
| 学級経費 | 学級経費 | 3,165.00 | — | 3,165.00 |
| 標準施設における測定単位の数値 |  |  | 18 |  |
| 単位 | 費用 |  | 175.83 |  |

第一 経常経費

児童経費

| 区分 | 経費 | 積算内容 |
|---|---|---|
| 給与費 | 6,256 | 給食従事員 $1,564.00×4人＝$6,256.00 |
| 需用費 | 3,350 | $3,350.00 |

参考資料

| 区分 | 経費 | 積算 | 内　　容 |
|---|---|---|---|
| 役務費 |  | 消耗品費 | $700.00 |
|  |  | 燃料費 | $500.00 |
|  |  | 印刷製本費 | $500.00 |
|  |  | 光熱水費 | $1,000.00 |
|  |  | 修繕費 | $300.00 |
|  |  | 医薬材料費 | $350.00 |
|  | 1,731 |  | $1,731.00 |
| 備品購入費 |  | 教材用図書 | $0.70×810人＝$567.00 |
|  |  | その他の備品 | $9,700.00×0.12＝$1,164.00 |
|  | 1,489 | 要保護準要保護児童関係経費 | $1,489.26 |
| 負担金 |  | 学用品費 | $7.89×810人×0.07＝$447.36 |
|  |  | 通学用品費 | $1.69×810人×0.07＝$95.82 |
|  |  | 通学費 | $14.50×810人×0.07×0.0169＝$13.89 |
|  |  | 校外活動費 | $0.50×810人×0.07＝$28.35 |
|  |  | 給食費 | $0.0693×810人×0.07×200日＝$785.86 |

参考資料　137

| | | | |
|---|---|---|---|
| | | 治 療 費 | $1.00×810人×0.07×0.4926=$27.93 |
| | 79 | 修学旅行費 | $6.67×810人×0.1×$\frac{1}{6}$=$90.05 |
| | | 学校安全会共済掛金 | |
| | | 要保護児童 | $0.01×810人×0.03=$0.24 |
| | | 準要保護児童 | $0.10×810人×0.07=$5.60 |
| | | 一 般 児 童 | $0.10×810人×0.90=$72.90 |
| 合　計 | 12,965 | | |

歳入

| 区分 | 金額 | 積　算　内　容 | |
|---|---|---|---|
| 特定財源 | 745 | 要保護準要保護児童関係経費補助 | $744.65 |
| | | 学用品費　$447.36×$\frac{1}{2}$= | $223.68 |
| | | 通学用品費　$95.82×$\frac{1}{2}$= | $47.91 |
| | | 通学費　$13.89×$\frac{1}{2}$= | $6.95 |
| | | 校外活動費　$28.35×$\frac{1}{2}$= | $14.18 |
| | | 給食費　$785.86×$\frac{1}{2}$= | $392.93 |

| 区 分 | 金 額 | 積 算 内 容 | | |
|---|---|---|---|---|
| | | 治 療 費 | $\$27.93 \times \frac{1}{2}$ | $=\$13.97$ |
| | | 修学旅行費 | $\$90.05 \times \frac{1}{2}$ | $=\$45.03$ |
| | 454 | 図書備品補給費 | $\$5.67 \times \frac{4}{5}$ | $=\$4\,53.60$ |
| | 38 | 学校安全会共済掛金徴収金 | $\$72.90 \times \frac{1}{2}$ | $=\$36.45$ |
| | | 学校安全会共済掛金補助 | $(0.24+5.60) \times \frac{1}{4}$ | $=\$1.46$ |
| 歳 入 計 | 1,237 | | | |

学級経費

| 区 分 | 経 費 | 積 算 内 容 | |
|---|---|---|---|
| 給 与 費 | 1,665 | 事務職員補助員 | $\$1,665.00 \times 1人=\$1,665.00$ |
| その他の庁費 | 1,711 | 建物維持修繕費 | $\$0.51 \times 2,640 m^2 = \$1,346.40$ |
| | | | $\$1,711.40$ |
| 役 務 費 | 60 | 運動場修理費 | $\$0.05 \times 7,300 m^2 = \$365.00$ |

| | | 内容 |
|---|---|---|
| 備品購入費 | 2,326 | 教材用備品　　　　　 $ 2,325.50 |
| | | 教師用教科書　　　　 $ 1,000.00 |
| | | 学習指導要領等　 2.25×18学級＝$ 405.00 |
| | | その他の備品費　 2.50×18学級＝$ 45.00 |
| | | $ 1,240.00 |
| 報酬 | 180 | 学校医　　　 90.00×2人＝$ 180.00 |
| 旅費 | 600 | 職員旅費　　25.00×24人＝$ 600.00 |
| 歳出計 | 6,542 | |

歳入

| 区分 | 経費 | 算　内　容 |
|---|---|---|
| 特定財源 | 240 | 旅費補助　$ 10.00×24人＝$ 240.00 |

## 学校経費

| 区分 | 経費 | 積算内容 |
|---|---|---|
| 給与費 | 1,564 | 用務員 $1,564.00×1人＝$1,564.00 |
| 報酬 | 225 | 学校医 $90.00×2人＝$180.00<br>薬剤師 $45.00×1人＝$45.00 |
| 需用費 | 120 | 食糧費 $120.00 |
| 役務費 | 240 | 通信運搬 $20.00×12月＝$240.00 |
| 設備費 | 1,580 | 放送設備 ⎫<br>理科設備 ⎪<br>体育設備 ⎬ $1,580.00<br>衛生設備 ⎪<br>給食設備 ⎪<br>その他の備品 ⎭ |
| 歳出計 | 3,729 | |

歳　入

| 区　分 | 金　額 | 積　算　内　容 |
|---|---|---|
| 特定財源 | 290 | 理科・給食設備備品補助金 $290.00 |

第二　投資的経費

学級数を測定単位とするもの

1. 学級経費

細　目　　経　費　　積　算　内　節　　(1) 学級経費

| 区　分 | 経　費 | 積　算　内　容 |
|---|---|---|
| 建設費 | 3,165 | 室内運動場・プール等建設費 $3,165.00 |

142　参考資料

中学校

## 第一　経常経費

| 細目 | 細節 | 総額 | 特定財源 | | | 差引一般財源 |
|---|---|---|---|---|---|---|
| | | | 政府支出金 | 諸収入 | 計 | |
| 1, 生徒経費 | (1) 生徒経費 | 9,954 | 1,548 | 32 | 1,580 | 8,374 |
| | (2) 追加財政需要額 | 63 | | | | 63 |
| | 計 | 10,017 | 1,548 | 32 | 1,580 | 8,437 |
| 2, 学級経費 | 1 学級経費 | 6,342 | 250 | | 250 | 6,092 |
| | 2 追加財政需要額 | 67 | | | | 67 |
| | 計 | 6,409 | 250 | | 250 | 6,159 |
| 3, 学校経費 | 1 学校経費 | 3,971 | 295 | | 295 | 3,676 |
| | 2 追加財政需要額 | 63 | | | | 63 |
| | 計 | 4,034 | 295 | | 295 | 3,739 |

標準施設における測定単位の数値

| | 生徒数 | 学級数 | 学校数 |
|---|---|---|---|
| 中学校経費 | 675 | 15 | 1 |
| 単位費用 | 12.50 | 410.60 | 3,739.00 |

## 第二 投資的経費

| 細目 | 細節 | 総額 | 特定財源 | 差引一般財源 |
|---|---|---|---|---|
| 学級経費 | 学級費 | 3,204 | — | 3,204 |
| 標準施設における測定単位の数値 | | 15学級 | | |
| 単位費用 | | 213.60 | | |

## 第一 経常経費

生徒経費

| 区分 | 経費 | 積算内容 |
|---|---|---|
| 給与費 | 1,564 | 給食従事員 　$1,564×1人＝$1,564.00 |
| 需用費 | 3,740 | 消耗品費　　$3,740.00 |
| | | 燃料費　　　$ 950.00 |
| | | 印刷製本費　$ 560.00 |
| | | 光熱水費　　$ 700.00 |
| | | 修繕費　　　$ 800.00 |
| | | 　　　　　　$ 360.00 |

144　参　考　資　料

| 区　　分 | 経　　費 | 積　　算　　内　　容 | |
|---|---|---|---|
| 備品購入費 | 2,536 | 医薬材料費 | $ 370.00 |
| | | 教材用備品 | $ 2,536.20 |
| | | 教材用図書 | $ 400.00 |
| | | 教師用教科書 | $ 655（$ 0.97×675人＝654.75） |
| | | 学習指導要領・同解説書 | $ 1.25×23人＝28.75 |
| | | その他の備品 | $ 0.83×15学級＝$ 12.45 |
| | | | $ 12,000.00×0.12＝$ 1,440.00 |
| 負　担　金 | 2,048 | 要保護、準要保護生徒関係経費 | $ 2,047.62 |
| | | 学用品費 | $ 17,80×675人×0.07＝$ 841.05 |
| | | 通学品費 | $ 1.69×675人×0.07＝$ 79.85 |
| | | 通学費 | $ 26.44×675人×0.07×0.018＝$ 2,249 |
| | | 給食費 | $ 0.0652×675人×0.07×200日＝$ 616.14 |
| | | 治療費 | $ 1.00×675人×0.07×0.4926＝$ 23.28 |
| | | 校外活動費 | $ 0.58×675人×0.07＝$ 27.41 |
| | | 修学旅行費 | $ 19.44×675人×0.1×$\frac{1}{3}$＝437.40 |

|  |  |  |
|---|---|---|
| | 66 | 学校安全共済掛金　　　　　　　$65.68<br>要保護生徒　　$0.01×675人×0.03＝$ 0.20<br>準要保護生徒　$0.10×675人×0.07＝$ 4.73<br>一般　生　徒　$0.10×675人×0.90＝$60.75 |
| 歳出計 | 9,954 | |

歳入

| 区分 | 金額 | 積算内容 |
|---|---|---|
| 特定財源 | 1,024 | 要保護、準要保護生徒関係経費補助 $1,023.83<br>学用品費　　$841.05×$\frac{1}{2}$＝$420.53<br>通学用品費　$ 79.85×$\frac{1}{2}$＝$ 39.93<br>通　学　費　$ 22.49×$\frac{1}{2}$＝$ 11.25<br>給　食　費　$616.14×$\frac{1}{2}$＝$308.07<br>治　療　費　$ 23.28×$\frac{1}{2}$＝$ 11.64 |

参考資料

| 区　分 | 金　額 | 積　算　内　容 |
|---|---|---|
| | | 校外活動員　$27.41 \times \frac{1}{2} = \$13.71$ |
| | | 修学旅行費　$437.40 \times \frac{1}{2} = \$218.70$ |
| | 524 | 図書及び備品補助　$655.00 \times \frac{4}{5} = \$524.00$ |
| | 32 | 学校安全共済金補助　$(0.20+4.73) \times \frac{1}{4} = \$1.23$ |
| | | 学校安全共済掛金徴収金　$60.75 \times \frac{1}{2} = \$30.38$ |
| 歳　入　計 | 1,580 | |

学級経費

| 区　分 | 金　額 | 積　算　内　容 |
|---|---|---|
| 給　与　費 | 1,665 | 事務職員補助員　$\$1,665.00 \times 1 人 = \$1,665.00$ |
| 賃　　金 | 396 | 給食従事員非常勤　$\$3.30 \times 120 日 = \$396.00$ |
| その他の庁費 | 1,985 | 建物維持修繕料　$\$0.51 \times 2,986 m^2 = 1,522.86$ |

|  |  | 内 容 |
|---|---|---|
| 報 酬 | 180 | 運動場修理地費 $0.05×9.250m^2＝$462.00 |
| 備品購入費 | 1,491 | 学校医 2人 $90.00×2人＝$180.00 |
|  |  | 教材用備品 $1,491.00 |
|  |  | その他の備品 $591.00 |
|  |  |  $900.00 |
| 職員旅費 | 625 | 職員旅費 $25.00×25人＝$625.00 |
| 歳 出 計 | 6,342 |  |

歳 入

| 科 目 | 金 額 | 内 容 |
|---|---|---|
| 特定財源 | 250 | 旅費補助 $10.00×25人＝$250.00 |

学校経費

| 区 分 | 経 費 | 内 容 |
|---|---|---|
| 給 与 費 | 1,564 | 用務員 $1,564.00×1人＝$1,564.00 |

参 考 資 料　147

148　参考資料

| 区　分 | 経　費 | 積　算　内　容 |
|---|---|---|
| 報　　酬 | 225 | 学校医　＄900.00×2人＝＄180.00<br>学校薬剤師　＄45.00×1人＝＄45.00 |
| 需 用 費 | 120 | 食糧費　＄120.00 |
| 役 務 費 | 252 | 通信、運搬　＄21.00×12月＝＄252.00 |
| 備品購入費 | 1,810 | 放送、理科、体育、衛生、給食、技家設備、その他の備品<br>計＄1,810.00 |
| 歳 出 計 | 3,971 | |

| 科　目 | 金　額 | 積　算　内　容 |
|---|---|---|
| 政府支出金 | 295 | 理科設備及び給食設備補助金＄295.00 |

参考資料　149

## 第二　投資的経費

学級数を測定単位とするもの

| 区分 | 経費 | 積算内容 |
|---|---|---|
| 建設費 | 3,204 | 屋内運動場、プール等建設費 $3,204.00 |

## 第一　経常経費

その他の教育費

| 細目 | 総額 | 特定財源 | | | 差引一般財源 |
|---|---|---|---|---|---|
| | | 政府支出金 | その他 | 計 | |
| 1. 教育委員会費 | 33,351 | | | | 33,351 |
| 2. 社会教育費 | 9,481 | | | | 9,481 |
| 3. 保健体育費 | 2,171 | | | | 2,171 |
| 4. 幼稚園費 | 19,592 | 5,083 | 4,012 | 9,095 | 10,497 |
| 5. 追加財政需要額 | 1,188 | | | | 1,188 |
| 計 | 65,783 | 5,083 | 4,012 | 9,095 | 56,688 |

| 標準団体の測定単位の数値 | 30,000人 |
|---|---|
| 単位費用 | 1ドル89セント |

## 第二 投資的経費

| 細目 | 総額 | 特定財源 | 差引一般財源 |
|---|---|---|---|
| 園舎建築費 | 7,614 | — | 7,614 |
| 標準施設における測定単位の数値 | | 人口30,000人 | |
| 単位費用 | | $0.25 | |

### 1 教育委員会

| 区分 | 経費 | 積算 | 内容 |
|---|---|---|---|
| 報酬 | 5,386 | | $5,386.00 |
| | | 委員長 | $72.00×12月×1人=$ 864.00 |
| | | 委員 | $67.00×12月×4人=$3,216.00 |
| | | 監査 | $ 3.00×25日×2人=$ 150.00 |
| | | 委員期末手当 | $(72.00+67.00×4)\times\frac{340}{100}=1,156.00$ |

|  |  |  |  |
|---|---|---|---|
| 給　与　費 | 13,367 |  | $13,367.00 |
|  |  | 会 計 係　$3,866.00×1人＝$ 3,866.00 |  |
|  |  | 主 任 級　$3,008.00×1人＝$ 3,008.00 |  |
|  |  | 書　　記　$2,454.00×2人＝$ 4,908.00 |  |
|  |  | 書 記 補　$1,585.00×1人＝$ 1,585.00 |  |
| 人 当 庁 費 | 175 | 　　　　　$ 35.00×5人＝$ 175.00 |  |
| 賃　　　金 | 165 | $3.30×50人＝$165.00 |  |
| 旅　　　費 | 458 |  | $458.00 |
|  |  | 費用弁償　$ 2.00×24日×5人＝$240.00 |  |
|  |  | 連合区会議　$ 4.00×12回　　＝$ 48.00 |  |
|  |  | 職員旅費　$30.00× 5人　　＝$150.00 |  |
|  |  | 財政研修　$ 5.00× 2人×2回＝$ 20.00 |  |
| 報　　償　費 | 300 | 謝礼その他　$300.00 |  |
| 需　用　費 | 1,670 | 消耗品費$700.00　修繕費$60.00 |  |
|  |  | 印刷製本費$650.00　食糧費$60.00 |  |

参 考 資 料　151

参考資料

| 区 分 | 経 費 | 内 算 内 容 |
|---|---|---|
| 役 務 費 | 100 | 光熱水費 $200.00 |
| 使用貸借料 | 480 | $100.00<br>$40.00×12月＝$480.00 |
| 備品購入費 | 650 | 事務局用備品 $650.00 |
| 負 担 金 | 10,600 | $10,600.00<br>連合区分担金 $0.35×30,000人＝$10,500.00<br>その他 $100.00 |
| 歳 出 計 | 33,351 | |

2 社会教育費及び図書館費

| 区 分 | 経 費 | 内 算 内 容 |
|---|---|---|
| 報 酬 | 90 | 報酬（社会教育委員）$2.00×3回×10人＝$60.00<br>公民館運営審議会委員 $2.00×3回×5人＝$30.00 |
| 給 与 費 | 4,673 | $4,673.00<br>主任 $3,008.00×1人＝$3,008.00 |

| | | |
|---|---|---|
| 人 当 費 | 70 | 図書館事務職員 $1,665.00×1人＝$1,665.00 |
| 当 金 | 198 | 人当庁費 $35.00×2人＝$70.00 |
| 庁 費 | 300 | $3.30×60人＝$198.00 |
| 報 償 費 | 300 | 各種行事講師謝礼 $300.00 |
| 旅 費 | 1,420 | 講師巡回指導員、費用弁償、職員旅費 $300.00 |
| 需 用 費 | | 消耗品費 $420.00　印刷製本費 $470.00 |
| | | 光熱水費 $150.00　修繕費 $100.00 |
| | | 燃料費 $200.00　食糧費 $80.00 |
| 役 務 費 | 240 | $20.00×12月＝$240.00 |
| 使 用 料 | 240 | $20.00×12月＝$240.00 |
| 備品購入費 | 500 | 備品及び図書購入費 $500.00 |
| 負担金補助金 | 450 | |
| 公民館補助 | 1,000 | $50×20館＝$1,000.00 |
| 歳 出 計 | 9,481 | |

3 保健体育費

| 区分 | 経費 | 積算内容 |
|---|---|---|
| 報償費 | 150 | 体育指導員謝礼及び賞賜金 $150.00 |
| 旅費 | 80 | |
| 需用費 | 450 | 消耗品費 $200.00　印刷製本費 $150.00<br>救急医薬品 $100.00 |
| 役務費 | 991 | 健康管理手数料、ツ反 $0.10×6,800人＝$680.00<br>レントゲン $0.25×4,500人×$\frac{20}{100}$＝$225.00<br>$0.25×2,300人×$\frac{15}{100}$＝$86.25 |
| 委託費 | 400 | 入学児童健康診断 $400.00 |
| 備品購入費 | 100 | |
| 歳出計 | 2,171 | |

4 幼稚園教育費

| 区分 | 経費 | 積算内容 |
|---|---|---|
| 給与費 | 16,752 | 幼稚園教諭 $2,792.00×6人＝\$16,752.00 |
| 修繕費 | 530 | 修繕費 $0.51×1,040m^2＝\$530.40$ |
| 報酬費 | 90 | 校医手当 $90.00×1人＝\$90.00$ |
| 旅費 | 150 | $25.00×6人＝\$150.00$ |
| 需用費 | 770 | 消耗品費 $125.00×2園＝\$250.00$<br>印刷製本費 $80.00×2園＝\$160.00$<br>光熱水費 $90.00×2園＝\$180.00$<br>燃料費 $70.00×2園＝\$140.00$<br>医薬材料費 $20.00×2園＝\$40.00$<br>＄770.00 |
| 役務費 | 200 | 通信運搬費 $100.00×2園＝\$200.00$ |
| 備品購入費 | 1,100 | 図書及び備品購入費 $550.00×2園＝\$1,100$ |
| 歳出計 | 19,592 | |

歳 入

| 区 分 | 金 額 | 積 算 内 訳 |
|---|---|---|
| 特定財源 | 政府支出金 5,083<br>使用料・手数料 4,012 | 給料補助 $141.19×6×12月×$\frac{1}{2}$＝$5,082.84<br><br>授業料 $1.32× 12月×240人＝$3,801.60<br>入園料 $1.00×210人＝$210.00 |
| 計 | 9,095 | |

## 第二 投資的経費

| 区 分 | 経 費 | 積 算 内 容 |
|---|---|---|
| 園舎建築費等 | 9,114 | 園舎等建設費 $7,614.00<br>復帰準備共通費 $1,500.00 |

## 5 教育関係本土政府援助一覧

(単位 ドル)

| 区分 | 項目 | 1972年度 | 1971年度 | 比較増△減 | 備考 |
|---|---|---|---|---|---|
| 琉政 | 教職員給与 | 16,737,667 | 12,637,747 | 4,099,920 | |
| | 公立学校施設整備 | 6,615,355 | 4,417,341 | 2,198,014 | 県立学校の施設を含む |
| | 教科書無償給与 | 725,244 | 542,936 | 182,308 | |
| | 学校備品購入 | 1,203,564 | 514,094 | 689,470 | |
| | 育英奨学事業 | 235,533 | 225,000 | 10,533 | |
| | 基地周辺整備 | 900,172 | 172,924 | 727,248 | 前年度は公害防止対策 |
| | 準要保護児童生徒就学援励 | 218,075 | 114,192 | 103,883 | |
| | 教育文化研修 | 55,861 | 55,861 | 0 | 青年・婦人国内研修を含む |
| 子 | 幼稚園施設整備 | 26,142 | 48,578 | △22,436 | |
| | 私立学校助成 | 112,139 | 44,444 | 67,695 | |
| | 特殊教育就学奨励 | 40,669 | 36,589 | 4,080 | |

| 区分 | 項目 | 1972年度 | 1971年度 | 比較増△減 | 備考 |
|---|---|---|---|---|---|
| 算 | 文化財保護事業 | 51,650 | 11,480 | 40,170 | |
| | へき地教育振興 | 22,406 | 9,131 | 13,275 | |
| | 視聴覚ライブラリー | 4,444 | 4,444 | 0 | |
| 受 | 学校給食普及 | 64,147 | 0 | 64,147 | |
| | 市町村公民館建設 | 44,186 | 0 | 44,186 | |
| | 青年の家体育館建設 | 27,778 | 0 | 27,778 | |
| | 教育統計調査 | 2,914 | 0 | 2,914 | |
| | 教育健康診断 | 1,328 | 0 | 1,328 | |
| 入 | 地方スポーツ振興 | 2,778 | 0 | 2,778 | |
| | 水産高校実習船建造 | 0 | 200,000 | △200,000 | |
| | 災害復旧 | 0 | 129,949 | △129,949 | |
| | 教育研修センター拡充 | 0 | 49,814 | △49,814 | |

| | | | | 教官等本土研修を含む |
|---|---|---:|---:|---|
| (文教局関係 計) | | 27,092,052 | 19,214,524 | 7,877,528 |
| 琉球大学整備 | | 992,069 | 275,114 | 716,955 |
| 琉大附属病院施設整備 | | 1,340,125 | 0 | 1,340,125 |
| 小 計 | | 29,424,246 | 19,489,638 | 9,934,608 |
| 日本政府直接支出 | 国費学生招致 | 393,592 | 405,828 | △ 12,236 |
| | 教育指導 | 50,869 | 71,342 | △ 20,473 |
| | 琉球大学調査費 | 11,175 | 11,186 | △ 11 |
| | 国立青年の家 | 51,014 | 0 | 51,014 |
| | 小 計 | 506,650 | 488,356 | 18,294 |
| 南方経由援助 | 公民館図書贈与 | 42,200 | 42,200 | 0 |
| | 全国体育大会参加助成 | 5,555 | 5,555 | 0 |
| | 小 計 | 47,755 | 47,755 | 0 |
| 日本政府援助額合計 | | 29,978,651 | 20,025,749 | 9,952,902 |

参考資料 159

1971年10月30日 発行

## 教育関係予算の解説

発行所　琉球政府文教局調査計画課
印刷所　松　本　タ　イ　プ
　　　　電話　55-8125・26

> 1972年、本土復帰
> 新しい豊かな県づくり

文教時報号外(第19号)

# 文教時報

126

第二十一巻（第二号）

126

琉球政府・文教局調査計画課

豊かな沖縄県づくりに備えよう

# 写 真 日 誌

### 全沖縄定通制球技大会
### （9月18、19日）

定時制、通信制課程に在学する生徒の間にスポーツを振興し、あわせて学校、相互の親睦をはかり心身ともに健全で明朗な生徒を育成するという趣旨で、第15回全沖縄定通制球技大会が石川高校グラウンドで開催された。

遠く宮古、八重山からも参加して熱戦がくりひろげられた。

### 研究教員帰任報告会
### （10月11日）

昭和46年前期の研究教員帰任報告会が教育研修センターで開催された。当日の報告会は主として研究先の都府県における受け入れ態勢や生活、肌で感じた本土の教育事情等について個々の先生方から報告がなされた。（詳細は22ページ参照）

（全般的な報告を行なう上原団長）

（第一分科会討議風景）

▲全沖縄小中学校教頭研究大会（10月27～29日）
　豊かな人間性をめざす教育と教頭のあり方を大会テーマに第5回全沖縄小中校教頭研究大会が那覇連合区ホール他7分科会場で開催された。
　大会最終日には文部省大臣官房企画課の山本研一氏を講師に迎え「教育改革の展望」と題する記念講演があった。

▼健康優良児表彰式（10月30日）
　昭和24年以来新聞社の主催で行なわれている健康優良児の沖縄地区表彰式がタイムスホールで行なわれた。
　伊波小学校の山城靖君と普天間小学校の堀川純子さんが沖縄一の表彰を受けた他健康優良校の表彰も行なわれた。

（上地一史沖縄タイムス社長より表彰状を受ける山城靖君（沖縄一健康優良児））

（男子百十米ハードルの熱戦）

## ▲全沖縄高校陸上競技大会（10月30、31日）

　第19回全沖縄高校陸上競技大会が名護市営陸上競技場で行なわれた。第１日目は前日からの悪天気でグランドコンディションが悪かったにもかかわらず、男子円盤投げで北農の名嘉元選手が13年ぶりに沖縄高校記録を更新し（41m36）、第２日目は好天に恵まれて女子100m、女子走り高とび、女子800m、男子1500m障害に沖縄高校新記録をマークした。

　なお団体総合では名護高校、男子は八重農、女子は興南高校がそれぞれ優勝した。

## ▼第８回沖縄学校保健大会（12月３、４日）

　複雑多様な現代の社会生活では健康管理はこれまでのいつの時代にもまして重要な課題となっており、今年度の学校保健大会も「健康で明るくたくましい県民の育成をめざして」を標題にかかげ与那原中の体育館で開かれた。特に前回から精神衛生の分野をとり入れより幅広い研究協議がくりひろげられた。

（挨拶をのべる中山局長）

# もくじ

**写真日誌**
- 定通制球技大会　　研究教員帰任報告会
- 小中学校教頭研究大会　健康優良児表彰式
- 全沖縄高校陸上競技大会
- 第8回沖縄高校保健大会

**中教委だより**

**沖縄におけるへき地教育の現況(2)**
　　　　　　新垣盛俊 ………… 3

**本土の高等学校を視察して(2)**
　　　　　　新垣博・他 ………… 11

**研究報告**
　日本史における歴史的ものの見方
　考え方の育成について
　　　　　　福原兼雄 ………… 16

**内地派遣研究教員帰任報告会** ………… 22

**ずいそう**
　学校経営と教育相談　　上原正則 … 25
　高校の数学教育と電卓　　石垣博正 … 27

**来年度もきびしい教員希望者の前途**
　　　　　　編集係 ………… 29

**学校紹介**
　心のふれ合いの時間を特設
　　　　　　東江小学校 …… 33
　積極的な研修活動と整備された学習環境
　　　　　　上野中学校 …… 35

**研究団体紹介**
　農業教育研究会 ………… 37
　沖縄県造形教育連盟 ………… 37

**1971年教育関係10大ニュース** ………… 39

**博物館名品紹介** ………… 裏表紙(内)

# 文 教 時 報

No. 126　'72/1

表紙：与那国、東崎

# 中教委だより

**第225回 定例中央教育委員会**
期日 1971年9月21日
議題 (1) 文教局組織規則の一部を改正する規則について
(2) 幼稚園教育振興法施行規則の一部を改正する規則について
(3) へき地教育振興法施行規則の一部を改正する規則について
(4) 地方教育区教育職員の給料の調整額の基準に関する規則の一部を改正する規則について
(5) 職員人事について
(6) 教育に関する寄附金募集認可について
(7) 教育区債の起債許可について
(8) 1972学年度政府立高等学校入学者選抜実施要項について
(9) 1972学年度政府立学校の使用する教科書の採択について
(10) 財団法人大嶺薫美術館設立許可について

**第226回 定例中央教育委員会**
期日 1971年11月17日
議題 (1) 教育区立中央公民館建築補助金割当について
(2) 学校給食用物資製造委託工業の取り消しについて
(3) 教育に関する寄附金募集の認可申請について
(4) 教育区債の起債許可について
(5) 職員人事について
(6) 公立義務教育諸学校の運営補助金交付に関する規則の一部を改正する規則について
(7) 各種学校認可について
(8) 1972学年度公立学校教職員の異動方針助言について
(9) 1972学年度政府立小禄高等学校通信制課程入学者選抜実施要項について
(10) 幼稚園設置認可について
(11) 中央教育委員会委員の報酬及び費用弁償等に関する規則の一部を改正する規則について
(12) 文教局職員定員規程について

## 巻　頭　言

## 海外教育事情視察に参加して

沖縄教育センター
所長　知　念　　繁

　昭和46年度の文部省派遣海外教育事情視察団に参加して欧米の教育文化を視察することができたことはまことにありがたく、派遣についてご配慮いただいた関係者のご厚意に心から深く感謝している。

　旅行の日程は、9月14日～10日13日の30日間で、ソ連、ノルウェー、スウェーデン、西ドイツ、フランス、イギリス、アメリカの7ケ国12都市の視察見学であった。私の団は、第13団の高校班で、25名の一行であった。

　教育の主視察国はノルウェーとアメリカ東部のメイン洲で、他の従視察国では史跡や市内の見学によってその国々の歴史的、社会的な背景にもふれるという、いわば巾のある視察であった。

　視察の印象をごく概括的に述べたい。ノルウェーでは、国立教育研究所に1954年から教育刷新審議会が設置されて、幼稚園から大学までの学校教育や社会教育等の全般についてその改善方法が真剣に研究されている。

　アメリカにおいては、公立学校教育制度調査庁によって全国的に実験学校を指定して、理論と実践を接合した改革の方法を研究している。

　その他のヨーロッパ諸国においても従来の教育のあり方に厳しい反省と批判が加えられ、人間尊重を基調とした学校教育の改善、学徒教育の推進に取組んでいるとのことである。

　国によって改革の方法は異っているが、わが国のそれと思い合して、教育改革は今や大きな世界的動向のように思われた。

　ヨーロッパの都市を視察して感ずることは歴史の厳存ということである。歴史がその都市をつくり、そして今なお、その歴史を現在に生かしている。このことはソ連においても全く同様であった。首都モスコーには数多くの史跡や文化財がある。旧時代の国王や、英雄、偉人たちを祀ってある壮麗な大寺院、廟、墓地等が鄭重に保護監理されて、そこに詣でる人の長い行列や、先生に引卒されて歴史博物館を見学している小学生たちの姿に、ソ連人の歴史に対する心性を見るような気がした。

　欧米の教育を視察して参考になった2、3をあげてみよう。

まず、どの学校でも一学級の在籍は30人以下である。このことは、学習指導や生徒指導の面で極めて効果的であるのはいうまでもない。

中、高校に必ず数名の専任カウンセラーがいて、直接生徒の教育相談や教師の相談に応じている。

学校長は管理面より教師の指導助言が主な仕事であり、又、自分も週何時間かの授業を受持っているので生徒の名前をよく知っている。休み時間に生徒の名前を呼んで親しく話しかけているのをみかけたが、そこにも生徒指導の一つのポイントがあるように見えた。

学習指導面では、生徒の能力差に応じた個別指導や能力別編成、高校教育の多様化とそれに対応する施設や教員組織が用意されている。

施設面では、校舎建築の設計に校長の教育的意図が十分に生かされている。医務室で専任の歯科歯が生徒の歯の治療をしているのを見てうらやましく感じた。

職員研修室があって多くの図書、資料が備えられて自己研修をするほか、割当制による長期の研修に派遣している。

教員の社会的地位は高く、父兄からの信頼が厚い。能力別編成や進路の決定も教徒のの指示どおりで、父兄からの文句は殆どないとのことである。もちろん、その前には各種の調査資料や家庭訪問による父兄との密接な連携が当然に必要とされている。

今度の旅行で特に感じたことは、欧米人の明るく、おおらかで、われわれ日本人に対する国民感性が非常に友好的であったことである。そして、人間家族としての世界を身近かに感じた。又、欧米の教育、文化や生活感情をつくり上げている歴史的、社会的背景についての認識をはじめ、視野を広めたことは大きな収穫であった。

ことばの問題では、英語が国際語であるという感を強くした。通訳のよしあしは視察の効果を大きく左右するその点、沖縄の英語教師には適任者が多い。

今回の体験を通してわが沖縄からも多数の参加を切望してやまない。

# 沖縄におけるへき地教育の現況 (2)

義務教育課 新 垣 盛 俊

　1971年9月の第225回定例中央教育委員会において、「へき地教育振興法施行規則」の一部改正が行なわれ、新たに小学校6校（奥小学校、北国小学校、有銘小学校、天仁屋小学校、川平小学校、伊野田小学校）、中学校5校（奥中学校、北国中学校、有銘中学校、天仁屋中学校、川平中学校）を1級地に指定し、伊是名小学校、伊是名中学校が従来の2級地から3級地に級地変更された。

　へき地に準ずる学校のへき地指定については、以前から関係者の強い要望等もあり、慎重に検討を重ねてきたが今回、㋑準へき地校への教員異動を円滑にし教員組織を充実する。㋺同一地域にある他の官公署より級地の低い学校の級地を引き上げる、という基本方針に立って前記学校のへき地指定、級地変更に着手した。ところが従来と同じような用語の解釈をすると点が40点（1級地）に満たないため、去る1971年7月に来島した文部省財務課へき地、教材係長との話しあいで、「医療機関」「学用品購入地」の定義を従来より弾力的な解釈を行ってもさしつかえないとの了解をえた。すなわち㋑従来医介輔のいる診療所も医療機関の中に含めていたが、今回はそれを含めず医師の常駐する病院、診療所だけを算定の基礎にする。㋺従来、鉛筆、ノート等の販売をしている雑貨店も学用品購入地に含めていたが、これをチョーク、原紙カバン等の販売をも取り扱う比較的広範囲な文房具店だけに限ることとし、1966年現在の学校調査報告書（現行へき地学校指定時の算定基礎資料）に基づいて算定した。

　今回、へき地学校指定からもれた学校や、宮古、八重山本島内の学校については来年の3月を目途に事務がすすめられている本土のへき地指定基準（へき地教育振興法施行規則）改正を持って抜本的な級地改正（へき地学校の拡大、級地の引き上げ）を行う予定である。

　これでへき地学校数は小学校72校、中学校55校、計127校となり公立小中学校の約半を占めることになった。

## へき地学校の児童生徒

### 1. 児童生徒数

へき地学校に在学している児童生徒数は昭和45年5月1日現在の学校基本調査によると(表7)のとおりである。すなわち公立小中学校児童生徒の約1割がへき地学校で学んでいることになる。これを本土各県における昭和45年5月1日現在学校基本調査におけるへき地児童生徒数の占める割合と比較してみると小学校においては長崎県(21.3%)、鹿児島県(19.9%)、高知県(14.4%)、北海道(13.4%)大分県(13.0%)……和歌山県(9.7%)に次いで11番目(全国平均4.3%)、中学校においては長崎県(21.3%)、鹿児島県(18.9%)、高知県(15.0%)、北海道(12.2%)、大分県(11.0%)……和歌山県(10.8%)に次いで7番目(全国平均4.3%)に位置し、離島を多くかかえる県と北海道が上位にランクされている。

次に市町村別の児童生徒数に対するへき地児童生徒の割合を調べてみると非常にアンバランスである。(表8)(表9)に示すとおり最高の割合を占めているのが沖縄本島、宮古本島、石垣本島以外の島で1町村をなしている所であり、次いで与那城村、東村、国頭村、勝連村等、交通不便の山間地や離島をかかえる村となっている。連合区単位で比較すると竹富町の離島を多くかかえる八重山連合区が一番高く、宮古、北部 南部がこれに次ぎ、中部が一番低い率となっている。

### 2. 級地別児童生徒数

ひとくちにへき地学校といっても、そのへき地条件の程度の軽重によって1級地から5級地までの段階がありそこで学ぶ児童生徒の教育環境も一様ではない。へき地学校の級別児童生徒数をみるとへき地の児童生徒の約3分の1は3級地〜5級地のきわめて条件の悪い地域で学ん

〔表7〕 級地別児童生徒数

| 小中別 / 級別 | 小学校 | 中学校 | 計 | 全へき地校に占める割合(%) |
|---|---|---|---|---|
| 1級地 | 4,889 | 3,039 | 7,928 | 39.6 |
| 2級地 | 3,022 | 1,937 | 4,959 | 24.8 |
| 3級地 | 1,945 | 1,284 | 3,229 | 16.2 |
| 4級地 | 1,691 | 974 | 2,666 | 13.3 |
| 5級地 | 838 | 387 | 1,225 | 6.1 |
| 計 | 12,385 | 7,621 | 20,006 | 100 |
| 全琉計(公立) | 133,228 | 71,136 | 204,364 | |
| へき地児童生徒数の占める割合(%) | (9.3) | (10.7) | (9.8) | |

〔表8〕 小学校の市町村教育区別へき地学校児童割合　(1971.5.1)

| 教育区 | 児童数(A) | へき地学校児童数 | | | | | | へき地児童の占める割合(B/A) | 備考 |
|---|---|---|---|---|---|---|---|---|---|
| | | 1級地 | 2級地 | 3級地 | 4級地 | 5級地 | 計(B) | | |
| 国頭 | 1,204 | 191 | 138 | | | | 329 | 27.3% | |
| 東部 | 415 | 131 | 26 | | | | 157 | 37.8 | |
| 本部 | 2,016 | 222 | | | 11 | | 233 | 11.6 | |
| 名護 | 5,657 | 74 | | | | | 74 | 1.3 | |
| 今帰仁 | 1,642 | 134 | | | | | 134 | 8.2 | |
| 伊是名 | 660 | | | 660 | | | 660 | 100 | |
| 伊江 | 1,071 | 1,071 | | | | | 1,071 | 100 | |
| 伊平屋 | 441 | | | 394 | 47 | | 441 | 100 | |
| 北部連合区計 | 15,880 | 1,823 | 164 | 1,054 | 58 | | 3,099 | 19.5 | |
| 与那城 | 2,206 | 289 | 428 | | | | 717 | 32.5 | |
| 勝連 | 2,054 | 162 | 264 | | | | 426 | 20.7 | |
| 中部連合区計 | 40,089 | 451 | 692 | | | | 1,143 | 2.9 | |
| 南大東 | 422 | | | | | 422 | 422 | 100 | |
| 北大東 | 138 | | | | | 138 | 138 | 100 | |
| 仲里 | 1,216 | | 1,018 | 178 | 20 | | 1,216 | 100 | |
| 具志川 | 685 | | 685 | | | | 685 | 100 | |
| 那覇連合区計 | 42,882 | | 1,703 | 178 | 20 | 560 | 2,461 | 5.7 | |
| 知念 | 857 | | 86 | | | | 86 | 100 | |
| 渡嘉敷 | 126 | | | 110 | 16 | | 126 | 100 | |
| 座間味 | 202 | | | 185 | 17 | | 202 | 100 | |
| 粟国 | 275 | | | | 275 | | 275 | 100 | |
| 渡名喜 | 174 | | | | 174 | | 174 | 100 | |
| 南部連合区計 | 17,253 | | 86 | 295 | 482 | | 863 | 5.0 | |
| 沖縄計 | 116,104 | 2,274 | 2,645 | 1,527 | 560 | 560 | 7,566 | 6.5 | |
| 平良 | 4,533 | | 292 | | 38 | | 330 | 7.3 | |
| 下地 | 641 | | | 64 | | | 64 | 10.0 | |
| 伊良部 | 1,842 | 1,842 | | | | | 1,842 | 100 | |
| 多良間 | 447 | | | | 439 | 8 | 447 | 100 | |
| 宮古連合区計 | 10,332 | 1,842 | 292 | 64 | 477 | 8 | 2,683 | 26.0 | |
| 石垣 | 5,386 | 730 | | | | | 730 | 13.6 | |
| 竹富 | 816 | 43 | 85 | 354 | 308 | 26 | 816 | 100 | |
| 与那国 | 590 | | | | 346 | 244 | 590 | 100 | |
| 八重山連合区計 | 6,792 | 773 | 85 | 354 | 654 | 270 | 2,136 | 31.4 | |
| 全琉計 | 133,228 | 4,889 | 3,022 | 1,945 | 1,691 | 838 | 12,385 | 9.3 | |

(注) 新指定校含む

〔表9〕 中学校の市町村（教育区）別へき地学校生徒割合　　（1971.5.1）

| 教育区 | 生徒数(A) | へき地学校生徒数 1級地 | 2級地 | 3級地 | 4級地 | 5級地 | 計(B) | へき地生徒の占める割合(B/A) | 備考 |
|---|---|---|---|---|---|---|---|---|---|
| 国　　頭 | 768 | 151 | 93 | | | | 244 | 31.8% | |
| 東 | 258 | 79 | 22 | | | | 101 | 39.1 | |
| 本　　部 | 1,244 | 129 | | | 5 | | 134 | 10.8 | |
| 名　　護 | 3,252 | 48 | | | | | 48 | 1.5 | |
| 今帰仁 | 1,088 | 73 | | | | | 73 | 6.7 | |
| 伊是名 | 447 | | | 447 | | | 447 | 100 | |
| 伊　　平屋 | 736 | 736 | | | | | 736 | 100 | |
| 伊江 | 263 | | | 236 | 27 | | 263 | 100 | （連合区内全生徒数に対する割合） |
| 北部連合区計 | 連合区内生徒数 9,749 | 1,216 | 115 | 683 | 32 | | 2,046 | 21.0 | |
| 与那城 | 496 | 206 | 290 | | | | 496 | 100 | |
| 勝連 | 1,995 | 109 | 166 | | | | 275 | 13.8 | |
| 中部連合区計 | 21,499 | 315 | 456 | | | | 771 | 3.6 | |
| 南大東 | 205 | | | | 205 | | 205 | 100 | |
| 北大東 | 72 | | | | 72 | | 72 | 100 | |
| 仲里 | 764 | | 655 | | | | 764 | 100 | |
| 具志川 | 420 | | 420 | 109 | | | 420 | 100 | |
| 那覇連合区計 | 20,055 | | 1,075 | 109 | 277 | | 1,461 | 7.3 | 〃 |
| 知念 | 531 | 51 | | | | | 51 | 9.6 | |
| 渡嘉敷 | 87 | | | 87 | | | 87 | 100 | |
| 座間味 | 130 | | 114 | 16 | | | 130 | 100 | |
| 粟国 | 184 | | | | 184 | | 184 | 100 | |
| 渡名喜 | 91 | | | | 91 | | 91 | 100 | |
| 南部連合区計 | 9,771 | | 51 | 201 | 291 | | 543 | 5.6 | 〃 |
| 沖縄計 | 61,074 | 1,531 | 1,697 | 993 | 323 | 277 | 4,821 | 7.9 | |
| 平良 | 2,629 | | 180 | | 18 | | 198 | 7.5 | |
| 下地 | 415 | | | 36 | | | 36 | 8.7 | |
| 伊良部 | 1,029 | 1,029 | | | | | 1,029 | 100 | |
| 多良間 | 207 | | | | 207 | | 207 | 100 | |
| 宮古連合区計 | 5,974 | 1,029 | 180 | 36 | 225 | | 1,470 | 24.6 | 〃 |
| 石垣 | 3,208 | 450 | | | | | 450 | 14.0 | |
| 竹富 | 545 | 29 | 60 | 255 | 193 | 8 | 545 | 100 | |
| 与那国 | 335 | | | | 233 | 102 | 335 | 100 | |
| 八重山連合区計 | 4,088 | 479 | 60 | 255 | 426 | 110 | 1,330 | 32.5 | |
| 全琉計 | 71,136 | 3,039 | 1,937 | 1,284 | 974 | 387 | 7,621 | 10.7 | |

でいることになる 表7参照 、しかもこれら児童生徒の中に単級や複式の学級で授業をうけているものが多い。 表10 。単級とは小学校の1年から6年まで（1971学年度で解消）、中学校の1年から3年までを1つの学級で編制するものをいい、複式とは2学年以上の学年児童生徒で1つの学級を編制しているものをいう。こうう単級や複式学級は1学級当たりの児童生徒が一般に少ない。

「1971学年度義務教育諸学校の学級編制及び教職員定数の算定基準（1971年3月30日中教委規則第8号）」によると小学校の3個学年複式が18人以下、2個学年複式23人以下、中学校の単級18人以下、2個学年複式22人以下となっており、平地の学校に比べ、とりわけ都市地区のすし詰め学級などに比べると、こういう小規模学級における授業は、個別指導、能力別指導ができ、教師と児童生徒の人格のふれあいのもとに理想的な教育が実施できるという利点はあるが、同学年の児童生徒で編制されている普通の学級（単式学級）における指導とは相当おもむきを異にしているため、担当教師の負担ははかりしれないものがあり、とりわけ音

〔表10〕　　学級編制形態別学校数　児童生徒数　　　　　　（1971.4.15）現在

| 区　分 | | 小学校 | | 中学校 | | 計 | |
|---|---|---|---|---|---|---|---|
| | | 学校数 | 児童数 | 学校数 | 児童数 | 学校数 | 児童生徒数 |
| 3個学年複式 | へき地校 | 9校 | 97 | 5校 | 56 | 14校 | 153 |
| | 平地校 | 0 | 0 | 0 | 0 | 0 | 0 |
| 2個学年複式 | へき地校 | 25校 | 762 | 8校 | 136 | 33校 | 898 |
| | 平地校 | 7校 | 143 | 0 | 0 | 7 | 143 |
| 単式 | へき地校 | 43校 | 11,526 | 42校 | 7,485 | 85 | 19,011 |
| | 平地校 | 161 | 120,700 | 93校 | 63,515 | 254 | 184,215 |
| 計 | へき地校 | 72校 | 12,385 | 55校 | 7,621 | 127 | 20,006 |
| | 平地校 | 168校 | 120,843 | 93校 | 63,515 | 261 | 184,358 |

（注　2個学年、3個学年複式両方ある学校は両方に計上されている）

楽、図工、家庭科などの指導にあたっては能力差、経済差のある2～3個学年の児童生徒を同時に授業するのであるからなおさらである。そこで文部省では前記教授の学習指導の能率を高めるため、複式学級学習指導計画例を刊行し現場の教師の利用に供しており、理科、算数については複式学級用教科書も編さんされているので、そういう刊行物をおおいに活用し、へき地学校の良さや特性を生かして他の学校にみられない教育効果を上げるべく頑張ってもらいたいと思う。

## 3. 通学状況

児童生徒の疲労度の測定方法として視覚系の感度を通じて、大脳の興奮水準の動きを知るフリッカー検査法を採用し、平たん地を通学する児童および生徒を、通学距離別に1キロメートル以内の者、1キロメートル以上4キロメートル以内の者、4キロメートル以上の者の3グループに分け、それぞれについて調査したところによれば、まず小学校についてみると1キロメートル以内および1～4キロメートルの2群は、登校時から、フリッカー値は1低下するが、1時間目休憩時から午前の授業終了時に向かって回復する。

これに対して4キロメートル以上の群はこの回復が明らかでなく、日間を通じて低下の一途をたどっていることがみられ、次に中学校については、小学校にみられるような3群の間の差は認めがたく、通学距離による影響は、いずれもさほど変らないものとみられた。

以上のことから、通常小学校の場合は4キロメートル以上、中学校の場合は6キロメートル以上を遠距離通学とみなしている。

（表11）に示すように、1970年5月1日現在の学校基本調査によるとへき地の小中学生の約3％（全琉平均0.93％の3倍強）が遠距離通学をしており、中には14キロメートル近くの遠距離から通学している生徒もいる。（石垣市平野～伊原間中学校間）。

次にこれらの児童生徒についての通学方法をみると、大部分がバス通学で徒歩又は自転車での通学者はごくわずかである。

局としても学校統合に伴なって遠距離となった児童生徒（明石小、伊原間中、大浜中、金武中、石垣第二中、川平中、与那国中、羽地中）に対してはスクールバス補助、バス賃実費補助を行なっているが、平地に比べ、悪い道を4キロメー

[表11]　　遠距離通学者数　　1971年5月1日　学校基本調査

a、小学校(4Km以上通学者)

| 学校名 | 児童数 | 学校名 | 児童数 |
|---|---|---|---|
| 辺土名 | 76 | 壺屋 | 23 |
| 天底 | 3 | 神原 | 8 |
| 安和 | 15 | 与儀 | 13 |
| 松田 | 1 | 真和志 | 4 |
| ○西 | 2 | 松川 | 6 |
| 中城 | 1 | 安謝 | 5 |
| 普天間 | 9 | 真嘉比 | 2 |
| 大山 | 8 | 城北 | 3 |
| 北谷 | 2 | 仲西 | 4 |
| 北国 | 3 | 神森 | 2 |
| 中の町 | 8 | ○清水 | 120 |
| 安ヶ田 | 2 | ○仲里 | 76 |
| 渡慶次 | 2 | ○久米島 | 40 |
| 川崎 | 1 | 糸満 | 3 |
| 伊波 | 1 | 東風平 | 264 |
| 山田 | 55 | 知念 | 137 |
| 小禄 | 2 | 佐敷 | 1 |
| 垣花 | 1 | 平一 | 4 |
| 城岳 | 8 | 北 | 52 |
| 開南 | 10 | 狩俣 | 92 |
| 久茂地 | 6 | 福嶺 | 2 |
| 天妃 | 2 | 上野 | 2 |
| 若狭 | 5 | 名蔵 | 1 |
| 前島 | 15 | 登野城 | 4 |
| 泊 | 8 | 大浜 | 2 |

| 学校名 | 児童数 | 学校名 | 児童数 |
|---|---|---|---|
| ○伊野田 | 48 | ○野底 | 4 |
| ○明石 | 47 | ○上原 | 18 |
| 計 | | 1,233 | |

全琉公立小学校児童数(137,077人)に対する
割合　0.9%

へき地学校遠距離通学児童数(○印計)　355人
全琉へき地学校児童数(12,965人)に対する
割合　2.7%

b、中学校(6km以上通学者)

| 学校名 | 生徒数 | 学校名 | 生徒数 |
|---|---|---|---|
| 羽地 | 94 | 仲西 | 4 |
| 屋部 | 61 | 佐敷 | 1 |
| 瀬喜田 | 3 | 平良 | 3 |
| 金武 | 95 | 西城 | 2 |
| 中城 | 18 | ○川平 | 1 |
| 普天間 | 21 | ○崎枝 | 2 |
| 越来 | 13 | 名蔵 | 1 |
| 寄宮 | 8 | 石垣第二 | 15 |
| 真和志 | 15 | 大浜 | 48 |
| 首里 | 6 | ○伊原間 | 230 |
| 計 | | 641 | |

公立中学校生徒数(72,241人)に対する
割合　0.9%

へき地学校遠距離通学生徒(○印)　233
全琉へき地校生徒数(7,093人)に対する
割合　3.2%

トル以上も通学するへき地の子どもたちの通学条件は相当に悪く、その困難さはなみたいていのものではない。道路の整備、統合校以外のへき地校のスクールバス補助が急務である。

### 4. 卒業後の状況

最近における人口の都市集中、離島へき地の急激な過疎現象が社会問題化していますが、へき地の中学校を卒業した人たちの卒業後の状況を調べてみた。（表12）に示す通り、1971年3月に中学校を卒業した人は全琉（公立中学校）で24,664人であるが、その中、へき地中学校の卒業生は2,725人で全琉の約11％にあたっている。就職者はその中の810人でへき地中学校卒業者の約30％を占めている。

次に県内、県外別の就職状況を調べてみると、県外（本土）就職者の比率はへき地が高く、その45.6％を占めている。

なお進学者についてみると1,503人でへき地校卒業者の55.2％にあたっている。全琉の公立中学校の高校進学卒はこの年65.5％（就職進学者は含めず）であるから約10％の低率となる。高等学校への進学率は年々増加してきているわけであるが、へき地においてもその率はまだまだのばすべきである。教育の機会均等の趣旨からへき地教育振興策が種々考えられているけれども高校進学率を上昇せしめるための方策も具体的に考えだされなければならない重要な課題だと思う。

〔表12〕 1970学年度卒業生の卒業後の状況　　（1971年5月1日 学校基本調査）

| 区分 | | 就職者（就職進学者を含む） | | 進学者 | その他（無業者・不詳） | 計 |
|---|---|---|---|---|---|---|
| | | 県内（沖縄） | 県外（本土） | | | |
| へき地校 | 卒業者数 | 441 | 369 | 1503 | 412 | 2,725 |
| | 百分比 | 16.2% | 13.5% | 55.2 | 15.1 | 100 |
| 全琉公立中学校 | 卒業者数 | 2,475 | (外国就職33人含む) 1,940 | 16,143 | 4,106 | 24,664 |
| | 百分比 | 10% | 7.9 | 65.5 | 16.5 | 100 |

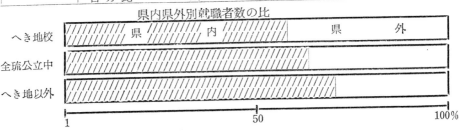

県内県外別就職者数の比

# 本土の高等学校を視察して (2)

首里高等学校　教頭　新垣　　博
本部高等学校　〃　　村田　実保
北山高等学校　〃　　古城　源徳

〔6〕勤務時間及びその割振り
職種に応じて割り振られている………
沖縄と大体同じ
1. 神奈川県鶴見高校の例
　　月～金　　8:25～17:00
　　土　　　　8:30～13:20
　　休憩（月～金）12:30～13:15
　　休息　　　10:30～10:45
　　　　　　　15:00～15:15
2. 福岡は1週42時間45分

〔7〕休暇制度
1. 年休
　(1) 年休日数　年間20日、但し、年度途中で採用された職員のその年度の年休日数は次のとおり（岐阜）

| 採用月 | 1 | 2 | 3 | 4 | 5 | 6 |
|---|---|---|---|---|---|---|
| 年休日数 | 20 | 18 | 17 | 15 | 13 | 12 |
| 採用月 | 7 | 8 | 9 | 10 | 11 | 12 |
| 年休日数 | 10 | 8 | 7 | 5 | 3 | 2 |

　(2) 年休の繰越し
　　1年にとることができる年休日数のうち、その年にとらなかった日数があるときは、その翌年に限り、くり越してとることができる。
2. 病休　病休のくり越し例なし。
3. 特別休暇
　　沖縄の職専免は、ほとんど特別休暇として扱われる。
○沖縄と異なるもの（岐阜の例）
　(1) 厚生に関する計画の実施に参加する場合
　(2) 職務と関連する公益に関する他の事務に従事する場合
　(3) 職務と関連ある試験等を受ける場合
　(4) 地公法上の研修または職務上の教養に資する講演会、講習会等に出席する場合
4. 職専免（沖縄にないもの）
　(1) 県と市町村との相互協力のため県内の市町村職員に任命された場合
　(2) 非常変災に際し、本職以外の業務に従事させる場合

(3) 県の特別職としての職を兼ね、その業務を行なう場合
　(4) 国家公務員または他の地方公共団体の公務員としての職を兼ね、その事務を行なう場合

〔8〕職員の研修
1. 自宅研修
　○週1日　東京、京都教育大付属高校
　○4時以後　各県
　○手続　簡素化
　○福岡は今年から週1日の自宅研修を認めないことになった。理由は、職員生徒の負担軽減
2. 教育委員会の計画する研修
　各府県とも研修活動は活発である
　研修の種類
　　教科研修…各教科　対象　高校教員の代表
　　生徒指導講座または研修会…生徒指導担当者
　進路指導講座
　　新採用教員研修会　校長等研修会
　　学校管理研修会…新任校長、教頭、教員
　　事務職員研修会教養講座…教職員の教養を高める

〔9〕教頭について

1. 任命方式……教育委員会の職務命令
2. 基準……成文の具体的選考基準なし試験制度（東京）、学校長の具申、研修活動、面接、人物審査等による。
3. 名称……「教頭」が多い「副校長」（京都）「校長補佐」（愛知）
4. 人数……愛知県では27学級以上の学校には校長補佐2人をおいている。
5. 年令……大体40～55才
6. その他
　○島根県……毎年12月、現場校長、組合等の推せんを受ける。
　○福岡県……総務部長として各学校で選挙→当選者を校長が具申→委員会検討→任命
7. 配置校……京都、福岡では現任校で発令
8. 校長へ昇任
　(1) 基準……成文化された具体的な基準なし、試験なし。面接人物審査等による。
　(2) 給与……二等級時の給料の真近上位の一等級の給料、但し二子の場合は1号俸あげる。

〔10〕事務長、事務職員、用務員等について
1. 事務長
　管理職として手当を支給している県もある（埼玉）
　　専門員で事務長……課長待遇　15％
2. 事務職員の数の例……別表

3. 用務員
　○人数は、一校2～3人が多い

〔11〕生徒指導に関すること
1. 一般的な傾向・問題点
　政治的活動は沈静化の傾向にあるが反面、三無主義につらなるような意欲

別表　　　生徒数と職員構成例

| | 東京 A高校 | | 埼玉 B高校 | | 山梨 C高校 | | 京都 D高校 |
|---|---|---|---|---|---|---|---|
| 学級数 | 21 | 〃 | 27 | 〃 | 30 | 〃 | 28 |
| 生徒数 | 1,029 | 〃 | 1,303 | 〃 | 1,406 | 〃 | 1,229 |
| 学校長 | 1 | 〃 | 1 | 〃 | 1 | 〃 | 1 |
| 教諭 | 42 | 〃 | 53 | 〃 | 58 | 〃 | 59 |
| 養護教諭 | 1 | 兼務教諭 | 2 | 兼務講師 | 5 | 講師 | 7 |
| 非常勤講師 | 11 | 〃 左 | 2 | 〃 左 | 4 | 事務職員 | 6 |
| 事務長 | 1 | 養護教諭 | 1 | 〃 左 | 1 | 事務員 | 1 |
| 事務主事 | 2 | 専門員兼事務長 | 1 | 庶務課長 | 1 | 実習助手 | 5 |
| 事務補佐員 | 1 | 事務主事 | 4 | 主事 | 4 | 用務員 | 4 |
| 事務主事補 | 3 | 〃 左 | 3 | 主事補 | 3 | 校費事務員 | 5 |
| 用務員 | 3 | 事務助手（図書館） | 1 | 事務補 | 2 | | |
| 警備員 | 2 | 実習助手 | 2 | 用務員 | 2 | | |
| 理科助手 | 1 | 校医 | 4 | 実習助手 | 1 | | |
| 助手 | 3 | 薬剤師 | 1 | 校医 | 2 | | |
| 校医 | 4 | 用務員 | 3 | 薬剤師 | 1 | | |
| 薬剤師 | 1 | PTA | 4 | 事務補PTA | 5 | | |
| 計 | 76 | | 82 | | 90 | | 68 |

のない、また、学校生活へ主体的にとりくむ意欲に欠けた生徒が多くなりつつある。

従って自主性・自律性の育成をめざしつつ、学習効率を高めるためのくふうや改善が必要である。

各県に共通する指導上の問題点としてつぎのことがあげられる。
(1) 制帽について
　○心得にはあるが、かぶらないのが多い現状に対して、
　　黙視している　義務づけていない　全く規制していない　着帽しなくてもよい　廃止したところもある
(2) 制服について
　○制服制度は弱くなってきている感じがしたが、ほとんどの県、学校でまだ着用している。
　○制服と呼ばずに「標準服」と呼んでいる県がある。
　○制服反対ではないが、デザインの研究をのぞむところもある。
(3) 校内掲示物について
　　生徒会を通じて掲示させているが極く一部には全くの自由を要求しているところもある。
(4) 交通安全について
　○どの県でも交通安全については重視してきている。
　　高校生は従来、被害者の立場にあったが、近年では加害者の立場にもなる。
(5) 学習不適応生の指導……高校進学率の増加による。
(6) ルール無視の傾向が生じてきている。
　○法違反、条例違反はきびしく懲戒する。
　○青少年補導センターを利用しての指導
　○相談係（6人）をおいているところ（鶴見）
　○すべての教師が指導にあたる（京都）
　○「生徒指導連絡協議会」の活動
　○生徒心得のない学校もある。
2.　クラブ活動について
(1)　5時までに終るように指導、特に定時制のある学校では厳守。試合前1週間は1時間延長
(2)　下校時の合図を生徒会役員（放送クラブ）で放送している学校もある。
(3)　5時まではクラブ活動で、それ以後は社会体育の部門として考える。
(4)　時間外クラブ活動の手当

手当のないところもあるが、休日引率日当700円〜400円
3. 生徒懲戒について
(1) 形式として謹慎処分の方が多くなっている。
(2) 退学処分でするときは、教委の助言を得た方が「退学」についての紛争がおこらない。

[12] 学校行事について
1. 体育祭や文化祭は毎年どの学校ももっている。
2. 特別な（特色ある）教育活動
(1) 浦高・湘南高校交歓定期戦
　　名門校の名にん甘じては進歩も向上もない。お互いに共励、切磋、採長、補短の実をあげる。
　　○全校生徒、職員、PAT、参加
　　○今年で15回目
　　○種目（陸上、水泳、卓球、テニス野球、バレー、ラグビー、柔道、サッカー、バスケット、剣道）
(2) 臨海学校
　　場所＝南伊豆、下賀茂
　　参加者＝1年生全員　時期＝夏期休暇前　内容＝正規の授業
(3) 強歩大会
(4) HR宿泊指導
　　新入生対象2泊3日（4月22日〜24日）
(5) 山城高校の山城祭毎年1週間
　　（10月15日〜22日）
(6) 京都府下の討論集会…春秋2回
3. 日、週計画の例
　○A校　1. 土曜日は1学年3時限、2・3学年4時限
　　　　2. LHRは毎週1時間
　　　　3. 金曜日放課後は定例職員会
　○B校　1. SHは1:10〜1:20
　　　　2. 職員朝会は月曜の8:20
　○C校　1. 毎週月曜第4時限、LHR
　　　　2. 毎週金曜第1時限をアセンブリーとする
　　　　3. 火曜日隔週放課後に生徒総会、木曜日放課後職員会

＜研究教員＞

# 研　究　報　告

昭和46年度前期研究教員
豊見城高校　福　原　兼　雄

## 1．テーマ

「日本史の授業における歴史的ものの見方、考え方の育成について」
―――― 地方史の扱い方を通して ――――

## 2．テーマ設定の理由

　歴史の学習は覚えることではなく、理解することであるといわれる。その場合の理解するとは、歴史の因果関係、時代的特質、その変化発展を、科学的合理的に考えて理解するということであろう。ところが現実には、大学入試その他の外的な条件と教師の無自覚から、授業も評価方法も、生徒自身の学習方法もすべて歴史事項のつめ込みになっている場合が多い。

　もちろん、現実の問題として高校教育の上に大学教育があり、高校卒業者の大部分は大学進学を希望しているので、高校の授業が大学受験を無視することはできない。だが、そのことが日本史教育のあり方を変える理由にはなり得ない。むしろそのような現状だからこそ教師が自覚的に正しい歴史教育をしなければならないといえる。

　ところで正しい歴史学習の態度は、必然的に物事の取扱い方にも影響を与えるであろう。いいかえると物事について歴史的見方、考え方ができるまでに進み得る歴史学習が、ほんとの歴史学習の目標ではないだろうか。そのような意味でこのテーマを取りあげた。

## 3．私のみた授業の若干の実例

　イ、配属校「佐倉高校」の場合

　　佐倉高校は「社会科における視聴覚的方法について」というテーマで千葉県教委指定の研究校である。

　　生徒の質は優もなく可もないという県の中位の学力をもつ生徒たちである。日本史の教師は3人だが、県の日本史の指導員でもあり、この学校の中心的役割も担っている比留尚教諭の授業の例をあげる。

　① まず予め毎時ごとのいくつかの問

題をつくっておいて、それを前の時間に生徒に割当てる。
② その当日の時間に、割当てられた生徒が調べたことを発表する。内容の深浅は個人差がある。
③ さらにその生徒に教師から質問して内容の深化をはかる。
④ 教師が、史料の提示、学説の相違関連する県内の遺跡遺物等の説明、OHPの使用による視覚教育等でさらに補う。

なお日常の授業の姿勢について次のように話している。
① 成績の上下に関係なく、全生徒を授業に参加させる方法を考える。
② 生徒の発表・発言により理解が正しいかどうかを知る。
③ 活字になっていることだけが歴史ではないし、また活字になっていることが完全でもないことを意識する。

ロ、H高校
　女子高校。教師は郷土史にも関心の深い人である。授業は普通の講義式であるが、教室は特別教室で、周囲の棚には土地の遺跡からの出土品が展示されており、授業にはそれが随時利用されていた。
　教師の話によると、割合に受験を気にせずに授業できるということ、しかしいかに生徒に興味をもたすかということが授業の中心的課題であるということ、そのために話題をいつも身近にもって来るようにつとめるということである。

ハ、S高校
　広い農村地帯にある唯一の普通高校であるため、生徒の質の上下の差が大きい。学校としても進学に力を入れており、進学率もよい方である。
　授業は若い教師のを見せて貰った。講義式であり、教師は講義式が一番現状にあっていると話していた。
　その内容は次の諸点に注意が払われる。
① いかに知識を定着化するかを考える。
② 受験に必要な項目を落さないよう心掛ける。
③ 事項を精選し、要領よくまとめ、図式化して板書する。
④ 生徒の興味をひくため歴史裏話や郷土史を利用する。
　講義式が一番現状に合っている点として次のことをあげていた。(グループ学習及至発表学習をやったことはないかという問に対する答である。)

① 生徒がやると、必要でかつ重要な項目を落す怖れがある。
② 生徒の発表では他の生徒が聞かなくなるだろう。
③ 以上の二点から、必要な知識が脱落したり、あるいは定着しない。
④ 生徒の話し合い・討議といっても貧弱な彼らの知識では全く無意味である。
⑤ 進度が遅れる。

　この意見に対する見解は、次の日本史教育研究会（風間泰男会長）の会員による二つの実例をあげることで、省略することができると思う。

二、東京都立南高校

　この学校は、その地域でランクするとすれば中位に相当するという。教師は大分前からグループ学習・発表学習を行なってきたという中村国男教諭で特に発表学習を見せて貰った。
① 日本史教育研究会編の「日本史学習のしおり」があり、その中のテーマを生徒が希望によって選び、数名単位のグループをつくる。
② グループは教科書のページに従って、それぞれ調べてきたことを発表する。
③ 発表はあらかじみレジメをつくり、それに従ってやる。レジメの終りに、その時間の重要な部分の質問項目をつくり、生徒に問を出す。

　質問の例……守護大名と戦国大名の相違について、(1)将軍との関係(2)家臣団との主従関係(3)農民支配のしかた。
④ レジメはプリントの前に教師が目を通す。
⑤ 発表の途中、教師が質問したりヒントを与えたりして援助を与えている。
⑥ 発表の時間は15分をめやすとする。
⑦ その後生徒の質問をうける。
⑧ 担当を終るときその部分の感想を述べる。
⑨ 残りの時間を教師の説明にあてる。

　この授業の感想のいくつかを次に例記する。
1. 15分と時間が制限されているので枝葉末梢が整理される。
2. 教科書のページを指示しながら発表するので、全生徒が教科書に目を通す。
3. 発表者が生徒なので、気軽に質問し意見を述べ合っている。
4. 但し質問者はそう多くなく、みんなを授業にひっぱりこむことのむず

ホ、都立駒場高校
　教師は昭和29年からグループ学習や発表学習をやってきた菱刈隆永教諭である授業はグループ学習であった。
① 任意にグループをつくらせ、それが一かたまりに向き合って席をつくる。
② 日本史教育研究会編の″しおり″を利用し、同一テーマを各グループがまとめる。
③ 各グループは更に細分して、各個人が一項目を分担してまとめる。
（その時教科書、参考書を利用）
④ その際議論をしながら理解を深めていっている。
　　例……守護、守護大名、戦国大名のそれぞれの農民との関係についてだが、守護と地頭、御家人と非御家人が思い起こされて、当時の守護と農民の関係と地頭と農民との関係とはどう違うかが話題となり、他のグループでは、御家人の領地・守護地頭の領地と任地の所在・守護と地頭の上下関係等が話され、知識が深められていた。
⑤ 教師は各グループをまわりながら示唆を与えたり、理解のまちがいを指摘したりしている。時には全体的に思考の手順を示したりする。
⑥ 黒板に表をつくり、まとめを書き入れさせる。
⑦ まとめた表について生徒から質問させあるいは意見を出させる。
⑧ 教師から質問を出し、あるいは追加説明をする。
⑨ 以上の授業の記録を生徒の係が記録する（様式がある）

次に駒場高校の授業の感想を述べる。
1. 生徒が出すいろいろな意見に対し、教師が判定者にならずに話をすすめていく。その中で学説上の対立がある場合、「立場の違い」による相違のあることを生徒に理解させている。
2. 教科書や参考書に書いてないことについても、すでにわかっている部分から推定していく手順を示唆している。
3. グループの話合いをきいて、その生徒達の理解度及び知識の当否が確められる。（私も話合いをきき、質問をうけたりした。）
4. 授業記録及び発表のプリントは昭和29年度以来のものが、各年度毎に

製本されて残されており、生徒はそれを参考にして準備をし更に工夫して進んでいっている。

なお駒場高校は日本史教師が2人おり、時にはクラスを交換したり、2人で一つのクラスを一緒に授業したり、いろいろと試みているという。

この授業は前学年度の末に2年生を集めて3年の時の授業形態についてオリエンテーションを行ない、春の休みから早速課題を与える。

春・夏の休みの課題には、読書感想(いくつかの書名を示す)・住んでいる地域の歴史・私の歴史・父母の歴史等がある。生徒の提出した「父の歴史」の中には、父親が自分の体験を冷静にみつめ、その中からにじみ出た人生観まで示されたのがあるし、また地域史の中には、「世田谷区の歴史」「渋谷区の歴史」というのがあり、ほんとに目を見張るようなものがあった。ただ父母の歴史は、教師との間に人間関係が確立されていない春の休みの課題には不適当であるということである。

日本史教育研究会では、毎学期2回程度のフィールドワークを計画し、その会員の学校の生徒達の希望者を集めて実施している。(6月中旬には鎌倉のフィールドに参加させて貰った。研修日程参照)

## 4. 日本史の授業における地方史の取扱いの現状

最近地方史についての関心は非常に高くなっている。大体どの県でも県史編さんが行なわれており、また史蹟・名勝地が破壊される傾向に伴い、その調査が進むし、さらにその保存の運動も起って破壊が歴史の発掘を従進するという妙な結果にもなっている。

ところでその地方史は、授業の中にどのように入っているだろうか。

既に実例の中でも折にふれ記述してきたが、地方史が授業の中へ入って来るのは、生徒の興味をひくために利用する場合、教科書の事項を説明するための例話として利用する場合がもっとも一般的である。

このような利用に対し、積極的に地方史を授業にとり入れる例としては、フィールドの実施や駒場高校の例にみる課題学習等にみられる。しかしその場合でも指導の方法、事後の扱い等で消極化する場合もあるだろう。

## 5. 結び

日本史教師が授業をする場合に誰でも心掛ける常識的なことは次の事柄である。

1. 生徒すべてを授業に参加させる。
2. 歴史事実を理解させる―基本的知識を定着させる。
3. 時代概念をはっきりさせる。
4. 歴史的ものの見方・考え方を培う

このようなことを実現するための方法は一定ではなく、教師の個性と生徒の条件とによって異なるべきであると思う。従って私のみた実例のどれがよいという結論を一方的に出すことはできない。たとえば日本史教育研究会の会員の実践例も、発表学習とグループ学習のみをあげたが、講義も行なわれるのである。つまり私達の授業方法は、生徒や教材の内容によって最善の方法を個性的に見出すべきものである。一方授業で生徒に接する場合の教師は、非常に柔軟な頭脳を持たなければならない。生徒の考え方や質問を正しく理解し、それを正しい歴史教育の中に導き、科学的合理的態度を養うためには、教師の考え方の柔軟さが必要なのである。

さて私は今度の研修で〝地方史〟の扱い方を特に意識していたのであるが、それは殆んど成果はなかった。地方史を扱う利点は、歴史を生徒の身近かにひきよせることができるし、また歴史を主体的に見ることができる点にある。しかし実際には取上げるべき材料や方法論が確立されていないために、はなはだ困難であり、仮りに実施しても小さな事件にこだわって日本史の流れを見失ったり、少数のミニ歴史学者をつくって満足する怖れもあるわけであるが、それらを克服できれば効果ある歴史教育ができるのではないだろうか。たとえば千葉県の場合、千葉常胤・平広常等から鎌倉初期の社会に、またそれら氏族の所領関係で御家人の体制に迫ることはできないだろうか。

そのような地方史の扱いを、沖縄でやるにはどうしたらよいか。これが私の窮極の問題なのだが、実は本土の歴史発展と沖縄の発展は、政治圏としても経済圏としても同一圏に含めるには理論的に確立されていない。だから私の考えているような方法での授業の扱い方には大きな困難がある。だがその問題を避けては、沖縄の生徒にとって「日本とは何か」「沖縄と日本との関係」についての解明が問題となって、新しく迫ってくる事になる。日本史の中に沖縄史を位置づけ、それを授業で扱う方法論を確立すること、これが今後の課題である。

# 昭和46年度前期　内地派遣研究教員帰任報告会

1971年10月11日　午後2時～5時
於：　沖縄教育研修センター

　戦後の研究教員の制度は1952年にはじまり、昭和46年度前期で39回をかぞえ、人員は延べ1,041人に達した。
　戦後、荒廃の中から出発した沖縄教育の発展につくした研究教員の功績は今更いうまでもないが、一方、本土において、沖縄についての理解を深めさせるのに果した役割も大きいといわなければならない。
　このたび、第39回の研究教員26名（うち2名は研修期間1年で目下研修中）が去る9月末日無事半年の研修を終えて帰任し、その報告会が行なわれた。
　研修内容については、くわしい報告書が各人から関係機関へ提出されるので、この日は主として、受け入れ態勢や本土での生活、肌で感じた本土の教育事情等についての報告が主であった。以下はその抄録である。
　なお、今回の研究教員の都府県別配置状況は次のとおり。

| 福島県 | 1 | 栃木県 | 1 | 千葉県 | 6 | 東京都 | 7 | 神奈川県 | 4 |
| 石川県 | 1 | 静岡県 | 1 | 愛知県 | 1 | 大阪府 | 2 | 広島県 | 2 |

## 1.　施設設備について

　県や市、学校によってかなりちがいはあるが、新建築の校舎は内部設備の完備とあいまってすばらしい。

　特に音楽室、理科室等の特別教室の整備状況、体育館・プール等の体育施設や給食室の整備が沖縄と比べ進んでいる。

　また校舎の配置がバラバラでなく、有機的なつながりをもっていて、ある学校では、1階から3階まで給食を手押車に乗せたまま、小学校低学年の児童でも楽に運べるような設計になっている。理科教室も500人の生徒に3教室もあるという恵まれた学校もあった。

　しかし、一方では木造の古い校舎をまだ使用している学校もかなりある。

## 2.　学校運営の面について

△すべての学校に教務を二人おき1人は生徒指導面に当らせている。（千葉・福島）

△学年主任や教科主任でも授業時数は他の教員と何ら区別しない学校もあった

（広島）
△校長・教頭が授業を受け持ち、中には校長で22時間もっている人もいた。（広島）
△学校長の指導力に感心させられた。ある学校で、問題児の指導にあたって校長が担当教師と一緒に指導方法について検討し、そのつど適切な指示を与え、最終的な処置についてもてきぱきと処理していた。（福島）
△教師間において上下の関係がきびしいようにみられた。（広島）

3. 教員の研修について

△本土の教員は、指定研修より自主研修が盛んである。沖縄でも、もっと教師が積極的に研修にとっくまなければ、本土との学力格差は縮まないように思う。（福島）
△研修計画が緻密で、それが着実に実践されている。また、教育活動の記録が念入りに残されていて、反省と改善への資料として生かされている。福島
△県・市教委の指導体制がゆきとどいている。例えば、全教科の指導主事が配置されていて、資料の発行や、講習会の開催、学校訪問は一日がかりで指導するなどきめの細かい指導を行なっている。（福島）
△補充教員の制度は短期・長期の研修ともない。また、長期研修で出た教員はもとの学校にはもどれない。（千葉）
△校内の教科研究を、何曜日、何時間目と決めて、その教科担任全員が一緒に研修できるようにしている。（石川）
△国内研修より国外研修に重点をおいて、毎年40人の教員をヨーロッパへ派遣している。（愛知）
△国内研修は期間10日前後、研修旅費4万円ほど支給して行なわせている。また、夏休みにも研修費を支給している。（愛知）
△授業が終れば、学校外での研修を認めている。（大阪）

4. 生徒指導について

△しつけが徹底している。
全体集合や授業時間中〝静かにしなさい〟という先生のことばを聞いたことがない。
△廊下でのえしゃく、職員室に入るときの態度、脱いだ靴の整理等基本的な生活のしつけがゆきとどいていてそういう面で教師のエネルギーを使うことがない。
△問題行動のあるこどもについては、全

職員が共通理解した上で指導が進められている。
△生徒指導関係の研修が、県・市・学校単位で主催されている。（千葉）
△生徒指導担当教諭が定数外教員として配置されている。（神奈川）
△中学生の頭髪については、長髪を認めている。また下校後の服装についても規制していない。（千葉・神奈川）

## 5. その他

△県全体の年間研究活動計画表が準備されていて、研究教員に配布され、非常に役にたった。（千葉）
△学力向上対策として、県の教育研究所で作成した問題を課したり、また民間企業が実力テスト、学力テスト総合テスト等を実施し、採点処理、偏差値等を算出して学級担任に資料を提出している。（千葉）
△中学校の教育課程、体育・特活の時間のとり方等については、目下委員をあげて研究中である。（千葉）
△中学生のカバンは肩かけカバンを持たしているが、交通安全・正しい姿勢の保持という点から手さげカバンに比べよいと思った。
△手洗いの清掃を生徒にさせないで用務員に行なわせている。（神奈川）
△教育器機の利用が盛んで、OHP、VTR、映写機、シンクロファクス、アナライザー等が活用されている。
△中学校から高校への受験勉強がきびしい。夏休みもほとんど学校で受験指導を行なっているが、それは生徒の要望によるもので、沖縄の生徒に受験地獄という言葉はあてはまらない。石川）
△時鐘は1日に4回くらいしか鳴らさない。あとは各自時計をみて教室に入るようにしている。（愛知）
△校内生活について、生徒の中に生活委員がおかれ、主体的に生活秩序の維持をはかっている。（愛知）
△教師は6時まで下校せず、教材研究やクラブの指導にあたっている。愛知）
△同一校に長年勤務している教員が多い。（大阪）
△教員の負担軽減に力を入れており、校外への生徒引卒はやっていない。（大阪）
△ゼロックス、ファックス、電子リコピー等の事務機を入れ、事務職員が30人もいるので、教師は印刷等の仕事は一切手をつけずにすんでいる。（広島）
△学校の無人化管理のため、防災管理が徹底し、例えばタバコのすいがら入れも個々人で保管場所へもっていく。（福島）

# 学校経営と教育相談

寄宮中教諭 上原　正則

　6ケ月間の本土研修で、本土の学校ではどのような考え方で学校経営と教育相談が行なわれているかということについてかいてみたいと思います。しかし紙面の都合で一般的論になるかと思いますので、御了承下さい。一般的にみられる学校経営の傾向には「ひとりひとりの子ども」に対する配慮がともすれば欠けがちであるといえないであろうか。

　学校経営において、まず優先することは、その学校の子どもたちにどのような教育を施していくかという構想であり、それによって施設や職員の問題を考え、また教育課程を編成するわけである。今日の学校経営において、最も重要な課題は、ひとりひとりの子どもにまず目を向けること、それぞれの子どもを生かす教育計画が学校として整えられているかということにあるであろう。学校経営においてともすればおろそかにされてきた「教師と生徒との心のふれあい」や「心の交流を深めること」・「子どもたちに内在する自己指導の力を尊重すること」や「子どもの感情に教師が敏感になり、感情を正しく育成していくこと」などの考え方を教育相談を導入することによって学校教育に生かし、教育を本来あるべき姿にひきもどしていきたいと考えるのである。このような意味からするならば、教育相談は単なる「技術」以上のものであり、教育に対する教師の基本的な態度の改善ともなりうるものであることを指摘しておきたい。それでつぎつぎのみかたをしたい。

Ⅰ　教育相談について実際の教師の意識

　教育相談を推進し、あるいはその考え方をいろいろな教育作用に生かすためには、その発想として教育の主体者である教師の意識がどうあるかをはあくしなくてはならない。換言すれば、教師の心の内にカウンセリング・マインドを導入し、かつそれが存在しているとすればそれにしげきをあたえることによって、子どもひとりひとりを理解し、望ましい変容をもたらす大きな動因となることであろう。

Ⅱ　教育相談に関する学校体制の実態

　やはり校内体制づくりのためには、その学校の現実に遊離したものでは効果があがらない。そこで、これについての実態をはあくして、その根底にある問題点をさぐり課題を明確にして焦点づけることが、望ましい方向づけの第一歩となるであろう。

Ⅲ　校内における教師間の意識のづれ

　およそ教育相談に限らず人間教育なるも

のは、学校という営造物を通じて施すためには、教師集団の協力が是非必要である。とりわけこれから教育相談を推進し、そのためのよりよい体制づくりをはかるためには、まず教師の目的意識を共通化しなければならない。

特に次のような教師の態度が望ましい人間関係を育成していくであろう。

(1) ひとりひとりの子どもを大切にし、どの子どももかけがえのない存在であると感じ、子どもたちの人間的な成長に努める。

(2) 子どものひとりひとりには、その子なりの独自なものの感じ方や考え方があるので、それを敏感に感じとりそれを大切にしようとする。

(3) 教えたり、しつけたりするこどもに、子どもの内部にある善意や伸びようとする気持ちを大切にする。

(4) 教師自身も、人間としての弱点や欠点をもつことを認め、生徒とともにそれを克服して、人間としても真実に生きようと努める。

(5) 教師と生徒の人間関係は、また生徒と生徒の間の人間関係の育成に発展するように努める。

以上かいてみましたが、私の配属された千葉県の場合は県指導課を中心に各学校で生徒指導体制が充分にやられていました。教務の場合も第一、第二とあって第一教務は行事関係のこと、第二教務は生徒指導関係とよく指導されていました。これでまとめになったかどうかわかりませんがこれで与えられた責任のいったんを終りたいと思います。

# 高校の数学教育と電卓

首里高校教諭 石 垣 博 正

　大きな電子計算機が、稼動している会社の事務卓の上にソロバンや計算尺をよくみうける。電子計算機で計算処理をすればよいのにソロバンを使う必要もないのではないかと思うが、そうではない。それぞれの利器の利点と特性を活用しているのである。

　教育が社会的教養または常識の教育という一面を持つかぎり、ソロバンや計算尺や電子計算機のような社会的、歴史的利器の利用とその原理について数学教育が教材教具として教室にもち込むのに何もふしぎなことではない。ソロバンは「加減乗除」を教える小学校で、計算尺は「平方」「平方根」や「対数」を教える中学・高校で教室にもちこまれ、数学教育に役立っている。その意味で電子計算機も早かれ遅かれ教室に「持ち込まれるもの」であるが現実に学校現場にもち込みが不可能なところから、機能の上で比較しようもない程に小さな電卓（電子式卓上計算機）が昭和48年度から高校の教室に入ってくることになった。

　電卓を含めた電子計算機（以後単に電算機）はソロバンや計算尺が計算のための計算の器具であるのに対して、数学の論理的精神がもりこまれたもので、「ライプニッツの夢」がブールを経由し「現実の理想」として近似的に具現化し、なお発展しているものであるという。「読む」「記憶する」「判断する」「加減乗除・べき乗・開平の諸演算をする」「書く」といった人間の論理的思考の活動に近い可動をさせうる。論理的思考の訓練をする数学教育にとって好都合の「教具」であるといえる。コンピューター・サイエンスにたずさわる方々からは数学教育にその重要な一翼を担わせたいであろうが、学校現場としては数学の指導の立場から数学の「教具」として電算機を扱う姿勢が必要ではなかろうか。

　電算機の導入のねらいは、次の三つにしぼりうると思う。

　(イ) 問題解決の手順を整理する能力を伸し、その整理の課程において論理的に考える力を養う。

　(ロ) 演算（計算）のもつ論理的構造と電算機の関連をみることにより論理への認識を深める

　(ハ) 数列の発散の状態や収束の速度を目で見せたり、統計や確率の計算など数学の道具として利用し、授業の効率を高める

　ねらいの(イ)(ロ)の実現のために教科書では最適の教材をもってアルゴリズム又は流れ図の

説明が加えられ、2進法を用いて、AND($\wedge$)、OR($\vee$)、NOT($\daleth$)の三論理要素で加法減法の論理構造が解明され電算機の済算機構が説明されるものと思われる。ところが数学を担当する先生方にとって、やっかいなものは(イ)であると思う。授業の効率を高めるために「どんな場面」で「どのような教材」を用いて電算機をどのように活用するかがひとりひとりに課せられた問題で、そのためには高校数学Ⅰ、ⅡB、Ⅲそれに応用数学、数学ⅡAにある問題を一つ一つ検討するという、ほんとうに骨のおれるような仕事であるからである。

さて、数学を楽しいものにするために、また数学の論理的考え方を伸ばさせるために、さらには数学が現実社会から遊離しておらず、逆に現実社会が数学を要求していることを知らしめるために高校数学教育に電算機が入ってくるのだが、私が実験的に指導してみた事例から、電卓を導入してよかったと思われる点は次のようなものに大きくまとめることができる。

(1) 数学に興味を示さなかった生徒がおもしろくついてきた。

(2) 仕事をしあげた後の吟味、反省の大切さを知らしめえた。不完全な仕事が社会的に仕事になりえぬことをわからせた。

(3) たとえば、極限値の指導で、目の前で実感として極限値へ近づく様子を見せることができた。

(4) 計算機（電卓ⅠA型）を生徒に自由に操作させることにより、道具としての意識をうえ、生のデータの加工を生徒の手でさせえた。その場合、グループとしてあたるので、チームワークの重要さを知らしめえた。

その他にもいろいろ上げることができと思うが、大きな効果は上の四点であった。

(おわり)

参考書：

高校数学新教材
「数学とプログラミング」
（日本経営出版会）田島一郎監修
片桐重延・鈴木良平・石垣博正・井上清志・斎藤俊夫共著

# 来年度もきびしい教員希望者の前途

―1972年度教員候補者選考試験の結果―

編　集　係

## 教員候補者選考試験について

　教員免状を所有しておれば誰でも教員となる資格を有するわけであるが、実際には免許状所有者で教員希望者が需要を上まわる場合には何らかの基準による選考が必要になってくるので、中央教育委員会では毎年「教員候補者選考方針」を定め、全琉的に公正で能率的な教員候補者の選考を行なうため選考試験を実施するよう定めている。

　この選考試験は教員としての職務遂行能力を正確に判定することを目的としたもので、合格者は教員候補者名簿に登載し、文教局長や教育長がそれぞれの任命権者に候補者の推せんをする場合には名簿登載者から選考するようになっている。ただし、(1)工業及び水産の免許状を所持する者、(2)本土都道府県教育委員会の教員候補者試験に合格し、現職にある者、(3)政府立又は公立学校（本土を含む）の本務教員であった者で、退職後一年を超えないもの、は選考試験によらずに選考の対象にできるようになっている。

　なお名簿の有効期間は1年となっているが、有効期間中に補充教員等の教職の経験があれば、継続登載されたものとみなされる。

　ところで、沖縄における教員候補者選考試験は教育長協会の主管で1960年度にはじめて行なわれ、1963年まで続いたが、1964年からは文教局の主管で行なわれるようになり今日にいたっている。

## 受験者の概況

　1972年度の教員候補者選考試験は、去る8月22日、東京・那覇・宮古・八重山の4会場で実施された。

　従来、この試験は10月に実施されていたが、近年、教員の新採用が極めて少なく、従って受験者が教職以外に職を求める時間を与えるということと、東京会場での受験者の便宜（10月実施だと大学の講義中にあたり大学を休む人がでる）と

いう点から8月実施に変った。

今年度の受験者は、小学校238人、中高校1,136人で計1,374人であったが、前年度に比べ小学校は5人減、中高校は227人増で結局222人増えた。

中高校の教科別受験者数は1表にみるとおりであるが、社会科の306人をトップに国語183人、英語180人が多く、技家（男）11、美術26、農業34、数学36、音楽38人等が少ない。

次に受験地別の人数は小学校＝那覇219人、東京19人、中高校＝那覇912人、東京178人、宮古13人、八重山33人となっており、男女別では、小学校＝男23人女215人、中高校＝男534人、女602人である。

また、在学生、卒業者別では、小学校＝在学生194人、卒業者44人、中高校＝在学生787人、卒業者349人となっている。過年度卒受験者の中には小中高合わせて67人の補充歴現職者が含まれている。

女子受験者が小学校で圧倒的に多いこと、中高校でも男子を上まわっていることは、教員の性別構成とも関連して注目される。

1表　学校種別　教科別受験者数合格者数

| 区分 | | 1972年度 | | | 前年度 | |
|---|---|---|---|---|---|---|
| | | 受験者 | 合格者 | 合格率 | 合格者 | 合格率 |
| 小学校 | | 人 238 | 人 154 | % 65 | 人 236 | % 100 |
| 中高校 | 国語 | 183 | 75 | 41 | 63 | 50 |
| | 社会科 政経 | 164 | 19 | 12 | 23 | 19 |
| | 倫社 | 34 | 9 | 26 | 6 | 34 |
| | 歴史 | 61 | 9 | 15 | 14 | 24 |
| | 地理 | 47 | 10 | 21 | 12 | 24 |
| | 計 | 306 | 47 | 15 | 55 | |
| | 数学 | 36 | 36 | 100 | 33 | 100 |
| | 英語 | 180 | 29 | 16 | 33 | 20 |
| | 理科 生物 | 17 | 9 | 53 | 15 | 90 |
| | 物理 | 22 | 22 | 100 | 7 | 100 |
| | 化学 | 26 | 21 | 81 | 18 | 100 |
| | 地学 | 3 | 3 | 100 | | 100 |
| | 計 | 68 | 55 | 81 | 42 | |
| | 音楽 | 38 | 19 | 50 | 26 | 90 |
| | 美術 | 26 | 23 | 88 | 14 | 100 |
| | 保体 | 90 | 63 | 70 | 57 | 70 |
| | 技家(男) | 11 | 6 | 55 | 10 | 50 |
| | 家庭 | 103 | 13 | 10 | 23 | 30 |
| | 農業 | 34 | 5 | 15 | 6 | 30 |
| | 商業 | 61 | 22 | 36 | 12 | 19 |
| | 中高校計 | 1,136 | 381 | 34 | | |
| 総計 | | 1,374 | 536 | 39 | 610 | 53 |

## 合否の状況

　教員候補者選考試験の合否は、教員需要との関連で大きく影響される。

　すなわち、次学年度における教員の総需要数を何人とみこんで（一定の計算方法によっ算出）その需要数にみ合うように合格者の枠を決めるわけである。今回の選考試験における学校種別・教科別受験者と合格者数・合格率は1表のとおりである。

　この表によると、合格率がもっとも高いのは、中高校の数学・物理・地学の100%合格を最高に美術・化学・保体の88%、81%、70%が高く、逆に低い方では中高校の政経・家庭の12%、10%、歴史・英語・農業の15%、16%、15%、地理の20%等で全受験者の平均合格率は39%である、

## 採用状況

　学校基本調査によれば、沖縄の小学校児童数は1961学年度の165,415人をピークに年をおって減少し、1970学年度から1971学年度への減少は3,835人である。同様に中学校は1965学年度の83,422人をピークに減少傾向をたどり1970学年度から1971学年度への落差は1,069人である。高等学校の場合も、1970学年度までは増加傾向をたどってきたが、1970学年度からは横ばいの状態である。

　一方財源難のため退職希望者はいても退職者は少なく、したがって教員の新規採用がここ2・3年きびしい状況にあることはすでに周知の事実である。

　1971学年度の候補者名簿からの採用状況をみると、1971年10月1日現在で本務教員に採用されたのは、小学校の場合236人のうち64人で27.1%の採用率、中高校の場合383人のうち125人で32.6%の採用率となっており、全体としては30%前後という低い率にとどまっている。補充採用を含めた採用率及び中高校の教科別採用率は2表に示すとおりである。

　なお、長期推計による児童生徒数はあと2・3年減少傾向をたどるとみられるので教員の新規採用の前途は悲観的といえよう。

2表　　1971学年度候補者名簿よりの採用状況　　1971.10.1 現在

| 区分 | | 公立小中校 | 政府立学校 | 採用計 本務 | 採用計 補充 | 採用計 合計 | 名簿登載人員 | 本務採用率 | 合計採用率 |
|---|---|---|---|---|---|---|---|---|---|
| 小学校 | 本 | 63 | 1 | 64 | 113 | 177 | 236 | 27.1% | 75.0% |
| | 補 | 112 | 1 | | | | | | |
| 中 国語 | 本 | 9 | 6 | 15 | 31 | 46 | 63 | 23.8 | 73.0 |
| | 補 | 18 | 13 | | | | | | |
| 社 政経 | 本 | 4 | 0 | 4 | 5 | 9 | 23 | 17.3 | 39.1 |
| | 補 | 4 | 1 | | | | | | |
| 会 倫社 | 本 | 0 | 2 | 2 | 1 | 3 | 9 | 22.2 | 33.3 |
| | 補 | 0 | 1 | | | | | | |
| 歴史 | 本 | 5 | 0 | 5 | 8 | 13 | 14 | 35.7 | 92.8 |
| | 補 | 5 | 3 | | | | | | |
| 地理 | 本 | 2 | 0 | 2 | 5 | 7 | 17 | 11.7 | 41.1 |
| | 補 | 3 | 2 | | | | | | |
| 数学 | 本 | 3 | 20 | 23 | 2 | 25 | 33 | 69.6 | 75.7 |
| | 補 | 0 | 2 | | | | | | |
| 英語 | 本 | 5 | 2 | 7 | 10 | 17 | 33 | 21.2 | 51.5 |
| | 補 | 2 | 8 | | | | | | |
| 高 生物 | 本 | 5 | 4 | 9 | 6 | 15 | 16 | 56.2 | 93.7 |
| | 補 | 5 | 1 | | | | | | |
| 理 物理 | 本 | 0 | 5 | 5 | 0 | 5 | 7 | 71.4 | 71.4 |
| | 補 | 0 | 0 | | | | | | |
| 科 化学 | 本 | 2 | 4 | 6 | 3 | 9 | 18 | 33.3 | 50.0 |
| | 補 | 1 | 2 | | | | | | |
| 地学 | 本 | 0 | 0 | 0 | 2 | 2 | 2 | 0.0 | 100.0 |
| | 補 | 0 | 2 | | | | | | |
| 音楽 | 本 | 10 | 3 | 13 | 5 | 18 | 26 | 50.0 | 69.2 |
| | 補 | 4 | 1 | | | | | | |
| 美術 | 本 | 2 | 5 | 7 | 0 | 7 | 14 | 50.0 | 50.0 |
| | 補 | 0 | 0 | | | | | | |
| 校 保体 | 本 | 9 | 9 | 18 | 25 | 43 | 57 | 31.5 | 75.4 |
| | 補 | 16 | 9 | | | | | | |
| 技家(男) | 本 | 3 | 0 | 3 | 3 | 6 | 10 | 30.0 | 60.0 |
| | 補 | 2 | 1 | | | | | | |
| 家庭 | 本 | 2 | 0 | 2 | 13 | 15 | 23 | 8.6 | 65.2 |
| | 補 | 5 | 8 | | | | | | |
| 農業 | 本 | 1 | 1 | 2 | 2 | 4 | 6 | 33.3 | 66.6 |
| | 補 | 0 | 2 | | | | | | |
| 商業 | 本 | 0 | 2 | 2 | 3 | 5 | 12 | 16.6 | 41.6 |
| | 補 | 0 | 3 | | | | | | |
| 計 | 本 | 125 | 64 | (125) 189 | (124) 237 | (249) 426 | (383) 619 | (32.6) 30.5 | (65.0) 68.8 |
| | 補 | 177 | 60 | | | | | | |

注；(　) は中高校の計

＜特殊ある学校の紹介＞

# 〝心〟の触れ合いの時間を特設

名護教育区立　東江小学校

宮城盛雄校長先生

　急速な産業・文化・社会生活の進歩発達は教育に対する社会的な期待を膨張させ、現今の教育がぼう大な知識の吸収に四苦八苦していることは日常見聞するところである。ために学校教育が児童生徒と教師間の精神的な交流を失ない、知識の切り売り的な形骸化したものに陥いる危険性を増大している。そこで当然のことながら、血のかよった教育への努力が志向されてくる。

　東江小学校の「触れ合いの時間」の特設はまさにその一つの試みといえよう。東江小学校では、71学年度の教育課程編制方針の第1に「目標の具現化と実践をめざし、学級経営の充実を図ることを基調にし、特に本年度は教師と児童の触れ合いの時間を特設して編制する」とうたい、次の要領で実施している。

### 触れ合いの時間実施要領

1. 目　的

　　本校の教育は、人間性を豊かにして強く美しく生きることを目標にしている。これまで教師は型どおりの教育課程実施に忙しく、真に児童の魂をゆさぶる崇高な教育の核心に喰い込むゆとりと場をもつことができなかった。今回の指導要領の改訂により弾力性が生じたので、ここに教師と児童の触れ合いの時間を特設し、如上の問題解決にあたることにした。

2. 方　法

　ア、月曜日は特に40分授業とし、生じた30分を触れ合いの時間として特設する。

　イ、教師は児童ひとりびとりと発達段階に応じた無理のないような方法、対話、遊び等を通じて心の径を拓く

　ウ、個人別に記録票をつくり、1年かぎりにせず次の担任に引き継ぐ。

　エ、一人所要時間は定められないが、年間を通じて2回以上設定する。

　オ、二人もしくは数人、あるいはそれ以上の小集団として接触することも

計画する。

3. 内容

低学年においては、日常生活のさはん時におこり得るさまざまな生活体験を中学年では自主的に行動する生活様式その他家族、友人、先輩との人間関係を高学年ではさらに進んで社会人としての道義や物のみ方、考え方、将来の希望等、全般に亘る人間生活の浄化をめざしての心の交流をはかり、しっかりした判断力のある人間味ゆたかな子どもにしていく。

4. 実施上の留意事項

ア、学級指導の目標である好ましい人間関係や健全な生活態度等と内容的には同一にみえても、地域の実態に即した本校の教育目標からにじみ出た独得の分野であるから一応分けて考える。

イ、児童の道徳性を高め健全な社会生活を営むために必要な望ましい道徳的価値についての自覚を主体的に深めさせることは、この特設の究極の目標になるが、ここではこのことをはなれ、もっと自由な立場で話し合い、カウンセラー的な指導になりすぎないよう、じゅうぶん気をつける。

5. 触れ合いの記録表形式例………略

学校全体として、この触れ合いの時間をもつようになったのは、今学年度からであり、その成果を問うのは余りにもせっかちすぎるというものであろう。

ただ、6年生と校長先生との間にはすでに69学年度の2学期から（宮城校長先生が赴任して間もなく）この時間が設けられており、記録も校長先生の面接記録や児童の作文、子ども1人1人との記念写真等が残されている。

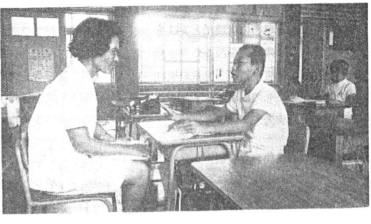

しかし、最も大切なことは、子どもたちがどのようにこの触れ合いの時間を受けとめているかということであろう。ここに作文を掲載できないのが残念であるが、校長先生との対話が子どもたちの心の窓に明るい光をなげかけ大きく窓を開け放した様子がありあり と読みとれた。最初1人について10分間の話し合いだったのを子どもたちの希望で15分に延長したことや、今後も継続してほしいという強い要望があることなど子どもたちがいかに先生との対話——心のつながりを求めているかの証左であろう。

## 積極的な研修活動と整備された学習環境

上野教育区立　上野中学校

真栄里昌次校長先生

博愛美談で知られる上野村は、宮古島の南部にひろがる単調な地形の純農村である。戦後、下地町から分村した小さな村で、小中学校とも一村一校の、全沖縄でみれば中規模の学校がある。

村民は教育立村の意識が強くいわゆる教育熱心である。このような地域社会の熱意を背景に、上野中の先生方は日日の教育活動に精魂を傾けてきた。

「学ばざる教師は教えるべからず」といわれるが、上野中の場合、1966年度以来ずっと、各種研究校として学校全体が積極的に研修にとりくんできた。

すなわち

1966〜67学年度　学校保健研究校
1968学年度　英語研究校
1969〜70学年度　理科研究校
1971学年度　理科モデル校

と6か年間、研究活動が継続して今日にいたっている。

一方、学習環境の整備にも力を入れ、PTA会員や各部落による植樹が行なわれ、文字通り学校ぐるみ、村ぐるみの緑化運動の成果が高く評価されて、1970年

には美化コンクールの表彰を受けている。

　上野中を訪れる人は誰でも緑につつまれて清掃のゆきとどいた学園に、すなおでのびのびとした生徒たちの姿をみるであろう。

　ところで、研究校といい学園緑化といい、教職員のチームワークなしには困難である。学校が学年別・教科別・年令別というようなちがいがある教師の集りであることを考えると、教職員の和とか協力体制というのはもっと評価されるべきではなかろうか。

　上野中は1971年3月末に退職した下地校長の後任として、真栄里現校長を迎え、若くて意欲的な新校長を中心にまた一段と積極的な教育活動を展開している。

緑の中の上野中学校

＜研究団体紹介＞

# 農業教育研究会

1. 会長名　玉城武也　2．会員数 145人
3. 予算規模総額 ＄716.00　会費 ＄3.20
4. 会の発足　1959年7月3日
5. これまでの歩み
   1959年　課程別備品研修会
   1960年　教育課程研究委員会
   1961年　会則施行（4月1日より）
   1962年　農業教育近代化促進協議会発足、農業教育体質改善に伴う施設々備に関する調査研究
   1963年　「農業教育近代化計画」発行
   1964年　高等学校農業教育近代化実施要項について講演（厚沢留次郎先生）
   1965年　教育課程の改善についての研究会。沖縄高農々友会連盟結成。
   1966年　全国高校農場協会沖縄支部結成。農業教育施設設備拡充についての研究会
   1967年　教育課程全体並びに学科別研究委員会開催。
   1968年　農業教育研究会と全国高校農場協会との一元化を図る。実験実習費算定基準についての研究
   1969年　農業問題座談会の実施
   1970年　沖縄農業教育調査報告書作成授業研究（実験実習）発表会の実施
6 今年度の主な事業
   (1)農業実験講習会　(2)教育課程研修会
   (3)農場運営研修会　(4)農業自営者養成教育研修会

# 沖縄県造形教育連盟

1. 会長…平田善吉…（琉球政府中央教育委員）
2. 会員数…750人
3. 予算規模…2821.00弗
   会費年額1人　1弗
4. 会の発足…1957年11月
5. これまでの歩み
   ○　全琉美術教育研究会が発足する。1957年11月真和志中学校で誕生。教具教材など乏しかったその頃は各個人や学校を主体に授業研究を中心に活動が続けられた。
   ○　全沖縄図工美術教育研究大会をひらく、1961年1月第1回大会が前島小学校で開催された。大会は内地から講師を迎え、公開授業実践発表、分科会、記念講演等で、のべ千人の

会員や一般の先生方が活発に討議研修がなされた。2回大会以後は1回大会の内容で地区毎に地方の図工美術教育を振興しもり上げようという意図のもとに石川、名護、コザ、宮古、糸満、真和志、浦添などで開催し今回の与那原大会で12回を迎える。大会は毎回千人の参加者を数え地方の造形教育に大きく寄与した。

○ 1965年8月教師美術展を沖縄タイムス社と協催する。

○ タイムス教育賞を受賞する。
1966年3月団体賞を受賞、個人賞でものべ7人の会員の先生方が受賞された。

○ 全国大会に代表団を派遣する。
1966年10月、第19回全国造形教育研究岩手大会に5人の代表団を派遣、その大会で第22回沖縄大会開催を決定、以来、新潟、高知、秋田、静岡と毎年10名内外の代表団を派遣する

○ 第22回全国造形大会を那覇市でひらく。（1969.8）
「光と色と熱の大会」と呼ばれただけに内地から千人地元から1500人総勢2500人の造形教育関係者が参加、沖縄では戦前戦後を通して文字通り画期的な催しとなり各界注目のうちに盛会裡にその幕を閉じた。

○ 講演会、実技研修会を開催する。
毎年1回～2回地区毎に内地講師による研修会をもち現場教師の指導技術の向上につとめる。

○ 連盟に組織がえをする。
1970年5月従前の造形教育研究会を造形教育連盟に組織がえをする。即ち全琉の幼、小、中校を校種別に組織運営し、総花的なものを排しあくまでも主体的に実のある研修活動を約束する。

6. 今年度のおもな事業
① 座間味島宿泊研修会
② 地区毎の実技研修会
③ 全国造形教育研究静岡大会代表団参加
④ 第12回全沖縄造形大会運営委員会
⑤ 第12回全沖縄造形教育研究与那原大会

# 1971年教育関係10大ニュース

## 日本古美術展の開催

平安末期から江戸期にわたる貴族や庶民の生活文化の結晶ともいえる〃くらしの中の美術品〃61点1470個が政府立博物館で3月20〜4月18日までの4日間展示された。沖縄の本土復帰が来年実現するのを機会にに政府立博物館とサントリー美術館の主催で開催されたもので、展示品の中には、国宝一点、重要文化財三点、重要美術品四点が含まれていた。

つめかけた参観者

## 琉球育英会及び国費沖縄学生制度の存続

八重山試験場における受験風景

1953年にはじまった国費沖縄学生制度は、沖縄復興のための人材養成に絶大な役割を果してきたが、復帰に伴ないその存続が懸念されていた。しかし沖縄側の強い要望もあり、第一次復帰対策要綱の中で、この制度に準じた奨学制度の存続が決定され、また第二次要綱（3月23日）で琉球育英会を民法法人として整備し存続させることが決定された。

## 糸満青年の家開所

青少年の研修の場としての青年の家は、従来名護青年の家があったが研修申込が多く第二青年の家の建設が切望されていたところ、去る4月9日に糸満青年の家が開新され、初代所長に伊是名甚德氏（前大学連絡調整官）が任命された。この青年の家は、延べ面積1,072.5㎡の2階建で宿泊室、事務室、食堂、研修室等を備え将来計画として本館の増築、体育館プール、グラウンド等の整備が予定されている。

## 九州地区学校図書館研究大会

異常干ばつのさ中の8月3日～5日にかけて第16回九州地区学校図書館研究大会が第7回沖縄学校図書館研究大会とあわせて那覇市民会館を全体会場に開催された。新しい教育課程の施行とも関連して「教育課程の展開に寄与し児童生徒の健全な教養を育成する学校図書館はどうあるべきか」を研究主題にかかげ、九州地区と沖縄の交流も深めながら図書館教育向上への意欲あふれる大会であった。

## ろう学校バレーチーム、沖縄代表として全国大会出場

去る8月16〜18日まで東京体育館で開催された第1回全日本バレーボール中学校選手権大会に沖縄代表として、ろう学校チームが出場した。耳がきこえないというハンディキャップを背負いながら、しかもチーム編成以来1年という短時間で沖縄地区予戦を勝ち抜き代表権を獲得したことは、全国大会で初回に敗れたとはいえ各界から称讃をあびた。

## 私立学校教職員共済組合の設立

執　務　風　景

長い間の私学関係者の念願がかなって、10月1日から私立学校教職員共済組合が発足した。当分の間は長期給付の業務しか行なわないが、将来は短期給付や福祉事業まで行なう計画である。加入組合員数は約600人、理事長は宮城清吉氏（国際大学長）、事務所所在地は那覇市国場512番地である。

## 盲学校の新垣君、全日本高校英語弁論南九州地区予選で2位入賞

去る10月30日、熊本市で行なわれた全日本高校英語弁論南九州予選で、沖縄代表として参加した沖縄盲学校高等部の新垣勉君と首里高校の宮里玲子さんは、他県の代表に伍して堂々と熱弁をふるいそれぞれ2位と3位の上位に入賞した。この大会は朝日新聞社とアサヒイブニングニュース社が主催する全国大会の地方予選として行なわれるものであるが、今大回は10回目にあたる。

## 首里高校吹奏部、全日本吹奏楽コンクールで金賞

首里高校の吹奏楽部はこれまで、沖縄はもちろん九州地区でも高い水準にあることが知られていたが、去る11月7日の第19回全日本吹奏楽コンクール（大阪大会）に九州代表として出場、堂々金賞の栄誉に輝き全国でもトップクラスの実力を認められた。この栄誉は沖縄では戦前戦後を通じてはじめての壮挙であり沖縄の学校音楽史上特筆すべき業績として関係者の評価を受けている。

## 海邦丸三世建造

長い間の懸案であった水産高校の実習船海邦丸の代船がようやく建造された。今の海邦丸は1978年につくられたもので船命13年の老朽船というばかりでなく船舶法改正以前の船であるため数年前から代船建造が請願されていたものである。1971～2会計年度にかけて65万ドルの予算を計上し、去る8月10日に着工、11月11日に進水式を終えて〝海邦丸三世〟と命名され、目下艤装工事中で1972年1月に引渡しの予定である。この船は445トンで40人の実習生が乗船できる近代的なトロール鮪型漁船である。

海邦丸三世の進水式

## 風疹障害児の判別検診

昭和40～41年の風疹による聴覚障害児は現在風疹学級で教育を受けているが、来年小学校入学の年令に達するのを機に、沖縄北方対策庁の肝入りで、文部、厚生両省より編成された検診班（10人団長平山宗広氏）が来沖した。一行は11月16日から12月15日までの1月間、那覇、中部、北部、宮古、八重山の5会場で心理、教育、眼科、耳科内科、精神科の各科にわたる判定とこれをまとめての総合判定を行なったなおこの検診班と前後して11月10～18日まで事前調査のために1人、12月9～15日まで検診結果を総括して行改措置を講ずるため2人が来沖した。

聴覚障害児福祉センーにおけ聴力測定

## 紅型　松竹梅模様風呂敷　19世紀

　風呂敷は正方形の布地で、物品を包むのに使用され、古くは平包とも呼ばれた。一説には、江戸時代に銭湯が流行すると風呂場で脱衣を包み、浴後これを敷いて着衣したところから「ふろしき」といわれている。

　沖縄では「ビンガタウチュクィー」（紅型風呂敷）と称し、清明祭や結婚式などに御馳走を盛った重箱やその他のものを包むために使用した。この風呂敷は、真中の鶴亀模様の他は筒引（もしくは糊引）の技法を使って染めてある。筒引は、木炭でかるく下描きした上から金口（もしくは竹口）を付した糊袋から糊を絞り出しながら、直接模様を描いていく方法である。この場合、線の勢いが生命とされ、描き損じは致命的である関係から熟練した技術が要求された。

　図柄には普通、牡丹、松竹梅、鶴亀などが多く、中には所有者を表わす家紋入りもある。生地は麻、木綿、絹、芭蕉布などがあるが、なかでも麻が多く用いられている。用途上、裏表染め、大きさも大、中、小に分かれる。

　図柄がたとえ似通っていても「型染」と違って、二つと同じものが作れない「筒引」の特長もまた見逃せない。

　　　　　　　　　　　　　　　　　　　　　琉球政府立博物館主事　　宮　城　篤　正

```
1972年1月10日　印刷
1972年1月15日　発行

文　教　時　報　　（126号）

発行所　　琉球政府文教局総務部　調査計画課
印刷所　　サ　ン　印　刷　所
```

博物館名品紹介

## 紅型　松竹梅模様風呂敷　19世紀

文教時報　一二六号（第二十一巻　第二号）一九七二年一月　琉球政府文教局

# 文教時報

127

第二十一巻（第三号）

127

琉球政府・文教局調査計画課

# 写真日誌

第41回　全日本アマチュアボクシング選手権大会（1月6～9日）兼ミュンヘンオリンピック第一次選考会

（勝名乗りをあげる上原選手）

　沖縄からはじめてオリンピック選手出現の期待がかけられた第41回の全日本アマチュア・ボクシング選手権大会兼ミュンヘンオリンピック第一次選考会が寄宮中体育館に特設されたリングで行なわれた。
　沖縄からは8人の選手が参加し、ライトフライ級の新垣吉光選手と、ライト級の上原康恒選手が優勝して、ミュンヘンオリンピック出場の可能性が濃くなった。
　また、上原選手は、最優秀賞も受賞した。

（新垣選手と東海代表宮村選手のファイト）

第4回　へき地教育研究大会（1月20〜21日）

（池間小・中会場）

　宮古連合区管内の伊良部小（1級へき地）、池間小中（2級へき地）、および北小学校その他会場で1972年度のへき地教育研究大会が開催された。大会は研究校における研究授業の他、白浜中の新崎教諭の研究発表、（本文参照）、経済企画庁海野恒男氏の記念講演等があった。

（伊良部小会場の公開授業）

海邦丸三世泊港に入港（2月4日）

　1月28日大分県臼杵鉄工所で竣工した海邦丸は2月4日午後4時、そのスマートな船体を泊港に現わした。
　港では待望の実習船の入港とあって沖縄水産高校職員生徒その他、文教局や水産関係者多数が出迎えた。
　総屯数459.56屯の海邦丸三世は実習生40人、教官2人、船員26人、計68人を乗船させることができ、今後の水産教育振興にその活躍が期待されている。

（泊港埠頭で歓迎のあいさつをのべる川平水産高校長）

# も く じ

写真日誌
　○全日本アマチュアボクシング選手権大会
　○第4回へき地教育研究大会
　○海邦丸三世竣工

中教委だより……………………………1

海邦丸三世の竣工によせて
　　　　　　　　東江幸蔵………3

へき地教育の振興をめざし
　第4回へき地教育研究大会開催…10
　　複式教育を効果的に進めるにはどうすれ
　　ばよいか　　　　新崎和治………12

長年ごくろうさまでした……………21

図書館モデル校の
　研究発表会より………………………22

復帰初年度の教育予算………………30

＜研究団体紹介＞
　沖縄中学校生徒指導研究会………38
　沖縄県高校英語教育研究会………38

文教時報最終号の編集を終えて……39

博物館名品紹介
　貝塚竜形垂飾………………………40

裏表紙 { 博物館名品紹介
　　　　 主要指標にみる沖縄教育の推移

# 文教時報

No. 127　'72/4

表紙……伊良部島・通り池

# 中教委だより

**第227回　臨時中央教育委員会**
　　期日　1971年12月10日（金）
　　議題　(1)　職員人事について
　　報告
　　　　教育研修センター英語研修分室について

**第228回　臨時中央教育委員会**
　　期日　1971年12月17日（金）
　　議題　(1)　教育に関する寄附金募集の認可について
　　　　(2)　教育区債の起債許可について
　　　　(3)　政府立学校設置規則の一部を改正する規則について
　　　　(4)　政府立浦添商業高等学校設置要項について
　　　　(5)　政府立高等学校学則の一部を改正する規則について
　　　　(6)　政府立高等学校の通学区域に関する規則の一部を改正する規則について
　　　　(7)　1972学年度政府立高等学校入学者定員について
　　　　(8)　1972学年度浦添商業高等学校の使用する教科書の採択について
　　　　(9)　学校法人興南学園寄附行為変更認可について
　　　　(10)　職員人事について
　　　　(11)　委員長、副委員長の選挙について
　　協議題
　　　　真栄里山分校の独立について
　　報告
　　　　校舎建築進渉状況について

**第229回　定例中央教育委員会**
　　期日　1972年1月18日（火）～1月19日（水）
　　議題　(1)　文教局の社会教育委員の任命について
　　　　(2)　政府立中央図書館運営協議会委員の任命について

(3) 政府立博物館運営協議会委員の任命について
(4) 各種学校の設置認可について
(5) 学校の廃止認可について
(6) 学校の設置認可について
(7) 教育区債の起債許可について
(8) 教育に関する寄附金募集の認可について
(9) 政府立学校設置規則の一部を改正する規則について
(10) 政府立中部養護学校設置要項について
(11) 政府立中部養護学校学則について
(12) 就学困難な児童及び生徒に係る就学奨励についての政府の援助に関する立法施行規則の一部を改正する規則について
(13) 幼稚園設置認可について
(14) 理科教育振興法施行規則の一部を改正する規則について
(15) 1972学年度政府立学校人事任用方針について
(16) 政府立高等学校、校長、教頭、主事への昇任基準について
(17) 文教局職員定員規程の一部を改正する訓令について
(18) 職員人事について
(19) 1972年度公立小中学校々舎等建築追加割当について

協議題
　私立学校審議会への諮問について

# 海邦丸三世の竣工によせて

沖縄水産高等学校　教頭　東江　幸蔵

I

　沖縄、宮古両水産高校漁業実習船海邦丸二世が建造されてから13年目に、その代船である海邦丸三世が去る1月28日、大分県臼杵鉄工所において竣工した。

　海邦丸二世は、1959年4月に建造されたが、当時は、本校創立以来はじめての鋼製大型漁業実習船（207屯）として、その建造はまさに画期的なものであった。しかしながら同船は、生徒の講義室、食堂、浴室、病室等が設備されておらず、居住設備は動揺のもっとも激しい船首側に大部屋を設け、生徒が寝れる程度の面積を板で縦横に仕切っただけで、おまけに暗く、息苦しさを感じるようなお粗末な部屋であった。

　従って生徒の船内講義は、甲板で行なわれ、食事も甲板か、舷側通路上でとるといった状態であったため、好天時はいいとしても、時化になると講義はもとより、食事をとる場所もなく、生徒部屋にとじこもる以外になす術がなかった。今からすれば、海邦丸二世は漁業実習船と

船首から見た海邦丸三世

して不適当であったといえる。

　1964年9月、船舶安全法関係の諸規則が大幅に改正され、次から次へと建造される全国の水産高校漁業実習船は、船型能力については合理化、機械化をはかり、居住設備については長期遠洋漁業実習においても快適な環境を保持し、健康的な船内生活が持続できるよう配慮された優秀船であった。

本校では、海邦丸二世の船腹や設備、老朽化等の面から、1966年、代船建造に関する研究会を開いて船型、屯数、機関、航海日数、定員その他設備等について検討を重ね、実習船運営委会に提案すると共に、宮古水産高校の協力を得て関係当局に要請することにした。

1968年には、伊地柴保校長が本土に赴き、全国高等学校長協会水産部会を通し、文部省や総理府に代船建造の陳情を行なった。一方、水産関係団体、両校PTA、同窓会等からなる実習船建造促進期成会を結成し、行政府の関係筋、立法院、中央教育委員会に建造要請を行なったが、この要請は建造の実現をみた昨年四月まで頻繁に行なわれた。琉球政府は、本土政府援助に代船建造費を要求したが、僅か20万弗しか査定されず、残りの45万弗は琉球政府の対応費で、ということになったが、財源難を理由に71会計年度ではついに実現をみることはできなかった。

海邦丸二世は、その頃から老朽化が進み、安全性の確保が憂慮されたので、1日も早く代船を、ということで期成会や学校職員がお百度踏んで強力に要請を続け、昨年4月やっと実現をみることができた。思えば、山口寛三校長、伊地柴保校長、川平恵正校長と三代にわたる長い要請であった。

海邦丸二世は既に廃船が決定されたが、1959年5月6日の処女航海から1971年12月22日の最終航海まで、カロリン諸島海域、ニューギニア、バンダ海、フロレス海、ビスマルク海域に88回、3138日におよぶ航海を行ない、その間に2765人の生徒が実習し、大きな業績をあげたことを付記しておきたい。

Ⅱ

海邦丸三世は、1971年6月22日、文教局高良経理課長外関係者立合いのもと、6社によって入札が行なわれ、75万弗で大分県臼杵鉄工所に落札した。基本設計および工事監督は漁船協会が担当することになった。

7月23日に起工式を行ない、11月11日には中山文教局長、宮良高校教育課長、沖縄、宮古両水産高校長等が出席されて盛大に進水式が行なわれ、1972年1月28日に竣工した。

海邦丸三世の一般計画は、トロール漁業、まぐろ延縄漁業等の実習、航海、運用学、機関学、無線通信学、冷蔵、冷凍学等の実習、海洋観測および生物調査、研究等が行なえる漁業実習船とし、建造にあたっては設計上次の諸点を考慮し

た。

性能の面では、良好な復原性を有し、水産庁の動力漁船の性能基準・船舶復原性規則の条件を満足するものとしたほか、船型が軽快で操縦が至便であること、居住区は、長期の航海に耐えるよう快適かつ、衛生的な設備とし、特に居室の騒音防止、換気ならびに防温、防熱、空気調和装置等を施すことにした。

航海計器および計測計器類としては、

遠隔操縦装置の制御盤

航洋レーダー（距離範囲40浬以上）、ロラン、磁気コンパス、ジャイロコンパス同レピーター（操舵スタンド組込用）ジャイロコンパスレピーター（方位用、無線方位測定機用、航跡自画器用）、魚群探知機、電気式風向風速計、魚倉温度記録計、海水自記温度計等を備え、今年度中に海洋観測器類も完備することにしている。

機関部は、12時間ノーウォッチを目標にして機関室作業の合理化をはかることとし、機器については、長時間無解放、無調整運転を可能とするようにしたほか、最も経済的な省力化機関室を構成することとした。

主機関は、四サイクル、1300馬力の中速ディーゼルエンジンを採用し、推進軸系には可変ピッチプロペラを採用したので、これにより船の前進、後進は単にプロペラのピッチを変えるだけとなった。主機関の発停は機関室側で行なうことにしているが、速度制御、クラッチ嵌脱制御や可変ピッチプロペラの変節制御は遠隔操縦ができるようこれらの装置を操舵室の制御盤に組み込み、操舵室で操縦できるようにした。また機関室の一隅に防音、防熱を施した監視室を設け、操舵室、機関室、クラッチ制御等の操作確認表示灯や警報装置を施し、当直生徒の指導ができるようにした。

無線装置は、ラック式コンソール型とし、送信機、受信機、警急自動受信機、警急自動電鍵装置を組み込み、その他無線方位測定器、ファクシミリおよび船内指令装置を備えた。近年漁場が遠洋へ拡

大され、漁獲も思うようにないため、操業日数が必然的に長くなり、漁獲物の品質がとかく問題となっているので、鮮度保持上45日本冷凍屯（単段圧縮換算、電動機出力45キロワット）の高速多気筒圧縮機（二段圧縮）2台を備付け、凍結温度零下55度、魚倉温度零下50度（摂氏）とした。

漁ろう装置としては、漁業の動向からトロールを採用し、まぐろ延縄漁業をかねることにした。トロール漁法は、スターントロール方式（船尾トロール）とし、操業は、長船尾楼後部甲板上において行なうこととした。

乗船実習が教育課程の上で二ヶ月となっていてかなり長期の航海をするため、生徒および船員の居室、講義室兼食堂、病室、浴室等については前述したように特に配慮したつもりである。講義室は、冷房を施し、40名の生徒に授業ができるような広さをとり、居室は4乃至8名をグループとした部屋に二段ベットを設け、各室とも冷房をする等、海邦丸二世の欠点を捕うことにした。

現在全国水産高校53校（定時制、併置校を含む）の実習船総隻数は53隻（昭和46年全国水産高校実習船運営協会調）となっているが、400屯以上の実習船は13隻で、海邦丸三世は全国的にみて最も大型実習船に属し、その順位は5番目となっている。また本校歴代実習船、5屯のちどり丸、63屯の龍宮丸、36屯の琉球丸、43屯の海邦丸一世、33屯の開洋丸、207屯の海邦丸二世、295屯の翔南丸からすれば隔世の感を深くするものである。

**海邦丸三世主要目**

| | |
|---|---|
| 進水年月日 | 1971年11月11日 |
| 竣工年月日 | 1972年1月28日 |
| 長さ（全長） | 47.90米 |
| 幅 | 8.60米 |
| 深さ | 3.90米 |
| 総屯数 | 459.56屯 |

（生徒居室）

| | |
|---|---|
| 総屯数 | 159.08米 |
| 定員 | 68名 |
| 船員 | （26名） |

```
教官    （2名）
生徒    （40名）
速力    （最大）    13.13ノット
        （航海）    11.00ノット
主機関ディゼル機関（ダイハツ）
                    1300馬力
発電気              200KVA
原動機              250馬力
```

### Ⅲ

　実習船の年間運航計画については、例年文教局、両水産高校による実習船運営委員会で検討されることになっている。水産高校における漁業実習船は、漁業生産や船舶運航に関する技術習得の場であり、かつ、漁業および海技従事者養成の総合実習機関であるので、運航計画を樹てるにあたっては、生徒の年間配乗計画の適正化をはかることは無論、教育課程上の乗船実習期間や海技従事者免許試験と関連する乗船履歴、漁期と漁場、漁場や生物の調査・研究、その他乗船実習の内容等を充分考慮しなければならない。

　海邦丸三世は、生徒定員を40名としたため、翔南丸と両船で両校の本科漁業科、機関科の全生徒が2ケ月の乗船実習ができるようになった。また専攻科生徒も1年3ケ月の乗船実習を実習船で行なうことができるようになり、従来生徒指導上悩みの種となった社船委託実習も解消することができた。

　海邦丸三世は、トロールおよびまぐろ漁業実習が行なえる船型としたが、初年度は設備の都合で、まぐろ延縄漁業実習を実施する計画であり、漁場は第五海区のカロリン諸島海域、ニューギニア北方海域、ビスマルクおよびソロモン諸島海域を予定している。またトロール漁業実習は、来年実施することにしているが、漁場は、第三海区、第四海区、第五海区、第六海区を予定している。なお、生徒の視野を広めるため、両船とも年に一回乃至二回外地に寄港させ、関係施設の見学や研修を行なうことにしている。

　以上海邦丸三世の年間運航計画について述べたが、現在全国の水産高校でもっとも問題となっているのは実習船運営の方法である。

　各学校とも、教育的運営でなければならないとしながらも、実際には実習船の建造や運営に莫大な予算を要すること等から、運営形態はとかく収入本位に偏するきらいがあり、教育と漁業収入を如何に両立させるかで苦慮している現状である。幸にして本校の実習船運営に関する必要経費については、当局で財政措置が

海邦丸運航予定及び配乗計画表（案）

自1972.3～至1973.3

| 次航 | 日程 乗船～下船 | 期間 | 日程 出港～入港 | 期間 | 碇泊日数 | 乗船人員 専攻科 漁業 | 乗船人員 専攻科 機関 | 乗船人員 本科 漁業 | 乗船人員 本科 機関 | 計 | 学校学年 | 備考 | 漁場(行先) |
|---|---|---|---|---|---|---|---|---|---|---|---|---|---|
| 1 | 1972 2/28～5/28 | 90 | 1972 3/11～5/10 | 60 | | 12 | 10 | 9 | 10 | 41 | 沖水 本科専攻科 | | 5区 シンガポール寄港 |
| 2 | 5/28～7/28 | 61 | 6/1～7/15 | 44 | | 0 | 0 | 20 | 21 | 41 | 沖水 | | 5区 |
| 3 | 7/28～9/28 | 62 | 8/3～9/18 | 46 | | 0 | 0 | 4 10 | 7 20 | 41 | 沖水 宮水 | | 5区 |
| 4 | 9/28～11/28 | 61 | 10/5～11/20 | 47 | | 0 | 0 | 12 | 29 | 41 | 宮水 | | 5区 |
| 5 | 11/28～1/8 | 41 | 12/1～12/25 | 24 | | 0 | 0 | 13 | 26 | 39 | 宮水 | | 5区 (ドック) |
| 6 | 1973 1/8～3/25 | 76 | 1/10～3/20 | 69 | | 0 | 0 | 15 | 27 | 42 | 宮水 2年 | | 5区 |
| 7 | 3/25～5/25 | 61 | 4/2～5/20 | 48 | | 12 | 14 | 8 | 8 | 42 | 宮水(新3年) 専攻科 | | 5区 |

翔南丸運航予定及び配乗計画表（案）

自1972.3～至1973.3

| 次航 | 日程 乗船～下船 | 期間 | 日程 出港～入港 | 期間 | 碇泊日数 | 乗船人員 専攻科 漁業 | 乗船人員 専攻科 機関 | 乗船人員 本科 漁業 | 乗船人員 本科 機関 | 計 | 学校学年 | 備考 | 漁場(行先) |
|---|---|---|---|---|---|---|---|---|---|---|---|---|---|
| 50 | 1972 3/1～5/12 | 72 | 3/17～5/6 | 49 | | 12 | 14 | 2 | 2 | 30 | 沖水 | | 5区 |
| 51 | 5/13～7/13 | 61 | 5/25～7/10 | 46 | | 〃 | 〃 | 2 | 2 | 30 | 沖水 | | 5区 |
| 52 | 7/14～9/14 | 62 | 7/25～9/10 | 47 | | 〃 | 〃 | 2 | 2 | 30 | 沖水 | | 5区 |
| 53 | 9/15～10/25 | 40 | 9/25～10/25 | 30 | | 〃 | 〃 | 2 | 2 | 30 | 宮水 | | 5区 (ドック) |
| 54 | 10/26～12/31 | 66 | 11/5～12/23 | 48 | | 〃 | 〃 | | | 30 | 沖水通信科 | | 5区 |
| 55 | 1/10～3/25 | 74 | 1/15～3/15 | 56 | | 〃 | 〃 | 2 | 2 | 30 | 宮水2年 | | 1,3区 (遠航) |
| 56 | 3/25～5/25 | 61 | 4/2～5/20 | 48 | | ? | ? | ? | ? | | | | 5区 |

講ぜられてきたため、生徒の乗船実習は例年計画通り実施されてきた。

　海邦丸三世は、関係各位の深い御理解と絶大な御支援によって建造された優秀な大型実習船である。それだけに将来の活躍が期待されており、またその反面、運営にあたる私共としても責任の重大さを痛感するものである。

　本船が実習船としての使命を充分に果し得るよう、今後とも尚一層の御指導、御鞭撻をお願いする次第である。

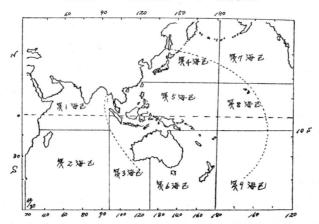

地方公庁船によるかつおまぐろ漁業の試験操業および実習操業における操業区域

泊港北岸で行なわれたレセプション

# へき地教育の振興を目指し、
## 第4回 へき地教育研究大会を開催

主催　琉球政府文教局　　宮古連合区教育委員会
　　　平良区教育委員会　　伊良部区教育委員会　　沖縄教育長協会

　夏の日ざしを思わせる好天気に恵まれた1月20、21日、第4回のへき地教育研究大会が宮古連合区管内の伊良部小学校、池間小中学校、平良市北小学校で開催された。

　「へき地における学校運営ならびに学習指導上の諸問題について研究協議するとともに、情報交換を通し、広くへき地教育についての共通理解を得てへき地教育の振興を図る」趣旨で1969年から開催されているこのへき地教育研究大会は年ごとに内容を深め、地元宮古以外からも空路あるいは海路を約100人の参加者が集まり盛会であった。

　一日目、第1会場の伊良部小学校では「学習に直結した資料センターとしての学校図書館」の研究主題をさらに掘り下げて
　イ、各教科における読書指導（図工科）
　ロ、利用指導（社会科）
の公開授業が行なわれた。

(イ)　の図工科における読書指導は、小学校1年生の彫塑の授業で、過去に読んだ本の中から題材を求め、思い思いに子どもたちが、物語りの中の主人公―たとえば、犬や豚などの動物―を粘土を素材にしてつくりあげていく。できあがった作品を教師と子どもたちでいろいろ話し合い、読書と彫塑との有機的なつながりの中から、主体的な学習指導の発展を目指していくという授業。

(ロ)　の利用指導は、4年生の社会科の授業に入る前段階として、生徒各自がそれぞれのテーマ―たとえば、日本の開発など―を決めて図書館資料の中からテーマに合っ写真や統計表等を切り抜き整理していく作業を学

級活動の一環として指導するという授業であった。

　子どもたちの作業が主体となった授業ということもあってか、生き生きとした授業の展開となり、また子どもと教師、子どもと子どものやりとりも活気があって参加者に強い印象を与えたようであった。

　大会第二日目の午前中は3つの分科会に分れての研究討議が行なわれた。
　第1分科
　　複式学級指導上の問題点とその解明
　第2分科
　　へき地小学校児童の主体的学習指導の方策
　第3分科
　　へき地中学校生徒の主体的学習指導の方策

　午後は、竹富教育区白浜中学校の新崎和治教諭による研究実践発表（内容は次ページに掲載）と記念講演が行なわれた。

　「未来の展望に立った地域開発と教育」と題して、経済企画庁総合開発局の海野恒男講師は、全国的な総合開発の視野から沖縄の開発についての構想（私見）を述べられたのち、地域開発を支えるもの、それは人材の確保が先行しなければならないこと―教育の重要性を特に強調した。

# 複式教育を効果的に進めるにはどうすればよいか

―OHP・TR・AC を利用した学習指導を通して―

竹富教育区立　白浜中学校教諭

新　崎　和　治

　資本主義経済機構の高度化にともない、都市地区への人口移動がよぎなくされている今日、大方の人々が第一次産業に従事することにより生計をたてている居住地がへき地である。都市地区との文化的格差、交通の不便、医療設備の不備、低賃金のもとで生活する人びとの子等の教育はいろいろな面で立ち遅れていると思われる。教育の機会均等を叫んで25年。へき地の子供は、誰がどのようにして救うのか。この命題には多くの先生方が、日夜とりくんでおられると思うが、ここで本校での研究実践記録を紹介したい。

　単式学級と複式学級を比較した場合、次の3点での問題が指摘できる。これを解明して複式学級の子供達がいかに大きな損失をしているかを述べ、これを克服するのに本校ではどのように対処しているかを研究実践の記録としたい。

① 複式教科書と単式教科書の内容の差の問題

　複式教科書には、それなり長所もあるが、ここでは単式教科書と比較した場合の短所をあげて問題としたい。

複式教科書の短所

(1) 両学年の内容や時間数を合わせるためかなり無理されており、上学年の分をおろしているのもみられる。

(2) 比較的やさしい基本問題にとどめてあり、応用題が少ない。その為ステップがやや大きすぎるきらいがあり、補充しないと定着しにくい。

(3) 文章題としての独立した単元がない。

(4) 間接授業の便宜をはかるため、計算題が多く取り扱われ、ものごとの筋道だてた考え方、合理的に処理する能力がうとんじられるきらいがある。

同時同単元同内容にするために作られた複式教科書を使用している子供たちは、このような点で単式学級の子供等と比べて低い学習内容で授業を受けている。

② 進度の問題

本来、与えられた1時間は1つの教科書でもって授業するのがたてまえであるが、複式学級においてはその時間で2つの教科書を消化しなければならない。このようなことから、教師は超人的なスピードでもって授業を展開してゆかねばカリキュラムを消化できない。子供に完全な授業をと思えば思う程、進度は遅れる。

実に複式学級というものはこういった矛盾をはらんでいる。

ここで中学1、2年複式学級の年間指導計画案と中3年のそれで進度の具合を比べてみよう。

数学　中2

| 月 | 週 | 時間 | 単元 | 章 | 節 | 用語 | |
|---|---|---|---|---|---|---|---|
| 4月 | 1 | 1 | Ⅰ 文字の式 | Ⅰ 文字の使用 (6) | §1 数量を文字で表わす | | ○／ |
| | | 2 | | | 〃 | | ○／ |
| | | 3 | | | 〃 | | ／ |
| | | 4 | | | §2 式の値 | | ○／ |
| | | 5 | | | 〃 | | ○／ |
| | 2 | 6 | | | 問　題 | | ／ |
| | | 7 | | 2 式の計算 (9) | §1 式と項 | 項、単項式　多項式　係数 | ／ |
| | | 8 | | | §2 式の加減 | 同類項　一次、二次　一次式、二次式 | ○／ |
| | | 9 | | | 〃 | | ○／ |
| | 3 | 10 | | | 〃 | | ／ |
| | | 11 | | | §3 式の乗除 | | ○／ |
| | | 12 | | | 〃 | | ／ |
| | | 13 | | | 〃 | | ／ |
| | 4 | 14 | | | 〃 | | ／ |
| | | 15 | | | 問　題 | | ／ |

中3

| 月 | 週 | 時間 | 単元 | 章 | 節 | 用語 | |
|---|---|---|---|---|---|---|---|
| 4月 | 1 | 1 | Ⅰ 平方根 | Ⅰ 平方表 (10) | §1 平方と平方根 | 平方根 無理数、有理数 | |
| | | 2 | | | 〃 | | |
| | | 3 | | | §2 平方根表 | 根号 | |
| | | 4 | | | 〃 | | |
| | | 5 | | | §3 根号を含んだ式 | | |
| | 2 | 6 | | | 〃 | | |
| | | 7 | | | 〃 | | |
| | | 8 | | | 〃 | | |
| | | 9 | | | 〃 | | |
| | | 10 | | | 問題 | | |
| | 3 | 11 | Ⅱ 式の計算 | Ⅰ 式の計算 (24) | §1 指数法則 | 指数法則 | |
| | | 12 | | | 〃 | | |
| | | 13 | | | §2 係数と次数 | | |
| | | 14 | | | §3 多項式の乗法 | 展開する | |
| | | 15 | | | 〃 | | |

※ ◿ は1時間で完了したこと。◿ は2時間を要したこと。|%| は3時間を要したことを示す。

この年間計画表から15時間の予定のところが中2年は22時間も要し、進度が大幅に遅れているのに比べ、中3年は予定通りに進んでいることがわかる。

③ 集中度の問題

複式授業の形態には次のようなものがある。

㋺ 1・2年　｜能力差に応じた指導

| | | |
|---|---|---|
| ㋑ 1年 | 間接 | 直接 |
| 2年 | 直接 | 間接 |

　これらのうち、比較的多くの教師は㋑の形態をとっているものと思われる。この場合、一方の学年の子供等は間接授業、いわば自学自習をしている。その間は教師に質問できない学習活動なので、学習の変化に乏しく単調であり、問題解決に困難をきたした子供は、自然と意欲がそこなわれ集中力が失われてゆく。しかもこの間接授業の学習時間は全学習時間の$\frac{1}{2}$を占める。

　以上の3点にたって考えるならば、複式学級の子供は、単式学級の子供達と比較すると、学力の差がでてくることは明白であると考えられる。このことは、我々が人為的に複式学級という機構にもっていった以上、我々の責任である。子供には「教育の機会均等」という誰にも侵されない教育権がある。複式学級の子供達にも単式学級の子供達と同等の教育の機会を与えた

い。その為には、1教室に2人の教師を置けばよい。しかし、経済的合理化により制約がある以上、それはかなわない。そこで、生きた教師にかわるべき何ものかが欲しい。つまり、「話すことができる」「字を書くことができる」「子供の能力を知ることができる」ものである。そういう願望のもとに本校では、アンサーチェッカー（以下ACと略記）なるものを研究、開発した。このACを1個学年に1時間フル回転させることにより、1教室に2人の教師をおく形にするわけである。そうすることにより、教師は1個学年の授業に専念することができ、複式の授業を単式化することができる。こうして単式学級と同程度の時間配分、同程度の内容を子供達に与えることができ、前述した3点の弊害が克服されるのである。

　ここでAC（反応記録機）とはどういうものか説明したい。

　本体のACと、子器の児童生徒個人用スイッチから成り立ち、さらにテープレコーダー（以下TRと略記）、オーバーヘッドプロジェクター（OHPと略記）を連結して子供達自身で学習をすすめていけるように設計されてい

る。
特徴
- 個人別に反応が直続、記録できる。
- 児童生徒数に関係なく、1問1秒内外でその場で採点できる。（本体のランプが点灯）
- 雑音がはいらないので、隣りあっておしゃべりやいたずらをすることがなく、1時間、学習にうちこむことができる。

ここで、ACを使用しての効果を前述の3点からみてみたい。

① 複式教科書と単式教科書の差の問題

小学校の場合、現在も複式教科書を使用している関係上、明晰に克服されているとは言い難いが、教師の時間的余裕からして、より豊かな内容を生徒に与えることができるようになった。中学校の場合、通常の複式授業においては、時間の制約上、教科書の内容を教師の手で軽減していたが、そういう事がなくなった。

② 進度の問題

中2年数学の年間計画案をAC使用以前と、使用の場合で比べてみると次のようになる。

⑦ AC使用前

| 月 | 週 | 時間 | 単元 | 章 | 節 | 用語 | | |
|---|---|---|---|---|---|---|---|---|
| 5月 | 5 | 16 | Ⅱ 方程式 | 1 未知数一つの方程式 (10) | §1 方程式 | 未知数、方程式 移項 | / | |
| | | 17 | | | §2 方程式のとき方 | | | ○ |
| | | 18 | | | 〃 | | | ○ |
| | | 19 | | | §3 やや複雑な方程式 | | | ○ |
| | | 20 | | | 〃 | | | ○ |
| | 6 | 21 | | | §4 公式の変形 | | | ○ |
| | | 22 | | | §5 方程式の利用(1) | | | ○ |
| | | 23 | | | 〃 | | | ○ |
| | | 24 | | | §6 方程式の利用(2) | | | ○ |
| 6月 | 7 | 25 | | 2 連立方程式 | 問題 | | | |
| | | 26 | | | §1 連立方程式 | 二元方程式一元方程式 | | |
| | | 27 | | | §2 連立方程式のとき方 | 消去法 代入法 加減法 | | ○ |
| | | 28 | | | 〃 | | | ○ |
| | | 29 | | | 〃 | | | |

㋺ AC使用

| 月 | 週 | 時間 | 単元 | 章 | 節 | 用語 | |
|---|---|---|---|---|---|---|---|
| 6月 | 10 | 36 | 不等式 | 1 不等式 | §1 不等式の性質 | | / |
| | | 37 | | | 〃 | | / |
| | | 38 | | | §2 不等式のとき方 | | / |
| | | 39 | | | 〃 | | / |
| | | 40 | | | §3 二つの不等式 | | / |
| 7月 | 11 | 41 | Ⅲ 量の変化とグラフ | 2 一次関数とグラフ (16) | §0 関数とその記号 | | / |
| | | 42 | | | §1 一次関数 | 一次関数 | ○ |
| | | 43 | | | 〃 | | / |
| | | 44 | | | 〃 | | / |
| | 12 | 45 | | | §2 一次関数とグラフ | 傾き(こうばい) | ○ |
| | | 46 | | | | | / |
| | | 47 | | | | | / |
| | | 48 | | | | | / |
| | | 49 | | | | | / |

㋑の場合

1時間の予定のところが、2時間、3時間も費やしているのが多々ある。従って学年末に授業日数を確保してもカリキュラムを消化できないことになるわけである。

㋺の場合

複式を単式化した、1時間を十分に使っての授業なので、確実に年間計画案の進度でカリキュラムを消化していっていることがわかる。

③ 子供の集中度の問題

ACを使用すると子供達は、教師とともにノートをとり、教師の説明を聞きながら与えられた問題の正誤を確めることができるので、直接授業とほとんどかわらない授業が展開できる。こうして、複式授業での集中度の問題が解決できる。

次の表は中2年の数学の授業（間接授業の際）において、A君、B君が教師から注意を受けた回数である。

㋑ ACを使用していない場合

| 時間数 | 1 | 2 | 3 | 4 | 5 | 6 | 7 | 8 | 9 | 10 | 計 |
|---|---|---|---|---|---|---|---|---|---|---|---|
| A 君 | 2 | 1 | 0 | 1 | 2 | 1 | 0 | 0 | 3 | 2 | 12 |
| B 君 | 2 | 0 | 1 | 1 | 2 | 2 | 0 | 0 | 2 | 1 | 11 |

㋺ ACを使用した場合

| 時間数 | 1 | 2 | 3 | 4 | 5 | 6 | 7 | 8 | 9 | 10 | 計 |
|---|---|---|---|---|---|---|---|---|---|---|---|
| A 君 | 0 | 0 | 1 | 0 | 1 | 0 | 0 | 1 | 0 | 0 | 3 |
| B 君 | 0 | 1 | 0 | 0 | 1 | 0 | 1 | 0 | 0 | 0 | 3 |

以上「教育の機会均等」を侵す3点の短所が、ACの使用により克服されたことを述べたが、次にACの活用法を述べたい。

（複式授業の風景）

① TPの作成

　TPに1時間の学習の要点を書く。本校ではTPの自作セットを購入し、それによって子供の能力に即した問題解決ができるようなTPを作成し、市販のそれと平行して使用している。来学年度も使用可能な内容のTPは、油性のペンで書き保管しておくこともできる。このようにして作成されたTPは、教室に固定設置されているOHPからスクリーンに映写される。子供達はこれを板書がわりにするわけである。

② TRへのふきこみ

　1時間の授業の流れをTRにふきこむ。3年前、本校で使用し『箱にはいった名教師』として校外から絶賛された。シンクロファックスの大きな短所である「4分間しか録音できない」という点を克服する為、45分間用のカセットテープを使用した。またイヤホーンを利用して他学年に迷惑のかからないものにしてある。

③ ACの活用

　ACに、所定の解答用紙をはめこみ、子供達の解いた問題の正誤をみる。子供等は個人用子器の1・2・3の番号のいずれかにスイッチを入れて問題に答える。その時教師の方で、本体に正解の番号にスイッチを入れると、ACにはめこまれた解答用紙には各々の子供の正解が記録されるしくみになっている。

　以上述べてきたように、現在本校ではOHP、TR、ACの三位一体でもって「文字を書くことができる」「話すことができる」「子供の能力を知ることができる」ものとしての、いわば教師にかわるべき機器で複式授業の単式化をはかっている。しかし、これで万能というわけではなく

①授業中、質問ができない。

②立体的な物体について十分な指導ができない。

③動かしてみなければよくわからない内容の指導ができない。

④実技教科に比較的利用しにくい。等の短所があり、それらの克服に懸命である。

展望

　ACを中心としたこれらの教育機器は間接授業を効果的にすすめるうえに重要な役割をもつものではあるが、先に述べたような短所があり、また、これら機器にのみ子供を預けっぱなしにし

ておいてもいいのかという問題もでてくる。本校では、このような点を補うものとしてVTRの使用を計画し、1月13日から、その効果的な活用法について研究を行なっている。

これまで使用してきた教育機器に、VTRを合わせ利用することによって、子供達はTVの映像を通して教師に接することができる。

このようなことから子供との連帯を深め真に教育的な教室実践に近づけたいと考える。VTRの利用が軌道に乗れば、前に述べた機器の短所のうち、「立体的な物体について十分な指導ができない」「動かしてみなければよくわからない内容の指導ができない」という点が自ら克服されることと思う。

## おわりに

視聴覚教具は、授業を効率的に進めるために取り入れられるのが本来の姿であるが本校で活用しているACを中心とした教育機器は、1名の教師の不足を補うために取り入れられたものであって、決して授業を効率的に行なおうとするものではない。（無論、複式授業のみの視点に立てば効率的だが）

現況の複式授業において、前述した3点が蓄積されたならば、複式学級の子供達は大きな損失を負うたまま卒業していかねばならない。小中等教育でのこの損失は決して取り返しのつくものではない。そうした取り返しのつかない損失を少しでも減らしたいという理念のもとに生まれ、活用されているのがAC等教育機器である。いろいろとその利点を述べてきたが、ACは決して生きた教師以上に働くものではない。決して教師にかわるべき能力をもつものではない。

教育的にも、無機質な機器よりは感情のある、生きた教師の方がどれだけ必要かしれない。しかし、現況の複式学級においては、AC・TR・OHP・そしてVTR等の機器がどれだけ役に立つか、計り知れないものがある。複式学級には、これらの機器が絶対に必要である。それらを備えるに莫大な資金を投じようとも―。我々が人為的に複式学級という機構をつくりだした以上、その結果生ずる、子供達の大きな損失を少しでも軽減させるために…。

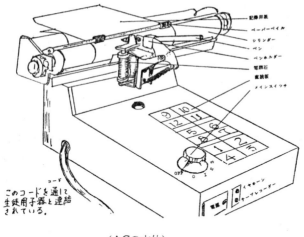

（ACの本体）

## 長年ご苦労さまでした

### 3月末に公立小中学校93人、政府立高校48人勧奨退職

　財源とのからみあいで難航していた勧奨退職者の数がようやく3月末に予算部局との調整がつき3月31日付（一部は4月1日付）で公立小中学校93人、政府立高校48人が勧奨退職した。なお71学年度では、去る8月に小中校23人、12月に高校7人の退職があったので勧奨退職者は総計171人となった。

　教育界における人事の刷新がいわれて久しいが、今年度はとくに新しい沖縄県へ出発する年ということもあって大幅な予算の獲得あるいは予算補正に努力したが、政府全体としてぼう大な清算事務をかかえ財源確保は難渋した。

　しかし政府立高校の場合、今回で60才以上は勧奨退職し、新設商業高校や南部商業高校の学年進行による生徒増もあって幾分か新卒の採用もあった。これにひきかえ小中校は例年よりも多い勧奨退職者がいたにもかかわらず、過員教員、学級減等のため新規採用はほとんどできなかった。

# 図書館モデル校の研究発表会より

## はじめに

### 1　学校図書館モデル校の趣旨

　教育革新が叫ばれてから久しい。具体的には教育課程の改訂となり、前学年度から小学校は実施に踏みきった。

　わが沖縄は、いま5月15日の祖国復帰を目前にして、政治、経済はもちろんのこと、あらゆる面で大きく揺れ動いている。とくに教育の面では、本土の各県との学力の格差是正が緊急な課題とされている。

　文教局においては、このような現状を踏まえ、さらに学校図書館法の趣旨に添いながら、沖縄の教育の基本的な問題に取り組んでもらうため全琉に25校の学校図書館モデル校を指定した。現在のモデル校は1969年3月に指定されたものであるが、専任の司書教諭を配置し、全職員の共通理解のもとにいまその成果がみのりつつある。先導的試行の役目も果たしているといえよう。

### 2　モデル校の実践内容

　学校図書館は、いろいろな資料を収集し、整理し、保存してこれを児童、生徒及び教員の利用に供することによって、学校の教育課程の展開に寄与するということと、児童・生徒の健全な教養を育成するという大きな使命をになっている。学校図書館モデル校はその基本線を踏まえて実践に努めているのである。すなわち、学校図書館モデル校では、必要ないろいろな資料を教育課程に位置づけ、変化に富んだ、生き生きとした授業を展開することによって授業の効率をあげようとしているのである。そのねらいを一口に言えば、授業改革であるし、教科書一辺倒の授業からの脱皮である。与えられた教科書だけに頼らず、その範囲だけに閉じこもらず、児童、生徒が自発的に諸資料を駆使して自学自習のできる生涯教育の基礎づくりをねらっているのである。そのことは、自主性、創造性の育成にもつながるものであり、情報化時代に対処できる能力の育成にもつながるものであろう。

　モデル校の実践内容の今一つの大きなのが読書指導である。それは読書による

生活指導と言ってもよいし、読書による人間形成と言ってもよい。読書により心の豊かな人間を、考え深い人間を、表現力のある人間を育てようとするものである。

そのようなことをすることが、学力の格差是正につながるものであろうし、教育の原点にたち返った真の意味の教育振興策にもなろうと信じ、大きな期待をかけている。ここでは全琉25校の研究内容を紹介する純数をもたないので、1971年12月3日に、すべてのモデル校のトップを切って公開発表をした豊見城中にスポットをあてることにした。(指導課・島元)

## 豊見城中における研究活動

豊見城中学校の発表会は1971年12月3日約100人の参加者を集めて行なわれた。

モデル校としての研究の経過や三年次の研究計画、実践報告等を同校の研究集録からみると次のとおりである。

研究の過経

第一年次 (1969年11月～1970年3月)
(1) 研究テーマ
「学習指導と結びついた図書館資料の利用」
(2) 研究の内容
① 資料の収集と整理
② 図書館の利用指導
③ 学級読書会
④ 図書館の広報活動

第二年次 (1970年4月～1971年3月)
(1) 研究テーマ
一年次と同じ
(2) 研究内容
①～④は一年次と同じ
⑤各教科における図書館資料の利用

第三年次 (1971年4月～1972年3月)
(1)研究テーマ
二年次と同じ
(2)研究の内容
二年次と同じ、特に⑤に重点をおく

## モデル校としての三年次の具体的な研究計画

学校図書館のモデル校として、また本年度の学校経営の重点目標の一つに取り上げてある「ひとりひとりを高める学習指導と図書館活動」をさらに具体化するため、本年度は以下のような計画で研究を推進してきた。

1. 研究テーマ
「学習指導と結びついた図書館資料の利用」

2. 研究テーマ設定の理由

本校は1967年と1968年の2年間にわたって文教局から「学習指導と結びついた図書館資料の利用」をテーマに研究校の指定を受けた。

この研究テーマは学校の教育活動の全般にかかわることだけに、その成果を得るためには2年の研究期間では不充分だったので継続研究をする意味から1969年にも学校図書館のモデル校としての指定を受けた、モデル校は自校は勿論のこと地域の学校図書館教育の発展に寄与する使命が与えられていると思う。

それで今回も研究校としての成果をさらに深めながら、次の①～④の学校図書館としての使命を果すために、全教科と関連する本テーマを決めて研究してきた。
① 教育課程の展開に寄与する。
② 教師の教材研究の場であり、日々の授業に資料を提供してくれるものである。
③ 生徒の自発学習を助ける場であり、発展学習のために資料を提供してくれるものである。
④ 豊かな人間形成のために必要な図書を提供してくれるものである。

公 開 授 業 （社 会 科）

3. 研究の内容と方法
　(1) 研究の内容
　　① 資料の収集と組織化
　　② 図書館の利用指導
　　③ 学級読書会
　　④ 各教科、道徳、学活における図書館資料の利用
　　⑤ 図書館の広報活動
　(2) 研究の方法
　　① 資料の収集と組織化について
　　　イ、あらゆる機会を通じて『全職員、生徒の協力を得て資料収集

につとめる。
ロ、収集された資料は教科ごと、内容ごとに整理し、本校の組織規定に従って組織化して行く。
ハ、整理された資料の目録を作成し、関連する教科の年間学習指導計画に位置づけをさせ、毎日の授業に計画的に利用させるようにする。
② 図書館の利用指導
イ、利用指導の内容のうち各教科で指導することのできる主題については関連する教科と融合した形で教科指導の中で指導し、その他の主題については4～5時間程度特設して学級担任が指導にあたる。特設時間は学活に入れる。
ロ、利用指導を実施する日は短縮授業にし、7校時を特設機関にあたえる。
ハ、指導は主として学級担任があたる。その場合の指導に必要な指導案と資料は係が準備する。
③ 学級読書会
イ、豊かな人間形成と教師と生徒の望ましい人間関係を図るために学期2回の学級読書会を国語科とタイアップして実施していく。
ロ、学級読書会の時間は終りの学活（15分）と30分延長した45分程度とする。
ハ、指導者は主として学活担任があたる。その場合、読書会のもち方と資料（テキスト）は係が準備する。
④ 図書館の広報活動
イ、毎月一回、豊中のライブラリーを発行し、図書館の行事や活動、状況、資料の紹介を行なう。
ロ、図書委員にポスターなどを書かせ協力を呼びかける。
ハ、館内に教材グラフや写真ニュースなどを掲示して親しみをもたせるようにする。
ニ、校内放送を通じて図書館の活動計画や内容を知らせるとともに協力を呼びかける。
⑤ 各教科、道徳、学活における図書館資料の利用
イ、教科ごとに研究テーマを設定する。図書館資料（機器の利用も）の利用に関連したテーマを決める。

ロ、研究の内容
○学校の重点目標が各教科の日々の授業に生かされていくように教科の実績にあった研究計画を立案し実施していく。
○学習の形態や課題の与え方、小集団学習などをとり入れて個々の生徒が学習に参加できるような指導法を改善していく。
○図書館資料を年間指導計画に位置づけて計画的に毎日の授業に利用して行くようにする。
ハ、研究の方法
○絶えず資料の収集と整理につとめる。
○年間指導計画に基づいて資料を利用していく。
○教育機器の特性を知り、その利用ができるようにする。
○一時間の学習過程の中で、できるだけ資料（機器）を利用して学習の効率を図る。
○また、資料を利用して自主的に問題解決ができるような学習課題の与え方について工夫する。その場合、利用させる図書資料は別に設けてある書架に準備して利用の便宜をはかる。
○学習形態については資料（機器）が利用できるように工夫する。
○週一回の教科研究会はテーマの研究を深めていくようにする。
○各教科、道徳、学活とも1・2学期に図書館と結びついた授業研究会を1回以上実施する。
○発展的な学習として、学習したことと関連する読み物資料（図書）を紹介して読ませるようにする。
○各教科の実態に即して、いつ、だれが、何をどのようにすると具体的な年間の研究推進計画を立案して実施する。
ニ、実践記録のまとめ
○各教科で実践して来たものを10月29日（金）までにまとめて係に出す。
○各教科のまとめをする係……略

4．研究の推進計画
　研究の推進計画については4月から3月まで各月毎に計画がたてられている。そのうち5月の計画を抜すいしてみると、
　　5　月

△上旬
春の読書月間の実施（1日～31日）
—行事
研究の組織づくりと研究のすすめ方（運営委員会）
各教科における研究の計画（教科主任会）
図書館利用指導の実施（図書館道徳と読書衛生）—特設（学活）
生徒読書部員の活動計画と組織づくり（指導部）
△中旬
豊中ライブラリーの発行（広報係）校内研修会（生徒指導、図書館活動）—（全職員）
読書会のすすめ方と教材の選択（読書指導係）図書館利用指導の実施（辞書、事典類の利用）—融合（国、社、理）
△下旬
学級読書会の実施—特設（学活）図書以外の資料の整理　図書以外の資料係視聴覚資料の整理（視聴覚資料係）図書館利用指導の実施（年鑑、統計類の利用）—融合（国、社、理）

5．研究のおもな経過

前項にならって、5月のところだけ抜すいする。

5月

1日～31日　春の読書月間の実施（行事）

7日　図書館利用指導の実施（全学級）

10日　教科主任会（研究のすすめ方とまとめ方について）

13日　職員全体研修（資料の案内と利用の仕方、学級読書会のもち方）

15日　豊中ライブラリー発行（広報係）

21日　学級読書会の実施（全学級）

27日　職員会（資料の組織化と年間指導計画への資料の位置づけについての説明）

研 究 発 表 会

## 実践のまとめ

1. 各教科における図書館資料の利用
理科を例にとって紹介する。
理　科
   (1) テーマ
   ひとりひとりを高めるための学習指導と図書館活動
   (2) 研究の内容
   イ、新しい年間計画の作成（適切な移行措置を考慮した）
   ロ、ひとりひとりの生徒の学習の成立
   ハ、図書館資料の活用
   (3) 研究の方法
   イ、新しい年間計画の作成
   ○新指導要領の趣旨の理解
   教科研究会を利用して新指導要領の読み合わせ及び話し合いをもち新指導要領の趣旨を理解する。
   ○新指導要領の趣旨を生かした新しい年間計画の作成
   ○科学の方法について話し合う。
   ロ、ひとりひとりの生徒の学習の成立
   ○生徒ひとりひとりが問題意識をもって自主的に学習に参加できるように工夫する。
   ○1時間の授業の中から次時の学習目標（課題）が見い出せるように授業の流れを工夫するとともに目標（課題）の発見のし方の指導をする。
   ○ノートの取り方を指導する。
   ○生徒の発言のとりあげ方や教師の発問のし方を工夫する。
   ○図書館資料を使っての課題をする。
   ○単元の学習に関連する図書を紹介する。
   ハ、科学的考え方の育成
   ○実験観察の意義を理解させてから実験観察を行なう。
   ○実験観察の記録のとり方を指導する。
   ○実験、測定結果の処理には充分時間をかけ考えさせるようにする。
   ○実験結果、測定結果の処理のし方を指導する。
   ○実験観察の工夫をする。
   ○実験観察だけでなく、スライドやフィルム、其の他の資料も年間計画におりこんでおく。
   ニ、図書館資料の活用
   ○図書館資料を年間計画に位置づける現有資料を整理し目録を作成す

る。
年間計画への位置づけ
現有資料の効果的な利用を考えていく。
○視聴覚資料を活用し、学習指導の充実をはかる。写真資料、図表などを学習にとり入れる。
スライド、フィルム、O.H.P.などを使って学習への意欲を高めるように気を配る。
郷土の資料の自作につとめる。
(4) 実践例とその反省
「地球とその歴史」についての授業がなされているが、ここでは指導案のうち、学習過程の部分を紹介する。

学習過程

| 学習内容 | 学習活動 | 形態 | 資料 |
|---|---|---|---|
| (1) 地球の年令、初期の状態について（10分） | ・図書より地球のできるまでを抜いて読む（教師）<br><br>・初期の状態は推定しにくいことを知る。 | 一斉 | 図書<br>○地球の歴史と生物の進化<br>　　　　　　　菅野三郎<br><br>○標準学習カラー<br>　百科　学研 |
| (2) 地球の歴史を知る手がかり（10分） | ・地球後期のようすは何を手がかりにしらべたらよいか。<br>地層 ｛重なり方 / 地層の中の岩石 / 地層の中の化石 | 小集団 | O.H.P<br>　地球のたん生 |
| (3) 地層の重なり方から地殻変動をしる方法（20分） | ・地層のでき方（復習）<br>①3つの地層から、それぞれどういう変化があったことになるか。水平地層　断層　しゅう曲<br>②整合と不整合について成因みつけ方 | 小集団 | O.H.P<br>　TP 地層のでき方<br>　TP 整合地層のいろいろ<br>　TP 不整合地層<br>　　〃　　　のでき方<br>　　不整合地層のいろいろ |
| （写真）<br>(4) 地層の模式図より地殻変動を推定する。（10分） | ・地層から地球の歴史をよみとる。 | 一斉 | ヒルマープロジェクタースライド<br>　地層　5種 |

（参考）　　　　　　学校図書館モデル校一覧表

| 北　部 | 兼次小・中学校、崎本部小・中学校、名護小学校、宜野座中学校<br>金武小学校 | 5 校 |
|---|---|---|
| 中　部 | 美東小学校、コザ小学校、中の町小学校、読谷小学校、嘉数中学校 | 5 校 |
| 那　覇 | 首里中学校、那覇中学校、松川小学校、前島小学校、久米島小学校 | 5 校 |
| 南　部 | 豊見城中学校、糸満中学校、座安小学校、大里南小学校 | 4 校 |
| 宮　古 | 下地中学校、平良第一小学校、伊良部小学校 | 3 校 |
| 八重山 | 石垣中学校、白保小学校、川平小・中学校 | 3 校 |

計　25 校

# 復帰初年度の教育予算

　復帰初年次の予算年度は復帰時期が5月15日であるため10.5月という変則的な期間で出発することになった。

　また、従来の予算は「項」中心にまとめられていたが、新年度からは課中心に編成されることになるので教育庁の組織機構や定員がある程度かたまらないと予算編成も実質的には不可能であり、さらに新しい様式による予算の編成ということになると不慣れなことが多く編成作業はかなり苦しい状況下で進められた。

　しかし、新生沖縄県のスタートにふさわしく、また今後の予算のあり方に重大な影響をもっていることに留意して、各課とも最大限の努力をはらって予算の編成作業にあたった。その詳細は別表のとおりであるが、概要についてみると、ドル建の要求額が68,766千ドル、円建要求3,370,728千円で円建を360円レートで換算した要求総額は78,130千ドルとなっている。

1971年度の文教関係予算は71,697千ドルであるがそのうち市町村や国政相当事務に要する経費を除いた額52,345千ドルと比較すると47.8%の増となって約1.5倍の積算となっている。なお財源別の構成比は、国庫支出金が34.6%、一般県費65.4%、となっている。

昭和47年度才入歳出予算概算要求部別総括表（ドル）

沖縄県教委

| 款　項　目 | 昭和47年度要求額 | 財源内訳 | | | 備考 | |
|---|---|---|---|---|---|---|
| | | 国庫支出金 | その他 | 一般県費 | | |
| 教育費 | 68,766,233 | 21,110,905 | 524,963 | 47,130,365 | | |
| （総務課） | 1,168,093 | | | 1,168,093 | | |
| 1　教育総務費 | 1,168,093 | | | 1,168,093 | | |
| (1)教育委員会費 | 58,254 | | | 58,254 | 教育委員会運営費 | 58,254 |
| (2)　事務局費 | 1,109,839 | | | 1,109,839 | 職員給与費 | 872,660 |
| | | | | | 教育庁運営費 | 56,737 |
| | | | | | 法制事務及地教委指導費 | 9,863 |
| | | | | | 広報費 | 13,964 |
| | | | | | 教育振興計画費 | 4,534 |
| | | | | | 調査統計費 | 5,875 |
| | | | | | 予算執行事務費 | 2,261 |
| | | | | | 教育事務所運営費 | 143,945 |
| （学校管理課） | 58,867,468 | 21,033,391 | 507,720 | 37,326,357 | | |
| 1　教育総務費 | 591,355 | | 2,022 | 589,333 | | |
| (2)　事務局費 | 20,230 | | | 20,230 | 学校管理課運営費 | 4,757 |
| | | | | | 国庫負担金等事務費 | 15,473 |
| (3)教職員人事費 | 109,089 | | 2,022 | 107,067 | 人事管理費 | 35,841 |
| | | | | | 給与事務費 | 20,305 |
| | | | | | 退職手当給付費 | 1,956 |
| | | | | | 免許事務費 | 7,195 |
| | | | | | 教職員管理講習費 | 9,002 |
| | | | | | 警備員設置補助費 | 34,784 |

| | | | | | |
|---|---|---|---|---|---|
| (7) 教育振興費 | 462,036 | | | 462,036 | へき地教育振興費 18,119<br>公立小中学校統合整備等 293<br>幼稚園教育振興費 428,018<br>防音装置運営費 15,606 |
| 2 小学校費 | 22,613,462 | 11,983,383 | | 10,630,079 | |
| (1) 教職員費 | 22,613,462 | 11,983,383 | | 10,630,079 | 教職員給与費 22,314,793<br>教職員旅費 298,669 |
| 3 中学校費 | 14,786,070 | 8,481,198 | | 6,304,872 | |
| (1) 教職員費 | 14,786,070 | 8,481,198 | | 6,304,872 | 教職員給与費 14,574,632<br>教職員旅費 211,438 |
| 4 高等学校費 | 18,880,294 | | 505,698 | 18,374,596 | |
| (1) 高等学校総務費 | 15,740,808 | | | 15,740,808 | 教職員給与費 15,470,620<br>教職員旅費 270,188 |
| (2) 全日制高校管理費 | 2,217,492 | | 407,603 | 1,809,889 | 一般管理運営費 1,838,304<br>実験実習費 308,321<br>農場実習費 70,867 |
| (3) 定時制高校管理費 | 117,144 | | 27,614 | 89,530 | 一般管理運営費 89,649<br>実験実習費 27,495 |
| (4) 教育振興費 | 374,764 | | | 374,764 | 産業教育振興費 311,000<br>視聴覚教育振興費 63,764 |
| (6) 通信教育費 | 8,901 | | | 8,901 | 一般管理費 8,901 |
| (7) 実習船運営費 | 421,185 | | 70,481 | 350,704 | 実習船運営費 421,185 |
| 5 特殊学校費 | 1,996,287 | 568,810 | | 1,427,477 | |
| (1) 盲ろう学校費 | 825,417 | 249,308 | | 576,109 | 教職員給与費 779,388<br>教職員旅費 10,332<br>一般管理運営費 34,615<br>実験実習費 1,082 |

## 復帰初年度の教育予算

| | | | | | | |
|---|---|---|---|---|---|---|
| (2) 養護学校費 | 1,170,870 | 319,502 | | 851,368 | 教職員給与費<br>教職員旅費<br>一般管理運営費<br>実験実習費 | 1,091,102<br>13,529<br>64,203<br>2,036 |
| (学校指導課) | 914,151 | | | 914,151 | | |
| 1 教育総務費 | 914,151 | | | 914,151 | | |
| (2) 事務局費 | 6,145 | | | 6,145 | 学校指導課運営費<br>復帰記念学校植樹等費 | 5,480<br>665 |
| (4) 教育指導費 | 202,548 | | | 202,548 | 学校指導管理費<br>教職員資質向上対策費<br>児童生徒健全育成費<br>教科用図書事務費<br>高校入学者選抜費<br>学力向上対策費<br>産業教育審議会費<br>教育指導補助 | 63,546<br>61,871<br>19,687<br>2,973<br>20,146<br>11,431<br>1,514<br>21,380 |
| (5) 教育研修センター費 | 443,036 | | | 443,036 | 教育研修センター管理運営費<br>教育研修センター事業費<br>教育研修センター整備費 | 65,413<br>132,515<br>245,108 |
| (7) 教育振興費 | 262,422 | | | 262,422 | 育英事業費 | 262,422 |
| (施設課) | 5,751,809 | 77,514 | | 5,674,295 | | |
| 1 教育総務費 | 112,609 | 50,000 | | 62,609 | | |
| (2) 事務局費 | 112,609 | 50,000 | | 62,609 | 文教施設整備指導費 | 112,609 |
| 4 高等学校費 | 4,779,644 | 27,514 | | 4,779,644 | | |
| (1) 高等学校総務費 | 2,848,581 | | | 2,848,581 | 教育財産管理費 | 2,848,581 |
| (5) 学校建設費 | 1,931,063 | 27,514 | | 1,903,549 | 学校建設費 | 1,931,063 |
| 5 特殊学校費 | 859,556 | | | 859,556 | | |

| | | | | | |
|---|---|---|---|---|---|
| (1) 盲ろう学校費 | 574,227 | | | 574,227 | 教育財産管理費 491,373<br>施設整備費 82,854 |
| (2) 養護学校費 | 285,329 | | | 285,329 | 教育財産管理費 164,669<br>施設整備費 120,660 |
| (福利課) | 97,596 | | | 97,596 | |
| 1 教育総務費 | 97,596 | | | 97,596 | |
| (3) 教職員及び学校管理費 | 97,596 | | | 97,596 | 教職員福利厚生費 80,513<br>共済住宅建設事業費 17,083 |
| (社会教育課) | 1,396,434 | | 6,407 | 1,390,027 | |
| 6 社会教育費 | 1,396,434 | | 6,407 | 1,390,027 | |
| (1) 社会教育総務費 | 482,123 | | | 482,123 | 職員給与費 281,678<br>社会教育運営費 12,481<br>社会教育振興費 73,602<br>成人教育振興費 72,516<br>青少年教育振興費 41,846 |
| (2) 視聴覚教育費 | 66,711 | | | 66,711 | 視聴覚教育行政費 23,714<br>視聴覚ライブラリー運営費 42,997 |
| (4) 図書館費 | 450,878 | | | 450,878 | 図書館管理運営費 20,195<br>図書館事業費 340,810<br>八重山分館建設費 89,873 |
| (5) 博物館費 | 53,058 | | 6,145 | 46,913 | 博物館管理運営費 30,089<br>博物館整備充実費 18,699<br>博物館奉仕事業費 4,270 |
| (6) 青年の家費 | 271,077 | | 262 | 270,815 | 青年の家管理運営費 271,077 |
| (7) 史料編集所費 | 72,587 | | | 72,587 | 史料編集所維持運営費 72,587 |
| (文化室) | 140,969 | | | 140,969 | |

| | | | | | |
|---|---|---|---|---|---|
| 6 社会教育費 | 140,969 | | | 140,969 | |
| (3) 文化財保護費 | 140,969 | | | 140,969 | 文化財管理運営費 76,571<br>有形文化財保存整備費 39,523<br>無形文化財保護費 8,963<br>文化振興費 15,912 |
| (保健体育課) | 429,713 | | 10,836 | 418,877 | |
| 7 保健体育費 | 429,713 | | 10,836 | 418,877 | |
| (1) 保健体育総務費 | 276,184 | | | 276,184 | 職員給与費 105,068<br>保健体育課運営費 5,974<br>保健教育指導費 5,991<br>保健管理指導費 9,086<br>学校安全対策強化費 5,166<br>学校給食運営指導費 87,242<br>学校体育指導費 57,657 |
| (2) 体育振興費 | 115,059 | | | 115,059 | 社会体育指導費 80,025<br>体育大会費 35,034 |
| (3) 体育施設費 | 38,470 | | 10,836 | 27,634 | 総合体育施設管理運営費 37,440<br>総合体育施設スポーツ教室費 1,030 |

別表2　昭和47年度歳入歳出予算概算要求部別総括表（円）

沖縄県教委

| 款　項　目 | 昭和47年度要求額 | 財源内訳 | | | 備　　考 |
|---|---|---|---|---|---|
| | | 国庫支出金 | その他 | 一般県費 | |
| 教　育　費 | 3,370,728 | 2,117,941 | | 1,252,787 | |
| (総　務　課) | 1,102 | 1,102 | | | |
| 1 教育総務費 | 1,102 | 1,102 | | | |
| (2) 事務局費 | 1,102 | 1,102 | | | 調査統計費　　1,102 |

| | | | | | | |
|---|---|---|---|---|---|---|
| (学校管理課) | 364,206 | 206,535 | | 157,671 | | |
| 4 高等学校費 | 310,724 | 177,774 | | 132,950 | | |
| (1) 高等学校総務費 | 42,807 | 13,979 | | 28,108 | 教職員給与費<br>教職員旅費 | 41,919<br>168 |
| (4) 教育振興費 | 267,402 | 163,237 | | 104,165 | 産業教育振興費<br>理科教育振興費<br>定時制教育振興費 | 229,824<br>29,222<br>8,356 |
| (6) 通信教育費 | 1,235 | 558 | | 677 | 一般管理費 | 1,235 |
| 5 特殊学校費 | 53,482 | 28,761 | | 24,721 | | |
| (1) 盲ろう学校費 | 23,966 | 13,533 | | 10,433 | 設備整備費<br>就学奨励費補助 | 6,822<br>17,144 |
| (2) 養護学校費 | 29,516 | 15,228 | | 14,288 | 設備整備費<br>就学奨励費補助 | 10,182<br>19,334 |
| (学校指導課) | 627,871 | 619,828 | | 8,043 | | |
| 1 教育総務費 | 627,871 | 619,828 | | 8,043 | | |
| (2) 事務局費 | 25,000 | 20,000 | | 5,000 | 復帰記念学校植樹等費 | 25,000 |
| (4) 教育指導費 | 6,086 | 3,043 | | 3,043 | 教職員資質向上対策費<br>教育指導補助費 | 1,814<br>4,272 |
| (7) 教育振興費 | 596,785 | 596,785 | | | 育英事業費 | 596,785 |
| (施設課) | 2,026,792 | 1,109,538 | | 917,254 | | |
| 4 高等学校費 | 1,923,981 | 1,032,988 | | 890,993 | | |
| (5) 学校建設費 | 1,923,981 | 1,032,988 | | 890,993 | 学校建設費 | 1,923,981 |

| | | | | | | |
|---|---|---|---|---|---|---|
| 5 特殊学校費 | 102,811 | 76,550 | | 26,261 | | |
| (1) 盲ろう学校費 | 64,448 | 46,180 | | 18,268 | 施設整備費 | 64,448 |
| (2) 養護学校費 | 38,363 | 30,370 | | 7,993 | 施設整備費 | 38,363 |
| (社会教育課) | 152,720 | 40,291 | | 112,429 | | |
| 6 社会教育費 | 152,720 | 40,291 | | 112,429 | | |
| (1) 社会教育総務費 | 14,140 | 5,670 | | 8,470 | 社会教育振興費<br>成人教育振興費<br>青少年教育振興費 | 5,268<br>3,888<br>4,984 |
| (5) 博物館費 | 107,649 | 25,621 | | 82,028 | 博物館施設費 | 107,649 |
| (6) 青年の家費 | 30,931 | 9,000 | | 21,931 | 青年の家管理費 | 30,931 |
| (文化室) | 133,021 | 108,568 | | 24,453 | | |
| 6 社会教育費 | 133,021 | 108,568 | | 24,453 | | |
| (3) 文化財保護費 | 133,021 | 108,568 | | 24,453 | 有形文化財保存整備費<br>文化振興費<br>記念物等保存整備費 | 111,720<br>1,991<br>19,310 |
| (保健体育課) | 65,016 | 32,079 | | 32,937 | | |
| 7 保健体育費 | 65,016 | 32,079 | | 32,937 | | |
| (1) 保健体育総務費 | 63,266 | 31,204 | | 32,062 | 保健管理指導費<br>学校給食運営指導費 | 1,764<br>61,502 |
| (2) 体育振興費 | 1,750 | 875 | | 875 | 社会体育振興費 | 1,750 |

研究団体紹介

## 沖縄中学校生徒指導研究会

1. 会　　長　　大城真太郎（上山中学校長）
2. 会　　員　　150名
3. 予　　算　　1179ドル（会費1人当1ドル）
   　　　　　　収入としては、他に広告料、補助金がある。
4. 会の発足　　1970年9月21日
   ○当時教育研修センターにおいて長期研修中であった生徒指導担当教諭の中から全琉的な組織としての会の必要が話しあわれ、その人々を中心に発足した。
   ○さしあたって核になる人々をもって小じんまりして出発し、次第に広げていくことで出発した。
5. 会の歩み
   ○発足と同時に会の機関誌発行を中心的な事業とし、機関誌名「生徒の指導」B5判98ページ建てとし、内容も会員の実践記録、研修ノート、座談会記事、研究記録、図書の紹介などバラエティーに富んだものとなった。なお年1回刊行の予定。
   ○研究大会（会員の研修と研究発表を兼ねた）を年に1回計画し実施してきた。その折は講演会も日程の中にくみいれ、充実した大会にしている。
6. 本年度の主な事業
   ○機関誌「生徒の指導」第2号の刊行
   ○研究大会（すでに10月中に開催した。）
   ※機関誌の発行については発行計画をたて、着々と進行中である。
   　　　　　　　　　　　　　　　　　文責（石田中学校　仲間　一）

## 沖縄高等学校英語教育研究会

1. 会長―波平憲祐
2. 会員数―300名
3. 1971年度予算―＄630.61　会費1人当り年額＄1.00そ他補助金、寄付金
4. 会の発足―1969年6月21日
5. これまでの歩み―従来までの沖縄県英語教育研究団体連合会を発展的に解消し、沖縄県高等学校英語教育研究会と沖縄県中学校英語教育研究会とに分れて活動を始め今年度で三年目をむかえる。
6. 1971年度の主な行事
   (1)、実用英語検定試験の実施（年3回）
   (2)、英語弁論大会
   (3)、南九州英語弁論大会への代表派遣
   (4)、講演会
   (5)、会誌の発行

# 文教時報最終号の編集を終って

調査計画課長　松田　州弘

○1972年5月15日の祖国復帰とともに新しい沖縄県の教育庁が発足し、文教局の発行する広報誌は127号の本号をもって終止符を打つことになりました。

　文教時報は1952年6月30日に産声をあげましたが

　編集担当課は最初研究調査課（77号まで）、次いで組織機構の改革により調査広報室、（78～81号）、調査広報課（82～94号）、調査計画課（95～127号）と変ってきました。

○掲載内容も研究報告、実践報告等の教壇実践とかかわりの深いものから次第に教育行財政関係、教育施策の普及徹底というような記事もふえ、複雑多様な戦後沖縄の教育事情を反映してきています。

○最終号をお送りするにあたり、これまで本誌を可愛がられ、あるいは積極的にご寄稿、ご指導下さった読者・諸先生方に厚く御礼申し上げます。

○また、本誌と苦楽を共にしてきた編集係一平良仁永、安谷屋玄信、桑江良善、与那嶺進、徳山清長、名城嗣明、登川正雄、花城玄一、豊島貞夫の各先生方に敬意を表するとともに、沖縄県教育庁の発足によって新しく出発する広報誌が復帰後の沖縄の教育振興に大いに活躍することを祈念して稿をとじる次第であります。

1号・50号・100号・126号の表紙

# 貝製竜形垂飾

　この貝製品は沖縄の新石器時代で前期から後期上半の土器が出土すると見られる具志川市字上江洲の地荒原貝塚から出土したものである。

　オトメイモ貝の体層部を切り取って加工したもので、眼の部分に精巧な穴が穿かれている。全長は10.5cm、高さ（最大）は4cmと計測され、形状は竜をおもわせるもので垂飾として使用されたものと考えられている。地荒原貝塚からは標品の他にあと1個出土している。

　この竜形垂飾品に類似したものは知念村字志喜屋熱田原貝塚や糸満市字兼城、兼城貝塚からも出土している。兼城貝塚出土品は骨製で体部の中央に翼状の造形が見られる特異なものである。薩南の種子島広田遺跡からは下層の葬骨に伴ってこの種のものが多量に検出されたが、沖縄の遺跡からは1、2個散発的に出土し、しかも埋葬との関連は今のところ確認されてない。

　この種の垂飾はなんらかの呪術的意味をもっていたと考えられ、この文化の淵源は中国の漢代の文化に結びつくものと考えられている。

博物館　主事　新田重清

---

1972年4月18日　印　刷
1972年4月20日　発　行

文　教　時　報　　（127号）

　　発行所　琉球政府文教局総務部　調査計画課
　　印刷所　サ　ン　印　刷　所

博物館　名品紹介

## 貝製竜形垂飾

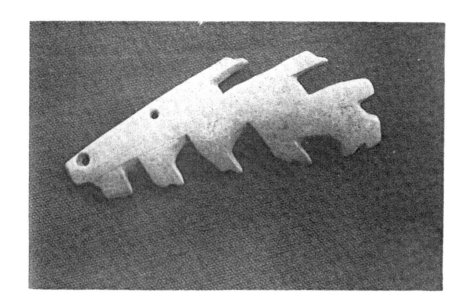

## 主要指標でみる沖縄教育の推移

基準年1957年を100とした場合の1971年の学校・種別指数

| 区分 | 1971年度（指数） ||||
|---|---|---|---|---|
| | 小学校 | 中学校 | 高校 | 特殊学校 |
| 学校数 | 110.4 | 92.1 | 165.4 | 300.0 |
| 児童生徒数 | 103.1 | 151.7 | 234.8 | 808.5 |
| 学級数 | 123.8 | 163.7 | — | — |
| 教員数 | 151.6 | 201.5 | 333.1 | 2,066.7 |
| 一学級当り児童生徒数 | 83.4 | 92.7 | — | — |
| 教員1人当り児童生徒数 | 68.0 | 75.3 | 70.7 | 38.8 |
| 児童生徒1人当り校舎面積 | 170.5 | 131.8 | 190.9 | — |
| 文教予算 | 1,311.6 ||||
| 児童生徒1人当り公教育費 | 1,014.0 | 955.6 | 571.4 | 1,715.3 |
| 教員給料 | 520.1 | 419.1 | 353.2 | — |

資料；学校基本調査、教育財政調査、他

| | |
|---|---|
| 復刻版 **文教時報**（ぶんきょうじほう）（第17巻・第18巻・付録）第6回配本 | |

編・解説者　藤澤健一・近藤健一郎
発行者　　　小林淳子
発行所　　　不二出版
　　　　　　東京都文京区水道2-10-10
　　　　　　TEL 03(5981)6704
印刷所　　　栄光
製本所　　　青木製本

2019年12月25日　第1刷発行
揃定価（本体54,000円＋税）

乱丁・落丁はお取り替えいたします。

第18巻　ISBN978-4-8350-8088-8
第6回配本（全3冊 分売不可 セットISBN978-4-8350-8086-4）